Information Technology Passport Examination

令和 **07** 年 ………………………【上期】

IT パスポート

シラバス6.3対応

パーフェクトラーニング

過去問題集

五十嵐 聡 著

技術評論社

CONTENTS

公開問題＋模擬問題と詳細解説

◆ダウンロード特典◆
本書をご購入いただいた読者の方の特典として，紙面に収められなかった23回分の過去問題PDFファイル
と，スマートフォンなどで読める電子書籍「要点整理book」がダウンロードできます。ダウンロード方法は，
p.382をご覧ください。

◆シラバスについて◆
シラバスとは，試験範囲の細目をまとめたものです。2024年10月の試験からはシラバス6.3の内容に基づ
き出題されます。

巻頭記事 ITパスポート 徹底解剖❶

みんなが知りたい ITパスポート

最近人気急上昇中のITパスポート。
いったいどんな試験なのか，合格時のメリットなどを
ざっくりまとめました。

ITパスポートってどんな試験ですか？

「今どきのすべての社会人」に必要な，ITに関する基礎的な知識が試される「**国家資格**」です。2009年の開始以来，すでに190万人以上の方が受験しています。

現在では，企業や公的機関など，あらゆる組織がITの技術なしでは業務が立ち行かないようになっています。オフィス内のコンピュータは，無線でネットワーク化され社内で相互につながるのみならず，インターネットなどを経由して社外のコンピュータとも接続されてデータ通信を行っています。外部から不正アクセスをされたりしないようにするセキュリティも重要になります。

ビジネスの効率アップをするためには，システム開発が重要です。既存の業務の効率アップだけではなく，新しい画期的なシステムそのものがビジネスになる事例も増えています。

そして，どんな仕事にもお金がつきものです。各種の法令も順守しつつ，効果的な戦略をたてて進めていきます。各種のデータの分析もとても重要になってきます。

ということで，**今を生きる社会人に必要な知識がつまっている試験**なのです。

どんなメリットがありますか？

学校関係では，この試験に合格すると，大学や専門学校の**入試の際に優遇**されたり，**大学の単位**としてカウントされたりすることがあります。

就職関係では，「この資格を持っていれば，即就職がうまくいく」というわけではありません。しかし，就職活動の際にエントリーシートに書けば，「**ITに関する基本的な素養がある**」「**自分で目標を決めて，達成にむけて努力する自己管理能力がある**」とアピールできます。もちろん入社後であれば，社会人として必要な基礎的な知識を一通り身に付けることができますし，報奨金が出る場合もあります。

とても有用で知名度も高まっており，ここ数年，受験者が急増しています。最近は1年間に30万人近くが受験しています。

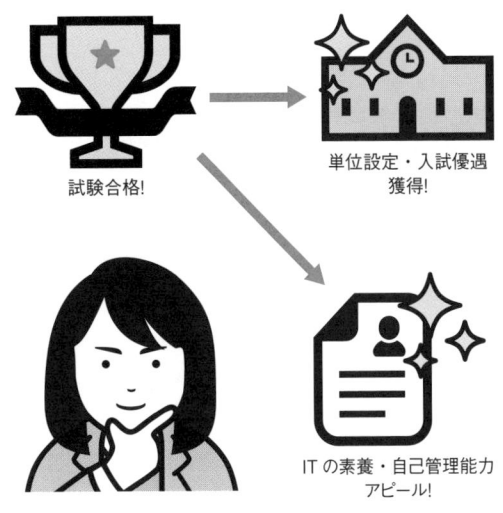

試験合格！

単位設定・入試優遇
獲得！

ITの素養・自己管理能力
アピール！

どんな内容が出るのでしょうか？

大きく分けて3つの分野があります。

●ストラテジ系（35問程度）

企業活動・法務・経営戦略・マーケティング・システム企画など，社会人の方なら常識として知っていることも多い分野です。学生の方にとっては少し歯ごたえがあるところです。

●マネジメント系（20問程度）

システム開発技術・プロジェクトマネジメントなど，システム開発の際に知っておきたい知識です。IT系の社会人の方にとっては得点源になりますが，それ以外の方にとっては初めて聞く言葉も多いことでしょう。ただ，覚えればよい知識が中心なので，点数を稼ぎやすいところでもあります。

●テクノロジ系（45問程度）

コンピュータ・ソフトウェア・ネットワーク・データベース・情報セキュリティなど，IT関連の分野です。普段からパソコンを使っている方にとっては，比較的聞きなれた内容が多い分野です。その分，応用的な問題が出ることもあります。

ストラテジ　　　テクノロジ

マネジメント

どれくらい難しいのでしょうか？

IT関連業務の経験や知識の有無によって，「ノー勉で楽勝で受かりました！」という方もいれば「もう何回も落ちてる…」という方もいるようです。**全受験者の合格率は，50%程度です。**日商簿記検定試験3級の合格率が40~50%ですので，おおむね同程度の難易度といえます。

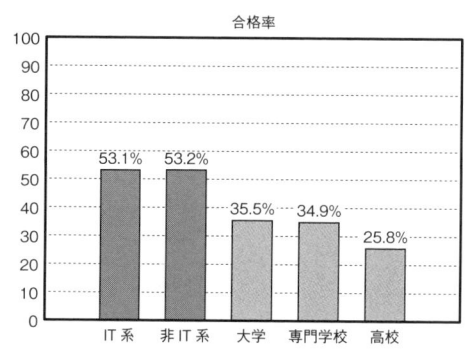

※令和6年7月度 試験センタ公表データ

どんな形式ですか？

CBT（Computer Based Testing）という方式で，所定の試験会場に出向き，コンピュータ上で出題される問題を解く形です。

4択の小問が，2時間で100問出題されます。筆記などはなく，4つの選択肢の中に必ず1つ正解がある形になっています。

次のような出題画面になっています。難しい操作は必要ありません。

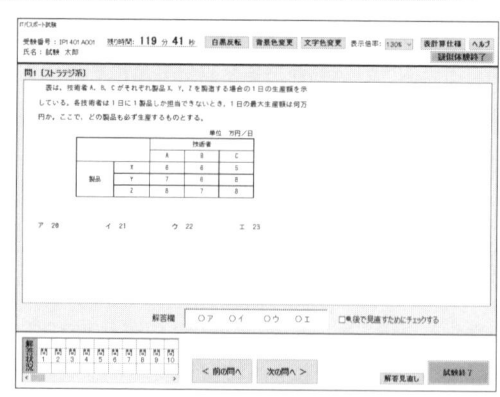

合格水準はどれくらいですか？

受験者ごとに別の問題を出しても同じ基準で採点できる，IRT（Item Response Theory：項目応答理論）に基づいて採点されます。問題ごとの配点ではなく「評価点」が計算され，**総合評価で1000点満点のうち600点以上の評価点が取れれば合格**です。ただし，ストラテジ・テクノロジ・マネジメントの3つの分野もそれぞれ1000点満点で計算され，**すべてが300点以上の評価点でないと合格できません。**

次の例では，Aさん・Bさんは不合格で，Cさんは合格です。

受験者		Aさん	Bさん	Cさん
総合評価点		610	590	640
分野別評価点	ストラテジ	810	500	610
	マネジメント	290	600	750
	テクノロジ	730	400	530
合否		不合格	不合格	合格

どうやって受ければいいのですか？

試験センターのWebサイトから申し込みます。受験料は7500円です。全都道府県に試験会場があり，どこからでも受けやすくなっています。

試験開催日は，試験会場により異なります。「ITパスポート 申込み」で検索して試験センターのWebサイトにたどりついたら，［受験申込み］→［試験開催状況一覧］をクリックすると，都道府県別の試験会場と開催日を確認できます。

最近は土日や月末の試験日は早く満席になってしまう傾向があります。ここを読んだら，まずは試験開催状況を確認してみて下さい。最初に申し込んだときから1年後まで，試験日や受験会場の変更ができます。

受験料の支払いは，クレジットカード，コンビニ払い，バウチャー（前売りチケット）の3種類です。

シラバスってなんですか？

試験センターにより発表されている，**試験範囲を詳細に解説したもの**です。最近は，1〜2年ごとに改訂されており，2024年10月の試験からはシラバス6.3に基づいて出題されます。シラバス6.3では，プログラミング的な思考力を問う問題や，生成AIに関する問題も範囲に含まれています。

申込み後の流れは？

受験料支払い後にダウンロード可能になる受験確認票をあらかじめ印刷しておきます。印刷できない場合は，受験番号，利用者ID，確認コードの3つをメモしておいて下さい。

試験当日は，試験30分前から受付開始です。**確認票**（またはメモ）と，運転免許証等の**顔写真付き本人確認書類**を会場の受付に提示します。

試験会場のパソコンに，受験番号・利用者ID・確認コードを入力してログインし，試験を開始します。

試験終了後，評価点が表示されます。また，試験後2〜3時間ほどで，**試験結果レポート**がダウンロードできるようになります。

国家試験なので，最終的な合否は経済産業大臣が判定します。受験月の翌月中旬に，試験センターのWebサイトの［公開情報］→［合格発表］で合格者の受験番号が発表されます。また，試験の**合格証書**が簡易書留で送付されます。

巻頭記事 ITパスポート 徹底解剖❷

本書だけで合格する！
超効果的な学習方法

本書だけでも合格することは可能です。その際には，時間がある場合や確実に内容を理解したい方は＜方法1＞を，時間があまり取れなくて問題演習中心に進めたい方は＜方法2＞をお勧めします。

学習の進め方

●方法1

はじめに用語や概念を学習し，内容を一通り確認してから問題演習をしたいタイプの方は，まず，P.10からの「めっちゃ！よくでる単語集 厳選30」や，「新シラバスの注目用語」を確認してから，その後，問題演習を分野別（ストラテジ／マネジメント／テクノロジ）で行うようにしましょう。

●方法2

試験まで時間的余裕がなく，問題演習から行いたいタイプの方は，分野別（ストラテジ／マネジメント／テクノロジ）に1回ごとに問題を解きながら，要点整理の確認をしてください。各分野の最低得点のラインがあるので，注意しましょう。

なお，間違った問題やわからない問題のみのリストを作成しておくと試験直前の対策になります。本書の問題にはチェック欄を設けてありますので，解けた問題にはチェックマークを，自信のない問題や解けなかった問題には赤色などで×印をつけておきましょう。

勉強時間の確保

通勤・通学の合間に車内で本書の解説を読むだけでも得点アップにつながります。1日数問でもいいので，過去問題や模擬問題を解くようにしましょう。日々継続すれば何十問にもなります。また，本書を試験回ごとにバラバラにして持ち歩けば，かばんがかさ張ったりはしないはずです。読者特典の電子版要点整理bookは，PCだけでなくスマートフォンやタブレット端末でも読むことができます。

3文字略語対策

過去問題の反復で略語の概要を頭に刻み込みましょう。また，各分野において頻繁に使われる略語のアルファベットがあるので，それを覚えましょう。

【例】

ストラテジ系：「C」といえばたいてい「Customer」（顧客），「M」といえばたいてい「Management」…
CRM = Customer Relationship Management
テクノロジ系：末尾の「P」といえばたいてい「Protocol」…SMTP = Simple Mail Transfer Protocol
　ちなみに，それぞれの用語の正しいスペルを完璧に覚える必要はまったくありません。頭文字さえ覚えれば，あとはあいまいでも問題はありません。例えばSMTPならば「SMTP」の文字を見ながらカタカナで「シンプル・メール・トランスファー・プロトコル」と繰り返しつぶやいて語感で覚えましょう。

　P.20からの「英字略語暗記シート」と赤シートを活用して繰り返し練習しましょう。また，読者特典の電子版の要点整理bookの最後にある「試験に出る英字略語」には，紙面に収まらなかった単語も掲載してあるので参考にしてください。

シラバス Ver.6.X 対策

電子版「要点整理book」の「新傾向」マークがついている用語は，必ず確認しておきましょう。2022年4月からアルゴリズム問題が出題されていますが，模擬試験①②でも例題を解説しています。

計算問題対策

令和6年度公開問題では，8問（アルゴリズム2問含む）と1割未満しか計算の関連問題はありません。実際に計算問題がすべて解けなくとも，残りの92問の大部分に正解すれば合格できます。計算問題がどうしても苦手なら無理に解こうとするより，他の問題で確実に正解できるようにしましょう。ただし，計算問題と言ってもストラテジ系では会計関連（営業利益や経常利益など），マネジメント系では，PERTなどのスケジュールや開発工数の計算といった定番の内容です。そのため，過去問題の演習をしていると，何度も見かける内容なので繰返しの演習をお勧めします。また，テクノロジ系の問題はアルゴリズムが追加となったために，一見多く見えますが，純粋の計算問題は2問ほどです。落ち着いて，問題文にある数値を確認しながら計算をしていきましょう。実際の試験はCBT形式であり，問題用紙に書き込むことができないため，貸与されるメモ用紙とシャープペンを使って手計算することになるので，数値の写し間違いに注意してください。

試験のウソホント

情報処理試験には，それらしい噂やデマが多くあります。そこで，ここでは情報処理試験指導歴30年，専門学校／大学／企業で延べ25,000人を指導，合格させてきたベテラン講師がその真偽のほどに迫ります！

●受験者ごとに問題が違う？

これは本当です。出題された問題が違っても，同じ実力を持つ受験者なら同じような評価点になるように，問題ごとの配点を変えてあります。ただし，出題される問題がまったくばらばらというわけでもなく，ある一定の問題データベースの中から出題されるので，重複している問題もあるようです。

●一度公開された問題はもう出ない？

本問題集に収録された過去問題は，実際の試験で出題されたものの中から，試験センターが受験者の学習の利便性を図るために公開しているものです。

試験はその名の通り，受験生を試すための目的があります。新しいテーマの問題ばかりの出題はあり得ません。過去問題と同じ，または類似したテーマの問題が必ず多数出題されます。そのため，多くの過去問題を解いて用語などの理解を深める必要があります。

●採点されない問題がある！

100問のうち総合評価に用いられるのは92問で，残りの8問は「今後出題する問題を評価するため」に使われます（ITパスポート公式サイトより）。この8問はダミー問題であり，解けなくても合否には影響しません。まったく見たことのない新しい問題はダミー問題かもしれないのであわてないことが重要です。また，新しい問題の数は多くても数問程度なので，誤答しても全体には影響しません。大部分を占める既存のテーマの問題をちゃんと解けるようにすることが重要です。

●1問の配点が問題によって異なる？　ホントです！

ITパスポート試験の採点には，IRT（Item Response Theory：項目応答理論）を使用しています。以前は，正答数で受験者の得点をそのまま判断していたのですが，現在は受験者の本来持っている能力や特性で判断できるような採点方式です。

IRTでは，問題ごとの難易度のモデルからア～エの選択肢に対して，どの選択肢に回答して正答，誤答の答えを出したかを見て，受験者の本来の能力を分析しています。

選択肢での解答方式の場合，偶然の正解が出てしまう（難易度の低い問題は不正解でも難易度の高い問題は正解など）のでそれが実力なのか，偶然なのかを判別することができます。

そのため，1問の得点が問題によって，受験者によって異なります。

巻頭記事 ITパスポート 徹底解剖❸

2分で判定！
実力診断○×クイズ

本格的に学習を始める前に，簡単な○×クイズを用意しました。
これからの進め方について，確認しておきましょう。

ITパスポート試験では，ストラテジ・マネジメント・テクノロジと，3つの分野に渡って出題されます。いまの実力がどれくらいなのか，また弱点はどのあたりなのか，○×クイズで軽く試してみましょう。

○×クイズ

問1　日本の著作権法によれば，「著作権の保護期間は著者の死後50年」なので，その期間を経過すれば自由に利用できる。

問2　近年のサッカーのワールドカップ大会では，AI（人工知能）の技術を用いてゴール判定を行っている。

問3　Amazonなどのインターネット販売では，売れ筋商品を大量に扱うよりも多品種少量販売を行うことで利益を得るような考え方をしている。

問4　システム開発の過程で行う作業にテストがある。テストの中には，"サンドイッチテスト"という名称のものがある。

問5　環境問題が顕在化した現在，"グリーンIT"という用語がある。このグリーンITとは「情報技術を用いての脱炭素化」と「情報処理機器（パソコンなど）のエネルギー軽減」の二つの側面がある。

問6　システム監査人はシステム監査法を，会計監査は会計監査法を，それぞれ遵守しなければならない。

問7　パソコンのメモリ（主記憶装置）の容量は，8，16，32など，必ず2の倍数になっている。

問8　無線LANは，電子レンジの発する電波で干渉を受けることはない。

問9　近年ではセキュリティ強固なセキュリティ機器として3Dセキュアという3次元の機器がある。

問10　ランサムウェアは，作成しただけでは法律に触れず，使用した時点で法律に触れる。

解答

解答欄と正解を照合して，正誤と正解数を書き込みましょう。

	問1	問2	問3	問4	問5	問6	問7	問8	問9	問10	総合得点
正解	×	○	○	○	○	×	○	×	×	×	＿＿問/ 10問
正誤											
結果	ストラテジ系 ＿＿問/3問			マネジメント系 ＿＿問/3問			テクノロジ系 ＿＿問/4問				

解説

問1　法改正で70年となりました。

問2　AIによるデジタルツインの技術を使用しています。

問3　在庫管理でロングテールという考え方をしています。

問4　サンドイッチテストは上位と下位から同時にテストを実施するものです。

問5　グリーンITとは「情報システムの環境負荷低減」と「情報システムによる環境負荷低減」の二つの側面があります。

問6　システム監査人は，システム管理基準などを遵守する必要があります。

問7　パソコンのメモリは2進数でデータを格納するために2の倍数になっています。

問8　無線LANの電波と電子レンジの電波が干渉する場合があります。

問9　3Dセキュアは，発行元カード会社/カード加盟店/国際カードブランドの3者による認証方式です。

問10　コンピュータウイルスは作成しただけで法律に抵触します。

実力判定

3点以下	学習すればするほど知識が分厚くなっていき，実力を伸ばしやすい段階です。まずはしっかり学習の習慣をつけることから始めましょう。週4日学習すれば，習慣化しやすいと言われています。
4-7点	自信をもって試験に臨むために，さらなる知識の積み上げが必要な段階です。基礎力はあるので，学習を進めれば点在していた知識が整理され，得点力アップを実感できるでしょう。
8-10点	実力十分ですが，油断せず継続して学習を続けて，合格を勝ち取りましょう。弱点の補強や計算問題対策も進め，IT系のニュースによく出てくる新しい用語もチェックしておきましょう。

なお，問1~問3はストラテジ系の，問4~問6はマネジメント系の，問7~問10はテクノロジ系の問題です。正解率が低い分野を強化することで，合格につながります。

巻頭記事 ITパスポート 徹底解剖❹

めっちゃ！よく出る 単語集 厳選30

直近の試験を徹底分析し，何度も出題されている超ヘビロテ用語と，最近の試験で急上昇した用語を出る順でコンパクトにまとめました。得点力10%アップ間違いなし！

☐1位 [AI]

Artificial Intelligence：**人工知能**。人間の知能を構成する機能（**学習**，**推論**など）をコンピュータ上で実現させる考え方，及びそのために利用するシステムなどを指します。

☐2位 [RPA]　　UP↗

Robotic Process Automation：**ロボティックプロセスオートメーション**。データ転記や議事録作成など，**業務の定型作業**をPC内のソフトウェアが代行して行うことです。生産性が向上し，人手不足の解消やコスト削減が期待できます。

☐3位 [SLA]

Service Level Agreement：**サービスレベル契約**。情報システム部門などのサービス提供側と，利用部門などのサービス受取側とで取り交わされる**サービス内容に関する契約事項**です。

　課金項目，問合せ受付時間，障害時の復旧時間などの他，通信サービスの場合は，回線の最低通信速度，平均遅延時間，利用不能時間の上限などが定められています。

☐4位 [バイオメトリクス認証]

生体認証。指紋，虹彩，網膜，顔の形状などの，人間の**身体的特徴**から個人の識別を行う認証システムです。試験では，正規の利用者本人を他人と誤認識して拒否してしまう確率（本人拒否率：FRR）と，他人を正規の利用者と誤認識して受け入れてしまう確率（他人受入率：FAR）も問われます。

☐5位 [OSS]

Open Source Software：**オープンソースソフトウェア**。著作権を維持しながらコンパイル（翻訳）を行う前のプログラムコード（ソースコード）を公開して，その**改良を認め，改良後のプログラムの再配布などを自由に行う**ことのできるようにしたソフトウェアのことです。**OSS**のソースコードなどは，無償で提供することも，有償で頒布することも認められていますが，配布先を制限したり，特定の用途での使用を禁止したりすることは認められていません。

☐6位 [IoT]

Internet of Things：**モノのインターネット**。電化製品や計測機器などをインターネットに接続して，事業者のサーバなどの間で通信できるようにし，情報交換や自動制御などを行うことです。

☐7位 [公開鍵暗号方式]

　送信内容を秘匿したい場合，暗号化に公開鍵を，復号には公開鍵と対になる秘密鍵を利用する方法です。暗号化は公開鍵を利用するため誰でも行うことができますが，**復号は秘密鍵をもつ本人しかできません**。代表的なものに，RSAがあります。

☐8位 [DNS]　　UP↗

Domain Name System。**ドメイン名とIPアドレスを対応させ，相互の変換を行うシステム**のことをいいます。インターネットに接続されたコンピュータや周辺機器はIPアドレスで識別されていますが，IPアドレスは数値だけで表記され，扱いにくいため，実際にはドメイン名というニックネームが利用されています。

□ 9位 [ITIL] UP↗

Information Technology Infrastructure Library：**アイティル**。1989年に英国政府の中央コンピュータ電気通信局によって作成・公表された，**ITサービスマネジメントにおけるベストプラクティス**（有益な経験則やルール）をまとめたものです。ITサービスマネジメントとは，コンピュータを使用したサービスの実行状況を適切に管理し，障害から早急に復帰できるようにして，常に高品質なサービスを提供できるようにすることです。

□ 10位 [PMBOK]

Project Management Body Of Knowledge：プロジェクトマネジメント体系化ガイド。**プロジェクトマネジメントの知識を体系化したもの**であり，知識やプロセスを10に分類しています。スコープ（プロジェクトの範囲），スケジュール，コスト，品質，資源，コミュニケーション，リスク，調達，ステークホルダーの各分野のマネジメントと，それらを統括する統合マネジメントで構成されます。

□ 11位 [SCM]

Supply Chain Management：**サプライチェーンマネジメント**。**調達，生産，物流，販売までの一連のプロセス**を改善し，納期の短縮やコストの削減など，企業活動全体の効率を向上させることです。

□ 12位 [アローダイアグラム]

PERT（Program Evaluation and Review Technique）で使用される，プロジェクトの日程管理や工程管理を行うため，**作業工程の順番と所要時間を網の目状に表示した図**です。図中で余裕のない工程を結んだ経路をクリティカルパスといいます。

□ 13位 [サービスデスク]

サービスデスクでは，システムの利用者に単一窓口を提供し，インシデントの発生時には当該窓口に連絡するようにさせることで，インシデントが事業へ与える影響を最小限にし，利用者が通常サービスへ復帰できるように支援します。

□ 14位 [ディープラーニング]

機械学習の手法の一つで，人間の神経回路を模倣したニューラルネットワークを用いて，複数の信号を使って多角的に学習することをいいます。機械学習では，データ分析の際の着目点を人間が指定しますが，ディープラーニングでは着目点をコンピュータ自らが見つけ出します。

□ 15位 [ニューラルネットワーク]

人間の脳内では多数の神経細胞（ニューロン）がネットワーク状に接続されています。**ニューラルネットワーク**とは，**コンピュータを使って人間の脳の神経回路を模したモデル**のことです。入力された情報を，つながりを持ったいくつかの層を用いて重みづけしながら処理して出力するもので，AIを使ったディープラーニングに用いられます。

□ 16位 [ISMS]

Information Security Management System：情報セキュリティマネジメントシステム。情報セキュリティを確保するための**組織体制や取組み**のことです。ISMSの導入，運用及び改善のために，PDCAサイクルが用いられます。JISQ27000シリーズが問われます。

□ 17位 [MVNO]

Mobile Virtual Network Operator：仮想移動体通信事業者。移動体通信サービスを提供するための設備を自社では保有せず，MNO（Mobile Network Operator：移動体通信事業者）が保有している設備や通信帯域を借りることで，当該サービスを利用者に提供する事業者のことです。

□ 18位 [WBS]

Work Breakdown Structure：作業分解構造。システム開発において**必要なスコープ（作業範囲）内の作業を，大きいものから小さいものへと細分化**し，切り分けたものです。**WBS**に書かれている作業からスケジュール管理やコスト管理が可能となり，それぞれの作業の責任と権限も明確になります。また，**WBS**だけでは作業名以外の詳細な情報が不足するために，成果物などを記した補助文書（WBS辞書）を用いることがあります。

□ 19位 [WPA2]

無線LANの暗号規格やプロトコルなどの総称をWPA（Wi-Fi Protected Access）といい，現在ではそれ

を更に改良した**WPA2**が使用されています。**WPA2**では,共通鍵暗号方式のアルゴリズムである**AES**(Advanced Encryption Standard)を使用しています。

□20位[アジャイル開発]

システム開発においてコーディングやテストを重視し,**常にフィードバックを行って各工程の修正や再設計を行う開発手法**のことです。**アジャイル開発**の方法として,**XP**(エクストリームプログラミング)やスクラムなどが用いられます。**アジャイル開発**では,開発者が行うべき習慣(プラクティス)として,完成済みのソースコードの内部構造を改善するリファクタリングなどを定義しています。

□21位[インシデント管理]

インシデントとは,もともとは「出来事」という意味で,情報処理分野では,事故に至る可能性のある事態の発生,もしくは事故になりそうだったが,実際には事故にならなかった事態の発生という意味です。サービスの中断またはサービスの中断に陥る可能性があった事態の発生が,システムの運用管理におけるインシデントとなります。**インシデント**管理では,インシデントによって**停止したサービスを可能な限り早期に復旧する**ことを目的とし,インシデントの発生原因を究明したり,恒久的な対策をとったりすることはありません。

□22位[機械学習]

AI(人工知能)のもつ技術で,人間の作業データや画像データ,テキストデータの**特徴を統計的にまとめる**ことです。

□23位[機密性]

Confidentiality。アクセス権限を適切に管理し,権限をもたない利用者やプロセスから,データなどを不正に参照されないように**非公開**にすることです。

□24位[パレート図] UP↗

売上,クレーム件数やテストの不具合などを値の**大きい順に並べて棒グラフを作成し,同時にその累積データを折れ線グラフで表記する**グラフのことです。項目全体のうち,重要な項目がどれであるかを明確

にするために用いられ,主にABC分析で使用されます。

□25位[不正アクセス禁止法] UP↗

他の人のパスワードなどを不正な方法で取得し,アクセス制限されているコンピュータにアクセスしたり,脆弱なコンピュータ(サーバ)の問題点をついて不正侵入を行う行為を禁止する法律です。

□26位[プロジェクトスコープマネジメント] UP↗

プロジェクトにおいて行う作業や作成する**成果物の範囲(スコープ)を管理すること**をいいます。プロジェクトスコープ記述書という文書が作成され,プロジェクト内で実行される作業や作成される成果物の管理が行われます。

□27位[マルウェア] UP↗

コンピュータに侵入し,**意図的にデータを破壊する**などのトラブルを発生させるプログラムです。コンピュータウイルスのほか,ワームやトロイの木馬,スパイウェアも含まれます。

□28位[リスク回避]

リスクの発生原因を元から絶ったり,リスクに関連する事業から撤退したりすることによって,**リスクそのものを発生しないようにする**ことです。

□29位[リスク低減(軽減)]

セキュリティ管理を厳重にしたり,障害発生時でも代替のシステムを稼働させて業務を継続できるようにしたりするなどの方法により,**リスクの発生確率を減らす**ことです。

□30位[リスク保有(受容)]

発生確率や被害額が小さいリスクに対して対策を行うと,想定される被害額よりも対策費用の方が大きくなり,かえって損をしてしまうことがあります。そのため,発生確率や被害額が小さいリスクは,**あえて対策を行わないままにする**ことです。

巻頭記事 ITパスポート徹底解剖❺

新シラバスの注目用語

シラバス6.0以降に新しく試験範囲に追加された用語の中から, 出題の確率が高そうな用語をピックアップしました。

□ [イノベーションの障壁]

従来にはない革新的な考え方や技術を使って新たな製品などを作り上げることを**イノベーション**といいます。このプロセスを, 研究, 開発, 事業化, 産業化の四つに分類した時, **次のプロセスに向かう際にそれぞれ障壁があり**, 以下のように呼ばれます。

名称	概要
魔の川	研究と開発間の障壁であり, 研究のみで終わり実際に開発に至らない状況
死の谷	開発と事業化(生産や販売など)間の障壁であり, 開発で終わってしまう状況
ダーウィンの海	事業化と産業化(企業間の競争や顧客の反応など)間の障壁であり, 産業化に至らない状況

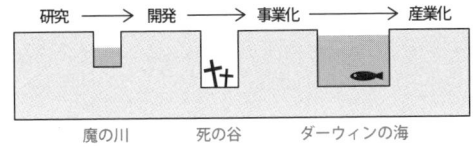

研究 → 開発 → 事業化 → 産業化

魔の川　　　死の谷　　　ダーウィンの海

□ [AML]

Anti-Money Laundering:**アンチ・マネーロンダリング**。犯罪など違法な手段で得た収入を, 正当な営業活動で得たかのように見せかけることをマネーロンダリングといいます。この行為を防ぐため, 金融機関は新規の口座開設時の本人確認を徹底し, 取引が不自然でないかを監視する必要があります。このような**マネーロンダリングを防ぐ取組を AML** といいます。

□ [インバウンド需要]

海外から観光などで来日した方々によってもたらされる経済効果のことを, 日本に入って来ることから, **インバウンド需要**といいます。なお, 日本人が海外旅行などで消費する経済効果はアウトバウンド需要

といいます。

□ [フォーラム標準]

特定の技術分野において, 複数の企業や団体などが集まった組織(これをフォーラムといいます)が作成した**業界の実質的な標準規格**のことです。

□ [GDPR]

General Data Protection Regulation:EUの一般データ保護規則。**個人情報やその取扱いについてEU域内の各国に適用される法令**のことです。EU域内に拠点がある事業者は, どの国に対しても適用となります。またEU域内に拠点がない事業者が, EU域内に対してデータやサービスを提供している場合も, 適用の対象となります。

□ [フリーミアム]

「フリー(無料)」と「プレミアム(割増)」を合わせた言葉で, 基本的なサービスは無料ですが, それ以降の**追加サービスは有料**とするものです。ZOOMやクックパッドなどがこの形式で提供されています。

□ [M2M]

Machine to Machine。ネットワークに接続された**機器同士が自律的に直接通信**を行い, データの送受信や機器の自動制御などを行う技術をいいます。

□ [IPO]

Initial Public Offering:新規公開株式。**未上場企業の株式を株式市場に上場させる**ことをいいます。IPOは, 市場から資金調達を行う目的で行われます。

□［リーンスタートアップ］

製品やサービスの試作品を短期間でつくり（**構築**），顧客の反応を確認して（**計測**），その結果をもとに試作品を改善していく（**学習**）マネジメントの手法のことをいいます。なお，上記の試作品でうまくいかない場合は，再度試作品を作成します（**再構築**）。

□［アシストGPS］

Assisted Global Positioning System。GPS（全地球測位システム）を利用した位置計測に加え，**携帯電話やスマートフォンの位置情報を補助的に利用する技術**のことです。それによって，衛星の電波の届かない屋内などの位置情報を提供することができます。

□［量子コンピュータ］

リニアモーターカーでも利用されている，電気抵抗をなくす「超電導」技術を使って，**現在のコンピュータ技術では解読できない問題を高速に計算するためのコンピュータ**です。また，量子コンピュータは，量子ビット（0でもあり1でもある）という値を情報処理の単位にしています。これは0と1が重ね合わさった状態のことを表現しています。

□［インフォグラフィックス］

言葉や数字だけでは情報を伝達しづらい内容を，**イラストやグラフ，表などを使って表現したもの**です。標識や地図，Web上など，さまざまな場所で利用されています。

□［JSON］

JavaScript Object Notation。**ブラウザとWebサーバ間でデータを送受信する場合のフォーマット**です。**JSON**では「変数の名称：その変数の値」として変数と値の組を表し，複数の組を同時に渡す場合は「,」で区切ります。

JSON の例

変数の名称　　その変数の値
```
{ "name" : "YamadaTaro",
  "age" : 32,
  "URL" : "https://yamada.example.jp" }
```

□［TCP/IP］

インターネット上でデータを送受信する際の，**データ通信に関する機能を階層的に分割したモデル**です。

表に示す4つの層から構成されます。

	名称	機能の概要
4	アプリケーション層	電子メールやファイル転送などを行うソフトウェア個別のデータ送受信用の機能を提供する
3	トランスポート層	データの送信元とあて先の間で，データが安全に送受信できるように，誤り制御や再送処理などを行う
2	インターネット層	データの送信側と受信側のアドレスを明確にし，データが送信される過程の経路選択を行う
1	インタフェース層	隣接する機器の間で，データを適切に送受信するための機能を提供する。また，ケーブルやコネクタなどの仕様を定義する

□［VLAN］

Virtual LAN。LANの物理的構成にかかわらず，**論理的にネットワークを分割できる機能**のことです。

VLAN機能をもつスイッチングハブ（SW）は，自らがもつ各ポートを，それぞれ異なるネットワーク（サブネット）に所属するように分割できます。SWによって分けられたポートに到達したパケットは，自分の所属するネットワーク以外のポートには転送しません。

□［BLE］

Bluetooth Low Energy。Bluetooth3.0バージョンに比べ大幅に**省電力化された，数メートルの狭い範囲で利用される無線通信**モードのことです。

□［データクレンジング］

データベースなどにあるデータの中から，同じ表記や似たような表記を探し出し，**必要に応じて，削除，修正や統一などを行ってデータの品質を高める**ことをいいます。

□［サイバーキルチェーン］

情報システムへの攻撃を「**偵察→ 武器化→ 配送→攻撃実行→ インストール→ 遠隔制御 → 目的の実行**」の7段階に区分し，モデル化したものです。

□［中間者攻撃］

Man in the middle。インターネット上で通信を行っているときに，攻撃者がその間に割り込んで公開鍵などをすりかえ，やり取りされている**データを横取りしたり盗聴・改ざんしたりする攻撃手法**です。

[SECURITY ACTION]

中小企業の情報セキュリティ対策ガイドラインは,「『中小企業の皆様に情報を安全に管理することの重要性について認識いただき, 必要な情報セキュリティ対策を実現するための考え方や方策を紹介する』こと」を目的として, 中小企業や小規模事業者を対象としてIPAが公表しているものです。その中に, 自己啓発用に SECURITY ACTION という取り組みがあり, 中小企業が**情報セキュリティに取り組むことを自己宣言**する制度です。一つ星と二つ星とがあります。

セキュリティ対策自己宣言　　　セキュリティ対策自己宣言

[MTBSI]

Mean Time Between Service Incidents。**ITサービスが利用できなくなるインシデントの発生間隔の平均時間**です。これは, サービスの中断の発生のしにくさを表す指標です。できるだけサービスが継続しやすいような環境を整備する必要があります。

[IDS]

Intrusion Detection System：侵入検知システム。外部から社内ネットワークに対して行われる**不正侵入などの攻撃を検知し**, 管理者に警告を発するシステムです。

[オートラン]

USBメモリなどの記憶装置をPCに接続するだけで, OSが**自動的に認識をしてプログラムの実行や動画の再生が行われる**機能のことです。

[セキュアブート]

PCの起動時にOSやドライバのデジタル署名を検証し, **許可されていないものを実行しないようにする**ことによって, OS動作前のマルウェアの実行を防ぐ技術です。

[UTM]

Unified Threat Management。ファイアウォール機能をはじめとする**複数のセキュリティ機能を連携**させ, ネットワーク管理を可能にすることのできる機器です。

[帰納法]

実験や経験などから導き出される**個々の事実をまとめて結論を導き出す方法**のことをいいます。例えば, "象は卵を産まない", "サルは卵を産まない"という事実から, 『すべての哺乳類は卵を産まない』という結論が導かれます。ただし, 結論が正しくない場合もあります。

[演繹法]

一般的（論理的）な法則をもとにして, その**法則に基づく内容から結論を導き出す方法**のことをいいます。例えば, "哺乳類は脊椎動物である"という前提条件を基に, "象は哺乳類である"ことから,『象は脊椎動物である』という結論が導かれます。

[認知バイアス]

われわれが意思決定をする際に, **偏見や先入観, 経験などに頼って非合理的な判断をしてしまう現象**のことをいいます。

[エコーチェンバー]

ソーシャルメディアで自分と似た興味や関心をもつユーザを多くフォローした結果, **自分の意見をSNSで発信すると肯定する意見が返ってくるという状況**を指します。閉じた小部屋で音が反響する物理現象からその名称がついています。

[パーパス経営]

パーパス（Purpose）は「目的」を表す言葉で, **パーパス経営とは"企業は何のために存在するのか"を明らかにして, 定めた存在意義に従って経営すること**です。従業員は何のために働いているのかを明確にすることで, モチベーションアップによる生産性の向上に貢献する経営手法です。

[インボイス制度]

適格請求書等保存方式（インボイス制度）とは, 消費税の仕入税額控除の方式の一つで, 課税事業者が発行する**適格請求書（インボイス）に記載された税額のみを控除することができる制度**のことです。適格請求書を発行できるのは, 登録を行った適格請求書

発行事業者に限られます。

□［GX］

グリーントランスフォーメーション。石油や石炭などの化石燃料をできるだけ使わず，**クリーンなエネルギーを活用していくための実現に向けた活動やその変革**のことです。その中には，太陽光や風力，水素などの環境に負荷の少ないエネルギーの活用を進めることが含まれます。

□［カーボンニュートラル］

カーボン（温室効果ガス）の排出量を全体としてゼロにする取組みのことです。ただ，排出量を完全にゼロにすることではなく，温室効果ガスを「排出する量」から「植物などを通じて吸収する量」などを差し引いてプラスマイナスゼロにすることを意味しています。

□［36協定］

労働基準法では，労働時間は1日8時間，週40時間以内と定めています。これを超えて，時間外労働や休日の労働をさせる場合に，あらかじめ**労働基準法の第36条に則った方法で雇用者と労働者の間で結んだ協定**のことです。**36協定**では，「時間外労働を行う業務の種類」などを決めなければなりません。なお，時間外労働の上限は，月45時間，年360時間となります（特別の事情がなければこれを超えることはできません）。

□［景品表示法］

不当景品類及び不当表示防止法。事業者による不当な広告や表示を防止したり，景品の提供などを制限，禁止したりすることなどにより，**消費者が自主的に商品やサービスを選べるように規制がされている法律**です。なお，"ステルスマーケティング"（広告であるにもかかわらず，広告であることを隠すこと）も同法律の対象になります。

□［スマートシティ］

ICTなどの技術やデータを有効に使って，各種分野における都市や地域の抱える課題の解決や新たな価値の創出を目指して，住民に対するより良いサービスや生活の質の向上を提供する都市または地域のことです。

□［NFT］

NFT（Non-Fungible Token：非代替性トークン）とは，それぞれ一意のシリアルナンバー（トークンID）が付与された**代替不可能なデジタルデータ**のことです。NFTには，作成者や所有者，売買情報などの取引履歴が記録されています。これらの情報を使うことで，データのオリジナルとコピーを見分ける技術がNFTには備わっているため，絵画や音楽，トレーディングカード，仮想空間での土地などで利用されています。

□［リダイレクト］

Webサイトや各種Webページなどを新しいURLに変更した際や他のWebサイトに**自動的に転送する仕組み**のことをいいます。

□［EMV 3-Dセキュア（3Dセキュア2.0）］

インターネット上でクレジットカード決済をより安全に行うために，各カード会社が高リスクと判断する取引にのみに追加で必要とする認証を実施するサービスのことです。

□［3-2-1ルール］

ランサムウェア（暗号化マルウェア）に感染した場合の対策の一つです。データを守るためにはバックアップを取得しておくことが重要です。このルールでは，元のデータを含めて**3つのバックアップ作成し，2つの異なる媒体で保存し，1つは別の場所で保管**します。

□［AIOps］

AI Operations。人工知能（AI）とDevOps（開発：Devと運用：Ops）を組み合わせた用語です。ITの運用効率を向上させるために，**AIで収集された各種の大量のデータを分析**し，そのパターンを検出したり，問題の原因を特定したりすることが可能になります。

□［MLOps］

Machine Learning Operations。機械学習（ML）とDevOps（開発：Devと運用：Ops）を組み合わせた用語です。AIにおける，**機械学習での開発工程や運用工程の効率化を行って生産性を向上させる**考え方を指します。

必出！ AI特集

巻頭記事
ITパスポート
徹底解剖❻

ITパスポート試験では必ずと言っていいほどAI（人工知能）についての問題が出題されます。用語の関係性をまとめて整理して，例題で対策しておきましょう！

AI関連用語マップ

機器学習関連用語

学習方法の分類

①教師あり学習
- ●アノテーション

②教師なし学習
③ディープラーニング
- ●ニューラルネットワーク
- ●活性化関数

- ●バックプロパゲーション
- ●基盤モデル
- ●ファインチューニング
- ●過学習

AIに関する原則・ガイドライン

①人間中心のAI社会原則

②AI利活用ガイドライン
- ●AI利活用原則

生成AI関連用語

- ●プロンプトエンジニアリング
- ●大規模言語モデル
- ●ハルシネーション

- ●説明可能なAI
- ●マルチモーダルAI
- ●ディープフェイク

AI関連用語

□ [人間中心のAI社会原則]

AIを利活用して効率性や利便性を高める社会を作る際の基本理念として政府が定めたものです。

①人間の尊厳が尊重される社会（Dignity）
②多様な背景を持つ人々が多様な幸せを追求できる社会（Diversity & Inclusion）
③持続性ある社会（Sustainability）

という三つの価値を理念として尊重し，その実現を追求する社会を構築していくべきとしています。

□ [AI利活用ガイドライン]

AIの利用者やAIシステムなどを利用する者が，**AIの利活用に関して留意すべき事項を適切に認識して，それら留意事項への対応について自主的に検討する**ことを促そうとするもので，AIの定義や10項目の利活用の原則などが定められています。

□ [AI利活用原則]

『AI利活用ガイドライン』（総務省：令和元年8月）で定められている目的及び基本理念を踏まえ，**AIの利用者が留意すべき事項を10の原則に整理したもの**です。

①適正利用の原則

利用者は、人間とAIシステムとの間及び利用者間における適切な役割分担のもと、適正な範囲及び方法でAIシステム又はAIサービスを利用するよう努める。

②適正学習の原則

利用者及びデータ提供者は、AIシステムの学習等に用いるデータの質に留意する。

③連携の原則

AIサービスプロバイダ、ビジネス利用者及びデータ提供者は、AIシステム又はAIサービス相互間の連携に留意する。また、利用者は、AIシステムがネットワーク化することによってリスクが惹起・増幅される可能性があることに留意する。

④安全の原則

利用者は、AIシステム又はAIサービスの利活用により、アクチュエータ等を通じて、利用者及び第三者の生命・身体・財産に危害を及ぼすことがないよう配慮する。

⑤セキュリティの原則

利用者及びデータ提供者は、AIシステム又はAIサービスのセキュリティに留意する。

⑥プライバシーの原則

利用者及びデータ提供者は、AIシステム又はAIサービスの利活用において、他者又は自己のプライバシーが侵害されないよう配慮する。

⑦尊厳・自律の原則

利用者は、AIシステム又はAIサービスの利活用において、人間の尊厳と個人の自律を尊重する。

⑧公平性の原則

AIサービスプロバイダ、ビジネス利用者及びデータ提供者は、AIシステム又はAIサービスの判断にバイアスが含まれる可能性があることに留意し、また、AIシステム又はAIサービスの判断によって個人及び集団が不当に差別されないよう配慮する。

⑨透明性の原則

AIサービスプロバイダ及びビジネス利用者は、AIシステム又はAIサービスの入出力等の検証可能性及び判断結果の説明可能性に留意する。

⑩アカウンタビリティの原則

利用者は、ステークホルダに対しアカウンタビリティを果たすよう努める。

【総務省：AI利活用ガイドラインより引用】

□［機械学習］

AI（人工知能）のもつ技術で、人間の作業データや画像データ、テキストデータの特徴を統計的にまとめることです。

□［教師あり学習］

機械学習において、**正解のデータを入力し、そのルールやパターンを学習させて、その特徴を学ばせる方法**です。

□［アノテーション］

annotation。データを学習させる必要がある教師付きの機械学習では、そのデータにタグを付ける作業を行います。その**タグ付けの作業をアノテーション**といいます。例えば、犬が走っている動画に「犬」「動物」などの言葉を関連付けてタグとします。

教師あり学習とアノテーション

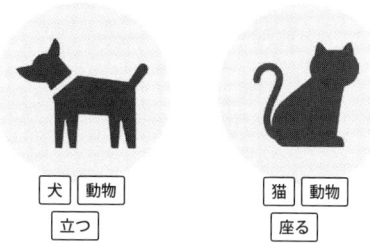

| 犬 | 動物 | | 猫 | 動物 |
| 立つ | | | 座る | |

□［教師なし学習］

機械学習において、**正解を入力せずに、統計的性質や条件によってある程度のグループに分ける「クラスタリング」**という手法を使うことによって、学習させる方法です。

クラスタリングの例

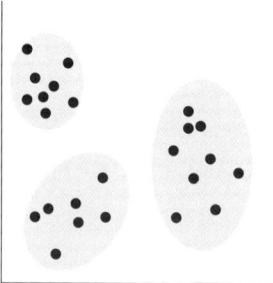

□［ディープラーニング（深層学習）］

機械学習の手法の一つで、人間の神経回路を模倣したニューラルネットワークを用いて、**複数の信号を使って多角的に学習**することをいいます。

□［ニューラルネットワーク］

コンピュータを使って人間の脳の神経回路を模した

モデルのことです。入力された情報を，つながりを持ったいくつかの層を用いて重みづけしながら処理し，出力します。

［活性化関数］

AIに利用されるニューラルネットワークにおいて，**ニューロン間での値の変換に使われる計算式の**ことです。ニューラルネットワークでは，多数のニューロンがネットワーク状に接続されています。ニューロンにはそれぞれ値が入っていて，それぞれのニューロンから次に送られる際に重み付けの計算を行ったり，一定の計算式を用いて数値を変換したりします。数値変換の際に利用するものが**活性化関数**です。

ニューラルネットワークと活性化関数の例

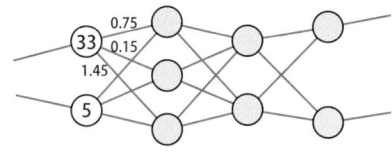

［バックプロパゲーション］

AI（人工知能）の機械学習では，学習の過程でその推論と正しい値が異なる場合が出てしまいます。この状態で続けると機械学習の精度が悪くなってしまうので，**出力結果からその推論の修正を必要に応じて行っていく**ことです。

［生成AI］

多くのデータ（要件）を自然言語で与えることで画像，音声，テキストなど**さまざまなコンテンツを手軽に作成できるAI（人工知能）**のことです。代表的なものに，テキスト生成AIの「ChatGPT」があります。**生成AI**を利用することで，企業では業務の効率化を図ることが期待できます。

［大規模言語モデル］

AIで人間の思考ができるように**大量の言語を学ばせ，それを実際に活かしていくモデル**のことで，ChatGPTなどで採用されています。

［プロンプトエンジニアリング］

ChatGPTのような**生成AIから最適な出力を得るためのプロンプト（指示）**のことをいいます。生成AIから必要とする回答を得るためには，ユーザが適切な指示を出す必要があります。そのガイドを行うのが**プロンプトエンジニアリング**の役割です。

［ハルシネーション］

生成AIでは多くのデータを与えて学習させることで，正確な情報を提供することができます。しかし，学習したデータに誤りがあったり，データが不足しているなどの不具合によって，**事実とは異なる情報や無関係な情報を，もっともらしい情報として生成する**ことがあります。このような現象のことを指します。

［ディープフェイク］

AIを使って作成した**偽の画像や音声を本物と入れ替える**ことで相手をだます行為のことをいいます。

［事前学習］

AIにおいて大規模なデータを用いて**すでに学習済みな状態**のことをいいます。

［過学習］

AIでは多くのデータを学習してから予測モデルを作成します。その際，**既知のデータを学習しすぎた結果，本来予測したい全体の予測がうまくできなくなってしまった状態**のことをいいます。

［説明可能なAI］

AIが結論付けた答えから，『**どうやってその答えを導き出したのか**』を説明できる能力のことをいいます。画像で人間の顔を認識するAIの場合では，「その人の特徴点から○○さんと判断した」と説明したりします。**説明可能なAI**を導入することで，より人間に近いAIとなっていくことが予想されます。

［マルチモーダルAI］

複数の異なる種類の情報をまとめて扱うAIのことをいいます。例えば，カメラで撮影した画像と同時にマイクで録音した音声を1つのAIとして学習させることで，その画像に写っているものが何であるかをより正確に推定することが可能になります。

例題

問1

AIに関するガイドラインの一つである，"AI利活用ガイドライン"で定められている10の"AI利活用原則"のうち，"安全の原則"に関する記述として，最も適切なものはどれか。

- ㋐ 利用者及びデータ提供者は，AIシステムやAIサービスのセキュリティに留意する。
- ㋑ 利用者は，AIシステムやAIサービスの利活用により，各種装置等を通じて，利用者及び第三者の生命・身体・財産に危害を及ぼすことがないよう配慮する。
- ㋒ 利用者及びデータ提供者は，AIシステムの学習等に用いるデータの質に留意する。
- ㋓ 利用者は，人間とAIシステムとの間及び利用者間における適切な役割分担のもと，適正な範囲及び方法でAIシステムやAIサービスを利用するよう努める。

問2

以下の生成AIを使った事例のうち，適切な条件を与えることで作成可能なものだけを全て挙げたものはどれか。

- a 部活動の部員を増やすための方策
- b 運用システムの業務マニュアルの作成
- c 夕食のレシピやその調理方法
- d 外国語の作文の添削

㋐ a, b   ㋑ a, c   ㋒ a, b, c   ㋓ a, b, c, d

問3

AIの機械学習において，推論と正解の値に誤差が出る場合がある。その際に，誤差を出力側から逆方向に戻して誤りを正していく仕組みに関して最も適切な用語は次のうちどれか。

- ㋐ コンカレントエンジニアリング
- ㋑ ディープラーニング
- ㋒ ニューラルネットワーク
- ㋓ バックプロパゲーション

問4

生成AIを使うことで，「正確でない情報の作成」，「機密情報の流出」，「知的財産権の侵害」などのリスクが想定されます。生成AIに業務を依頼する際に，「機密情報の流出」に該当するものは次のうちどれか。

- ㋐ 開発途中のプログラムコードを入力し，修正を依頼した。
- ㋑ 画風を似せたキャラクターの作成を依頼した。
- ㋒ 個人の趣味で行っているサークル活動の勧誘ポスターの作成を依頼した。
- ㋓ 公開済みの新製品のキャッチコピーの作成を依頼した。

解説

問1 AI 利活用ガイドライン

『AI利活用ガイドライン(総務省)』は，"AIネットワーク化の健全な進展を通じて，AIの便益の増進とリスクの抑制を図り，AIに対する信頼を醸成することにより，AIの利活用や社会実装が促進することを目的"としています。そこでは，AIの利用者が留意すべき事項をp.18の10の原則に整理されています。"安全の原則"に関する記述は，☑が正解です。

☑ セキュリティの原則の内容です。
☑ 適正学習の原則の内容です。
☑ 適正利用の原則の内容です。

問2 生成 AI の活用事例

生成AIとは，多くのデータ(要件)を自然言語で与えることで画像，音声，テキストなどさまざまなコンテンツを手軽に作成できるAI(人工知能)のことです。代表的なものに，テキスト生成AIの「ChatGPT」があります。生成AIを利用することで，企業では業務の効率化を図ることが期待できます。例えば，ストーリーを作ったり，絵画を描いたり，音楽を作ったりすることが可能になります。

a：部活動の部員を増やすための方策は，部活動の内容や学校の規模などの条件を与えることで作成できます。
b：運用システムの業務マニュアルの作成は，システムの概要などの条件を与えることで作成できます。
c：夕食のレシピやその調理方法の検索は，家族構成や予算などの条件を与えることで作成できます。
d：外国語の作文の添削は，外国語の種類などの条件を与えることで作成できます。
よって，☑(a, b, c, d)が正解です。

問3 バックプロパゲーション

AIの機械学習では，人間の神経細胞を模倣したニューラルネットワークを用いて推論を行っていきますが，その学習の過程で出力結果と正解値が異なる場合があります。そのまま継続した場合，学習の精度があまり良くない状態となってしまうために，出力結果からニューラルネットワーク全体の修正をその都度行っていく仕組みのことをバックプロパゲーションといいます。☑が正解です。

☑ コンカレントエンジニアリングとは，製品の設計，製造，販売など一連のプロセスを同時進行させることなどで製品開発プロセスを効率化する手法です。
☑ ディープラーニングとは，機械学習の手法の一つで，人間の神経回路を模倣したニューラルネットワークを用いて，複数の信号を使って多角的に学習することをいいます。
☑ ニューラルネットワークとは，コンピュータを使って人間の脳の神経回路を模したモデルのことです。入力された情報を，つながりを持ったいくつかの層を用いて重みづけしながら処理し，出力します。

問4 生成 AI 活用の際のリスク

生成AIを使うことで，時間を掛けずにもっともらしい偽の画像や映像を使ったニュース記事などが作成できたり，社内でしか知り得ない情報を入力することで機密情報の漏えいが起こったりします。また，既存の著作物と類似している生成物を公表したり，複製物を販売したりすることによる，知的財産権の侵害などに注意が必要です。本問では，開発途中のプログラムコードは機密情報なので，機密情報の流出に当たります。☑が正解です。

☑ 知的財産権の侵害に該当します。
☑ 個人の趣味で行っている場合でも知的財産権の侵害には注意が必要です。
☑ 基本的に問題ありませんが，内容によっては既存のものと同じようなものになった場合は，知的財産権の侵害に当たります。

解答　問1 ☑　問2 ☑　問3 ☑　問4 ☑

巻頭記事 ITパスポート 徹底解剖❼

そっくり用語攻略クイズ

ITパスポートの学習を進めていくと，よく似ていて紛らわしく，覚えられない用語が出てきます。クイズ形式でまとめたので，この機会に攻略してしまいましょう。

自己資本利益率は「ROA」？「ROE」？「ROI」？

どれも Return On ○○の略で「○○に対する利益率」です。Aは Assets（資産），Eは Equity（自己資本），IはInvestment（投資）です。ROEは Ego（自己）のEと関連付けて覚えてしまうのも手です。

ROAとROEは当期純利益の割合ですが，ROIは投資による利益の割合なので注意しましょう。

ROA（Return On **Assets**：**総資産**利益率）
　式：ROA ＝ 当期純利益 ÷ 総資産 × 100（%）
ROE（Return On **Equity**：**自己資本**利益率）
　式：ROE ＝ 当期純利益 ÷ 自己資本 × 100（%）
ROI（Return On **Investment**：**投資**利益率）
　式：ROI ＝ 投資による利益 ÷ 投資額 × 100（%）

情報提供依頼は「RFI」？「RFP」？

どちらも Request For ○○の略で，ユーザ企業からベンダへの「○○の依頼」です。IはInformation（情報），PはProposal（提案）です。

経営改革や情報化推進を実施するにあたり，ユーザ企業がベンダに二種類の依頼をします。「まず**情報提供依頼**（**RFI**：Request For **Information**）で必要な技術などに関する**情報**の提供を依頼する」→「次に各種の購買条件を**提案依頼書**（**RFP**：Request For Proposal）で通知して**提案**を依頼する」という順番を覚えましょう。

企業活動全体に関わるのは「SCM」？「CRM」？

どちらも○○ Managementの略で，最初の1文字が重要です。SCMのSは Supply（供給），CRMのCは Customer（顧客）です。

企業活動全体に関わるのは**SCM**（**Supply** Chain Management：**サプライチェーンマネジメント**）のほうです。関連企業間で情報を共有し，一連の業務を全体最適化の視点から見直し管理することで，企業活動全体の効率の向上が期待できます。

CRM（**Customer** Relationship Management：**顧客関係管理**）は顧客データベースの顧客情報を管理・活用するシステムで，顧客満足度を高めて企業収益の向上に結び付けることが目的です。

サーバを借りるのは「ホスティング」？「ハウジング」？

どちらもサーバ運用の一部を委託する際の形式です。サーバの置き場所（ハウス）だけを借りるのがハウジング，ホステルのようにサーバを間借りするのがホスティングと覚えましょう。

	設置場所	ネットワーク	サーバ所有権	OS	ミドルウェア・ソフトウェア
ハウジング	事業者	事業者	利用者	利用者	利用者
ホスティング	事業者	事業者	事業者	利用者	利用者

自前のアプリを自由に使えるのは「SaaS」？「PaaS」？「IaaS」？

どれも○○ as a Serviceの略で「サービスとしての○○」です。SaaSのSはSoftware，PaaSのPは Platform（土台），IaaSのIはInfrastructure（機器・施設）です。違いを押さえましょう。

	SaaS (Software as a Service)	PaaS (Platform as a Service)	IaaS (Infrastructure as a Service)
応用ソフト（アプリケーション）	事業者	利用者	利用者
基本ソフト（OS）	事業者	事業者	利用者
ハードウェア	事業者	事業者	事業者

原因より復旧を重視するのは「インシデント管理」？「問題管理」？

インシデントとは，もともとは「出来事」という意味で，システムの運用管理においてはサービスの中断またはサービスの中断に陥る可能性のあった事態がインシデントとなります。

インシデントが発生した際の対応として「まずインシデント管理で可能な限り早期に復旧」→「次に問題管理で根本原因を解決」という順番を覚えましょう。

キャッシュメモリに使われるのは「DRAM」？「SRAM」？

どちらも○○ Random Access Memoryの略で，コンピュータで使用され，電源を落とすと記録内容が消える半導体メモリ（RAM）の種類です。Dは Dynamic（動的），SはStatic（静的）で，絶えずリフレッシュ（一定間隔で電気を供給すること）しているほうがDynamicです。特徴を整理して覚えましょう。

	DRAM (**Dynamic** Random Access Memory)	SRAM (**Static** Random Access Memory)
主な使用用途	主記憶装置（メモリ）	キャッシュメモリ
リフレッシュ	必要	不要
ビット当たりの単価	安価	高価
アクセス速度	遅い	速い
高集積化（大容量）	可能	難しい

サーバの数を増やすのは「スケールアップ」？「スケールアウト」？

どちらもサーバの処理能力（スケール）を向上させる方法です。サーバそのものやそのCPUやメモリを更新して，サーバ単体の**性能を向上**（アップ）させる方法が**スケールアップ**です。一方でサーバ単体の 性能はそのままとし，サーバの**数を増やして**負荷分散を行う方法が**スケールアウト**です。現状のサーバの外（アウト）に増やすとイメージしましょう。

故障している時間は「MTBF」？「MTTR」？

どちらもMean Time ○○の略で，最後の2文字が重要です。BFはBetween Failure（故障と故障の間），TRはTo Repair（修理のため）です。

MTBF（Mean Time **Between Failure**：平均**故障間隔**）は稼働しているシステムで，故障の回復から次の故障が生じるまでの平均時間です。**MTTR**（Mean Time **To Repair**：平均**修理**時間）は故障の発生から修復するまでに要する平均時間です。

故障と故障の間（MTBF）＝稼働している時間，修理している時間（MTTR）＝故障している時間となるので，最後の単語だけで印象を引っ張られないようにしましょう。

英字略語暗記シート

とにかくたくさん出てくる，覚えにくいアルファベット略語。暗記のコツは略す前の英語から意味を連想することです。よく出題される重要単語をまとめました。

単語	綴り	意味／解説ページ
AI	Artifical Intelligence（アーティフィシャル インテリジェンス）	人工知能　⇒p10
BCP	Business Continuity Plan（ビジネス コンティニュイティ プラン）	事業継続計画　⇒p232
BPR	Business Process Reengineering（ビジネス プロセス リエンジニアリング）	ビジネスプロセス再構築　⇒p101
BSC	Balanced Score Card	バランススコアカード　⇒p157
BYOD	Bring Your Own Device（ブリング ユア オウン デバイス）	個人デバイス活用　⇒p217
CDN	Contents Delivery Network（コンテンツ デリバリー ネットワーク）	コンテンツ配信網　⇒p273
CRM	Customer Relationship Management（カスタマー リレーションシップ マネジメント）	顧客関係管理　⇒p22
CSIRT（シーサート）	Computer Security Incident Response Team（コンピュータ セキュリティ インシデント レスポンス チーム）	セキュリティ監視対策を行う組織　⇒p309
CSR	Corporate Social Responsibility（コーポレート ソーシャル レスポンシビリティ）	企業の社会的責任　⇒p269
DaaS（ダース）	Desktop as a Service（デスクトップ アズ ア サービス）	仮想デスクトップサービス　⇒p279
DDoS（ディードス）	Distributed DoS（ディストリビューテッド ドス）	複数マシンからのサービス妨害攻撃　⇒p121
DFD	Data Flow Diagram	データフローダイアグラム　⇒p160
DMZ	DeMilitarized Zone（デミリタライズド ゾーン）	非武装地帯　⇒p181
DNS	Domain Name System（ドメイン ネーム システム）	IPアドレスとドメイン名の変換　⇒p256
DoS（攻撃）（ドス）	Denial of Service (attack)（ディナイアル オブ サービス アタック）	サービス妨害攻撃　⇒p121
DRAM（ディーラム）	Dynamic RAM（ダイナミック ラム）	メインメモリに使われるRAM　⇒p23
EA	Enterprise Architecture	エンタープライズアーキテクチャ　⇒p151
ESSID	Extended Service Set Identifier（エクステンデッド サービス セット アイデンティファイア）	無線LANのアクセスポイント　⇒p249
GPU	Graphics Processing Unit（グラフィックス プロセッシング ユニット）	グラフィックス演算装置　⇒p137
HTML	HyperText Markup Language（ハイパーテキスト マークアップ ランゲージ）	Webページ用のマークアップ言語　⇒p299
HTTPS	HyperText Transfer Protocol Secure（ハイパーテキスト トランスファー プロトコル セキュア）	HTTPに暗号化と認証を追加　⇒p363
IaaS（イアース／アイアース）	Infrastructure as a Service（インフラストラクチャ アズ ア サービス）	仮想ハードをネット経由で提供　⇒p279
IoT	Internet of Things（インターネット オブ シングス）	モノのインターネット　⇒p10
ISMAP（イスマップ）	Information system Security Management and Assessment Program（インフォメーション システム セキュリティ マネジメント アンド アセスメント プログラム）	政府情報システムのためのセキュリティ評価制度 ⇒p371
ISMS	Information Security Management System（インフォメーション セキュリティ マネジメント システム）	情報セキュリティマネジメントシステム　⇒p11
ITIL（アイティール）	Information Technology Infrastructure Library（インフォメーション テクノロジ インフラストラクチャ ライブラリ）	ITサービスマネジメントの規範　⇒p12

単語	綴り	意味／解説ページ
JAN ジャン	Japan Article Number ジャパン アーティクル ナンバ	日本の商品識別番号　⇒p157
LAN ラン	Local Area Network ローカル エリア ネットワーク	施設内ネットワーク
LPWA	Low Power, Wide Area ロー パワー ワイド エリア	低消費電力・広範囲の無線通信　⇒p253
MRP	Material Requirement Planning マテリアル リクワイアメント プランニング	資材所要量計画　⇒p279
MTBF	Mean Time Between Failure ミーン タイム ビトウィーン フェイリャ	平均故障間隔　⇒p293
MTTR	Mean Time To Repair ミーン タイム トゥ リペア	平均修理時間　⇒p293
MVNO	Mobile Virtual Network Operator モバイル バーチャル ネットワーク オペレータ	仮想移動体通信事業者　⇒p305
NDA	Non-Disclosure Agreement ノン ディスクロージャ アグリーメント	秘密保持契約　⇒p331
NFC	Near Field Communication ニア フィールド コミュニケーション	近距離無線通信規格　⇒p349
OSS	Open Source Software	オープンソースソフトウェア　⇒p10
PaaS パース	Platform as a Service プラットフォーム アズ ア サービス	OSや仮想ハードをネット経由で提供　⇒p279
PDCA	Plan-Do-Check-Act プラン ドゥ チェック アクト	計画・実行・評価・改善を繰り返す　⇒p269
PMBOK ピンボック	Project Management Body of Knowledge プロジェクト マネジメント ボディ オブ ナレッジ	プロジェクトマネジメント体系化系ガイド　⇒p11
POP3 ポップ	Post Office Protocol version3 ポスト オフィス プロトコル バージョン	メール受信プロトコル　⇒p248
POS ポス	Point Of Sales ポイント オブ セールズ	販売時点情報管理　⇒p279
PPM	Product Portfolio Management	プロダクトポートフォリオマネジメント　⇒p215
RAM ラム	Random Access Memory ランダム アクセス メモリ	電源を切ると消える揮発性メモリ　⇒p23
RFI	Request For Information リクエスト フォー インフォメーション	情報提供依頼　⇒p151
RFP	Request For Proposal リクエスト フォー プロポーザル	提案依頼書　⇒p105
RPA	Robotic Process Automation ロボティック プロセス オートメーション	定型業務のPCによる自動化　⇒p10
RSS	RDF Site Summary または Rich Site Summary サイト サマリ リッチ サイト サマリ	サイトの要約や更新を配信する規約　⇒p363
S/MIME エス マイム	Secure/Multipurpose Internet Mail Extensions セキュア マルチパーパス インターネット メール エクステンションズ	電子メールを暗号化する方法　⇒p241
SaaS サース	Software as a Service ソフトウェア アズ ア サービス	ソフトをネット経由で提供　⇒p279
SCM	Supply Chain Management	サプライチェーンマネジメント　⇒p159
SFA	Sales Force Automation セールス フォース オートメーション	営業支援システム　⇒p278
SLA	Service Level Agreement サービス レベル アグリーメント	サービスレベル契約　⇒p10
SMTP	Simple Mail Transfer Protocol シンプル メール トランスファ プロトコル	メール送信プロトコル　⇒p195
SOA	Service Oriented Architecture サービス オリエンテッド アーキテクチャ	サービス指向アーキテクチャ　⇒p151
SRAM エスラム	Static RAM スタティック ラム	キャッシュメモリに使われるRAM　⇒p23
SSL/TLS	Secure Socket Layer/Transport Layer Security セキュア ソケット レイヤ トランスポート レイヤ セキュリティ	暗号化通信の方式　⇒p237
TOB	Take Over Bid テイク オーバー ビッド	株式公開買付け　⇒p103
VPN	Virtual Private Network バーチャル プライベート ネットワーク	仮想専用線　⇒p253
WBS	Work Breakdown Structure ワーク ブレイクダウン ストラクチャ	作業分解構造　⇒p167
WPA2	Wi-Fi Protected Access 2 ワイ ファイ プロテクテッド アクセス	無線LANの暗号規格　⇒p11
XML	eXtensible Markup Language エクステンシブル マークアップ ランゲージ	独自タグが使えるマークアップ言語　⇒p195

アルゴリズム問題対策

一見すると難解そうなアルゴリズム問題。でも，順を追ってしっかり理解することで得点源になり，身近な業務の効率化にもつながります。

アルゴリズム問題

2022年4月のシラバス6.0より，擬似言語を用いたプログラミング的思考力を問う問題が出題範囲となりました。問題文に何らかの条件が記載されているプログラムが掲載され，その一部が空欄となっているようなものや，データが与えられてその処理によって

どのような結果になるかなどが出題されます。ITパスポート試験では擬似的なプログラミング言語（擬似言語）でプログラムが表現され，主な形式はp.314の表のとおりです。

類似言語のポイント

□［変数］

プログラムで使用する値を一時的に格納する領域のことです。プログラム内で変数を宣言するとメモリ上に記憶用の領域が確保され，処理が終わると破棄されます。

□［配列］

データを格納する変数を複数個集めたものです。各要素（変数）には**要素番号（添字）**がついており，要素番号によって目的の要素にアクセスが可能です。

配列に含まれる要素の個数を要素数といいます。次の図の配列Aの要素数は4です。

配列A

要素番号	[1]	[2]	[3]	[4]
要素	5	6	3	10

A[2]と指定すると，配列Aの2番目の要素の値（6）を取り出せる

□［代入］

"←"は，変数への代入を表します。

プログラム中にa ← 10とあれば，「aに10を代入」という意味になります。

□［分岐］

条件によって処理を分けたいときにifやelseif，else，endifを使います。

ifの条件が満たされた場合は直後の処理を実行し，ifの条件が満たされない場合はelseifもしくはelseを実行します。ただし，条件が満たされれば，endifまで処理が進みます。

□［forによる繰返し］

処理を繰返し実行したいとき，forやwhile，do ～whileを使います。

forは，繰返し処理の際，変数の初期設定後に処理を行い，再度forに戻った場合には変数を変化させてから条件判定を行い，繰返し処理を行います。

□［whileによる繰返し］

whileとdo ～whileは，条件を満たしている場合は繰返し処理を行います。

例題1　変数の代入 (基本情報技術者 202212公開サンプル問1)

次の記述中の □ に入れる正しい答えを, 解答群の中から選べ。

プログラムを実行すると, " □ " と出力される。

〔プログラム〕

```
01  整数型: x ← 1
02  整数型: y ← 2
03  整数型: z ← 3
04  x ← y
05  y ← z
06  z ← x
07  yの値とzの値をこの順にコンマ区切りで出力する
```

解答群

ア 1,2　　　イ 1,3　　　ウ 2,1

エ 2,3　　　オ 3,1　　　カ 3,2

解説

プログラムの動作の順に, 変数の動きを確認していきます。

01行目〜03行目までは次のようになります。

x y z：1 2 3

04行目でyをxに代入するので, xは2となります。y, zはそのままです。

x y z：2 2 3

05行目でzをyに代入するので, yは3となります。x, zはそのままです。

x y z：2 3 3

06行目でxをzに代入するので, zは2となります。

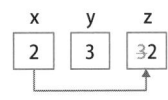

07行目で, 「yの値 ,zの値」とコンマ区切りで出力しています。

したがって, 3,2 (カ) が正解です。

例題2　fizzBuzz（基本情報技術者 202212 公開サンプル問2）

次のプログラム中の [a] ～ [c] に入れる正しい答えの組合せを，解答群の中から選べ。

関数 fizzBuzz は，引数で与えられた値が，3で割り切れて5で割り切れない場合は"3で割り切れる"を，5で割り切れて3で割り切れない場合は"5で割り切れる"を，3と5で割り切れる場合は"3と5で割り切れる"を返す。それ以外の場合は"3でも5でも割り切れない"を返す。

〔プログラム〕

```
01  ○文字列型： fizzBuzz( 整数型： num )
02     文字列型： result
03     if ( num が [ a ] で割り切れる )
04       result ← " [ a ] で割り切れる "
05     elseif ( num が [ b ] で割り切れる )
06       result ← " [ b ] で割り切れる "
07     elseif ( num が [ c ] で割り切れる )
08       result ← " [ c ] で割り切れる "
09     else
10       result ← "3でも5でも割り切れない"
11     endif
12     return result
```

解答群

	a	b	c
ア	3	3と5	5
イ	3	5	3と5
ウ	3と5	3	5
エ	5	3	3と5
オ	5	3と5	3

解説

以下のように4つに考えます。

A：3のみで割り切れる値 … 例）3, 6, 9
B：5のみで割り切れる値 … 例）5, 10, 20
C：3と5で割り切れる値 … 例）15, 30, 45
D：3でも5でも割り切れない値 … 例）7, 11, 13

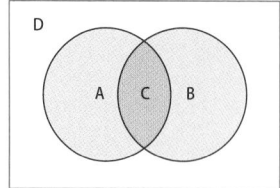

もし，3のみで割り切れる値や5のみで割り切れる値がnumにあり，3行目で判定した場合に，そのままの結果が出てしまうと3と5の両方で割り切れる値の判定ができなくなってしまいます。そこで，3と5の両方で割り切れる値を除いて（空欄a）から，3または5だけで割り切れる値を見つけていくことになります。

したがって，解答は**ウ**です。

例題3　配列の操作（基本情報技術者 202212公開サンプル問3）

次の記述中の□□□に入れる正しい答えを，解答群の中から選べ。ここで，配列の要素番号は1から始まる。

関数makeNewArrayは，要素数2以上の整数型の配列を引数にとり，整数型の配列を返す関数である。関数makeNewArrayをmakeNewArray({3, 2, 1, 6, 5, 4})として呼び出したとき，戻り値の配列の要素番号5の値は□□□となる。

〔プログラム〕

```
01  ○整数型の配列: makeNewArray(整数型の配列: in)
02    整数型の配列: out ← {}   // 要素数0の配列
03    整数型: i, tail
04    outの末尾に in[1]の値 を追加する
05    for (i を 2 から inの要素数 まで 1 ずつ増やす)
06      tail ← out[outの要素数]
07      outの末尾 に (tail ＋ in[i]) の結果を追加する
08    endfor
09    return out
```

解答群

ア 5　イ 6　ウ 9　エ 11　オ 12　カ 17　キ 21

解説

02行目より，始めはoutには何も入っていません。
04行目：in[1]＝3をoutの末尾に追加します。

配列 in	要素番号 [1] [2] [3] [4] [5] [6]
	要素 3 2 1 6 5 4

配列 out	要素番号 [1]
	要素 3

05行目：i=2として繰り返します。
06行目：outの要素数は1なので，tail ← out[1]＝3を代入します。
07行目：tail ＋ in[2]＝3＋2＝5をoutの末尾に追加します。

配列 out	要素番号 [1] [2]
	要素 3 5

05行目：i=3として繰り返します。
06行目：outの要素数は2なので，tail ← out[2]＝5を代入します。
07行目：tail ＋ in[3]＝5＋1＝6をoutの末尾に追加します。

配列 out	要素番号 [1] [2] [3]
	要素 3 5 6

05行目：i=4として繰り返します。
06行目：outの要素数は3なので，tail ← out[3]＝6を代入します。
07行目：tail ＋ in[4]＝6＋6＝12をoutの末尾に追加します。

配列 out	要素番号 [1] [2] [3] [4]
	要素 3 5 6 12

05行目：i=5として繰り返します。
06行目：outの要素数は4なので，tail ← out[4]＝12を代入します。
07行目：tail ＋ in[5]＝12＋5＝17をoutの末尾に追加します。

配列 out	要素番号 [1] [2] [3] [4] [5]
	要素 3 5 6 12 17

したがって，要素番号5は17（カ）となります。

巻頭記事
ITパスポート
徹底解剖❿

申込みから当日まで！
本試験体験レポート

実際の試験はどんな感じなのか？　編集部スタッフが実際に受験してきました！　会場によってディテールは違うかもしれませんが，おおむねこんな感じで進むようです。

申し込んでみた

　まずは試験センターのWebサイトの［試験開催状況一覧］で，試験会場や開催日程を確認します。会場によっては，試験がほぼ毎週行われるところもあれば，月に1度開催の会場もあります。

　申し込むことができるのは最大3ヶ月先までの試験日です。受験日の変更も可能なので，受験を決意したら，勉強を開始するよりも先に，申込みをしてしまいましょう。なお，席が空いていてクレジットカード払いであれば，午前中の申し込みで翌日受験

することもできます。

　スタッフの場合，2週間後の平日に受験することにしました。月末の土日や夏休み期間などはとても混みあっているようです。申込みは2段階になっており，先に利用者IDとメールアドレスの登録をし，仮パスワードを送付してもらってから個人情報の入力，試験会場や試験日を選択します。申込み終了で発行される「確認票」をダウンロードし，印刷して試験当日に持参します。

試験会場の様子

　試験会場には試験開始30分前に着きました。受付後，会場入室まで少し待たされます。その間に荷物をロッカーに預けます。スマホも電源を切った上でロッカーに入れます。スマートウォッチ発売の影響なのか，腕時計も持ち込み不可になったようです。ハンカチ・ティッシュ・目薬は持ち込めます。

　試験会場には身分証明書と確認票を持って入室します。係員の確認後，身分証明書をポケットにしまうように言われました。私が受けた会場は，デスクトップPCで，一人ずつパーティションで区切ってありました。机の上に大きなヘッドホンが置いてあり，耳栓として使えるようになっていました。そのほか，A4の紙1枚とシャープペンが計算用に貸与されました。終了後に用紙は回収されます。用紙が足りなければ追加できるようです。

　試験開始の合図はありません。開始時間がきたら画面の「試験開始」ボタンが押せるようになります。

　試験では，ストラテジ・マネジメントは基本的な内容が出題され，テクノロジ系は基本的な問題に加えて，やや知識を掘り下げる問題も出題されている感じがしました。

　試験時間の途中で「試験終了」ボタンを押すこともできます。途中で退出する方も多く，最後まで粘った人は少なかったです。

　試験時間終了になると，自動的に採点が始まり，点数が表示されます。合否は表示されませんが，点数から考えると，なんとかクリアしたようでした。

ITパスポート
試験

令和6年度
公開問題

試験時間　**120**分

問題は次の表に従って解答してください。

問題番号	選択方法
問 1 ～問 100	全問必須

問　1 ～問 35 ：ストラテジ系
問 36 ～問 55 ：マネジメント系
問 56 ～問 100 ：テクノロジ系

ワンポイント MEMO　　・まとめてチェック！　ISO／JIS ‥‥‥‥‥‥‥‥‥‥‥‥‥‥‥‥‥‥‥‥ 88 ページ

問1から問35までは，ストラテジ系の問題です。

難易度 高

マーケティングオートメーション（MA）に関する記述として，最も適切なものはどれか。

ア 企業内に蓄積された大量のデータを分析して，事業戦略などに有効活用する。

イ 小売業やサービス業において，販売した商品単位の情報の収集・蓄積及び分析を行う。

ウ これまで人間が手作業で行っていた定型業務を，AIや機械学習などを取り入れたソフトウェアのロボットが代行することによって自動化や効率化を図る。

エ 見込み顧客の抽出，獲得，育成などの営業活動を効率化する。

難易度 中

情報システムに不正に侵入し，サービスを停止させて社会的混乱を生じさせるような行為に対して，国全体で体系的に防御施策を講じるための基本理念を定め，国の責務などを明らかにした法律はどれか。

ア 公益通報者保護法　　　　　　**イ** サイバーセキュリティ基本法
ウ 不正アクセス禁止法　　　　　**エ** プロバイダ責任制限法

難易度 高

未来のある時点に目標を設定し，そこを起点に現在を振り返り，目標実現のために現在すべきことを考える方法を表す用語として，最も適切なものはどれか。

ア PoC（Proof of Concept）　　**イ** PoV（Proof of Value）
ウ バックキャスティング　　　　**エ** フォアキャスティング

問
4
難易度 中

従来の金融情報システムは堅ろう性が高い一方，柔軟性に欠け，モバイル技術などの情報革新に追従したサービスの迅速な提供が難しかった。これを踏まえて，インターネット関連技術の取込みやそれらを活用するベンチャー企業と組むなどして，新たな価値や革新的なサービスを提供していく潮流を表す用語として，最も適切なものはどれか。

ア オムニチャネル　　　　　　　**イ** フィンテック
ウ ブロックチェーン　　　　　　**エ** ワントゥワンマーケティング

問1 | マーケティングオートメーション

システム戦略

マーケティングオートメーション（MA）とは，販売などで集めた顧客の情報を一元管理し，マーケティングを自動化するためのツールのことをいいます。多くの顧客情報から今後の見込み顧客やその顧客へのアプローチ法などを探る，マーケティング業務の作業効率を高めるために活用されています。**エ**が正解です。

ア データマイニングの記述です。

イ 販売情報管理システムの記述です。

ウ RPA（Robotic Process Automation）の記述です。

問2 サイバーセキュリティ基本法

法務

世界的規模で生じている情報システムに不正に侵入するような脅威に関して，基本理念を定めるとともに，国および地方公共団体の責務を明らかにした法律をサイバーセキュリティ基本法といいます。**イ**が正解です。

> 「この法律は，……世界的規模で生じているサイバーセキュリティに対する脅威の深刻化その他の内外の諸情勢の変化に伴い，情報の自由な流通を確保しつつ，サイバーセキュリティの確保を図ることが喫緊の課題となっている状況に鑑み，我が国のサイバーセキュリティに関する施策に関し，基本理念を定め，国及び地方公共団体の責務等を明らかにし，並びにサイバーセキュリティ戦略の策定その他サイバーセキュリティに関する施策の基本となる事項を定めるとともに，……サイバーセキュリティに関する施策を総合的かつ効果的に推進し，もって経済社会の活力の向上及び持続的発展並びに国民が安全で安心して暮らせる社会の実現を図るとともに，国際社会の平和及び安全の確保並びに我が国の安全保障に寄与することを目的とする」

（「サイバーセキュリティ基本法」第一条より）

ア 公益通報者保護法とは，内部告発などをした場合にそれを理由に解雇や業務上不利益を被らないように通報者を保護する法律です。

ウ 不正アクセス禁止法とは，他の人のパスワードなどを不正な方法で取得し，アクセス制限されているコンピュータにアクセスしたり，脆弱なコンピュータ（サーバ）の問題点をついて不正侵入を行うなどの行為を禁止する法律です。

エ プロバイダ責任制限法とは，正当でない情報による「被害者救済」と発信者の「表現の自由」等の権利のバランスに配慮し，プロバイダなどの通信事業差が適切な対応ができるようにするための法律です。

問3 バックキャスティング

経営戦略マネジメント

将来の未来像の目標から逆算して，現在行うべき活動やその課題を決める手法のことをバックキャスティングといいます。**ウ**が正解です。

ア PoC (Proof of Concept：概念実証) とは，新しい概念やアイディア，原理の実証を目的とした，開発の前段階における検証を表す用語です。

イ PoV (Proof of Value：価値実証) とは，新たな製品やサービスの価値に重きをおいて顧客などに試してもらうことを表現する用語です。

エ フォアキャスティングとは，現在から未来を予測して，自分が行うべき行動を決める手法のことです。

問4 フィンテック

ビジネスインダストリ

PCやスマートフォンなどで使用されるインターネットバンキングや，AIを使った各種金融サービス全般やそのサービスを行っているシステムをフィンテック (FinTech) といいます。**イ**が正解です。

ア オムニチャネルとは，実店舗だけでなくインターネットサイトなど，あらゆるメディア（チャネル）を活用して顧客との接点を作る販売戦略のことです。

ウ ブロックチェーンとは，ハッシュ関数の特徴を利用してその値を変更（改ざん）されても元のデータの完全性と可用性が確保される仕組みです。暗号資産などで使用されています。

エ ワントゥワンマーケティングとは，各個人の顧客のニーズに対して個別に対応していくことで，顧客満足度などの向上を目指すマーケティング手法のことです。

解答 問1 エ　問2 イ　問3 ウ　問4 イ

問5 難易度 高

ベンチャーキャピタルに関する記述として，最も適切なものはどれか。

ア 新しい技術の獲得や，規模の経済性の追求などを目的に，他の企業と共同出資会社を設立する手法

イ 株式売却による利益獲得などを目的に，新しい製品やサービスを武器に市場に参入しようとする企業に対して出資などを行う企業

ウ 新サービスや技術革新などの創出を目的に，国や学術機関，他の企業など外部の組織と共創関係を結び，積極的に技術や資源を交換し，自社に取り込む手法

エ 特定された課題の解決を目的に，一定の期間を定めて企業内に立ち上げられ，構成員を関連部門から招集し，目的が達成された時点で解散する組織

問6 難易度 低

技術戦略の策定や技術開発の推進といった技術経営に直接の責任をもつ役職はどれか。

ア CEO　　イ CFO　　ウ COO　　エ CTO

問7 難易度 低

システム開発の上流工程において，業務プロセスのモデリングを行う目的として，最も適切なものはどれか。

ア 業務プロセスで取り扱う大量のデータを，統計的手法やAI手法などを用いて分析し，データ間の相関関係や隠れたパターンなどを見いだすため

イ 業務プロセスを可視化することによって，適切なシステム設計のベースとなる情報を整備し，関係者間で解釈を共有できるようにするため

ウ 個々の従業員がもっている業務に関する知識・経験やノウハウを社内全体で共有し，創造的なアイディアを生み出すため

エ プロジェクトに必要な要員を調達し，チームとして組織化して，プロジェクトの目的の達成に向けて一致団結させるため

問8 難易度 中

表はA社の期末の損益計算書から抜粋した資料である。当期純利益が800百万円であるとき，販売費及び一般管理費は何百万円か。

	単位　百万円
売上高	8,000
売上原価	6,000
販売費及び一般管理費	
営業外収益	150
営業外費用	50
特別利益	60
特別損失	10
法人税等	350

ア 850
イ 900
ウ 1,000
エ 1,200

問5 | ベンチャーキャピタル
技術戦略マネジメント

ベンチャーキャピタル (VC) とは，新しい製品やサービスを武器に市場に参入しようとする未上場のベンチャー企業の株式を取得しておき，将来その企業が上場した際に株式を売却して大きな利益を獲得することを目的として，出資などを行う企業 (ファンド) のことをいいます。**イ**が正解です。

ア ジョイントベンチャーの説明です。

ウ オープンイノベーションの説明です。

ウ タスクフォースの説明です。

問6 | CTO
企業活動

企業や団体での技術戦略や開発についての責任をもつ役職を，CTO (Chief Technical Officer：最高技術責任者) といいます。**エ**が正解です。

ア CEO (Chief Executive Officer：最高経営責任者) は，企業の経営に関するすべての業務の権限と責任をもちます。

イ CFO (Chief Financial Officer：最高財務責任者) は，株式投資や資金の管理など，企業の財務活動全般についての権限と責任をもちます。

ウ COO (Chief Operating Officer：最高執行責任者) は，企業の日常の業務を確実に遂行するための，各種の活動に関する権限と責任をもちます。

問7 | 業務プロセスの可視化
システム戦略

システム開発のウォータフォールモデルでは，以下のような過程を経て開発，運用されます。

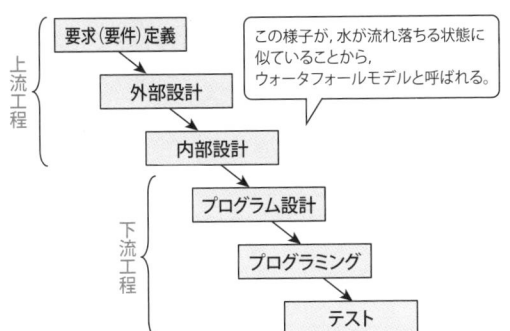

その上流工程とは，要件定義などで行う作業のことを指します。

要件定義では，ユーザからの要望などを開発者にわかりやすく共有できるように各種図法 (DFDなど) で可視化します。**イ**が正解です。

ア データマイニングの目的です。

ウ ナレッジマネジメントの目的です。

エ キックオフミーティングの目的です。

問8 | 販売費及び一般管理費を求める
企業活動

損益計算書の計算

	単位：百万円	
売上高	8,000	(商品の売上額)
売上原価	6,000 (−)	(販売した商品の仕入額)…④
売上総利益	2,000	(売上によって得た利益)
販売費及び一般管理費	☐ (−)	(営業活動などに要する費用)…⑤
営業利益	(1,000)	(企業の本業＝営業活動の利益)
営業外収益	150 (+)	(本業以外の活動による経常的収益)…③
営業外費用	50 (−)	(本業以外の活動による経常的費用)…③
経常利益	(1,100)	(企業活動全体の利益)
特別利益	60 (+)	(本業以外の活動による臨時的収益)…②
特別損失	10 (−)	(本業以外の活動による臨時的費用)…②
税引前当期純利益	(1,150)	(法人税等を減算する前の当期純利益)
法人税等	350 (−)	(法人税, 住民税及び事業税)…①
当期純利益	800	

上記の考え方より，下から順に追っていきます。

① 税引前当期純利益から法人税等が減算され，当期純利益 (800) が算出されるので，税引前当期純利益は，800 + 350 = 1,150となります。

② 経常利益に対して，特別利益が加算され，特別損失が減算されます。その結果，「税引前当期純利益」が算出されるので，1,150 + 10 − 60 = 1,100となります。

③ 営業利益に対して，営業外収益が加算され，営業外費用が減算されます。その結果，「経常利益」が算出されるので，1,100 + 50 − 150 = 1,000となります。

④ 売上高から売上原価が減算され，売上総利益 (2,000) となります。

⑤ 売上総利益から販売費及び一般管理費が減算され，「営業利益」が算出されるので，2,000 − 1,000 = 1,000となります。

以上から，**ウ**が正解です。

解答 問5**イ** 問6**エ** 問7**イ** 問8**ウ**

令和6年度 公開

35

問 9
難易度 高

企業の戦略立案やマーケティングなどで使用されるフェルミ推定に関する記述として，最も適切なものはどれか。

ア 正確に算出することが極めて難しい数量に対して，把握している情報と論理的な思考プロセスによって概数を求める手法である。

イ 特定の集団と活動を共にしたり，人々の動きを観察したりすることによって，慣習や嗜好，地域や組織を取り巻く文化を類推する手法である。

ウ 入力データと出力データから，その因果関係を統計的に推定する手法である。

エ 有識者のグループに繰り返し同一のアンケート調査とその結果のフィードバックを行うことによって，ある分野の将来予測に関する総意を得る手法である。

問 10
難易度 高

不正競争防止法で規定されている限定提供データに関する記述として，最も適切なものはどれか。

ア 特定の第三者に対し，1回に限定して提供する前提で保管されている技術上又は営業上の情報は限定提供データである。

イ 特定の第三者に提供する情報として電磁的方法によって相当量蓄積され管理されている技術上又は営業上の情報（秘密として管理されているものを除く）は限定提供データである。

ウ 特定の第三者に提供するために，金庫などで物理的に管理されている技術上又は営業上の情報は限定提供データである。

エ 不正競争防止法に定めのある営業秘密は限定提供データである。

問 11
難易度 中

品質に関する組織やプロセスの運営管理を標準化し，マネジメントの質や効率の向上を目的とした方策として，適切なものはどれか。

ア ISMSの導入
イ ISO9001の導入
ウ ITILの導入
エ プライバシーマークの取得

問 12
難易度 中

AIに関するガイドラインの一つである"人間中心のAI社会原則"に定められている七つの"AI社会原則"のうち，"イノベーションの原則"に関する記述として，最も適切なものはどれか。

ア AIの発展によって人も併せて進化するように，国際化や多様化を推進し，大学，研究機関，企業など，官民における連携と，柔軟な人材の移動を促進する。

イ AIの利用がもたらす結果については，問題の特性に応じて，AIの開発，提供，利用に携わった関係者が分担して責任を負う。

ウ サービスの提供者は，AIを利用している事実やデータの取得方法や使用方法，結果の適切性について，利用者に対する適切な説明を行う。

エ 情報弱者を生み出さないために，幼児教育や初等中等教育において，AI活用や情報リテラシーに関する教育を行う。

問9 フェルミ推定

企業活動

フェルミ推定とは，一見算出が難しい数量でも，基本的な数値と論理的思考能力を頼りに概算できる方法のことです。経営戦略などに役立つ考え方で，例えば，日本にあるコンビニエンスストアや電柱の数などを推定できます。**ア**が正解です。

イ フィールドワークの説明です。

ウ 統計的因果推論の説明です。

エ デルファイ法の説明です。

問10 限定提供データ
法務

不正な販売行為のために「営業上の秘密」を取得したり，他社の製品の評判を落とすようなデマを流したりすることを禁止する法律を**不正競争防止法**といいます。同第二条には『この法律において**「限定提供データ」**とは，業として特定の者に提供する情報として電磁的方法（電子的方法，磁気的方法その他人の知覚によっては認識することができない方法をいう。次項において同じ。）により相当量蓄積され，及び管理されている技術上又は営業上の情報（秘密として管理されているものを除く。）をいう。』となっています。**イ**が正解です。

ア 1回に限定して提供する前提ではなく，複数回利用されることも想定される情報です。

ウ 金庫などで物理的に管理されている技術上又は営業上の情報ではありません。

エ 営業秘密は，秘密として管理されているものをいうため，限定提供データとはなりません。

問11 品質マネジメントシステム

法務

製品やサービスの提供企業として，その製品やサービスの品質管理や品質保証に関して，組織やプロセスを標準化し，品質マネジメントシステムを完備しているかどうかを内外に示す方策として，ISO（国際標準化機構）が定める，ISO 9001（品質マネジメントシステム）の導入があります。**イ**が正解です。

なお，日本国内では，ISO9001 認証の審査にはJIS 規格が使用されています。

ア ISMS（情報セキュリティマネジメントシステム）を導入することで，情報セキュリティを確保するための組織体制や取組みが行われていることを示せます。

ウ ITILを導入することで，ITサービスマネジメントが体系的に行われていることを示せます。

エ プライバシーマークを取得することで，事業者の個人情報管理体制が確立できていることを示せます。

問12 人間中心の AI 社会原則

ビジネスインダストリ

"人間中心のAI社会原則"では以下の内容がイノベーションの原則として記載されています。

イノベーションの原則

- Society 5.0を実現し，AIの発展によって，人も併せて進化していくような継続的なイノベーションを目指すため，国境や産学官民，人種，性別，国籍，年齢，政治的信念，宗教等の垣根を越えて，幅広い知識，視点，発想等に基づき，人材・研究の両面から，徹底的な国際化・多様化と産学官民連携を推進するべきである。
- 大学・研究機関・企業の間の対等な協業・連携や柔軟な人材の移動を促さなければならない。
- AIを効率的かつ安心して社会実装するため，AIに係る品質や信頼性の確認に係る手法，AIで活用されるデータの効率的な収集・整備手法，AIの開発・テスト・運用の方法論等のAI工学を確立するとともに，倫理的側面，経済的側面など幅広い学問の確立及び発展が推進されなければならない。
- AI技術の健全な発展のため，プライバシーやセキュリティの確保を前提としつつ，あらゆる分野のデータが独占されることなく，国境を越えて有効利用できる環境が整備される必要がある。また，AIの研究促進のため，国際的な連携を促進しAIを加速するコンピュータ資源や高速ネットワークが共有して活用されるような研究開発環境が整備されるべきである。
- 政府は，AI技術の社会実装を促進するため，あらゆる分野で阻害要因となっている規制の改革等を進めなければならない。

（内閣府 「人間中心のAI社会原則」より引用）

上記より，**ア**が正解です。

イ **人間中心の原則**に関する記述です。

ウ **公平性・説明責任及び透明性の原則**に関する記述です。

エ **教育・リテラシーの原則**に関する記述です。

解答	問9 ア	問10 イ	問11 イ	問12 ア

問 13

難易度 高

金融機関では，同一の顧客で複数の口座をもつ個人や法人について，氏名又は法人名，生年月日又は設立年月日，電話番号，住所又は所在地などを手掛かりに集約し顧客ごとの預金の総額を正確に把握する作業が行われる。このように顧客がもつ複数の口座を，顧客ごとに取りまとめて一元管理する手続を表す用語として，最も適切なものはどれか。

ア アカウントアグリゲーション　　イ キーマッピング
ウ 垂直統合　　　　　　　　　　　エ 名寄せ

問 14

難易度 中

ある商品の販売量と気温の関係が一次式で近似できるとき，予測した気温から商品の販売量を推定する手法として，適切なものはどれか。

ア 回帰分析　　イ 線形計画法　　ウ デルファイ法　　エ パレート分析

問 15

難易度 低

必要な時期に必要な量の原材料や部品を調達することによって，工程間の在庫をできるだけもたないようにする生産方式はどれか。

ア BPO　　　　イ CIM　　　　ウ JIT　　　　エ OEM

問 16

難易度 中

RPAが適用できる業務として，最も適切なものはどれか。

ア ゲームソフトのベンダーが，ゲームソフトのプログラムを自動で改善する業務
イ 従業員の交通費精算で，交通機関利用区間情報と領収書データから精算伝票を作成する業務
ウ 食品加工工場で，産業用ロボットを用いて冷凍食品を自動で製造する業務
エ 通信販売業で，膨大な顧客の購買データから顧客の購買行動に関する新たな法則を見つける業務

問 13 ┃ データの名寄せ

NEW

企業活動

銀行などの金融機関では異なる口座番号で同一人物や法人と思われる場合，その情報を集約しておくことを名寄せといい，預金保険法第55条の2の規定によって義務付けられています。**エ**が正解です。これは，万が一金融機関に破綻などの事故が発生した場合，保護される金額を確定するための措置です。

口座番号	氏名	生年月日	…
1001	東京太郎	20001125	
1002	大阪次郎	19990101	
1003	京都花子	19710915	
1004	東京太郎	20001125	

ア アカウントアグリゲーションとは，インターネットバンキングなどで預金者が保有する異なる金融機関の複数の口座の情報を集約することです。

イ キーマッピングとは，キーボードの各キーにその作業を割り当てることをいいます。

ウ 垂直統合とは，別な企業に発注していた作業や工程を自社に取り込んでしまうことをいいます。

問14 回帰分析

企業活動

商品の販売量と気温との関係のような2つのデータ間の関係を一次式 (回帰式) で解析する統計的な手法のことを回帰分析といいます。回帰式を使って，全体的な傾向や将来の予測などに使用することができます。**ア**が正解です。回帰分析の代表的な方法には，最小二乗法があります。

回帰式の例

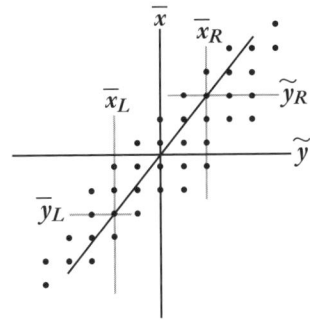

イ 線形計画法は，多種類の製品を生産及び販売している企業が，利益を最大化するために，最も効率的・効果的となる製品の製造・販売の組合せを決定する場合などに用いられます。

ウ デルファイ法は，アンケート調査による意見の集約や今後の戦略などの解を求める場合などに用いられます。

エ パレート分析では，顧客動向 (売上げ，クレーム件数など) や在庫データ (数量や金額など) を値の大きい順に並べて棒グラフを作成し，同時にその累積データを折れ線グラフで表記したものを，重要項目の管理基準やその後のサービス向上などに用います。

問15 ジャストインタイム方式

ビジネスインダストリ

"必要な物を，必要な時に，必要なだけ適切に生産"することによって，工程の途中での中間在庫を可能な限り減少させ，余剰在庫を減らす生産方式のことを JIT (Just In Time：ジャストインタイム

方式，かんばん方式ともいう) といいます。**ウ**が正解です。

JIT では，後工程が前工程に依頼して，必要な部品を必要なだけ調達します。後工程は，必要な部品の量を記載したかんばんを前工程に回して，その分だけの部品を送るよう依頼します。前工程は，後工程から回ってくるかんばんの指示量に備えて，在庫が最小限になるように調整しながら部品を生産する必要があります。

ア BPO (Business Process Outsourcing) とは，自社の業務の一部を，安く実施できる外部の事業者に任せて (アウトソースして)，コストの削減を図る経営手法のことです。

イ CIM (Computer Integrated Manufacturing) とは，生産に関連する一連のプロセスを統合的に管理する方法のことです。

エ OEM (Original Equipment Manufacturer) では，自社のロゴが取り付けられた自社ブランドの製品を他社に生産させることが行われます。

問16 RPA

システム戦略

RPA (Robotic Process Automation) は，業務の定型作業 (議事録作成や交通費精算など) をコンピュータ内のソフトウェアが代行して行うことです。**イ**が正解です。これにより，生産性向上により人手不足の解消やコスト削減につながることが期待できますが，あくまでも定型業務だけなので，自ら考える複雑な作業はできません。

ア 生成AIの中でもコード自動訂正AIを使って改善ができるものもありますが，RPAではできません。

ウ 産業用ロボットが与えられたプログラムで自動的に冷凍食品を製造できますが，RPAではできません。

エ ビッグデータからデータマイニングを使って法則を見つけるソフトウェアでは可能ですが，RPAではできません。

解答 問13 **エ**　問14 **ア**　問15 **ウ**　問16 **イ**

問 17 ☑☑☑
難易度 中

技術開発戦略において作成されるロードマップを説明しているものはどれか。

ア 技術の競争力レベルと技術のライフサイクルを２軸としたマトリックス上に，自社の技術や新しい技術をプロットする。

イ 研究開発への投資とその成果を２軸とした座標上に，技術の成長過程をグラフ化し，旧技術から新技術への転換状況を表す。

ウ 市場面からの有望度と技術面からの有望度を２軸としたマトリックス上に，技術開発プロジェクトをプロットする。

エ 横軸に時間，縦軸に市場，商品，技術などを示し，研究開発成果の商品化，事業化の方向性をそれらの要素間の関係で表す。

問 18 ☑☑☑
難易度 中

コーポレートガバナンスを強化した事例として，最も適切なものはどれか。

ア 女性が活躍しやすくするために労務制度を拡充した。

イ 迅速な事業展開のために，他社の事業を買収した。

ウ 独立性の高い社外取締役の人数を増やした。

エ 利益が得られにくい事業から撤退した。

問 19 ☑☑☑
難易度 中

ある銀行では，システムの接続仕様を外部に公開し，あらかじめ契約を結んだ外部事業者のアクセスを認めることによって，利便性の高い，高度なサービスを展開しやすくしている。このような取組を表す用語として，最も適切なものはどれか。

ア BPO　　　　　**イ** RPA　　　　　**ウ** オープンAPI　　　　　**エ** 技術経営

問 20 ☑☑☑
難易度 中

A社では，１千万円を投資して営業支援システムを再構築することを検討している。現状の営業支援システムの運用費が５百万円／年，再構築後の営業支援システムの運用費が４百万円／年，再構築による新たな利益の増加が２百万円／年であるとき，この投資の回収期間は何年か。ここで，これら以外の効果，費用などは考慮しないものとし，計算結果は小数点以下第２位を四捨五入するものとする。

ア 2.5　　　　　**イ** 3.3　　　　　**ウ** 5.0　　　　　**エ** 10.0

問 17 | 技術ロードマップ
経営戦略マネジメント

　技術開発戦略で作成されるロードマップを技術ロードマップといいます。技術ロードマップは，研究開発に取り組むことによって技術が進歩していき，その過程で既存の製品の機能が向上していく過程を，マイルストーンとして時間軸上に記載したもので，事業戦略に基づいた技術開発戦略における目標を明示し，開発の進展の度合いを評価する際に用いられます。また，技術ロードマップは事業戦略に基づいた技術開発戦略などを示すものであるため，技術者以外の人，特に自社の事業に関わる経営者などが理解できるように，可能な限り分かりやすい内容のマイルストーンを示します。**エ**が正解です。

技術ロードマップの例

製品	2022年	2023年	2024年	2025年
アクセスポイント	速度：100Gbps	速度：300Gbps		速度：1Tbps
ルータ	接続可能数：最大 1,000 台		接続可能数：最大 3,000 台	
	アドレス変換機能：IPv4 と IPv6 の相互変換を可能にする			

ア 技術ポートフォリオの説明です。

イ 技術のSカーブの説明です。

ウ 技術市場マトリックスの説明です。

問18 コーポレートガバナンス
法務

　コーポレートガバナンスとは，企業の経営管理が適切に行われているかを監視し，利害関係者に対して企業活動の正当性を維持する行為，およびそのための仕組みのことです。自社に関係のない独立性の高い外部取締役の人数を増やすことによって，コーポレートガバナンスを強化できます。**ウ** が正解です。

ア ダイバーシティを強化した事例です。

イ M＆Aに関する記述です。

エ 企業の事業撤退に関する記述です。

問19 オープンAPI
技術戦略マネジメント

　あるシステムからの別のシステムのOSを呼び出したり，互いのソフトウェア機能の一部を共有することをAPI (Application Programming Interface) といいます。APIを通じて連携することで，お互いのアプリケーション機能が拡張し，更に便利になることが期待できます。

　金融機関によるAPIに**オープンAPI**があります。オープンAPIによって，金融機関がシステムへの接続仕様を外部の開発事業者に公開し，あらかじめ契約を結んだ外部事業者のアクセスを認めることで，利便性の高い高度なサービスを行えるようになります。**ウ** が正解です。

ア BPO (Business Process Outsourcing) とは，自社の業務の一部を，安く実施できる外部の事業者に任せて (アウトソースして)，コストの削減を図る経営手法のことです。

イ RPA (Robotic Process Automation：ロボティックプロセスオートメーション) とは，データ転記や議事録作成など，業務の定型作業をPC内のソフトウェアが代行して行うことです。生産性が向上し，人手不足の解消やコスト削減が期待できます。

エ 技術経営 (MOT：Management of Technology) とは，技術に関連する事業を行っている企業が，技術開発に投資して新しい技術や新製品の製造などのイノベーションを作り上げることを促進し，当該イノベーションによって得られた新技術などを自社の事業に取り入れてビジネスに結び付けることで，自社を成長させていくという経営の考え方，またはその考え方に基づいたマネジメントのことです。

問20 システム投資の回収期間
システム企画

● 営業支援システム 再構築費用 1千万円

● 運用費　(現在) 5百万円／年
　　　　　 (再構築後) 4百万円／年

　ここで，運用費は1百万円／年の費用削減が可能です。また，利益は2百万円／年の増加になるので，合計3百万円／年の利益の増加が見込めます。

　再構築費用1千万円を回収するには，1千万円÷3百万円／年＝**3.33…年**かかります。**イ** が正解です。

解答 問17 **エ**　問18 **ウ**　問19 **ウ**　問20 **イ**

問21 難易度 低

あるソフトウェアは，定額の料金や一定の期間での利用ができる形態で提供されている。この利用形態を表す用語として，適切なものはどれか。

ア アクティベーション
イ アドウェア
ウ サブスクリプション
エ ボリュームライセンス

問22 難易度 中

インターネットを介して個人や企業が保有する住宅などの遊休資産の貸出しを仲介するサービスや仕組みを表す用語として，最も適切なものはどれか。

ア シェアードサービス
イ シェアウェア
ウ シェアリングエコノミー
エ ワークシェアリング

問23 難易度 高

A社はRPAソフトウェアを初めて導入するに当たり，計画策定フェーズ，先行導入フェーズ，本格導入フェーズの3段階で進めようと考えている。次のうち，計画策定フェーズで実施する作業として，適切なものだけを全て挙げたものはどれか。

a RPAソフトウェアの適用可能性を見極めるための概念検証を実施する。
b RPAソフトウェアを全社展開するための導入と運用の手順書を作成する。
c 部門，業務を絞り込んでRPAソフトウェアを導入し，効果を実測する。

ア a
イ a, c
ウ b
エ b, c

問24 難易度 高

式は定期発注方式で原料の発注量を求める計算式である。a～cに入れる字句の適切な組合せはどれか。

発注量＝（ a ＋調達期間）×毎日の使用予定量＋ b － 現在の在庫量－ c

	a	b	c
ア	営業日数	安全在庫量	現在の発注残
イ	営業日数	現在の発注数	安全在庫量
ウ	発注間隔	安全在庫量	現在の発注残
エ	発注間隔	現在の発注残	安全在庫量

問21 サブスクリプション

法務

定額の料金や一定の期間での利用ができる形態で提供されているソフトウェアの契約形態をサブスクリプション（サブスクとも呼ばれる）といいます。ウが正解です。

ア アクティベーションとは，OSやソフトウェアの代金を支払って，その使用権を得たことを示

すために，開発元から提供されたパスワードなどを入力して，起動できるようにすることです。

イ アドウェアとは，PCの画面上に，広告を強制的に表示するソフトウェアのことです。

エ ボリュームライセンスとは，あるソフトウェアの使用を複数台のコンピュータに認めるライセンス契約の形態です。

問22 | シェアリングエコノミー
システム戦略

インターネットを通じて情報共有することで，個人や企業が保有するモノなどを時間単位で借りられることをシェアリングエコノミーといいます。**ウ**が正解です。例えば，ペットの一時預かりや持っている洋服を共有するサービスなどがあります。

ア シェアードサービスとは，複数の企業で共通的に存在する業務を，企業から切り離して集中・統合して独立させ，それぞれの企業で共有してサービス提供を受けることで経営の効率化を目指すことです。

イ シェアウェアとは，一定の期間だけ無料試用ができ，期間経過後は使用料を払う必要があるソフトウェアのことです。

エ ワークシェアリングとは，一人の労働者の勤務時間を短くして多くの人の雇用を生むことができるものです。

問23 | RPAシステムの導入
システム戦略

RPA (Robotic Process Automation) は，業務の定型作業 (議事録作成や交通費精算など) をコンピュータ内のソフトウェアが代行して行うことです。RPAソフトウェアを導入する企業などではその効果や実際の動作などを確認する必要があるため，以下のようなプロセスで行う必要があります。

①RPA導入の準備段階 (計画策定フェーズ)
・RPA導入の範囲
・RPA導入の費用対効果分析
・RPAソフトウェアの選定　　など

②RPAのテスト段階 (先行導入フェーズ)
・RPAをいくつかの部署や一部の業務で利用する
・RPAの効果検証　　など

③RPAの導入 (本格導入フェーズ)
・全社導入にあたっての，手順書 (マニュアル) の策定
　以降，運用や保守の実施

a：計画策定フェーズの説明です。
b：本格導入フェーズの説明です。
c：先行導入フェーズの説明です。
　よって，**ア** (a) が正解です。

問24 | 定期発注方式
経営戦略マネジメント

定期発注方式は，発注の時期を一定にし，発注量を発注ごとに毎回予測して決定する方式です。ABC分析でAランクに分類される商品など，重要度の高い品目の発注方式として用いられます。

● **最適な発注量の求め方**

平均1日に3個ずつ売れる製品があり，10日に1回x個の製品が到着すると仮定します。

その調達期間が1日とした場合，(10日＋1日)×3個＝33個の製品が必要です。ただ，日によって5個売れる日や6個売れることもあるために，「安全在庫」を設けています。

安全在庫は，急に製品が売れる場合など，予想外の事態によって在庫切れとなることを防止する目的で設定されている，予備の在庫量のことです。この分を加味すると，次の式が立てられます。

(発注間隔＋調達期間)
　×1日の平均使用量＋安全在庫量

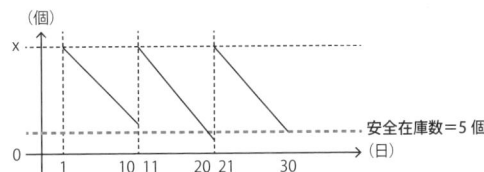

また，現在残っている在庫の数をあらかじめ減らしておかないと適正な在庫量にならないため，定期発注方式では，発注量を以下の式で算出することができます。

発注量＝(発注間隔＋調達期間)×1日の平均消費量＋安全在庫量－現在の在庫量

この時点で，以前に発注していて，まだ自社に到着していない製品があればその分も加味する必要があります。それを**発注残**といいます。発注残が到着すると，在庫量がその分だけ増えるため，発注残の分を考慮せずに発注すると，その分だけ在庫が余ってしまうことになります。したがって，

発注量＝(発注間隔＋調達期間)×1日の平均消費量＋安全在庫量－現在の在庫量－発注残

以上から，**ウ**が正解です。

解答　問21 **ウ**　問22 **ウ**　問23 **ア**　問24 **ウ**

問 25 ✓✓✓
難易度 中

史跡などにスマートフォンを向けると，昔あった建物の画像や説明情報を現実の風景と重ねるように表示して，観光案内をできるようにした。ここで活用した仕組みを表す用語として，最も適切なものはどれか。

ア AR **イ** GUI **ウ** VR **エ** メタバース

問 26 ✓✓✓
難易度 低

データサイエンティストの役割に関する記述として，最も適切なものはどれか。

ア 機械学習や統計などの手法を用いてビッグデータを解析することによって，ビジネスに活用するための新たな知見を獲得する。
イ 企業が保有する膨大なデータを高速に検索できるように，パフォーマンスの高いデータベースを運用するためのシステム基盤を構築する。
ウ 企業における情報システムに関するリスクを評価するために，現場でのデータの取扱いや管理についての実態を調査する。
エ 企業や組織における安全な情報システムの企画，設計，開発，運用を，サイバーセキュリティに関する専門的な知識や技能を活用して支援する。

問 27 ✓✓✓
難易度 中

個人情報保護法では，あらかじめ本人の同意を得ていなくても個人データの提供が許される行為を規定している。この行為に該当するものだけを，全て挙げたものはどれか。

a 事故で意識不明の人がもっていた本人の社員証を見て，搬送先の病院が本人の会社に電話してきたので，総務の担当者が本人の自宅電話番号を教えた。
b 新規加入者を勧誘したいと保険会社の従業員に頼まれたので，総務の担当者が新入社員の名前と所属部門のリストを渡した。
c 不正送金等の金融犯罪被害者に関する個人情報を，類似犯罪の防止対策を進める捜査機関からの法令に基づく要請に応じて，総務の担当者が提供した。

ア a **イ** a, c **ウ** b, c **エ** c

問 25 AR

ビジネスインダストリ

史跡など現実の画像にスマートフォンを向けると，昔あったであろう建物の画像などの仮想なものを重ねて表示することをAR (Augmented Reality：拡張現実) といいます。Pokémon GO (ポケモンゴー) などのゲームでもARが使われています。⑦が正解です。

- ⑦ GUI (Graphical User Interface) では，ラジオボタンやチェックボックスなどユーザが視覚的に理解できます。
- ⑨ VR (Virtual Reality：仮想現実) では，ゲームの世界などでゴーグルを通してあたかも現実のような映像を見せることが可能です。
- ⑩ メタバースとは，インターネット上に構築された三次元の仮想空間のことで，複数の人々とその空間でコミュニケーションを取ったりすることが可能です。

問 26 データサイエンティスト

企業活動

データサイエンティストの役割は，ビッグデータ (通販サイトが扱う年間の売上データや通信事業者の月当たりの携帯電話通信の記録や画像・動画，音声，SNSの内容，アクセスログ，位置情報など，大量で多岐に渡るデータ) をAI (人工知能) による機械学習や統計などを使って分析することで，多数の顧客の嗜好や売上傾向を把握して効果的な販売計画を立てたり，新規事業の立ち上げなどの際に必要となる様々な意思決定に役立つデータを作成したりすることです。⑦が正解です。

- ⑦ システム基盤を構築するのは，システムアーキテクトの役割です。
- ⑨ 情報システムのリスク評価をするのは，システム監査技術者の役割です。
- ⑩ サイバーセキュリティに関する専門的な知識や技能を活用して支援するのは，情報処理安全確保支援士の役割です。

問 27 個人情報保護法

法務

個人情報保護法第二十七条 (第1項) によれば，以下のような記載があります。

> 個人情報取扱事業者は，次に掲げる場合を除くほか，あらかじめ本人の同意を得ないで，個人データを第三者に提供してはならない。
> 1. 法令に基づく場合
> 2. 人の生命，身体又は財産の保護のために必要がある場合であって，本人の同意を得ることが困難であるとき。
> 3. 公衆衛生の向上又は児童の健全な育成の推進のために特に必要がある場合であって，本人の同意を得ることが困難であるとき。
> 4. 国の機関若しくは地方公共団体又はその委託を受けた者が法令の定める事務を遂行することに対して協力する必要がある場合であって，本人の同意を得ることにより当該事務の遂行に支障を及ぼすおそれがあるとき。
> 5. 当該個人情報取扱事業者が学術研究機関等である場合であって，当該個人データの提供が学術研究の成果の公表又は教授のためやむを得ないとき (個人の権利利益を不当に侵害するおそれがある場合を除く。)。
> 6. 当該個人情報取扱事業者が学術研究機関等である場合であって，当該個人データを学術研究目的で提供する必要があるとき (当該個人データを提供する目的の一部が学術研究目的である場合を含み，個人の権利利益を不当に侵害するおそれがある場合を除く。)。(当該個人情報取扱事業者と当該第三者が共同して学術研究を行う場合に限る。)。
> 7. 当該第三者が学術研究機関等である場合であって，当該第三者が当該個人データを学術研究目的で取り扱う必要があるとき (当該個人データを取り扱う目的の一部が学術研究目的である場合を含み，個人の権利利益を不当に侵害するおそれがある場合を除く。)。

上記の内容より，本問のa～cを確認します。

- a：上記の2より，緊急で本人の同意を取るのが困難であると考えられるので，個人データの提供が許されます。
- b：上記のどの項目にも当てはまらないため，個人データの提供は許されません。
- c：上記の1より，法令に基づく場合に該当しますので，個人データの提供が許されます。

以上から，⑦ (a，c) が正解です。

解答 | 問25 ⑦ 問26 ⑦ 問27 ⑦

問 28 難易度 中

次の事例のうち，AIを導入することによって業務の作業効率が向上したものだけを全て挙げたものはどれか。

a 食品専門商社のA社が，取引先ごとに様式が異なる手書きの請求書に記載された文字を自動で読み取ってデータ化することによって，事務作業時間を削減した。
b 繊維製造会社のB社が，原材料を取引先に発注する定型的なPCの操作を自動化するツールを導入し，事務部門の人員を削減した。
c 損害保険会社のC社が，自社のコールセンターへの問合せに対して，オペレーターにつなげる前に音声チャットボットでヒアリングを行うことによってオペレーターの対応時間を短縮した。
d 物流会社のD社が，配送荷物に電子タグを装着して出荷時に配送先を電子タグに書き込み，配送時にそれを確認することによって，誤配送を削減した。

ア a，c　　　　　**イ** b，c　　　　　**ウ** b，d　　　　　**エ** c，d

問 29 難易度 中

ある企業が，顧客を引き付ける優れたUX（User Experience）やビジネスモデルをデジタル技術によって創出し，業界における従来のサービスを駆逐してしまうことによって，その業界の既存の構造が破壊されるような現象を表す用語として，最も適切なものはどれか。

ア デジタルサイネージ　　　　**イ** デジタルディスラプション
ウ デジタルディバイド　　　　**エ** デジタルトランスフォーメーション

問 30 難易度 高

上司から自社の当期の損益計算書を渡され，"我が社の収益性分析をしなさい"と言われた。経営に関する指標のうち，この損益計算書だけから計算できるものだけを全て挙げたものはどれか。

a 売上高増加率　　　　b 売上高利益率　　　　c 自己資本利益率

ア a　　　　　**イ** a，b　　　　　**ウ** a，b，c　　　　　**エ** b

問 31 難易度 高

顧客との個々のつながりを意識して情報を頻繁に更新するSNSなどのシステムとは異なり，会計システムのように高い信頼性と安定稼働が要求される社内情報を扱うシステムの概念を示す用語として，最も適切なものはどれか。

ア IoT（Internet of Things）
イ PoC（Proof of Concept）
ウ SoE（Systems of Engagement）
エ SoR（Systems of Record）

問 28 AIの活用
ビジネスインダストリ

AI（Artificial Intelligence：人工知能）は，人間の知能を構成する機能（学習，推論など）をコンピュータ上で実現させる考え方，及びそのために利用するシステムを指します。その応用方法は多岐にわたり，人間に代わって正確に迅速作業がで

きることで効率を向上させるために各種システムがあります。a～dを順に確認します。

a：文字読み取りシステム (OCR) では，様式が異なる複数の請求書でもAIを使った自動化システムを利用することで作業を効率化できます。

b：RPA (Robotic Process Automation) の事例になりますのでAIの事例ではありません。

c：オペレーターにつなげる前のチャットボットで，音声を使ったAIの利用により，事前にある程度の回答を準備できるので，作業効率が向上します。

d：電子タグ (RFID) を使った配送システムの説明なので，AIを使った事例ではありません。

以上から，ア (a，c) が正解です。

問29 デジタルディスラプション
システム戦略

企業がデジタル技術を使った優れた技術や仕組みを構築すると，その効果はその業界や社会全体を巻き込んだ大きな変化を伴うことがあります。このような，デジタル技術を使った企業が市場に参入した結果，従来のサービスや既存企業などが市場からの撤退を余儀なくされる事例が出てきています。これをデジタルディスラプション (デジタル破壊) といいます。イが正解です。

ディスラプター (破壊者) は，デジタル技術を武器に市場に参入していき，自身の持つ技術によって新たなビジネスモデルを構築して，従来型のビジネスモデルを破壊し，既存企業の存続を困難にしています。

ア デジタルサイネージとは，ディスプレイやプロジェクタなどに情報を表示する形式の広告媒体のことです。

ウ デジタルディバイドとは，情報リテラシーの有無やITの利用環境の相違などを原因として発生する，社会的または経済的格差のことです。

エ デジタルトランスフォーメーション (DX) とは，業務のシステム化にとどまらず，ビジネスモデルの変革で優位性を得ようとすることです。

問30 当期損益計算書
企業活動

a～cの計算方法について確認します。

当期損益計算書

		単位：百万円
売上高		(商品の売上額)
売上原価	（－）	(販売した商品の仕入額)
売上総利益		(売上によって得た利益)
販売費及び一般管理費	（－）	(営業活動などに要する費用)
営業利益		(企業の本業＝営業活動の利益)
営業外収益	（＋）	(本業以外の活動による経常的収益)
営業外費用	（－）	(本業以外の活動による経常的費用)
経常利益		(企業活動全体の利益)
特別利益	（＋）	(本業以外の活動による臨時的収益)
特別損失	（－）	(本業以外の活動による臨時的費用)
税引前当期純利益		(法人税等を減額する前の当期純利益)
法人税等	（－）	(法人税，住民税及び事業税)
当期純利益		

a：売上高増加率＝(当期売上高－前期売上高)÷前期売上高

より，前期の売上高情報がないと算出できません。

b：売上高利益率 (売上高総利益率)＝売上総利益÷売上高

より，当期の損益計算書だけで算出できます。

c：自己資本利益率＝当期純利益÷自己資本

より，損益計算書だけでは自己資本がわからないため，算出できません。

よって，エ (b) が正解です。

問31 SoR
システム戦略

企業で利用されるシステムのうち，会計や人事システムのように高い信頼性と安定稼働が要求される社内情報を扱うシステムの概念をSoR (Systems of Record) といいます。エが正解です。

ア IoT (Internet of Things：モノのインターネット) は，電化製品や計測機器などをインターネットに接続して，事業者のサーバとの間で通信可能にし，情報交換や自動制御を行うことです。

イ PoC (Proof of Concept：概念実証) とは，新しい概念やアイディア，原理の実証を目的とした，開発の前段階における検証を表す用語です。

ウ SoE (Systems of Engagement) とは，顧客の満足度を向上するために利用されるシステム (CRMなど) 全般を指します。

解答 問28 ア 問29 イ 問30 エ 問31 エ

問32 ✓✓✓ 難易度 低

労働者派遣における派遣労働者の雇用関係に関する記述のうち，適切なものはどれか。

ア 派遣先との間に雇用関係があり，派遣元との間には存在しない。
イ 派遣元との間に雇用関係があり，派遣先との間には存在しない。
ウ 派遣元と派遣先のいずれの間にも雇用関係が存在する。
エ 派遣元と派遣先のいずれの間にも雇用関係は存在しない。

問33 ✓✓✓ 難易度 中

次の記述のうち，業務要件定義が曖昧なことが原因で起こり得る問題だけを全て挙げたものはどれか。

a 企画プロセスでシステム化構想がまとまらず，システム化の承認を得られない。
b コーディングのミスによって，システムが意図したものと違う動作をする。
c システムの開発中に仕様変更による手戻りが頻発する。
d システムを受け入れるための適切な受入れテストを設計できない。

ア a, b イ b, c ウ b, d エ c, d

問34 ✓✓✓ 難易度 高

顧客の特徴に応じたきめ細かい対応を行うことによって，顧客と長期的に良好な関係を築き，顧客満足度の向上や取引関係の継続につなげる仕組みを構築したい。その仕組みの構成要素の一つとして，営業活動で入手した顧客に関する属性情報や顧客との交渉履歴などを蓄積し，社内で共有できるシステムを導入することにした。この目的を達成できるシステムとして，最も適切なものはどれか。

ア CAEシステム イ MRPシステム ウ SCMシステム エ SFAシステム

問35 ✓✓✓ 難易度 高

実用新案に関する記述として，最も適切なものはどれか。

ア 今までにない製造方法は，実用新案の対象となる。
イ 自然法則を利用した技術的思想の創作で高度なものだけが，実用新案の対象となる。
ウ 新規性の審査に合格したものだけが実用新案として登録される。
エ 複数の物品を組み合わせて考案した新たな製品は，実用新案の対象となる。

問32 労働者派遣 頻出 法務

労働者派遣法では，「派遣労働者」，「派遣先事業主（企業）」，「派遣元事業主（企業）」の3者間の関係を次の図のように定めています。

派遣労働者は，派遣先の指揮命令下で業務を行いますが，派遣元との間で雇用関係があります。イが正解です。

ア，ウ，エは誤りの記述です。

労働者派遣法による派遣契約

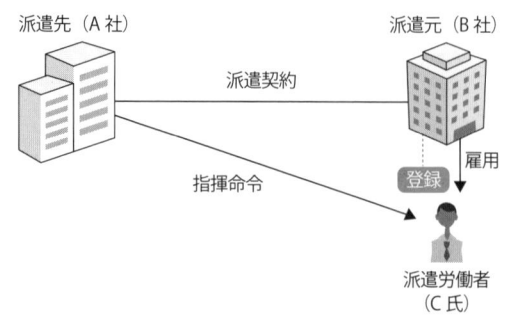

問33 要件定義プロセス

システム戦略

ソフトウェアライフサイクルプロセス (SLCP) では，企画，要件定義，開発，運用及び保守といった，ソフトウェア (システム) に関する一連のプロセス (業務) をまとめています。

SLCP のプロセス (一部)

・主ライフサイクルプロセス
（開発プロセスにおける一般的な作業）

プロセス	概要
企画プロセス	事業の目的や目標達成のために必要な機能や要求事項をまとめ，情報システムを構築するためのシステム化方針を策定し，システムを実現するための計画（システム化計画）を作成する。
要件定義プロセス	新しい業務のあり方や運用をまとめた上で，業務上実現すべき要件を明らかにする。また，システムの仕様を明確化し，IT化できる範囲とその機能を明示する。
開発プロセス	システムに関する要件について技術的に実現可能であるかどうかを検証し，システム設計が可能な技術要件に変換する。

要件定義プロセスで業務要件定義を行うため，その部分が曖昧であると，システム化が上手くいかない可能性があります。 a～dを確認します。

a：**企画プロセス**の問題です。

b：**開発プロセス**の問題です。

c：システムの開発中に仕様変更による手戻りが頻発することで，**要件定義が確定せず**，開発に遅れや問題が起こる可能性があります。

d：システムを受け入れるための適切な受入テストを設計できないのは，**要件定義が明確でない**可能性があります。

よって，**エ**（c，d）が正解です。

問34 SFA システム

システム戦略

営業活動にITを活用して顧客情報や商談内容など営業部門がもつ情報を一元管理し，これを活用することで効率的な営業活動を支援するシステムを**SFA** (Sales Force Automation：営業支援システム) といいます。**エ**が正解です。

ア CAE (Computer Aided Engineering) システムとは，大規模なコンピュータシミュレーションなどを行うことで実験などをしなくても計算可能になる工学支援システムのことです。

イ MRP (Materials Requirements Planning：資材所要量計画) システムは，製造する製品の需要から予測した生産計画を基にして必要な部品の個数と在庫の情報とを照合し，部品・材料の適切な発注量と発注時期を，コンピュータシステムを用いて算出することで，在庫管理や製品の製造の作業を効率化できます。

ウ SCM (Supply Chain Management：サプライチェーンマネジメント) システムとは，関連企業間で情報を共有し，製品に関わる一連の業務を，全体最適化の視点から見直し，コンピュータを用いて管理することです。これにより，納期の短縮やコストの削減などを図ることができ，企業活動全体の効率を向上させる効果が期待できます。

問35 実用新案

法務

複数の物品を組み合わせて考案した新たな製品 (シャチハタやクイックルワイパーなど) は，実用新案登録されます。**エ**が正解です。

知的財産権（著作権及び産業財産権）

権利		保護対象	法規，特許庁への登録
著作権		著作物（思想または感情を創作的に表現したもの）	著作権法不要（無方式主義）
産業財産権	意匠権	意匠（外観・デザイン）	意匠法必要
	商標権	商標（名称・ロゴなど）	商標法必要
	特許権	特許（自然法則を利用した高度な発明）	特許法出願・審査が必要
	実用新案権	実用新案（物品の形状，構造，組み合わせに係る考案）	実用新案法必要

ア 特許の対象となります。

イ 特許の対象となります。

ウ 実用新案は審査を必要としていません。

解答 問32 **イ**　問33 **エ**　問34 **エ**　問35 **エ**

問36から問55までは, マネジメント系の問題です。

問 36 ✓✓✓ 難易度 中

プロジェクトに該当する事例として, 適切なものだけを全て挙げたものはどれか。

a　会社合併に伴う新組織への移行
b　社内システムの問合せや不具合を受け付けるサービスデスクの運用
c　新規の経理システム導入に向けたプログラム開発
d　毎年度末に実施する会計処理

ア a, c　　　イ b, c　　　ウ b, d　　　エ c

問 37 ✓✓✓ 難易度 高

システム開発プロジェクトを終結する時に, プロジェクト統合マネジメントで実施する活動として, 最も適切なものはどれか。

ア 工程の進捗の予定と実績の差異を分析する。
イ 作成した全ての成果物の一覧を確認する。
ウ 総費用の予算と実績の差異を分析する。
エ 知識や教訓を組織の資産として登録する。

問 38 ✓✓✓ 難易度 中

あるシステムの運用において, 利用者との間でSLAを交わし, 利用可能日を月曜日から金曜日, 1日の利用可能時間を7時から22時まで, 稼働率を98%以上で合意した。1週間の運用において, 障害などでシステムの停止を許容できる時間は最大何時間か。

ア 0.3　　　イ 1.5　　　ウ 1.8　　　エ 2.1

問 39 ✓✓✓ 難易度 低

サービスデスクを評価するためには適切なKPIを定めて評価する必要がある。顧客満足度を高めるために値が小さい方が良いKPIとして, 適切なものだけを全て挙げたものはどれか。

a　SLAで合意された目標時間内に対応が完了したインシデント件数の割合
b　1回の問合せで解決ができたインシデント件数の割合
c　二次担当へエスカレーションされたインシデント件数の割合
d　利用者がサービスデスクの担当者につながるまでに費やした時間

ア a, b　　　イ a, d　　　ウ b, c　　　エ c, d

問 36 | プロジェクト
　　　　　　　　　　　プロジェクトマネジメント

プロジェクトとは, ある目的を達するために社内外のメンバを必要に応じて横断的に集めて行う業務や組織のことを指します。プロジェクトマネジメントのPMBOK (プロジェクトマネジメント体系化ガイド) によると, プロジェクトとは「独自のプロダクト, サービス, 所産を創造するために実施される有期的な業務である」と定義されていま

す。a～dを確認します。

a：会社合併に伴う新組織への移行は，独自の新組織体制の移行を円滑に行うために，経営層だけでなく各部署のメンバが必要になり，有期業務なのでプロジェクトに**該当します**。

b：社内システムの問合せや不具合を受け付けるサービスデスクの運用は，システム運用メンバだけで作業ができる日常業務なので，プロジェクトではありません。

c：新規の経理システム導入に向けたプログラム開発は，企業内の独自システムなので，システム開発専門の部門だけでは経理の内容がわからない場合があります。そのため，経理部門などの助けを借りて行う有期業務なのでプロジェクトに**該当します**。

d：毎年度末に実施する会計処理は経理部門が単独で実行でき，年次業務なのでプロジェクトではありません。

以上から，**ア**（a，c）が正解です。

問37 プロジェクト統合マネジメント
プロジェクトマネジメント

プロジェクト統合マネジメントでは，「プロジェクトに含まれる各種プロセスの調整を行い，プロジェクト全体の作業を適切に遂行して，プロジェクトを問題なく完了させること」を目的としてプロジェクト憲章や計画書の作成やプロジェクトで起こったトラブルなどの教訓を今後の資産として残すなどの作業を行います。**エ**が正解です。

ア プロジェクトタイムマネジメントで実施する活動です。

イ プロジェクトスコープマネジメントで実施する活動です。

ウ プロジェクトコストマネジメントで実施する活動です。

問38 システムの稼働率
サービスマネジメント

SLA（Service Level Agreement：サービスレベル契約）は，各種のITサービスのサービスレベルについて，そのサービスの利用者と提供者との間でなされた合意，及びその合意をまとめた合意書のことです。

条件

- 運用は月曜日から金曜日：5日間
- 1日の利用可能時間は，7時から22時：15時間
  1週間では，5×15＝75時間

このうち，稼働率を98％にするのであれば，停止できる割合は 1 － 0.98 ＝ 0.02

よって，75時間×0.02＝1.5時間（**イ**）となります。

問39 サービスデスクのKPI
サービスマネジメント

サービスデスクでは，システムの利用者に単一窓口を提供し，インシデントの発生時には当該窓口に連絡するようにさせることで，インシデントが事業へ与える影響を最小限にし，利用者が通常サービスへ復帰できるように支援します。

また，**KPI**（Key Performance Indicator：重要業績評価指標）は，目標がどの程度まで達成されたかを確認するための指標です。

a～dを，顧客満足度を高めるための観点で確認します。

a：SLAで合意された目標時間内に対応が完了したインシデント件数の割合が小さいと，それだけ遅くなり顧客満足度が下がる可能性があります。

b：1回の問合せで解決ができたインシデント件数の割合が小さいと，何度も問い合わせをしていることになるので，顧客満足度が下がる可能性があります。

c：二次担当へエスカレーションされたインシデント件数の割合が小さいと，それだけインシデント管理に送られていないので，早く解決した可能性があるので，顧客満足度が**高くなります**。

d：利用者がサービスデスクの担当者につながるまでに費やした時間が小さい（短い）と顧客満足度が**高くなります**。

以上から，**エ**（c，d）が正解です。

問 40 ✓✓✓ 難易度 低

アジャイル開発に関する記述として，最も適切なものはどれか。

ア 開発する機能を小さい単位に分割して，優先度の高いものから短期間で開発とリリースを繰り返す。

イ 共通フレームを適用して要件定義，設計などの工程名及び作成する文書を定義する。

ウ システム開発を上流工程から下流工程まで順番に進めて，全ての開発工程が終了してからリリースする。

エ プロトタイプを作成して利用者に確認を求め，利用者の評価とフィードバックを行いながら開発を進めていく。

問 41 ✓✓✓ 難易度 中

あるプロジェクトの作業間の関係と所要時間がアローダイアグラムで示されている。このアローダイアグラムのBからEの四つの結合点のうち，工程全体の完了時間に影響を与えることなく，その結合点から始まる全ての作業の開始を最も遅らせることができるものはどれか。ここで，各結合点から始まる作業はその結合点に至る作業が全て完了するまで開始できず，作業から次の作業への段取り時間は考えないものとする。

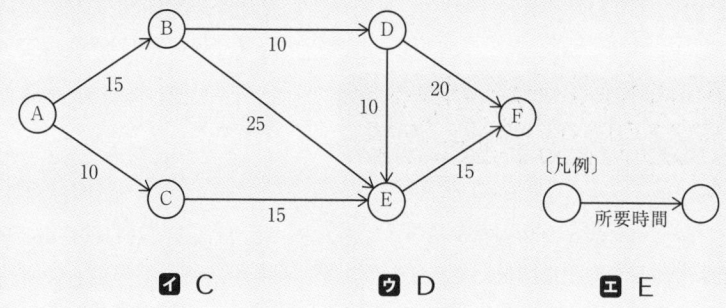

〔凡例〕
○ ——所要時間→ ○

ア B   **イ** C   **ウ** D   **エ** E

問 42 ✓✓✓ 難易度 高

システム監査人の役割として，適切なものだけを全て挙げたものはどれか。

a 監査手続の種類，実施時期，適用範囲などについて，監査計画を立案する。
b 監査の目的に応じた監査報告書を作成し，社内に公開する。
c 監査報告書にある改善提案に基づく改善の実施を監査対象部門に指示する。
d 監査報告書にある改善提案に基づく改善の実施状況をモニタリングする。

ア a, b   **イ** a, d   **ウ** b, c   **エ** c, d

問 40 | アジャイル開発
頻出
ソフトウェア開発管理技術

アジャイル開発とは，システム開発において小さな機能単位でコーディングやテストを繰返し，常にフィードバックを行って各工程の修正や再設計を行う開発手法のことです。**ア**が正解です。ア

ジャイル開発の方法として，XP（エクストリームプログラミング）やスクラムなどの手法が用いられます。

イ 共通フレームは，ユーザと開発側との認識を合わせるために使用するものでアジャイル開発とは関係がありません。

ウ ウォーターフォールモデルの説明です。

エ プロトタイプ開発の説明です。

問41 アローダイアグラム
プロジェクトマネジメント

アローダイアグラムとは，順序関係がある複数の作業順序をネットワーク図にしたものです。結合点ごとにAから順にFまで検討していきます。

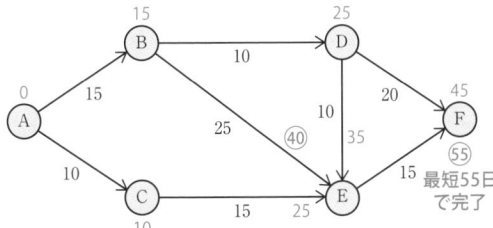

① Aは作業開始なので0日
② BはAから15日経過後なので15日に到達
③ CはAから10日経過後なので10日に到達
④ DはBから10日後なので15＋10＝25日に到達
⑤ Eは3つの作業が全て完了しないと到達できないので，
  ● Dからは10日後なので25+10＝35日
  ● Bからは25日後なので15+25＝40日
  ● Cからは15日後なので10+15＝25日
  このうち最も大きい40日に到達します。
⑥ Fは2つの作業が全て完了しないと到達できないので，
  ● Dからは20日後なので25+20＝45日
  ● Eからは15日後なので40+15＝55日
  本プロジェクトは，最短で55日で終了します。
  ここで，工程に影響を与える経路（余裕のない経路）をクリティカルパスといいます。本問ではA－B－E－Fとなり，BとEには余裕がありません。それ以外の経路で余裕を考えます。
  CはEに到達するのが最短で25日最大40日なので，15日の余裕があります。
  DはFに到達するのが最短で45最大55日なので，10日の余裕があります。
  DはEに到達するのが最短で35最大40日なので，10日の余裕があります。
  したがって，最も遅らせることができるのは，**イ** (C)になります。

問42 システム監査人の役割
システム監査

システム監査人は，被監査部門の上長などの監査依頼者からの依頼を受け，被監査部門（組織体）の情報システムなどの状況を客観的に監査し，その結果判明した情報システムの改善点などを監査報告書にまとめて監査依頼者に提出し，改善の勧告や助言を行う役割をもちます。

システム監査人は，発見した問題を自ら是正したり，問題の是正を被監査部門に命令したりするための権限はもっていません。システム監査によって発見された問題の是正は，被監査部門が行います。

監査人の役割についてa〜dを順に確認します。

a：監査手続の種類，実施時期，適用範囲などについて，監査計画を立案するのは，**監査人の役割です**。
b：監査の目的に応じた監査報告書を作成し，経営層に提出しますがそれを公開するかどうかの業務は監査人の役割ではありません。
c：監査報告書にある改善提案に基づく改善の実施を確認することはしますが，監査対象部門に指示することは監査人の役割ではありません。
d：監査報告書にある改善提案に基づく改善の実施状況をモニタリング（確認）することは**監査人の役割です**。

以上から，**イ** (a，d)の組合せが正解です。

解答 問40 **ア** 問41 **イ** 問42 **イ**

問43 情報システムに関する施設や設備を維持保全するために行うリスク対策のうち，ファシリティマネジメントの観点から行う対策として，適切なものだけを全て挙げたものはどれか。

難易度 中

a　コンピュータ室への入室を，認可した者だけに限定する。
b　コンピュータの設置場所を示す標識を掲示しない。
c　利用者のPCにマルウェア対策ソフトを導入する。

ア a　　　　　　**イ** a, b　　　　　　**ウ** a, c　　　　　　**エ** b, c

問44 提供しているITシステムが事業のニーズを満たせるように，人材，プロセス，情報技術を適切に組み合わせ，継続的に改善して管理する活動として，最も適切なものはどれか。

難易度 低

ア ITサービスマネジメント　　　　　　**イ** システム監査
ウ ヒューマンリソースマネジメント　　　**エ** ファシリティマネジメント

問45 本番稼働後の業務遂行のために，業務別にサービス利用方法の手順を示した文書として，最も適切なものはどれか。

難易度 低

ア FAQ　　　　　　　　　　　　　　　**イ** サービスレベル合意書
ウ システム要件定義書　　　　　　　　**エ** 利用者マニュアル

問46 ITサービスマネジメントの管理プロセスに関する記述a〜cと用語の適切な組合せはどれか。

難易度 低

a　ITサービスの変更を実装するためのプロセス
b　インシデントの根本原因を突き止めて解決策を提供するためのプロセス
c　組織が所有しているIT資産を把握するためのプロセス

	a	b	c
ア	構成管理	問題管理	リリース及び展開管理
イ	構成管理	リリース及び展開管理	問題管理
ウ	問題管理	リリース及び展開管理	構成管理
エ	リリース及び展開管理	問題管理	構成管理

問43 | **ファシリティマネジメント**
サービスマネジメント

　ファシリティマネジメントとは，企業の施設や設備（ファシリティ）が適切に利用されているかを

確認したり，従業員が快適に業務を行えるようにしたりすることを指します。また，情報システムに関する施設や設備を維持保全するために行うリスク対策は，情報セキュリティの観点も重要になります。a〜cを順に確認します。

a：設備のリスク管理に該当します。

b：設備のリスク管理に該当します。

c：情報セキュリティ上では重要ですが，ファシリ
ティマネジメントではありません。

以上から，**イ**（a，b）が正解です。

問44 ITサービスマネジメント
サービスマネジメント

システムが事業のニーズを満たせるように，人
材，プロセス，情報技術を適切に組み合わせ，継
続的に改善しながら適切に管理し，常に高品質な
サービスを提供できるようにすることを**ITサービ
スマネジメント**といいます。**ア**が正解です。

イ **システム監査**とは，一定のシステム監査基準に
基づいてシステムを総合的に点検・評価し，関
係者に助言・勧告することです。

ウ **ヒューマンリソースマネジメント**とは，企業の
従業員の給与や待遇などのほかに，教育・訓練，
配置，昇進など人事に関する各種の要素を適切
に管理しようとする経営手法です。

エ **ファシリティマネジメント**とは，企業の施設や
設備（ファシリティ）が適切に利用されている
かを確認したり，従業員が快適に業務を行える
ようにしたりすることを指します。

問45 利用者マニュアル
システム開発技術

システムの本番稼働後に，業務別にサービスの
操作方法やトラブルの対処方法などの手順を示し
た文書のことを**利用者マニュアル**といいます。**エ**
が正解です。

ア **FAQ**（Frequently Asked Questions）は，よ
くある質問と答えのことです。

イ **サービスレベル合意書**（SLA）は，サービス提供
側とサービス受取側とで取り交わされるサー
ビス内容に関する契約文章です。

ウ システムの**要件定義書**は，利用者から新たなシ
ステム化に向けての要望などが記載された書
類です。

問46 管理プロセス
サービスマネジメント

ITサービスマネジメントの管理プロセスの概要
を図にします。

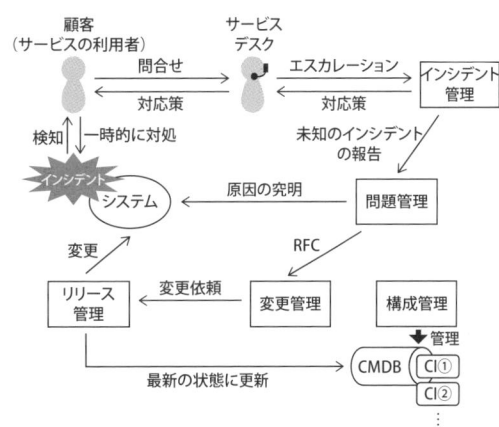

● 問題管理プロセス

未知のインシデントの根本原因を究明し，それ
に対する解決策（是正措置）などを変更管理プロセ
スに提案することで，インシデントの発生を恒久
的に防止することを目的としています。

● 構成管理プロセス

構成管理データベースを用いてITサービス提供
に必要な情報を常に正しく把握・提供します。

● 変更管理プロセス

変更要求（RFC）の内容について，変更に伴う影
響を検証後インパクトや優先度の評価を行い，認
可または却下を決定します。

● リリース及び展開管理プロセス

変更管理プロセスが認可した変更要求を実行
し，システムを変更します。

a～cを順に確認します。

a：リリース及び展開管理プロセスに該当します。

b：問題管理プロセスに該当します。

c：構成管理プロセスに該当します。

以上から，**エ**の組み合わせが正解です。

解答 問43 **イ** 問44 **ア** 問45 **エ** 問46 **エ**

問 47
難易度 低

ソフトウェアの開発におけるDevOpsに関する記述として，最も適切なものはどれか。

ア 開発側が重要な機能のプロトタイプを作成し，顧客とともにその性能を実測して妥当性を評価する。

イ 開発側では，開発の各工程でその工程の完了を判断した上で次工程に進み，総合テストで利用者が参加して操作性の確認を実施した後に運用側に引き渡す。

ウ 開発側と運用側が密接に連携し，自動化ツールなどを活用して機能の導入や更新などを迅速に進める。

エ システム開発において，機能の拡張を図るために，固定された短期間のサイクルを繰り返しながらプログラムを順次追加する。

問 48
難易度 高

システム監査で用いる判断尺度の選定方法に関する記述として，最も適切なものはどれか。

ア システム監査ではシステム管理基準の全項目をそのまま使用しなければならない。

イ システム監査のテーマに応じて，システム管理基準以外の基準を使用してもよい。

ウ システム監査のテーマによらず，システム管理基準以外の基準は使用すべきでない。

エ アジャイル開発では，システム管理基準は使用すべきでない。

問 49
難易度 低

ソフトウェア開発プロジェクトにおける，コストの見積手法には，積み上げ法，ファンクションポイント法，類推見積法などがある。見積りで使用した手法とその特徴に関する記述a～cの適切な組合せはどれか。

a プロジェクトに必要な個々の作業を洗い出し，その作業ごとの工数を見積もって集計する。

b プロジェクトの初期段階で使用する手法で，過去の事例を活用してコストを見積もる。

c データ入出力や機能に着目して，ソフトウェア規模を見積もり，係数を乗ずるなどしてコストを見積もる。

	積み上げ法	ファンクションポイント法	類推見積法
ア	a	c	b
イ	b	a	c
ウ	c	a	b
エ	c	b	a

問 47 DevOps
ソフトウェア開発管理技術

DevOps（デブオプス）とは，開発者（Development）と運用者（Operations）が密接に連携することにより開発効率を上げようとするものです。システムの信頼性や生産性を向上させる効果があります。**ウ**が正解です。

ア プロトタイプ開発の記述です。

イ ウォーターフォールモデルの記述です。

エ アジャイル開発の記述です。

問 48 システム監査基準
システム監査

経済産業省が公表している**システム監査基準**は，システム監査業務の品質を確保し，有効かつ効率的に監査を実施することを目的とした監査人の行為規範です。また，システム管理基準は，情報戦略を立案し，効果的な情報システム投資と，情報システムの運用に関するリスクを低減するためのコントロールを適切に整備・運用するための事項をまとめたもので，システム監査の際にシステム監査人が用いるべき尺度となりますが，情報セキュリティに関する項目は，情報セキュリティ管理基準などを参照することも記載されています。**イ**が正解です。

ア，**ウ** 上記のように必要に応じて別な基準を使用することも必要です。

エ アジャイル開発に限らず，システム監査ではシステム管理基準が基本的な考え方になっています。

問 49 ソフトウェアの見積り
システム開発技術

＜ソフトウェア開発の代表的なコスト見積法＞

● 積み上げ法

プロジェクトの作業ごとの工数を1つ1つ計算して，それを積み上げ計算していく方法です。精度の高い見積を出すことが可能ですが，見積に時間がかかってしまいます。

● ファンクションポイント法

開発するシステムに含まれる，外部入力・外部出力・内部論理ファイルなどの5つの要素の個数を求め，各機能に関するモジュールの個数や複雑さの特性を重み付けして加味することによって計量した"可視的・定量的"な仕様を，見積りの評価対象とする見積手法です。顧客も説明された際に理解しやすいですが，重みに見積者の主観が入ってしまう場合があります。

● 類推法

プロジェクトの見積を行った企業が保有する"過去の事例"を参考にして開発するシステムがどれくらいのコストで作成できるかを算出する方法です。見積に時間がかかりませんが，過去の事例がない場合には使用できません。

上記の内容を参考にa～cを確認します。

a：プロジェクトに必要な個々の作業を洗い出し，その作業ごとの工数を見積もって集計する。⇒**積み上げ法**の説明です。

b：プロジェクトの初期段階で使用する手法で，過去の事例を活用してコストを見積もる。⇒**類推法**の説明です。

c：データ入出力や機能に着目して，ソフトウェア規模を見積もり，係数を乗ずるなどしてコストを見積もる。⇒**ファンクションポイント法**の説明です。

よって，**ア**の組み合わせが正解です。

解答 問47 **ウ**　問48 **イ**　問49 **ア**

令和6年度 公開

問 50

✓✓✓

難易度 中

ソフトウェア製品の品質特性を, 移植性, 機能適合性, 互換性, 使用性, 信頼性, 性能効率性, セキュリティ, 保守性に分類したとき, RPAソフトウェアの使用性に関する記述として, 最も適切なものはどれか。

ア RPAが稼働するPCのOSが変わっても動作する。

イ RPAで指定した時間及び条件に基づき, 適切に自動処理が実行される。

ウ RPAで操作対象となるアプリケーションソフトウェアがバージョンアップされても, 簡単な設定変更で対応できる。

エ RPAを利用したことがない人でも, 簡単な教育だけで利用可能になる。

問 51

✓✓✓

難易度 低

システム開発プロジェクトにおいて, テスト中に発見された不具合の再発防止のために不具合分析を行うことにした。テスト結果及び不具合の内容を表に記入し, 不具合ごとに根本原因を突き止めた後に, 根本原因ごとに集計を行い発生頻度の多い順に並べ, 主要な根本原因の特定を行った。ここで利用した図表のうち, 根本原因を集計し, 発生頻度順に並べて棒グラフで示し, 累積値を折れ線グラフで重ねて示したものはどれか。

ア 散布図

イ チェックシート

ウ 特性要因図

エ パレート図

問50　ソフトウェア品質特性
システム開発技術

ソフトウェア品質特性 (JISX25010) は，ソフトウェアの品質を評価するための基準で，以下の8つの特性からなります。

● 機能適合性

明示された状況下で使用するときに，そのニーズ及び暗黙のニーズを満足させる機能を，製品又はシステムが提供する度合い。

● 性能効率性

明記された条件で使用する際の資源の量に関係する性能の度合い。

● 互換性

同じハードウェア又はソフトウェア環境を共有している間に製品，システム又は構成要素が他の製品，システム又は構成要素の情報を交換することができる度合い。

● 使用性

一定の利用状況において，有効性，効率性及び満足性をもって目標を達成するために，利用者が製品又はシステムを利用することができる度合い。

● 信頼性

明示された時間帯，条件下において，システム，製品又は構成要素が明示された動作を実行する度合い。

● セキュリティ

人間又はシステムが，認められた権限の種類及び水準に応じたデータアクセスの度合いをもてるように，システムが情報及びデータを保護する度合い。

● 保守性

製品又はシステムがバージョンアップなどの修正ができる有効性及び効率性の度合い。

● 移植性

1つのハードウェア，OSを含むソフトウェアなどからその他の環境に，システム，製品などを移すことができる有効性及び効率性の度合い。

上記より[ア]～[エ]を確認します。

[ア] PCのOSが変わっても動作することは，移植性に関する記述です。

[イ] 時間及び条件に基づき，適切に自動処理が実行されることは，信頼性に関する記述です。

[ウ] アプリケーションソフトウェアがバージョンアップされても，簡単な設定変更で対応できることは，保守性に関する記述です。

[エ] RPAを利用したことがない人でも，簡単な教育だけで利用可能になるのは，使用性に関する記述です。

以上から，[エ]が正解です。

問51　パレート図
プロジェクトマネジメント

売上，クレーム件数やテストの不具合などを値の大きい順に並べて棒グラフを作成し，同時にその累積データを折れ線グラフで表記するグラフをパレート図といいます。[エ]が正解です。この図を使って，重要項目の管理基準やその後のサービス向上などに使用します。

パレート図の例

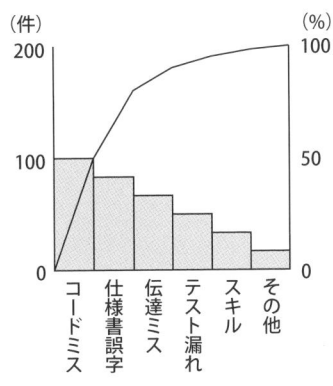

[ア] 散布図とは，二つのデータ間の情報をプロットすることで作成されるグラフのことです。そのグラフからデータ間の相関関係を分析するのに適しています。

[イ] チェックシートとは，確認や点検項目を一覧にした調査表のことです。各項目をチェックするだけで，ミスや抜け落ちを防ぐことが可能です。

[ウ] 特性要因図は，ある結果に対して原因と考えられる要因を，類似しているものが近接するようにして分類・整理し，系統立てて整理した図法です。

解答　問50 [エ]　問51 [エ]

問52 ☑☑☑ 難易度 高

システム開発プロジェクトにおいて，新機能の追加要求が変更管理委員会で認可された後にプロジェクトスコープマネジメントで実施する活動として，適切なものはどれか。

ア 新機能を追加で開発するためにWBSを変更し，コストの詳細な見積りをするための情報として提供する。

イ 新機能を追加で開発するためのWBSのアクティビティの実行に必要なスキルを確認し，必要に応じてプロジェクトチームの能力向上を図る。

ウ 変更されたWBSに基づいてスケジュールを作成し，完了時期の見通しを提示する。

エ 変更されたWBSに基づいて要員の充足度を確認し，必要な場合は作業の外注を検討する。

問53 ☑☑☑ 難易度 中

ITガバナンスに関する次の記述 ▢a▢ に入れる字句として，最も適切なものはどれか。

経営者は， ▢a▢ の事業の目的を支援する観点で，効果的，効率的かつ受容可能な ▢a▢ のITの利用について評価する。

ア 過去と現在　　イ 現在　　ウ 現在と将来　　エ 将来

問54 ☑☑☑ 難易度 中

事業活動に関わる法令の遵守などを目的の一つとして，統制環境，リスクの評価と対応，統制活動，情報と伝達，モニタリング，ITへの対応から構成される取組はどれか。

ア CMMI　　イ ITIL　　ウ 内部統制　　エ リスク管理

問55 ☑☑☑ 難易度 低

システム監査の目的に関する記述として，適切なものはどれか。

ア 開発すべきシステムの具体的な用途を分析し，システム要件を明らかにすること

イ 情報システムが設置されている施設とその環境を総合的に企画，管理，活用すること

ウ 情報システムに係るリスクに適切に対応しているかどうかを評価することによって，組織体の目標達成に寄与すること

エ 知識，スキル，ツール及び技法をプロジェクト活動に適用することによってプロジェクトの要求事項を満足させること

問52 │ WBS (作業分解構造)
頻出
プロジェクトマネジメント

プロジェクトスコープマネジメントとは，プロ

ジェクトにおいて行う作業や作成する成果物の範囲（スコープ）を管理することを指します。新機能の追加要求が認可された後は，プロジェクトスコープ記述書を基に今あるWBS (Work Breakdown Structure：作業分解構造) を変更作成し，プロジェクト内で実行される作業の管理やコスト管理のための情報提供を行います。**ア**が正解です。

WBS の例

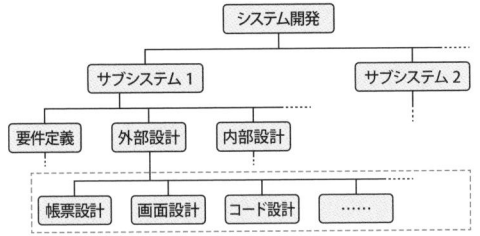

イ プロジェクト資源マネジメントの活動です。
ウ プロジェクトスケジュールマネジメントの活動です。
エ プロジェクト資源マネジメントの活動です。

問53 ITガバナンス
システム監査

JISQ38500によると，**ITガバナンス**とは，『組織のITの**現在及び将来**の利用を指示し，管理するシステム。ITガバナンスは，組織を支援するためにITの利用を評価すること及び指示すること，並びに計画を遂行するためにこのIT利用をモニタすることに関係する。これには組織におけるITの利用に関する戦略及び方針を含む。』とあります。

ITガバナンスは，経営者が未来のために組織のIT化行うことにより，企業が競争優位性を確立するために適切なIT戦略を策定し，企業をあるべき方向に導いていくための組織能力や統率力のことです。**ウ**が正解です。

問54 内部統制
システム監査

金融庁『財務報告に係る内部統制の評価及び監査の基準』によると，**内部統制**とは，「基本的に，業務の有効性及び効率性，財務報告の信頼性，事業活動に関わる法令等の遵守並びに資産の保全の4つの目的が達成されているとの合理的な保証を得るために，業務に組み込まれ，組織内の全ての者によって遂行されるプロセスをいい，統制環境，リスクの評価と対応，統制活動，情報と伝達，モニタリング (監視活動) 及びＩＴ (情報技術) への対応の6つの基本的要素から構成される。」とあります。**ウ**が正解です。

ア CMMI (Capability Maturity Model Integration) は，ソフトウェア開発組織の成熟度モデルでソフトウェアを開発する企業などが，適切な開発工程や管理体制をどの程度整備しているかを確認するための目安として用いるものです。

イ ITIL (Information Technology Infrastructure Library) とは，企業の情報システムにおけるITサービスマネジメントの先進事例 (ベストプラクティス) を体系的に集めた書籍のことをいいます。

エ リスク管理とは，リスクの発生の防止，リスク発生時に被害を最小限にするための施策の制定，およびリスク発生により生じる費用の積み立てを実施するなどの手法によってリスクを管理することをいいます。

問55 システム監査の目的
システム監査

経済産業省『システム監査基準』によると，**システム監査**は「情報システムにまつわるリスクに適切に対処しているかどうかを，独立かつ専門的な立場のシステム監査人が点検・評価・検証することを通じて，組織体の経営活動と業務活動の効果的かつ効率的な遂行，さらにはそれらの変革を支援し，組織体の目標達成に寄与すること，又は利害関係者に対する説明責任を果たすことを目的とする」とあります。**ウ**が正解です。

ア システム要件定義の目的です。
イ ファシリティマネジメントの目的です。
エ プロジェクトマネジメントの目的です。

解答 **問52 ア** **問53 ウ** **問54 ウ** **問55 ウ**

問56から問100までは，テクノロジ系の問題です。

問56 ✓✓✓　難易度中

PCにおいて，電力供給を断つと記憶内容が失われるメモリ又は記憶媒体はどれか。

- ㋐ DVD-RAM
- ㋑ DRAM
- ㋒ ROM
- ㋓ フラッシュメモリ

問57 ✓✓✓　難易度中

暗号化方式の特徴について記した表において，表中のa～dに入れる字句の適切な組合せはどれか。

暗号方式	鍵の特徴	鍵の安全な配布	暗号化／復号の相対的な処理速度
a	暗号化鍵と復号鍵が異なる	容易	c
b	暗号化鍵と復号鍵が同一	難しい	d

	a	b	c	d
㋐	共通鍵暗号方式	公開鍵暗号方式	遅い	速い
㋑	共通鍵暗号方式	公開鍵暗号方式	速い	遅い
㋒	公開鍵暗号方式	共通鍵暗号方式	遅い	速い
㋓	公開鍵暗号方式	共通鍵暗号方式	速い	遅い

問58 ✓✓✓　難易度低

文書作成ソフトや表計算ソフトなどにおいて，一連の操作手順をあらかじめ定義しておき，実行する機能はどれか。

- ㋐ オートコンプリート
- ㋑ ソースコード
- ㋒ プラグアンドプレイ
- ㋓ マクロ

問59 ✓✓✓　難易度中

OCRの役割として，適切なものはどれか。

- ㋐ 10cm程度の近距離にある機器間で無線通信する。
- ㋑ 印刷文字や手書き文字を認識し，テキストデータに変換する。
- ㋒ デジタル信号処理によって，人工的に音声を作り出す。
- ㋓ 利用者の指先などが触れたパネル上の位置を検出する。

問56 揮発性のメモリ
コンピュータ構成要素

コンピュータで利用されるメモリには，大別してRAMとROMがあります。RAM (Random Access Memory) は，データの読み書きができるメモリで，電源を切ると記憶内容は失われます (これを揮発性という)。主記憶装置に使用されるDRAM (Dynamic RAM) とキャッシュメモリに使用されるSRAM (Static RAM) があります。㋑が正解です。

㋐ DVD-RAMは，熱によって性質が変わる素子を利用してデータを記憶しているので，電源供給をしなくても記憶内容が失われることはありません。

- ウ ROM (Read Only Memory) は，電源供給しなくてもデータが失われないメモリです。
- エ フラッシュメモリは，電気的に書き換えが可能で，電源供給しなくても記憶内容が保持できるため，USBメモリなどで利用されています。

問 57 共通鍵暗号方式と公開鍵暗号方式
セキュリティ

暗号化方式には，共通鍵暗号方式と公開鍵暗号方式があります。

● 共通鍵暗号方式
暗号化と復号に同じ鍵 (共通鍵) を用いる方式です。
長所：暗号化/復号にかかる時間が短い。
短所：暗号化鍵を管理する数が多くなり，鍵を安全に配布するのが難しい。
・相異なるn人の相手とそれぞれ秘密の通信を行いたい場合，自分と各相手との間で共有する鍵もn個必要となる。
自分以外の利用者 (相手)の数＝3となる。

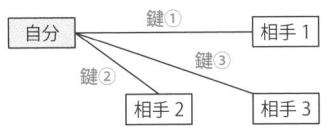

● 公開鍵暗号方式
ペアで生成される「公開鍵」と「秘密鍵」の2つを用いる方式です。「公開鍵」は誰でも利用可能とし，「秘密鍵」は鍵の所有者が秘密に管理します。相異なるn人の相手とそれぞれ秘密の通信を行いたい場合，利用者は自分の秘密鍵のみを管理すればよいことになります。
長所：不特定多数の相手と通信するのに適している。インターネット上で，鍵を安全に通信相手に送付しやすい。
短所：暗号化や復号の計算が複雑になり，時間が長くなる。

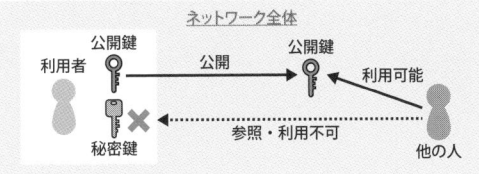

以上から，**ウ**の組み合わせが正解です。

問 58 マクロ
ソフトウェア

文章作成 (ワープロ) ソフトや表計算ソフトなどの機能の一つであり，一定内容の文字を入力するなどの一連の処理を，簡単な操作にまとめて実行可能にするものをマクロといいます。**エ**が正解です。
- ア オートコンプリートとは，検索語句などの入力欄に最初の数文字を入力すると，その文字と先頭部分が一致する過去の検索語句の候補が自動的に表示され，それらの中から目的の検索語句を指定するだけで入力が可能になる機能のことです。
- イ ソースコードとは，プログラム言語で記述された論理的な文字列のことを指します。
- ウ プラグアンドプレイとは，USBなどで実装されている，周辺装置をPCのポートに接続するだけで，デバイスドライバが自動的にインストールされ，すぐにその装置を利用できるようにする機能です。

問 59 OCR
情報メディア

OCR (Optical Character Reader) は，手書き文字の形状を読み取って，その文字に該当するテキストデータ (文字コード) に変換しコンピュータに入力する装置です。**イ**が正解です。

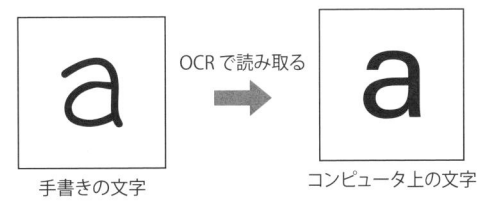

手書きの文字 → コンピュータ上の文字

- ア NFC (Near Field Communication) などの役割です。
- ウ 音声合成ソフトの役割です。
- エ タッチパネルの役割です。

解答 問56 イ　問57 ウ　問58 エ　問59 イ

問
60
☑☑☑
難易度 高

関係データベースを構成する要素の関係を表す図において，図中のa～cに入れる字句の適切な組合せはどれか。

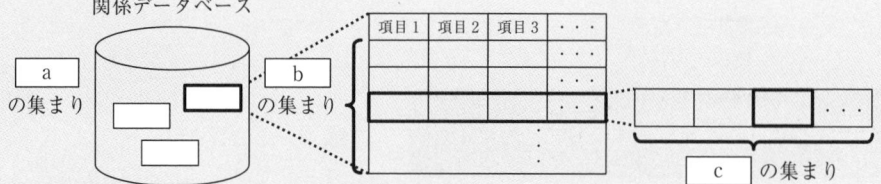

関係データベース

a の集まり

b の集まり

| 項目1 | 項目2 | 項目3 | ・・・ |

c の集まり

	a	b	c
ア	表	フィールド	レコード
イ	表	レコード	フィールド
ウ	フィールド	表	レコード
エ	レコード	表	フィールド

問
61
☑☑☑
難易度 中

cookieを説明したものはどれか。

ア Webサイトが，Webブラウザを通じて訪問者のPCにデータを書き込んで保存する仕組み又は保存されるデータのこと

イ Webブラウザが，アクセスしたWebページをファイルとしてPCのハードディスクに一時的に保存する仕組み又は保存されるファイルのこと

ウ Webページ上で，Webサイトの紹介などを目的に掲載されている画像のこと

エ ブログの機能の一つで，リンクを張った相手に対してその旨を通知する仕組みのこと

問60 関係データベースの要素
データベース

　関係データベースはその名の通り，ある表と別の表との関係性を表現します。また，表は複数のレコード（行）の集まりで構成されており，特定のフィールド（列）で関連付けることができます。

　例えば，図の"商品"表と"商品種別"表は，商品種別コードという同じフィールドをもっており，二つの表のうち商品種別コードの値が同じレコード（行）同士には関連があります。二つの表の関連がある行同士を結びつけることで，商品名がAの商品の商品種別名は「食品」であると示すことができます。

商品

商品コード	商品名	商品種別コード
101	A	10
102	B	20
103	C	10

商品種別

商品種別コード	商品種別名
10	食品
20	医薬品
30	その他

同じ　同じ　同じ

　よって，**イ**（a：表，b：レコード，c：フィールド）が正解です。

問61 cookie
ネットワーク

　cookie（クッキー）は，Webサーバとブラウザとの間でデータ送受信の順序や状態を管理したり，Webサーバに対してどのPCからアクセスが行われたかを識別したりするために用いられるものです。

　cookie は，Webサーバで生成されてブラウザに送信され，ブラウザが稼働している利用者のコンピュータ内に保存されます。cookie を送信してきたWebサーバにブラウザが再度アクセスする際には，ブラウザから送信される問合せの中にcookie が格納されます。これで，Webサーバからの情報をブラウザに一時的に保存させ，後で当該情報をWebサーバが参照することが可能になります。**ア**が正解です。

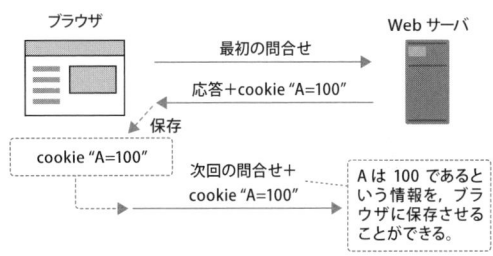

イ キャッシュ情報の説明です。

ウ バナーの説明です。

エ トラックバックの説明です。

Web関連技術

● CGI（Common Gateway Interface）
　Webサーバと外部プログラムとが連携し，動的なWebページ（アクセスするたびに内容が変化するページ）を生成する仕組みのことです。

● CSS（Cascading Style Sheets）
　Webページの見た目（文字の色や大きさなど）を表現するための技術のことです。

解答　問60 **イ**　問61 **ア**

問62 ✓✓✓ 難易度 中

関数convertは，整数型の配列を一定のルールで文字列に変換するプログラムである。関数convertをconvert(arrayInput)として呼び出したときの戻り値が"AABAB"になる引数arrayInputの値はどれか。ここで，arrayInputの要素数は1以上とし，配列の要素番号は1から始まる。

〔プログラム〕
```
○文字列型：convert（整数型の配列：arrayInput）
文字列型：stringOutput←" "  //空文字列を格納
整数型：i
for(iを1からarrayInputの要素数まで1ずつ増やす)
      if(arrayInput[i]が1と等しい)
              stringOutputの末尾に"A"を追加する
      else
              stringOutputの末尾に"B"を追加する
      endif
endfor
return stringOutput
```

ア {0, 0, 1, 2, 1} **イ** {0, 1, 2, 1, 1}
ウ {1, 0, 1, 2, 0} **エ** {1, 1, 2, 1, 0}

問63 ✓✓✓ 難易度 高

SSDの全てのデータを消去し，復元できなくする方法として用いられているものはどれか。

ア Secure Erase **イ** 磁気消去
ウ セキュアブート **エ** データクレンジング

問62 配列の変換アルゴリズム
情報メディアとプログラミング

本問のプログラム部分を次に示します。説明のために行番号を付けています。

```
1： ○文字列型：convert（整数型の配列：arrayInput）
2：  文字列型：stringOutput←""    //空文字列を格納
3：  整数型：i
4：  for(iを1からarrayInputの要素数まで1ずつ増やす)
5：    if(arrayInput[i]が1と等しい)
6：      stringOutputの末尾に"A"を追加する
7：    else
8：      stringOutputの末尾に"B"を追加する
9：    endif
10： endfor
11： return stringOutput
```

選択肢を確認します。
プログラムを順に追っていきます。①②…は1

回目，2回目の意味です。
ア：{0, 0, 1, 2, 1}

（要素番号）	1	2	3	4	5
配列 arrayInput　（要素）	0	0	1	2	1

● **4行目①**　i=1を設定：arrayInputの要素数は5なので，5まで処理をする
　5行目①　arrayInput[1]は0なので，この条件を満たさず7行目に
　　8行目①　stringOutputの末尾に"B"を追加
10行目で繰返す
● **4行目②**　i=2を設定
　5行目②　arrayInput[2]は0なので，この条件を満たさず7行目に
　　8行目②　stringOutputの末尾に"B"を追加し，{B, B}になる。

10行目で繰返す
- **4行目③** i=3を設定
  5行目③ arrayInput[3]は1なので，この条件を満たして6行目に
    6行目① stringOutputの末尾に"A"を追加し，{B, B, A}になる。
10行目で繰返す
- **4行目④** i=4を設定
  5行目④ arrayInput[4]は2なので，この条件を満たさず7行目に
    8行目③ stringOutputの末尾に"B"を追加し，{B, B, A, B}になる。
10行目で繰返す
- **4行目⑤** i=5を設定
  5行目⑤ arrayInput[5]は1なので，この条件を満たして6行目に
    6行目① stringOutputの末尾に"A"を追加し，{B, B, A, B, A}になる。
繰返しを終了して11行目で出力

同様にして**イ**〜**エ**を順に追っていくと，AABABと出力されるのは**エ** {1, 1, 2, 1, 0} になります。

エ：{1, 1, 2, 1, 0}

(要素番号)	1	2	3	4	5
配列 arrayInput (要素)	1	1	2	1	0

- **4行目①** i=1を設定：arrayInputの要素数は5なので，5まで処理をする
  5行目① arrayInput[1]は1なので，この条件を満たして6行目に
    6行目① stringOutputの末尾に"A"を追加
10行目で繰返す
- **4行目②** i=2を設定
  5行目② arrayInput[2]は1なので，この条件を満たして6行目に
    6行目② stringOutputの末尾に"A"を追加し，{A, A}になる。
10行目で繰返す
- **4行目③** i=3を設定
  5行目③ arrayInput[3]は2なので，この条件を満たさず7行目に
    8行目① stringOutputの末尾に"B"を追加し，{A, A, B}になる。

10行目で繰返す
- **4行目④** i=4を設定
  5行目④ arrayInput[4]は1なので，この条件を満たして6行目に
    6行目③ stringOutputの末尾に"A"を追加し，{A, A, B, A}になる。
10行目で繰返す
- **4行目⑤** i=5を設定
  5行目⑤ arrayInput[5]は0なので，この条件を満たさず7行目に
    8行目② stringOutputの末尾に"B"を追加し，{A, A, B, A, B}になる。
繰返しを終了して11行目で出力

問63 | SSD のデータ消去
コンピュータ構成要素

　SSD (Solid State Drive：ソリッドステートドライブ)の全てのデータを消去するときに，Secure Eraseという処理を実行することで，データ復元を防ぐことができます。SSDの内容をフォーマットや削除すると，ほぼ情報は存在しない状態となりますが，実際のデータはまだ完全に消えたわけではないので，フォーマットや削除してから時間経過が短いなどの条件が満たされれば，そこからデータを復元できてしまいます。Secure Eraseを実行すると，データの配置情報 (マッピングテーブルという)まで消去されるので，データ復元は不可能となります。よって，**ア**が正解です。

- **イ** 磁気消去とは，磁気ディスク (ハードディスク)に強力な磁気を照射することでハードディスクのデータを破壊する方法です。
- **ウ** セキュアブートとは，PCの起動時にOS やドライバのデジタル署名を検証し，許可されていないものを実行しないようにすることによって，OS 動作前のマルウェアや不正なOSの実行を防ぐ技術のことです。
- **エ** データクレンジングとは，データベースにあるデータの中から，同じ表記や似たような表記を探し出し，必要に応じて，削除，修正や統一を行ってデータの品質を高めることをいいます。

解答 問62 **エ** 問63 **ア**

問64 情報セキュリティのリスクマネジメントにおけるリスクへの対応を，リスク共有，リスク回避，リスク保有及びリスク低減の四つに分類するとき，リスク共有の例として，適切なものはどれか。

難易度中

- ▲ 災害によるシステムの停止時間を短くするために，遠隔地にバックアップセンターを設置する。
- ▲ 情報漏えいによって発生する損害賠償や事故処理の損失補填のために，サイバー保険に加入する。
- ▲ 電子メールによる機密ファイルの流出を防ぐために，ファイルを添付した電子メールの送信には上司の許可を必要とする仕組みにする。
- ▲ ノートPCの紛失や盗難による情報漏えいを防ぐために，HDDを暗号化する。

問65 AIにおける機械学習の学習方法に関する次の記述中のa～cに入れる字句の適切な組合せはどれか。

難易度高

教師あり学習は，正解を付けた学習データを入力することによって　a　と呼ばれる手法で未知のデータを複数のクラスに分けたり，　b　と呼ばれる手法でデータの関係性を見つけたりすることができるようになる学習方法である。教師なし学習は，正解を付けない学習データを入力することによって　c　と呼ばれる手法などで次第にデータを正しくグループ分けできるようになる学習方法である。

	a	b	c
▲	回帰	分類	クラスタリング
▲	クラスタリング	分類	回帰
▲	分類	回帰	クラスタリング
▲	分類	クラスタリング	回帰

問66 PKIにおけるCA（Certificate Authority）の役割に関する記述として，適切なものはどれか。

難易度低

- ▲ インターネットと内部ネットワークの間にあって，内部ネットワーク上のコンピュータに代わってインターネットにアクセスする。
- ▲ インターネットと内部ネットワークの間にあって，パケットフィルタリング機能などを用いてインターネットから内部ネットワークへの不正アクセスを防ぐ。
- ▲ 利用者に指定されたドメイン名を基にIPアドレスとドメイン名の対応付けを行い，利用者を目的のサーバにアクセスさせる。
- ▲ 利用者の公開鍵に対する公開鍵証明書の発行や失効を行い，鍵の正当性を保証する。

問64 リスクマネジメント
セキュリティ

リスクとは損害発生の可能性のことで，リスク

マネジメントとは，損害発生を食い止めるために，起こりうるリスクを想定して対応を検討することです。リスクマネジメントは，データが破壊されたり，システムの可用性が損なわれたりした場合

にシステムが使用不能の時間を最小限にするために実施し，以下のように分類されます。

名称	説明
リスク回避	リスクの発生原因を元から絶ったり，リスクに関連する事業から撤退したりすることなどによって，リスクそのものを発生しないようにすること。
リスク共有	保険に加入するなどの手段で，リスク発生時の損失や損害を他者に肩代わりさせること。
リスク低減（軽減）	セキュリティ管理を厳重にしたり，障害発生時でも代替のシステムを稼働させて業務を継続できるようにしたりするなどの方法により，リスクの発生確率を減らすこと。
リスク保有（受容）	発生確率や被害額が小さいリスクに対して対策を行うと，想定される被害額よりも対策費用の方が大きくなり，かえって損をしてしまうことがある。そのため，発生確率や被害額が小さいリスクは，あえて対策を行わないままにすること。

よって，**イ**が正解です。

ア，**ウ**，**エ** リスク低減の対応です。

問65 機械学習の学習方法
基礎理論

AI（人工知能）の機械学習で，**教師あり学習**の場合，大量のデータを準備しコンピュータに覚えさせることで，同様のパターンなどからその傾向を掴むことができます。例えば，入力したデータが動物かそうでないのかの「**分類**」や，犬なのか，猫なのかなどの「**分類**」をします。

データの傾向から将来を予測する手段の一つに「**回帰**」と呼ばれるものがあり，これはデータ間の関係を統計的に解析・学習する手法のことです。

また，**教師なし学習**では，正解を入力することはしませんがバラバラに入力した地名A，地名Bと地名Cから，距離データを収集するなどデータをある程度のグループに分ける「**クラスタリング**」という手法を使うことによって，学習できるようになります。よって正解は，**ウ**の組み合わせです。

問66 PKI（公開鍵基盤）
セキュリティ

PKI（Public Key Infrastructure：公開鍵基盤）とは，公開鍵暗号方式及びデジタル署名（電子署名）の仕組みを応用した，公開鍵の正当性を証明し，公開鍵とその利用者を結び付けるための仕組みのことです。

公開鍵証明書の申請・作成・送付

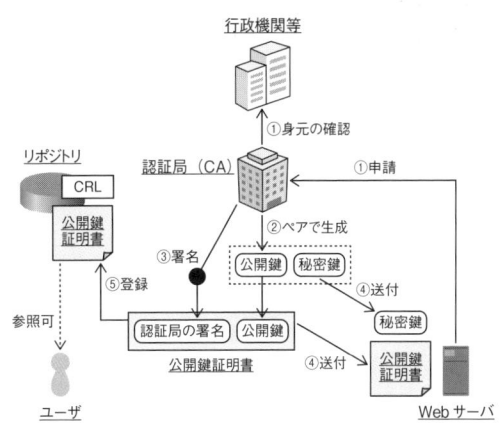

① 公開鍵を利用しようとする者＝利用者（上の図ではWebサーバとする）は，認証局（CA，Certification Authority）に対して公開鍵証明書の申請を行う。認証局は，申請者の正当性を戸籍謄本や会社の登記などによって確認する。
② 認証局は，その申請者用の秘密鍵と公開鍵をペアで生成する。
③ 認証局は，申請者の公開鍵と氏名や公開鍵証明書の有効期限などとを結びつけた情報を，認証局の秘密鍵によって暗号化して認証局の署名とする。この署名と公開鍵などとをまとめて，公開鍵証明書を作成する。
④ 認証局は，申請者の公開鍵証明書を秘密鍵と共に申請者に送付する。
⑤ 認証局は，公開鍵証明書とCRLを必要に応じて，リポジトリ（公開鍵証明書などを保存するデータベース）に登録して，誰でも参照できるようにする。

・CRL（Certificate Revocation List）

CA（認証局）が公開している，有効期限内に無効になった（失効した）公開鍵証明書のシリアル番号を掲載したリストのこと。公開鍵証明書は申請者が規約違反行為を行って資格を失うなどの理由で無効となることがあるため，公開鍵証明書とCRLとを付き合わせることで，証明書が有効かどうかを判断できる。

よって，**エ**が正解です。

ア プロキシサーバの説明です。

イ ファイアウォールの説明です。

ウ DNS（Domain Name System）の説明です。

解答 問64 **イ**　問65 **ウ**　問66 **エ**

問 67 難易度 低

図に示す2台のWebサーバと1台のデータベースサーバから成るWebシステムがある。Webサーバの稼働率はともに0.8とし，データベースサーバの稼働率は0.9とすると，このシステムの小数第3位を四捨五入した稼働率は幾らか。ここで，2台のWebサーバのうち少なくとも1台が稼働していて，かつ，データベースサーバが稼働していれば，システムとしては稼働しているとみなす。また，それぞれのサーバはランダムに故障が起こるものとする。

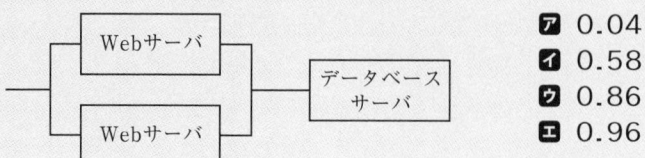

ア 0.04
イ 0.58
ウ 0.86
エ 0.96

問 68 難易度 高

情報デザインで用いられる概念であり，部屋のドアノブの形で開閉の仕方を示唆するというような，人間の適切な行動を誘発する知覚可能な手掛かりのことを何と呼ぶか。

ア NUI（Natural User Interface）　**イ** ウィザード
ウ シグニファイア　　　　　　　　　　**エ** マルチタッチ

問 69 難易度 高

障害に備えるために，4台のHDDを使い，1台分の容量をパリティ情報の記録に使用するRAID5を構成する。1台のHDDの容量が1Tバイトのとき，実効データ容量はおよそ何バイトか。

ア 2T　　　　　**イ** 3T　　　　　**ウ** 4T　　　　　**エ** 5T

問 70 難易度 中

ESSIDをステルス化することによって得られる効果として，適切なものはどれか。

ア アクセスポイントと端末間の通信を暗号化できる。
イ アクセスポイントに接続してくる端末を認証できる。
ウ アクセスポイントへの不正接続リスクを低減できる。
エ アクセスポイントを介さず，端末同士で直接通信できる。

問 67 稼働率
システム構成要素

● 直列システムの稼働率

システムを構成する機器A，Bが直列になっている（機器A，Bの両方が同時に稼動している時のみ，全体として稼動できる）状態のとき，機器Aの稼働率＝a，機器Bの稼働率＝bとすると，全体の稼働率＝a×bとなります。

● 並列システムの稼働率

システムを構成する機器A，Bが並列になっている（機器A，Bのどちらかが稼動していれば，全体として稼動できる）状態のとき，機器Aの稼働率＝a，機器Bの稼働率＝bとすると，全体の稼働率＝1−（1−a）×（1−b）となります。

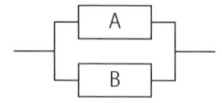

上記より，

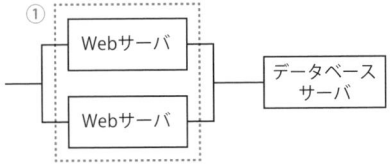

Webサーバは並列なので，

①$1 - (1 - 0.8)(1 - 0.8) = 1 - 0.04 = 0.96$

①とデータベースサーバが直列なので，

$0.96 × 0.9 = \mathbf{0.864}$

より小数第3位を四捨五入した**ウ** (0.86) が正解です。

問68 シグニファイア
情報デザイン

人間の行動をデザインの制作側の意図通りにしたり，思った通りの感情を抱かせたりすることをシグニファイアといいます。部屋のドアノブも取手がついていると，そこをにぎり，押すか引くことをします。また，歩行者用の信号機では，止まれは赤，進めは青色 (緑色) です。一般的に赤色は危険や禁止などを想像させ，青色 (緑色) は安全などを思い浮かべることを活かしています。情報システムデザインでは，Webサイトの「http://・・・」が青色なのもシグニファイアの一つです。**ウ**が正解です。

ア NUI (Natural User Interface：ナチュラルユーザインターフェース) とは，スマートフォンなど電子機器のユーザインターフェースのうち，人間が普段行なっているような動作と同じように画面にタッチするなどといった自然に動作が可能なものをいいます。

イ ウィザードとは，ユーザと簡単な対話形式で情報をやり取りできる機能を持ったソフトウェアのことです。

エ タッチパネルの複数のポイントに同時に触れて操作する入力方式のことをマルチタッチといいます。

問69 RAID5 の実効データ容量
ハードウェア

RAID (Redundant Arrays Inexpensive Disks) は，複数のディスクを用いて信頼性向上やアクセス速度の向上を図る技術のことです。RAID5では，訂正情報を複数のディスクに分散して格納しています。

RAID5では，下図のような格納方法をしているため，1〜3／4〜6／7〜9／…でデータブロックになるので，4台のうち3台分が実効データ容量になります (3Tバイト)。よって**イ**が正解です。

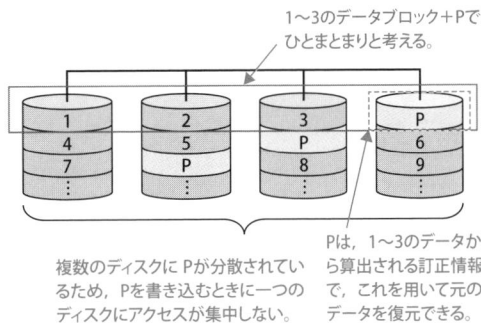

1〜3のデータブロック＋Pでひとまとまりと考える。

複数のディスクにPが分散されているため，Pを書き込むときに一つのディスクにアクセスが集中しない。

Pは，1〜3のデータから算出される訂正情報で，これを用いて元のデータを復元できる。

注) P はパリティのこと

問70 ESSID のステルス化
ネットワーク

ESSID (Extended Service Set IDentifier) とは，無線LANのネットワークを識別するために，アクセスポイントごとに設定する文字列のことです。各クライアントにも同じESSIDを設定します。アクセスポイントのESSIDを公開すると，攻撃者が同じESSIDを利用してアクセスポイントに接続し，無線LANを悪用できるので問題があります。ESSIDを外部に通知しないようにすることをステルス化といいます。**ウ**が正解です。

ア 通信の暗号化により，アクセスポイントと端末間の情報が秘匿になります。

イ アクセスポイントに接続してくる端末を認証することで，不正な端末の接続をされにくくする効果があります。

エ アクセスポイントを介さないで端末間で直接通信することをアドホックモードといい，ステルス化とは関係がありません。

解答 問67 **ウ** 問68 **ウ** 問69 **イ** 問70 **ウ**

令和6年度 公開

問 71 ✓✓✓
難易度 **中**

インターネットで使用されているドメイン名の説明として，適切なものはどれか。

ア Web閲覧や電子メールを送受信するアプリケーションが使用する通信規約の名前

イ コンピュータやネットワークなどを識別するための名前

ウ 通信を行うアプリケーションを識別するための名前

エ 電子メールの宛先として指定する相手の名前

問 72 ✓✓✓
難易度 **低**

次の記述のうち，バイオメトリクス認証の例だけを全て挙げたものはどれか。

a Webページに歪んだ文字の列から成る画像を表示し，読み取った文字列を利用者に入力させることによって，認証を行う。

b キーボードで特定文字列を入力させ，そのときの打鍵の速度やタイミングの変化によって，認証を行う。

c タッチパネルに手書きで氏名を入力させ，そのときの筆跡，筆圧，運筆速度などによって，認証を行う。

d タッチパネルに表示された複数の点をあらかじめ決められた順になぞらせることによって，認証を行う。

ア a, b   イ a, d   ウ b, c   エ c, d

問 73 ✓✓✓
難易度 **中**

IoT機器のセキュリティ対策のうち，ソーシャルエンジニアリング対策として，最も適切なものはどれか。

ア IoT機器とサーバとの通信は，盗聴を防止するために常に暗号化通信で行う。

イ IoT機器の脆弱性を突いた攻撃を防止するために，機器のメーカーから最新のファームウェアを入手してアップデートを行う。

ウ IoT機器へのマルウェア感染を防止するためにマルウェア対策ソフトを導入する。

エ IoT機器を廃棄するときは，内蔵されている記憶装置からの情報漏えいを防止するために物理的に破壊する。

問 74 ✓✓✓
難易度 **中**

トランザクション処理に関する記述のうち，適切なものはどれか。

ア コミットとは，トランザクションが正常に処理されなかったときに，データベースをトランザクション開始前の状態に戻すことである。

イ 排他制御とは，トランザクションが正常に処理されたときに，データベースの内容を確定させることである。

ウ ロールバックとは，複数のトランザクションが同時に同一データを更新しようとしたときに，データの矛盾が起きないようにすることである。

エ ログとは，データベースの更新履歴を記録したファイルのことである。

問 71 | ドメイン名

ネットワーク

インターネット上で利用されているIPアドレスは数値だけで表記されており，人間には理解しづらいため，実際にはドメイン名というニックネー

ムが利用されています。**イ**が正解です。

https://gihyo.jp
ドメイン名

- **ア** プロトコルの説明です。
- **ウ** ポート番号の説明です。
- **エ** 電子メールアドレスは，＠以降がドメイン名に なっていますが，それ以前の値はホスト名とな ります (ホスト名＠ドメイン名)。

問 72 | バイオメトリクス認証
セキュリティ

バイオメトリクス認証 (生体認証) とは，指紋，虹 彩，顔の形状など，人間の身体的特徴などから個 人の識別を行う認証システムのことです。

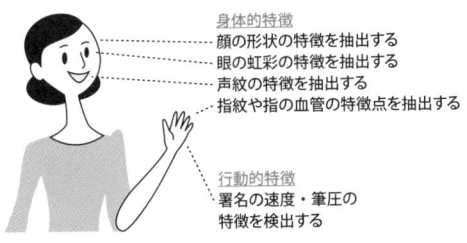

身体的特徴
顔の形状の特徴を抽出する
眼の虹彩の特徴を抽出する
声紋の特徴を抽出する
指紋や指の血管の特徴点を抽出する

行動的特徴
署名の速度・筆圧の
特徴を検出する

a～dを順に確認します。

- **a**：Webページに歪 (ゆが) んだ文字の列から成る画像を 表示し，読み取った文字列を利用者に入力させ ることによって，認証を行うのは，CAPTCHA の例です。
- **b**：キーボードで特定文字列を入力させ，そのとき の打鍵の速度やタイミングの変化によって，認 証を行うのはバイオメトリクス認証の行動的 特徴になります。
- **c**：タッチパネルに手書きで氏名を入力させ，その ときの筆跡，筆圧，運筆速度などによって，認 証を行うのはバイオメトリクス認証の行動的 特徴になります。
- **d**：タッチパネルに表示された複数の点をあらか じめ決められた順になぞらせることによって， 認証を行うのは，パターンロックを使った認証 の例です。

以上から，バイオメトリクス認証は，**ウ**（b，c） の組み合わせになります。

問 73 | ソーシャルエンジニアリング
セキュリティ

ソーシャルエンジニアリングとは，本人になり すまして電話をかけることや，スマートフォンな どのIoT機器を更新する際などにデータをそのま まの状態で古物店に売るといった人間がやってし まいがちなミスを誘発させることで，個人情報な どを不正に得る方法です。IoT機器内のデータ漏 えい対策として，完全にデータを消去することや， 物理的に破壊するなどの対策があります。**エ**が正 解です。

- **ア** IoT機器とサーバとの通信を，常に暗号化通信 で行うことは，盗聴や情報漏えいを防止するた めに行うので，ソーシャルエンジニアリングの 対策ではありません。
- **イ** IoT機器の脆弱性 (ぜいじゃくせい) を突いた攻撃を防止するため に，機器のメーカーから最新のファームウェア を入手してアップデートを行うことは，セキュ リティホールをつく不正アクセスの対策です。
- **ウ** IoT機器へのマルウェア対策ソフトを導入する ことはマルウェア感染を防止するために行う ので，ソーシャルエンジニアリングの対策では ありません。

問 74 | トランザクション処理 におけるログ
データベース

データベース管理システム (DBMS) が稼働中に 行ったデータベースごとに発生したトランザク ションと，そこに加えられた変更の内容が全て記 録される重要なファイルのことをログといいます。 **エ**が正解です。

- **ア** コミットとは，トランザクションが正常に処理 されたときに，データベースの内容を確定させ ることです。
- **イ** 排他制御とは，複数のトランザクションが同時 に同一データを更新しようとしたときに，デー タの矛盾が起きないようにすることです。
- **ウ** ロールバックとは，異常終了したトランザク ションを，「まったく実行されていない」開始前 の状態に戻す操作です。

| 解答 | 問71 **イ** | 問72 **ウ** | 問73 **エ** | 問74 **エ** |

難易度 中

情報セキュリティの3要素である機密性，完全性及び可用性と，それらを確保するための対策の例a〜cの適切な組合せはどれか。

a アクセス制御
b デジタル署名
c ディスクの二重化

	a	b	c
ア	可用性	完全性	機密性
イ	可用性	機密性	完全性
ウ	完全性	機密性	可用性
エ	機密性	完全性	可用性

難易度 高

スマートフォンなどのタッチパネルで広く採用されている方式であり，指がタッチパネルの表面に近づいたときに，その位置を検出する方式はどれか。

ア 感圧式　　　　イ 光学式　　　　ウ 静電容量方式　　　　エ 電磁誘導方式

難易度 高

出所が不明のプログラムファイルの使用を避けるために，その発行元を調べたい。このときに確認する情報として，適切なものはどれか。

ア そのプログラムファイルのアクセス権
イ そのプログラムファイルの所有者情報
ウ そのプログラムファイルのデジタル署名
エ そのプログラムファイルのハッシュ値

難易度 低

利用者がスマートスピーカーに向けて話し掛けた内容に対して，スマートスピーカーから音声で応答するための処理手順が(1)〜(4)のとおりであるとき，音声認識に該当する処理はどれか。

(1)利用者の音声をテキストデータに変換する。
(2)テキストデータを解析して，その意味を理解する。
(3)応答する内容を決定して，テキストデータを生成する。
(4)生成したテキストデータを読み上げる。

ア (1)　　　　イ (2)　　　　ウ (3)　　　　エ (4)

難易度 高

企業などの内部ネットワークとインターネットとの間にあって，セキュリティを確保するために内部ネットワークのPCに代わって，インターネット上のWebサーバにアクセスするものはどれか。

ア DNSサーバ　　　　　　　　イ NTPサーバ
ウ ストリーミングサーバ　　　エ プロキシサーバ

問75 情報セキュリティの3要素
頻出
セキュリティ

情報セキュリティの3要素には，機密性，完全性，可用性があります。
次の表から，エの組み合わせが正解です。

要素	性質
機密性 (Confidentiality)	アクセス権限を適切に管理し，権限をもたない利用者やプロセスから，データなどを不正に参照されないように非公開にすること。 【高める方法】 ・情報を暗号化して第三者に読まれないようにする。 ・情報にアクセスする権限のある者だけに，参照・更新可能なアクセス権を与える。
完全性 (Integrity)	データの内容を常に正しい状態に保ち，改ざんや破壊などの被害を受けないようにすること。 【高める方法】 ・データ更新のログを残す ・入力したオペレータ以外の者がデータに誤りがないかチェックする
可用性 (Availability)	情報システムをできる限り長い間利用できるように保ち，認められた利用者が必要なときに情報にアクセスできるようにすること。 【高める方法】 ・システムの機器を二重化し，一つの機器が故障しても残りを用いて業務を継続する。

問76 静電容量方式
ハードウェア

　スマートフォンなどのタッチパネルディスプレイでは，指など電気を通すものが触れると起こる電気の量の変化によって位置を検出しており，これを静電容量方式といいます。**ウ**が正解です。

ア 感圧式は，ATMや携帯ゲーム機などのタッチパネルで使用されている，指などで圧力を加えると反応する方式のことです。

イ 光学式は，マウスなどで使用されている，センサーがLED光の反射を感知してその動きを読み取る方式のことです。

エ 電磁誘導方式は，液晶タブレットや写真シール機などでも使用されている，磁界を発生させる専用のペンで画面をタッチすることで，パネル側に設置されたセンサーが反応して位置を検出する方式のことです。

問77 デジタル署名

セキュリティ

　ソフトウェアの実行プログラムもしくはそのソースコードに対してソフトウェアが改ざんされていない（完全性）および発行元が正当である（真正性）ことを確保することができるものを**コード署名**といいます。コード署名は，ソフトウェアに

デジタル署名（公開鍵証明書）を付与するために発行元が特定できます。**ウ**が正解です。

ア アクセス権をつけると使用できる人物を限定することはできますが，発行元はわかりません。

イ プログラムファイルの所有者情報は，購入したもしくは利用している本人の情報なので，発行元とは直接関係がありません。

エ プログラムファイルのハッシュ値を付与することで，ソフトウェアの改ざん検知は可能ですが，発行元の確認はできません。

問78 音声認識

基礎理論

　スマートスピーカーなどで使用されている**音声認識**は，人の声やモノの音などを判別し，それをサーバに中継してAI（人工知能）が自然言語処理を使って回答してくれる仕組みです。
(1)音声認識に該当します。**正解です。**
(2)〜(4)自然言語処理に該当します。
　よって，**ア**(1)が正解です。

問79 プロキシサーバ
ネットワーク

　組織の内部ネットワークからインターネット上のWebサーバに対して送られるアクセスを中継するためのサーバのことを**プロキシサーバ**といいます。プロキシサーバを用いることで，組織内部のPCなどがインターネットに直接アクセスすることがなくなり，安全性が高まります。また，外部から攻撃される可能性のある機器がプロキシサーバだけになるので，プロキシサーバのセキュリティを強固にすることで不正アクセスなどの被害を低減させることが可能になります。**エ**が正解です。

ア DNSサーバは，ドメイン名からIPアドレス情報を参照することができるサーバです。

イ NTPサーバは，インターネット上で時刻同期をとるためのサーバです。

ウ ストリーミングサーバとは，動画などを保存しそれをダウンロードしながら再生できるサーバのことです。

解答	問75 **エ** 　問76 **ウ** 　問77 **ウ** 問78 **ア** 　問79 **エ**

問 80 難易度中

OSS（Open Source Software）に関する記述として，適切なものだけを全て挙げたものはどれか。

a OSSを利用して作成したソフトウェアを販売することができる。
b ソースコードが公開されたソフトウェアは全てOSSである。
c 著作権が放棄されているソフトウェアである。

ア a　　　　**イ** a, b　　　　**ウ** b, c　　　　**エ** c

問 81 難易度高

一つの表で管理されていた受注データを，受注に関する情報と商品に関する情報に分割して，正規化を行った上で関係データベースの表で管理する。正規化を行った結果の表の組合せとして，最も適切なものはどれか。ここで，同一商品で単価が異なるときは商品番号も異なるものとする。また，発注者名には同姓同名はいないものとする。

受注データ

受注番号	発注者名	商品番号	商品名	個数	単価
T0001	試験花子	M0001	商品1	5	3,000
T0002	情報太郎	M0002	商品2	3	4,000
T0003	高度秋子	M0001	商品1	2	3,000

ア

受注番号	発注者名

商品番号	商品名	個数	単価

イ

受注番号	発注者名	商品番号

商品番号	商品名	個数	単価

ウ

受注番号	発注者名	商品番号	個数	単価

商品番号	商品名

エ

受注番号	発注者名	商品番号	個数

商品番号	商品名	単価

問 82 難易度高

ISMSクラウドセキュリティ認証に関する記述として，適切なものはどれか。

ア 一度認証するだけで，複数のクラウドサービスやシステムなどを利用できるようにする認証の仕組み
イ クラウドサービスについて，クラウドサービス固有の管理策が実施されていることを認証する制度
ウ 個人情報について適切な保護措置を講ずる体制を整備しているクラウド事業者などを評価して，事業活動に関してプライバシーマークの使用を認める制度
エ 利用者がクラウドサービスへログインするときの環境，IPアドレスなどに基づいて状況を分析し，リスクが高いと判断された場合に追加の認証を行う仕組み

問80 OSS
ソフトウェア

OSS (Open Source Software：オープンソースソフトウェア) は，著作権を維持しながらコンパイルを行う前のプログラムコード (ソースコード) を公開して，その改良を認め，改良後のプログラムの再配布などを自由に行うことのできるようにしたソフトウェアのことです。OSSのソースコードなどは，無償で提供することも，有償で頒布することも認められていますが，配布先を制限したり，特定の用途での使用を禁止したりすることは認められていません。

上記からa〜cを順に確認します。
a：OSSを利用して作成したソフトウェアは販売可能です。
b：フリーソフトウェアの中にはソースコードが公開されているものもありますが，OSSとは限りません。
c：OSSは著作権の放棄はされていません。
よって，ア (a) が正解です。

問81 関係データベースの正規化
データベース

関係データベースの正規化は，表の関連性を失うことなく，表の項目を整理して複数の表に分割していく作業のことです。データベースを1つの大きな表としてもっていると，データの修正，追加，削除の際に，関連のない項目までが操作されることになります。正規化を行うことでデータの更新処理を簡潔にしたり，更新時に矛盾が生じないようにしたりすることが可能です。

また，「項目Aの値が決定すると，項目Bの値はいずれか1つに特定される」ことを「一意に定められる」といいます。

問題文の条件に"同一商品で単価が異なるときは商品番号も異なるものとする"とあるので，『商品番号から商品名と単価が一意に定められます』。

受注番号	発注者名	商品番号	商品名	個数	単価
10001	試験花子	M0001	商品1	5	3,000
10002	情報太郎	M0002	商品2	3	4,000
10003	高度秋子	M0001	商品1	2	3,000

上図より『受注番号と商品番号の2つがそろって個数が一意に定められます』。また，"発注者名には同姓同名はいないものとする"とあるので，『発注者名と商品番号の2つがそろって個数が一意に定められます』。よって，受注番号と発注者名を同じ表で管理しても問題ありません。したがって，エ ({受注番号, 発注者名, 商品番号, 個数} と {商品番号, 商品名, 単価}) の組み合わせになります。

問82 ISMS クラウドセキュリティ認証
セキュリティ

ISMSクラウドセキュリティ認証とは，情報セキュリティマネジメント認証 (ISO/IEC27002) に基づいた，クラウドサービス固有の情報セキュリティ管理策の認証制度です。国際規格として「ISO/IEC27017」が2015年12月に発行されました。イが正解です。
ア シングルサインオンの記述です。
ウ プライバシーマーク認証を使った個人情報保護の管理策に関する記述です。
エ リスクベース認証に関する記述です。

解答 問80 ア 問81 エ 問82 イ

1から6までの六つの目をもつサイコロを3回投げたとき，1回も1の目が出ない確率は幾らか。

難易度 中

ア $\dfrac{1}{216}$　　　イ $\dfrac{5}{72}$　　　ウ $\dfrac{91}{216}$　　　エ $\dfrac{125}{216}$

IoTエリアネットワークでも利用され，IoTデバイスからの無線通信をほかのIoTデバイスが中継することを繰り返し，リレー方式で通信をすることによって広範囲の通信を実現する技術はどれか。

難易度 高

ア GPS
ウ キャリアアグリゲーション

イ MIMO
エ マルチホップ

関数binaryToIntegerは，1桁以上の符号なし2進数を文字列で表した値を引数binaryStrで受け取り，その値を整数に変換した結果を戻り値とする。例えば，引数として"100"を受け取ると，4を返す。プログラム中のa，bに入れる字句の適切な組合せはどれか。

難易度 高

〔プログラム〕
○整数型：binaryToInteger（文字列型：binaryStr）
　整数型：integerNum, digitNum, exponent, i
　integerNum←0
　for(iを1からbinaryStrの文字数まで1ずつ増やす)
　　　digitNum←binaryStrの末尾からi番目の文字を整数型に変換した値
　　　　　　　　//例：文字"1"であれば整数値1に変換
　　　exponent← a
　　　integerNum← b
　endfor
　return integerNum

	a	b
ア	(2のi乗) − 1	integerNum × digitNum × exponent
イ	(2のi乗) − 1	integerNum + digitNum × exponent
ウ	2の (i − 1) 乗	integerNum × digitNum × exponent
エ	2の (i − 1) 乗	integerNum + digitNum × exponent

問 83 ┃ 確率

基礎理論

サイコロの1の目が出ないということは，ほかの目（2から6）が出るので，その確率は5/6です。

これが3回連続して起こるので，

$$\dfrac{5}{6} \times \dfrac{5}{6} \times \dfrac{5}{6} = \dfrac{125}{216}\ （エ）$$

となります。

問84 マルチホップ
ネットワーク

無線通信機能を搭載した各機器にデータの中継機能を持たせることで，リレー式にデータの転送を繰り返し，電波が直接到達する広範囲の端末との通信を可能にする技術のことをマルチホップといいます。**エ**が正解です。

- **ア** GPS (Global Positioning System：全地球測位システム) は，人工衛星からの信号を受信して位置を確認することができるシステムのことで，様々なIoT機器やスマートフォン，自動車のカーナビゲーションシステムなどで使用されています。
- **イ** MIMO (Multiple Input Multiple Output) は，同じ周波数で複数の異なる信号を送受信できるように，送信側と受信側でそれぞれ複数のアンテナを用意し，無線通信を高速化する技術です。
- **ウ** キャリアアグリゲーションは，周波数帯が異なる複数の電波 (搬送波，キャリアともいう) を，一つの搬送波として集約し，同時利用することで通信速度を高速化する技術です。

問85 2進数変換のアルゴリズム
情報メディアとプログラミング

2進数を考えるときに，各けた (右端を1けた目とする) の値に各けたの重みをかけ，その値を合計していくことで計算ができます。

2進数のけたの重み

けた	8けた目	7けた目	6けた目	5けた目	4けた目	3けた目	2けた目	1けた目
重み	128 $=2^7$	64 $=2^6$	32 $=2^5$	16 $=2^4$	8 $=2^3$	4 $=2^2$	2 $=2^1$	1 $=2^0$

本問のプログラム部分を次に示します。なお，説明のために行番号を付加しています。

```
1: ○整数型：binaryToInteger (文字列型：
     binaryStr)
2:   整数型：integerNum, digitNum,
              exponent, i
3:   integerNum←0
4:   for (iを1からbinaryStrの文字数まで1ずつ増やす)
5:     digitNum←binaryStrの末尾からi番目の文字
            を整数型に変換した値
            //例：文字 "1" であれば整数値1に変換
6:     exponent←  a
7:     integerNum←  b
8:   endfor
9:   return integerNum
```

上記の1行目に引数として "111" を与えて順に確認します。
①4行目でi=1となり，
　5行目で

> digitNum←binaryStrの末尾からi番目の文字を整数型に変換した値
> 　　　　//例：文字 "1" であれば整数値1に変換

より，この "111" の末尾の "1" を整数値の1とします。

ここで，2進数は重みが2であるのですが1けた目 (末尾) には重みがないので，この値をそのまま exponent に代入します。
②4行目でi=2となり，
　5行目でdigitNum←binaryStrの末尾から2番目の文字 "1" を整数型に変換します。
　6行目で，2進数は重みが2なので，2けた目は $2^1=2$ の重みがあります。
　よって，7行目で①の1に加えて今回の$1×2$を合計して3とします。
③4行目でi=3となり，
　5行目でdigitNum←binaryStrの末尾から3番目の文字 "1" を整数型に変換します。
　6行目で2進数は重みが2なので，3けた目は $2^2=4$ の重みがあります。
　よって，7行目で②の3に加えて今回の$1×4$を合計して7とします。したがって，**エ**の組み合わせが正解です。

解答 問83 **エ**　問84 **エ**　問85 **エ**

問86 難易度低

PDCAモデルに基づいてISMSを運用している組織において，C（Check）で実施することの例として，適切なものはどれか。

ア 業務内容の監査結果に基づいた是正処置として，サーバの監視方法を変更する。
イ 具体的な対策と目標を決めるために，サーバ室内の情報資産を洗い出す。
ウ サーバ管理者の業務内容を第三者が客観的に評価する。
エ 定められた運用手順に従ってサーバの動作を監視する。

問87 難易度中

通常の検索エンジンでは検索されず匿名性が高いので，サイバー攻撃や違法商品の取引などにも利用されることがあり，アクセスするには特殊なソフトウェアが必要になることもあるインターネット上のコンテンツの総称を何と呼ぶか。

ア RSS
イ SEO
ウ クロスサイトスクリプティング
エ ダークウェブ

問88 難易度高

JavaScriptに関する記述として，適切なものはどれか。

ア Webブラウザ上に，動的な振る舞いなどを組み込むことができる。
イ Webブラウザではなく，Webサーバ上だけで動作する。
ウ 実行するためには，あらかじめコンパイルする必要がある。
エ 名前のとおり，Javaのスクリプト版である。

問89 難易度低

システムの利用者認証に関する記述のうち，適切なものはどれか。

ア 1回の認証で，複数のサーバやアプリケーションなどへのログインを実現する仕組みを，チャレンジレスポンス認証という。
イ 指紋や声紋など，身体的な特徴を利用して本人認証を行う仕組みを，シングルサインオンという。
ウ 情報システムが利用者の本人確認のために用いる，数字列から成る暗証番号のことを，PINという。
エ 特定の数字や文字の並びではなく，位置についての情報を覚えておき，認証時には画面に表示された表の中で，自分が覚えている位置に並んでいる数字や文字をパスワードとして入力する方式を，多要素認証という。

問86 PDCA モデル セキュリティ 頻出

ISMSの導入・運用・改善を継続して実行するために，PDCAサイクルが用いられます。ISMSにおいて用いられるPDCAサイクルの各フェーズの名称と概要を示します。

ISMS の PDCA サイクル

フェーズの名称	概要
計画 (Plan)	情報セキュリティの手順を決めたり，ISMSを運用する組織の体制を構築したりして，ISMSの確立を行う。
実行 (Do)	ISMSの導入や運用の他に，ISMSに関する従業者への教育や訓練が実施される。

点検 (Check)	ISMSの運用状況を定期的に点検して問題点を見つけ出すために，ISMSの監視及びレビューが行われる。
処置 (Act)	点検フェーズで発見された問題点を改めるために，ISMSの見直しや改善が行われる。

ア 業務内容の監査結果に基づいた是正処置として，サーバの監視方法を変更するのは，**A** (Act) の例です。

イ 具体的な対策と目標を決めるために，サーバ室内の情報資産を洗い出すのは，**P** (Plan) の例です。

ウ サーバ管理者の業務内容を第三者が客観的に評価するのは，**C** (Check) の例です。

エ 定められた運用手順に従ってサーバの動作を監視するのは**D** (Do) の例です。

よって，**ウ** が正解です。

問 87 | ダークウェブ
ネットワーク

インターネット上で到達可能 (使用可能) なIPアドレス空間のうち，未使用のIPアドレス空間を使用して設定されているインターネットの上のコンテンツをダークウェブといい，サイバー攻撃や違法商品の取引などにも利用されることがあります。また，ダークウェブは通常のWebブラウザ (MicrosoftのEdge やGoogleのChromeなど) では到達できないようになっています。**エ** が正解です。

ア RSS (RDF Site Summary または，Rich Site Summary) は，Webサイトの更新状況を外部に配信するための規約及びその文書形式のことです。

イ SEO (Search Engine Optimization) は，自社のWebサイトのURLを，各種の検索エンジンの検索結果の上位に掲載させて自社の知名度を向上させようとする手法のことです。

ウ クロスサイトスクリプティングとは，悪意のあるサーバにアクセスすると，そこで埋め込まれたスクリプトが脆弱な別のWebサーバを経由して実行され，ユーザのcookie情報漏えいやハードディスクの破壊などの被害が起こります。

問 88 | JavaScript
情報メディアとプログラミング

JavaScriptとは，Webブラウザ上で動作可能なスクリプト言語の一つです。JavaScriptでは，動的な振る舞い (ポップアップの表示やシミュレーションのグラフなど) を作成するために使用されるプログラミング言語です。**ア** が正解です。

例：

```
<script>
console.log("HELLO");
</script>
```

イ JavaScriptは，WebブラウザでもWebサーバでも動作します。

ウ JavaScriptは，インタプリタ (1行ずつ翻訳) 言語なので，コンパイルは行いません。

エ プログラム言語のJava とJavaScriptは，名前が似ていますが，異なる言語です。

問 89 | PIN
セキュリティ

スマートフォンなどで利用されている，情報システムが利用者の本人確認のために用いる，数字列から成る暗証番号のことを，PIN (Personal Identification Number) といいます。**ウ** が正解です。

ア 1回の認証で，複数のサーバやアプリケーションなどへのログインを実現する仕組みを，シングルサインオンといいます。

イ 指紋や声紋など，身体的な特徴を利用して本人認証を行う仕組みを，バイオメトリクス認証といいます。

エ 特定の数字や文字の並びではなく，位置についての情報を覚えておき，認証時には画面に表示された表の中で，自分が覚えている位置に並んでいる数字や文字をパスワードとして入力する方式を，マトリックス認証といいます。

解答 問 86 ウ 問 87 エ 問 88 ア 問 89 ウ

問 90 ✓✓✓
難易度 高

セキュリティ対策として使用されるWAFの説明として適切なものはどれか。

- ア ECなどのWebサイトにおいて，Webアプリケーションソフトウェアの脆弱性を突いた攻撃からの防御や，不審なアクセスのパターンを検知する仕組み
- イ インターネットなどの公共のネットワークを用いて，専用線のようなセキュアな通信環境を実現する仕組み
- ウ 情報システムにおいて，機密データを特定して監視することによって，機密データの紛失や外部への漏えいを防止する仕組み
- エ ファイアウォールを用いて，インターネットと企業の内部ネットワークとの間に緩衝領域を作る仕組み

問 91 ✓✓✓
難易度 中

職場で不要になったPCを廃棄する場合の情報漏えい対策として，最も適切なものはどれか。

- ア OSが用意しているファイル削除の機能を使って，PC内のデータファイルを全て削除する。
- イ PCにインストールされているアプリケーションを，全てアンインストールする。
- ウ PCに内蔵されている全ての記憶装置を論理フォーマットする。
- エ 専用ソフトなどを使って，PCに内蔵されている全ての記憶装置の内容を消去するために，ランダムなデータを規定回数だけ上書きする。

問 92 ✓✓✓
難易度 中

インターネットに接続されているサーバが，1台でメール送受信機能とWebアクセス機能の両方を提供しているとき，端末のアプリケーションプログラムがそのどちらの機能を利用するかをサーバに指定するために用いるものはどれか。

- ア IPアドレス
- イ ドメイン
- ウ ポート番号
- エ ホスト名

問 93 ✓✓✓
難易度 高

関係データベースで管理している"従業員"表から，氏名が'％葉＿'に該当する従業員を抽出した。抽出された従業員は何名か。ここで，"＿"は任意の1文字を表し，"％"は0文字以上の任意の文字列を表すものとする。

従業員

従業員番号	氏名
S001	千葉翔
S002	葉山花子
S003	鈴木葉子
S004	佐藤乙葉
S005	秋葉彩葉
S006	稲葉小春

- ア 1
- イ 2
- ウ 3
- エ 4

問 90 | WAF
NEW
セキュリティ

WAF (Web Application Firewall) とは，Web

サーバとWebブラウザとの間でやり取りされるデータの内容を監視し，Webサーバプログラムなどの脆弱性を突く攻撃 (SQLインジェクションなど) を防御するために用いられる，特別なファイア

ウォールのことです。**ア**が正解です。

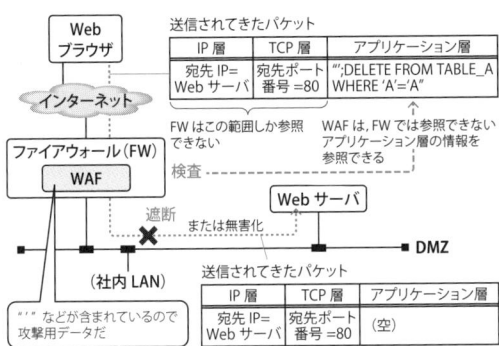

WAFは，Webブラウザから送信されてきたパケットの内容を検査することによって，攻撃用のパケットを遮断したり，無害化したりします。
- **イ** VPN (Virtual private network) の説明です。
- **ウ** DLP (Data Loss Prevention) の説明です。
- **エ** DMZ (DeMilitarized Zone：非武装地帯) の説明です。

問 91 PC 廃棄時の情報漏えい防止策
セキュリティ

職場で不要になったPCの廃棄で重要なことは，社内情報が入っているHDDなどのデータを完全に消去することです。ただ，削除やフォーマットだけでは，特別なツールを用いることでその内容を復元できてしまいます。そのため，16進数の00やFF，または乱数などの意味のない情報を何度も上書きすることが有効です。**エ**が正解です。
- **ア** OSが用意しているファイル削除の機能でPC内のデータファイルを全て削除しても，特別なツールを使って復元できることがあります。
- **イ** PCにインストールされているアプリケーションを全てアンインストールしても，アプリケーションが使用できなくなるだけで，データが残ってしまいます。
- **ウ** PCに内蔵されている全ての記憶装置を論理フォーマットしても，特別なツールを使って復元されてしまうことがあります。

問 92 ポート番号
ネットワーク

インターネットで利用されているサーバ上で動作するアプリケーション (サービス) を識別するた

めに，TCPやUDPにおいて用いられるものをポート番号といいます。ポート番号を使うことで，1台のサーバで複数のサービスが可能になります。**ウ**が正解です。

また，DNS (53) やHTTP (80) のようなサーバ上で稼動する主要なサービスについては，ポート番号があらかじめ固定的に割り振られています。このようなポート番号をウェルノウンポートといいます。
- **ア** IPアドレスは，ネットワーク間でデータ通信に使用されるアドレスですが，アプリケーションプログラムを指定するためには使用できません。
- **イ** ドメインは，人間がわかりやすいようにしてある組織の名前のため，アプリケーションプログラムを指定することはできません。
- **ウ** ホスト名は，コンピュータの名称のことなので，これを使ってアプリケーションプログラムを指定することはできません。

問 93 関係データベースからの抽出
データベース

問題文には，「"_"は任意の1文字を表し，"%"は0文字以上の任意の文字列を表すものとする。」とあるので，『%葉_』に該当するのは，

"(前にはあってもなくてもよい) 葉 (1文字だけ指定しなければいけない)"

という組合せになります。表を順に確認します。
- 『千葉翔』は上記の条件に**該当します**。
- 『葉山花子』は "葉" のあとに3文字あるので，上記の条件には該当しません。
- 『鈴木葉子』は上記の条件に**該当します**。
- 『佐藤乙葉』は "葉" の後に文字がないので，上記の条件には該当しません。
- 『秋葉彩葉』は前半の "葉" の後には2文字，後半の "葉" の後には文字がないので，該当しません。
- 『稲葉小春』は "葉" の後に2文字あるので，上記の条件には該当しません。
  よって，該当する従業員は**イ** (2) です。

解答 問90 **ア** 問91 **エ** 問92 **ウ** 問93 **イ**

問94 ✓✓✓ 難易度中

企業において情報セキュリティポリシー策定で行う作業のうち，次の作業の実施順序として，適切なものはどれか。

a 策定する責任者や担当者を決定する。
b 情報セキュリティ対策の基本方針を策定する。
c 保有する情報資産を洗い出し，分類する。
d リスクを分析する。

ア a→b→c→d   **イ** a→b→d→c   **ウ** b→a→c→d   **エ** b→a→d→c

問95 ✓✓✓ 難易度低

AIの関連技術であるディープラーニングに用いられる技術として，最も適切なものはどれか。

ア ソーシャルネットワーク   **イ** ニューラルネットワーク
ウ フィージビリティスタデイ   **エ** フォールトトレラント

問96 ✓✓✓ 難易度低

Aさんは次のように宛先を指定して電子メールを送信した。この電子メールの受信者に関する記述のうち，適切なものだけを全て挙げたものはどれか。

〔宛先〕
To：BさんのメールアドレスCc：CさんのメールアドレスBcc：Dさんのメールアドレス，Eさんのメールアドレス

(1)CさんはDさんのメールアドレスを知ることができる。
(2)DさんはCさんのメールアドレスを知ることができる。
(3)EさんはDさんのメールアドレスを知ることができる。

ア (1)   **イ** (1), (3)   **ウ** (2)   **エ** (2), (3)

問94 情報セキュリティポリシー策定　頻出　セキュリティ

情報セキュリティポリシーは企業などの組織が，自社の情報セキュリティを維持するための方針，システムや体制などについて規定し，その内容や内外に公表する文書のことです。情報セキュリティポリシーに関連する文書を詳細化の順に並べると，図のようになります。

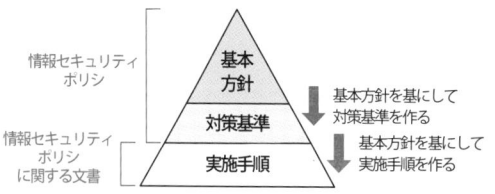

- **基本方針**
  情報セキュリティポリシーの構成要素の最上位にある文書で，自社の情報セキュリティに対する基本的な考え方や姿勢を示す。
- **対策基準**
  情報セキュリティ対策のために必要な組織の規則と，その適用範囲を示す。
- **実施手順**
  対策基準で示した規則を遵守するために必要となる，具体的な業務手順を示す。

なお，企業規模が小さい場合などは上記のように，対策基準と実施手順を2階層として，"規則・規定・ルール"を表現する場合もあります。

総務省『地方公共団体による情報セキュリティ

ポリシーに関するガイドライン』の第3章情報セキュリティの管理プロセスによると，以下のように記載されています。

①策定のための組織体制を確立
②基本方針の策定
③リスク分析の実施
④対策基準の策定
⑤情報セキュリティポリシーの決定
⑥実施手順の策定
⑦ポリシー・実施手順の周知

よって，**ア** (a→b→c→d) が正解です。

問95 ニューラルネットワーク
基礎理論 頻出

AI (人工知能) の機械学習は，人間の作業などの特徴を統計的にまとめることです。この「機械学習」の手法の一つで，人間の神経回路を模倣した信号に近づけ，複数の信号を使って多角的に学習することを「ディープラーニング (深層学習)」といいます。

このディープラーニングでは，コンピュータを使って人間の脳の考え方を模したモデルを使います。このモデルのことをニューラルネットワークといいます。

ニューラルネットワークとは，コンピュータを使って人間の脳の考え方を模したモデルのことです。以下の模式図の○や●の一つ一つが脳内のニューロン (神経細胞) を模したものです (数値は例です)。

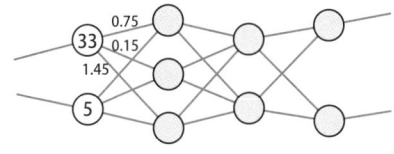

以上から，**イ** が正解です。

ア ソーシャルネットワーク (社会的ネットワーク) とは，個人や組織間の思想や，友人関係などによりコンピュータで結びつけられた構造のことです。

ウ フィージビリティスタディ (費用対効果調査) とは，新製品や新サービスの実行可能性や実現可能性を，採算性などの観点から検証することを

いいます。

エ フォールトトレラントとは，信頼性に大きく影響する機器などを複数備えて故障に対処するなどの方法で，システムの信頼性を高めて，故障などが発生してもシステムの処理を続行できるようにする方式です。

問96 電子メール
ネットワーク 頻出

Aさんが送信したメールは，BさんからEさんへすべて届き，受信したメールの内容は次の図のようになります。

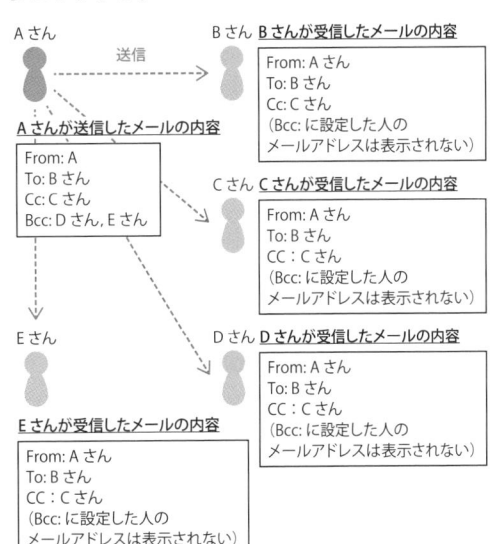

送信者を表すFrom:の欄にはAさんのメールアドレスが入ります。To:とCc: (Carbon Copy) の欄はAさんが設定して送信したメールと同じ内容になります。Bcc: (Blind Carbon Copy) の欄は，受信者のメールには表示されません。

(1) Bさんは，Dさんのメールアドレスは表示されないので，知ることができません。
(2) Dさんは，Cさんのメールアドレスが表示されるので知ることができます。
(3) Eさんは，Dさんのメールアドレスは表示されないので，知ることができません。

上記より**ウ** (2) が正解です。

解答 問94 **ア** 問95 **イ** 問96 **ウ**

問97 次のOSのうち，OSS（OpenSourceSoftware）として提供されるものだけを全て挙げたものはどれか。

難易度 高

a Android
b FreeBSD
c iOS
d Linux

ア a, b　　イ a, b, d　　ウ b, d　　エ c, d

問98 ランサムウェアに関する記述として，最も適切なものはどれか。

難易度 低

ア PCに外部から不正にログインするための侵入路をひそかに設置する。
イ PCのファイルを勝手に暗号化し，復号のためのキーを提供することなどを条件に金銭を要求する。
ウ Webブラウザを乗っ取り，オンラインバンキングなどの通信に割り込んで不正送金などを行う。
エ 自らネットワークを経由して感染を広げる機能をもち，まん延していく。

問99 GPSの電波を捕捉しにくいビルの谷間や狭い路地などでも位置を計測することができるように，特定の地域の上空に比較的長く留まる軌道をとり，GPSと併用することによって，より高い測位精度を実現するものはどれか。

難易度 高

ア アシストGPS　　イ ジャイロセンサー
ウ 準天頂衛星　　エ プローブカー

問100 正しいURLを指定してインターネット上のWebサイトへアクセスしようとした利用者が，偽装されたWebサイトに接続されてしまうようになった。原因を調べたところ，ドメイン名とIPアドレスの対応付けを管理するサーバに脆弱性があり，攻撃者によって，ドメイン名とIPアドレスを対応付ける情報が書き換えられていた。このサーバが受けた攻撃はどれか。

難易度 中

ア DDoS攻撃　　イ DNSキャッシュポイズニング
ウ ソーシャルエンジニアリング　　エ ドライブバイダウンロード

問97 OSS の OS

ソフトウェア

OSS（Open Source Software）は，著作権を維持しながらコンパイルを行う前のプログラムコード（ソースコード）を公開して，その改良を認め，改良後のプログラムの再配布などを自由に行うことをできるようにしたソフトウェアのことです。

OSSには次のようなものがあります。

名称	概要
Android	Googleが開発したスマートフォンやタブレットなどに使用されるオペレーティングシステム。
Apache	Apacheソフトウェア財団によって公表されているWebサーバプログラム。

Eclipse	IBMが開発した，プログラムやシステムの開発を支援するためのエディタなどの各種ソフトウェアを統合したシステム。
Firefox	Mozilla Foundationが開発したWebブラウザ。
FreeBSD	オープンソースのUNIX系オペレーティングシステム。
Thunderbird	Mozilla Foundationが開発したメールソフト。
PostgreSQL	PostgreSQL Global Development Groupが開発した，オブジェクト関係データベースシステム。
Linux	UNIXに類似したオペレーティングシステム。

OSSであるOSの組合せは**イ**（a，b，d）です。iOSは，Apple社製のスマートフォン「iPhone」シリーズに搭載されているオペレーティングシステムです。

問98 ランサムウェア
セキュリティ

ランサムウェアとは，コンピュータに害を加えようとする，不正プログラムの一種です。「ランサム（ransom）」は「身代金」を意味します。ランサムウェアは，攻撃対象のコンピュータに感染し，ファイルなどを勝手に暗号化して，利用者がデータを利用できないようにします。そして，データを元に戻すためのアプリケーションの購入を促すメッセージを表示するなどの方法で，利用者に代金を払わせようとします。ランサムウェアには，ウイルスと同様の経路で感染するものや，トロイの木馬のように，有益なプログラムに見せかけて利用者のインストールを促すものがあります。**イ**が正解です。
- **ア** ルートキットの記述です。
- **ウ** MITB（Man-In-The-Browser：マン・イン・ザ・ブラウザ）の記述です。
- **エ** コンピュータウイルスの中のワームの記述です。

問99 準天頂衛星
コンピュータ構成要素

GPS（Global Positioning System：全地球測位システム）とは，人工衛星からの信号を受信して位置を確認することができるシステムのことで，

様々なIoT機器やスマートフォン，自動車のカーナビゲーションシステムなどで使用されています。しかし，GPSの電波を捕捉しにくいビルの谷間や狭い路地などでも位置を計測することができるように，特定の地域の上空に比較的長く留まる軌道をとり，GPSと併用することによって，より高い測位精度を実現するものとして，日本の"みちびき"のような人工衛星を準天頂衛星といいます。**ウ**が正解です。
- **ア** アシストGPSとは，GPSによる位置情報を取得する際に，最初の位置情報取得までを高速にするために用いられるシステムのことです。
- **イ** ジャイロセンサーとは，回転角速度の測定を実現する慣性センサーです。
- **エ** プローブカーとは，車を交通観測モニタリング装置として，交通状況や位置情報から気候や自然に係わる状況をモニタリングするシステムをいいます。

問100 DNSキャッシュポイズニング
セキュリティ

DNSサーバに対して，ドメイン名などを改ざんした不正な情報を送り込み，そのDNSサーバを参照してきたPCの利用者を，本来のWebサーバとは異なるWebサーバに誘導する攻撃手法のことをDNSキャッシュポイズニングといいます。**イ**が正解です。
- **ア** DDoS（Distributed Denial of Service）攻撃は，特定のサイトに対して，日時などを決めて複数台のPCから同時に攻撃することをいいます。
- **ウ** ソーシャルエンジニアリングとは，人間が通常行うであろう社会的行動から，個人や企業にとって重要な情報を手に入れることをいいます。
- **エ** ドライブバイダウンロードとは，ブラウザやプラグインの脆弱性を利用して，利用者がWebサイトを閲覧している間に，密かにマルウェアをダウンロードする攻撃のことをいいます。

解答 問97 **イ** 問98 **イ** 問99 **ウ** 問100 **イ**

 まとめてチェック！ ISO ／ JIS

●ストラテジ系

国際基準	国内基準	内容
-	JIS Q 15001	個人情報保護マネジメントシステム。ITに関する**個人情報保護**のフレームワークのこと
ISO/IEC 18092	-	**NFC**（Near Field Communication）。ソニーとNXPセミコンダクターズが共同開発した，無線通信の国際規格
ISO/IEC 19510	-	**BPMN**（Business ProcessModel and Notation：**業務プロセスモデル**）
ISO 26000	JIS Z 26000	**企業が社会的責任**に配慮した活動を行う上での手引（ガイダンス）
ISO 30414	-	**人的資本に関する情報開示**のガイドライン
-	JIS Q 38500	組織の**ITガバナンス**を実施する経営層に対しての規格

●マネジメント系

国際基準	国内基準	内容
ISO 9000	JIS Q 9000	ITに関する**品質管理マネジメント**のフレームワーク
-	JIS Q 20000-1	**サービスマネジメントシステム**の要求事項。**PDCA**の運用を要求する
-	JIS Q 21500	**プロジェクトマネジメント**の概念及びプロセスに関する包括的な手引
ISO/IEC 27000シリーズ	JIS Q 27000シリーズ	**情報セキュリティマネジメントシステム（ISMS）**に関する規格
ISO/IEC 27001	JIS Q 27001	組織における情報セキュリティマネジメント (ISMS)の**認証基準**の規格
ISO/IEC 27002	JIS Q 27002	情報セキュリティマネジメントに関する**具体的なガイドライン**
ISO/IEC 27010	-	組織間の情報共有コミュニティ内で**情報セキュリティ管理**を実装するための規格
ISO/IEC 27017	JIS Q 27017	情報セキュリティマネジメント認証 (ISO/IEC 27002)に基づいた，**クラウドサービス**での情報セキュリティ管理策の規格

●テクノロジ系

国際基準	国内基準	内容
-	JIS Q 31000	**リスクマネジメント**の指針についての規格
IEC/ISO 31010	JIS Q 31010	リスクマネジメントのうち，**リスクアセスメント**技法に関する規格
ISO 14000	-	**環境マネジメントシステム**に関する国際規格群の総称

令和5年度

公開問題

試験時間　**120** 分

問題は次の表に従って解答してください。

問題番号	選択方法
問 1 ～問 100	全問必須

問 1 ～問 35 ：ストラテジ系
問 36 ～問 55 ：マネジメント系
問 56 ～問 100 ：テクノロジ系

問1から問35までは，ストラテジ系の問題です。

問1
✓✓✓
難易度高

新しいビジネスモデルや製品を開発する際に，仮説に基づいて実用に向けた最小限のサービスや製品を作り，短期に顧客価値の検証を繰り返すことによって，新規事業などを成功させる可能性を高める手法を示す用語はどれか。

ア カニバリゼーション　　　　　　　**イ** 業務モデリング
ウ デジタルトランスフォーメーション　**エ** リーンスタートアップ

問2
✓✓✓
難易度高

次のa～cのうち，著作権法によって定められた著作物に該当するものだけを全て挙げたものはどれか。

a　原稿なしで話した講演の録音
b　時刻表に掲載されたバスの到着時刻
c　創造性の高い技術の発明

ア a　　　　　　**イ** a, c　　　　　**ウ** b, c　　　　　**エ** c

問3
✓✓✓
難易度低

観光などで訪日した外国人が国内にもたらす経済効果を示す言葉として，最も適切なものはどれか。

ア アウトソーシング　　　**イ** アウトバウンド需要
ウ インキュベーター　　　**エ** インバウンド需要

問4
✓✓✓
難易度中

ASP利用方式と自社開発の自社センター利用方式（以下“自社方式”という）の採算性を比較する。次の条件のとき，ASP利用方式の期待利益（効果額－費用）が自社方式よりも大きくなるのは，自社方式の初期投資額が何万円を超えたときか。ここで，比較期間は5年とする。

〔条件〕
・両方式とも，システム利用による効果額は500万円/年とする。
・ASP利用方式の場合，初期費用は0円，利用料は300万円/年とする。
・自社方式の場合，初期投資額は定額法で減価償却計算を行い，5年後の残存簿価は0円とする。また，運用費は100万円/年とする。
・金利やその他の費用は考慮しないものとする。

ア 500　　　**イ** 1,000　　　**ウ** 1,500　　　**エ** 2,000

問5
✓✓✓
難易度低

企業でのRPAの活用方法として，最も適切なものはどれか。

ア M&Aといった経営層が行う重要な戦略の採択
イ 個人の嗜好に合わせたサービスの提供
ウ 潜在顧客層に関する大量の行動データからの規則性抽出
エ 定型的な事務処理の効率化

問1 リーンスタートアップ
技術戦略マネジメント

新しい製品やサービスを成功させるために,試作品を短期間で作り(構築),顧客の反応を確認して(計測),その結果をもとに試作品を改善していく(学習)マネジメントの手法のことを,リーンスタートアップといいます。

なお,上記の試作品でうまくいかない場合は,再度試作品を作成します(再構築)。**エ**が正解です。

- **ア** カニバリゼーションとは,自社の既存店舗や商品がシェアを占めている市場に,新店舗や新商品を導入することで,既存店舗や商品のシェアを奪ってしまう現象のことです。
- **イ** 業務モデリングとは,業務プロセスや業務に関する情報の流れを図示することです。
- **ウ** デジタルトランスフォーメーション(DX)とは,業務のシステム化にとどまらず,ビジネスモデルの変革で優位性を得ようとすることです。

問2 著作権法
法務

著作権法は,国内で作成された言語系のもの,音楽,美術など個人(法人)が創作した著作物の権利を保護するために制定された法律です。すべての著作物は,作成時から著作権が発生しています。

- a:原稿なしで話した講演の録音は,その講演者のオリジナルになるので著作物に**該当します**。
- b:バスや電車の時刻表は作成する個人によって異なるものにならない(オリジナルではない)ため,著作物とはなりません。
- c:創造性が高い技術の発明は申請すれば特許となりますが,著作物にはなりません。

以上から,**ア**(a)が正解です。

問3 インバウンド需要
経営戦略マネジメント

海外から観光などで来日した方々によってもたらされる経済効果のことを,日本に入って来ることから,インバウンド需要といいます。**エ**が正解です。

- **ア** アウトソーシングとは,企業内の専門的な業務の運営や管理を,外部の専門業者に一括して委託すること,またはそのサービスをいいます。
- **イ** アウトバウンド需要とは,日本人が海外で消費する経済効果のことです。
- **ウ** インキュベーターとは,新規事業の企業に対してその事業をサポートするサービスを行う組織のことです。

問4 期待利益
システム企画

ASP方式と自社方式の期待利益を比較すると,次のようになります。

● ASP利用方式による期待利益(5年間)

(効果額)	500万円×5年＝2,500万円
ー(費用)	300万円×5年＝1,500万円
(期待利益)	1,000万円

● 自社方式による期待利益(5年間)

(効果額) 500万円×5年＝2,500万円

(費用)初期投資額をx万円とすると,5年間の定額法で減価償却するので,以下の式になります。

(x万円÷5年＋100万円)×5年 … ①

ASPの期待利益が自社方式を超えるためには,自社方式の費用(①)がASPの費用(1,500万円)を超える必要があります。

$$(x万円÷5年＋100万円)×5年 ≧ 1,500万円$$
$$x万円＋500万円 ≧ 1,500万円$$
$$x万円 ≧ 1,000万円$$

以上から,**イ**が正解です。

問5 RPAの活用方法
システム戦略

RPA(Robotic Process Automation)は,業務の定型作業(議事録作成などの事務作業)をPC内のソフトウェアが代行して行うことです。これにより効率が上がり,人手不足の解消やコスト削減につながることが期待できます。**エ**が正解です。

- **ア** AI(人工知能)による経営戦略の活用方法です。
- **イ** AIレコメンドの活用方法です。
- **ウ** ビッグデータの分析の活用方法です。

解答	問1 エ	問2 ア	問3 エ
	問4 イ	問5 エ	

問 6 ✓✓✓
難易度 高

A社では，顧客の行動や天候，販売店のロケーションなどの多くの項目から成るデータを取得している。これらのデータを分析することによって販売数量の変化を説明することを考える。その際，説明に使用するパラメータをできるだけ少数に絞りたい。このときに用いる分析法として，最も適切なものはどれか。

- 囚 ABC分析
- 囚 クラスター分析
- 囚 主成分分析
- 囚 相関分析

問 7 ✓✓✓
難易度 低

経営戦略に基づいて策定される情報システム戦略の責任者として，最も適切なものはどれか。

- 囚 CIO
- 囚 基幹システムの利用部門の部門長
- 囚 システム開発プロジェクトマネージャ
- 囚 システム企画担当者

問 8 ✓✓✓
難易度 中

A社の営業部門では，成約件数を増やすことを目的として，営業担当者が企画を顧客に提案する活動を始めた。この営業活動の達成度を測るための指標としてKGI（Key Goal Indicator）とKPI（Key Performance Indicator）を定めたい。本活動におけるKGIとKPIの組合せとして，最も適切なものはどれか。

	KGI	KPI
囚	成約件数	売上高
囚	成約件数	提案件数
囚	提案件数	売上高
囚	提案件数	成約件数

問 9 ✓✓✓
難易度 高

ソーシャルメディアポリシーを制定する目的として，適切なものだけを全て挙げたものはどれか。

a 企業がソーシャルメディアを使用する際の心得やルールなどを取り決めて，社外の人々が理解できるようにするため
b 企業に属する役員や従業員が，公私限らずにソーシャルメディアを使用する際のルールを示すため
c ソーシャルメディアが企業に対して取材や問合せを行う際の条件や窓口での取扱いのルールを示すため

- 囚 a
- 囚 a, b
- 囚 a, c
- 囚 b, c

問 6 | 主成分分析

NEW
企業活動

複数の情報（本問の場合，顧客の行動や天候，販売店のロケーションなど）からデータを集約することで，その傾向を表す新たなデータ（パラメー

タ)を生成していく分析法を,主成分分析といいます。**ウ**が正解です。

ア ABC分析は,各商品の売上金額などを高額な順に並べ,その累計構成比から各商品を三つのグループ (A, B, C) に分類し,管理する場合に用いられる分析手法です。

イ クラスター分析は,多様なデータから似たような性質のものを集めていく分析手法です。

エ 相関分析は,二つのパラメータの関連性を表現する分析方法です。

問7 | CIO (最高情報責任者)
企業活動

情報資源を有効に活用するための経営戦略 (情報化戦略) の立案や実行の権限をもつ役員 (情報統括役員) のことを,CIO (Chief Information Officer:最高情報責任者) といいます。**ア**が正解です。

イ 利用部門の部門長は企業や団体などで呼び名が異なりますが,情報システム戦略の責任者ではありません。

ウ システムに限らずプロジェクトの責任者を,プロジェクトマネージャといいます。

エ システム企画担当者は企業や団体などで呼び名が異なりますが,情報システム戦略の責任者ではありません。

問8 | KGI と KPI
経営戦略マネジメント

目的が "成約件数を増やすこと" のとき,KGI (Key Goal Indicator:戦略目標)はその目的通り,「成約件数」となります。

また,KPI (Key Performance Indicator:業績評価指標) とは,戦略目標を達成するための各種の活動 (手段) が,どの程度まで実行されたか確認するための指標のことです。業績評価指標は,「顧客訪問回数」,「顧客からの引き合いの件数」など,各種の活動を行った回数などが使用されます。

したがって,KPIに該当するのは「提案件数」です。成約件数を増やすためには,顧客となりうる見込み客をより多く訪問して,営業活動を積極的に実施する必要があります。以上より**イ**の組み合わせが正解です。なお,売上高の増加は成約件数

を増やすことによって達成されるものです。

問9 | ソーシャルメディアポリシー
法務

ソーシャルネットワーキングサービス (SNS) とは,X (Twitter)やInstagramなどに代表されるように,社会で使用されている人間関係と同様のつながりを,ネットワークを通じて行うためのWebサービスのことです。このSNSを使って,企業や団体は自社の情報をタイムリーに顧客に流すことができます。

しかし,SNSの利用方法を誤ると,企業が社会的に不利益を被ることがあるため,各企業や団体がソーシャルメディアポリシーを策定してその利用を規制することがあります。

ソーシャルメディアポリシーの例

ソーシャルメディアポリシー

株式会社●●はソーシャルメディア公式アカウントの運営,及びソーシャルメディア参加に関して,下記の通り順守いたします。

・SNS参加の目的
　　当社は,ソーシャルメディアを通じ●●を知ってもらう目的で,ソーシャルメディアを利用します。
・SNS基本方針
　　　:
・運用方法
　　　:

---

a:企業がソーシャルメディアを使用する目的や心得を,広く一般の方々に知ってもらうために自社のサイトに公開しています。⇒**適切です**。

b:自社の社員が公私に限らずSNSを利用している場合に,社内情報の流出の危険性があります。また,不適切な発言が広まって企業の評判を下げる恐れもあります。そのため,SNSの使用を制限する場合があります。⇒**適切です**。

c:ソーシャルメディアポリシーは,企業が情報を発信するときのルールを定めたもので,取材を受ける際のルールではありません。⇒**適切ではありません**。

以上から,**イ** (a, b) が正解です。

解答 問6 **ウ** 　問7 **ア** 　問8 **イ** 　問9 **イ**

問 10 ✓✓✓
難易度 高

フォーラム標準に関する記述として，最も適切なものはどれか。

ア 工業製品が，定められた品質，寸法，機能及び形状の範囲内であることを保証したもの
イ 公的な標準化機関において，透明かつ公正な手続の下，関係者が合意の上で制定したもの
ウ 特定の企業が開発した仕様が広く利用された結果，事実上の業界標準になったもの
エ 特定の分野に関心のある複数の企業などが集まって結成した組織が，規格として作ったもの

問 11 ✓✓✓
難易度 低

IoTやAIといったITを活用し，戦略的にビジネスモデルの刷新や新たな付加価値を生み出していくことなどを示す言葉として，最も適切なものはどれか。

ア デジタルサイネージ　　　　　**イ** デジタルディバイド
ウ デジタルトランスフォーメーション　**エ** デジタルネイティブ

問 12 ✓✓✓
難易度 高

スマートフォンに内蔵された非接触型ICチップと外部のRFIDリーダーによって，実現しているサービスの事例だけを全て挙げたものはどれか。

a　移動中の通話の際に基地局を自動的に切り替えて通話を保持する。
b　駅の自動改札を通過する際の定期券として利用する。
c　海外でも国内と同じ電子メールなどのサービスを利用する。
d　決済手続情報を得るためにQRコードを読み込む。

ア a, b, c, d　　　**イ** a, b, d　　　**ウ** b　　　**エ** b, d

問 13 ✓✓✓
難易度 中

ある製品の今月の売上高と費用は表のとおりであった。販売単価を1,000円から800円に変更するとき，赤字にならないためには少なくとも毎月何個を販売する必要があるか。ここで，固定費及び製品1個当たりの変動費は変化しないものとする。

売上高	2,000,000 円
販売単価	1,000 円
販売個数	2,000 個
固定費	600,000 円
1 個当たりの変動費	700 円

ア 2,400　　　**イ** 2,500　　　**ウ** 4,800　　　**エ** 6,000

問 10 フォーラム標準

法務

フォーラム標準とは，特定の技術分野において，複数の企業や団体などが集まった組織（これをフォーラムといいます）が作成した業界の実質的な標準規格のことです。**エ**が正解です。

ア 工業製品の品質保証の説明です。

イ デジュール標準の説明です。

ウ デファクト標準の説明です。

問 11 デジタルトランスフォーメーション

企業活動

ITテクノロジ（IoTやAIなど）の進化によって，単に業務のシステム化だけでなく，ビジネスモデルが変わったり，新たな価値が創造できたりすることで，競争上の優位性が得られるという理論のことを，デジタルトランスフォーメーション（DX）といいます。**ウ**が正解です。

ア デジタルサイネージとは，ディスプレイやプロジェクタなどに情報を表示する形式の広告媒体のことです。

イ デジタルディバイドとは，情報リテラシーの有無やITの利用環境の相違などを原因として発生する，社会的または経済的格差のことです。

エ デジタルネイティブとは，子供の時からインターネットやスマートフォンなどのデジタル製品に囲まれて生活をしてきた世代のことです。

問 12 IC チップと RFID リーダー

ビジネスインダストリ

スマートフォンに内蔵されたICチップとRFID（Radio Frequency IDentification）リーダーの組合せで，データの交換をすることができます。

a：移動中の通話の際に基地局を切り替えて通話を保持できるのは，ハンドオーバが可能なためです。**⇒ICチップを使った事例ではありません。**

b：電車やバスなどの公共交通機関の支払いができるのは，ICチップに内蔵された情報を読取ることができるためです。**⇒ICチップを使った事例です。**

c：海外でも国内と同じ電子メールなどのサービスが利用できるのは，海外ローミングサービスが可能なためです。**⇒ICチップを使った事例ではありません。**

d：QRコードを読み込むのは，カメラにQRコードの認識機能が付加されているためです。**⇒ICチップを使った事例ではありません。**

以上から，**ウ**（b）が正解です。

問 13 損益分岐点

企業活動

現在，販売単価が1,000円で変動費が700円なので，1個売り上げると300円の利益が出ます（これを限界利益といいます）。

しかし，固定費が600,000円かかっているので，この費用をまかなうためには，

600,000円÷300円／個＝2,000個

販売する必要があります。

販売単価を800円に変更するので，1個当たりの限界利益は，

800円－700円＝100円

となります。この時も固定費は変わらず600,000円かかるので，

600,000円÷100円／個＝**6,000個**（**エ**）

販売する必要があります。

令和5年度 公開

解答 問10 **エ** 問11 **ウ** 問12 **ウ** 問13 **エ**

難易度 中

問 14　AIの活用領域の一つである自然言語処理が利用されている事例として，適切なものだけを全て挙げたものはどれか。

a　Webサイト上で，日本語の文章を入力すると即座に他言語に翻訳される。
b　災害時にSNSに投稿された文字情報をリアルタイムで収集し，地名と災害情報などを解析して被災状況を把握する。
c　スマートスピーカーを利用して，音声によって家電の操作や音楽の再生を行う。
d　駐車場の出入口に設置したカメラでナンバープレートを撮影して，文字認識処理をし，精算済みの車両がゲートに近付くと自動で開く。

ア a, b, c　　　**イ** a, b, d　　　**ウ** a, c, d　　　**エ** b, c, d

難易度 高

問 15　パスワードに関連した不適切な行為a～dのうち，不正アクセス禁止法で規制されている行為だけを全て挙げたものはどれか。

a　業務を代行してもらうために，社内データベースアクセス用の自分のIDとパスワードを同僚に伝えた。
b　自分のPCに，社内データベースアクセス用の自分のパスワードのメモを貼り付けた。
c　電子メールに添付されていた文書をPCに取り込んだ。その文書の閲覧用パスワードを，その文書を見る権利のない人に教えた。
d　人気のショッピングサイトに登録されている他人のIDとパスワードを，無断で第三者に伝えた。

ア a, b, c, d　　　**イ** a, c, d　　　**ウ** a, d　　　**エ** d

難易度 中

問 16　コールセンターにおける電話応対業務において，AIを活用し，より有効なFAQシステムを実現する事例として，最も適切なものはどれか。

ア オペレーター業務研修の一環で，既存のFAQを用いた質疑応答の事例をWebの画面で学習する。
イ ガイダンスに従って入力されたダイヤル番号に従って，FAQの該当項目を担当するオペレーターに振り分ける。
ウ 受信した電話番号から顧客の情報，過去の問合せ内容及び回答の記録を，顧客情報データベースから呼び出してオペレーターの画面に表示する。
エ 電話応対時に，質問の音声から感情と内容を読み取って解析し，FAQから最適な回答候補を選び出す確度を高める。

問14 自然言語処理

企業活動

AI (Artificial Intelligence) とは，人間の知能を構成する学習や推論などの機能をコンピュータ上で実現させるシステムなどを指します。

音声認識は，人の声やモノの音などを識別します。画像認識は人の顔や物体の形状などを識別します。自然言語処理は，我々が通常使用している日本語や英語などの言語を理解して判別します。

a：日本語の文章を入力すると多言語に翻訳されることは『**自然言語処理**』です。

b：SNSに投稿された文字情報を収集し，地名や災害情報を把握することは『**自然言語処理**』です。

c：スマートスピーカーを利用して，音声によって家電の操作や音楽の再生を行うことは，『**音声認識**』を使いその言葉を識別し『**自然言語処理**』を行っています。

d：駐車場の出入口に設置したカメラでナンバープレートを撮影して，『**画像認識**』を行い，精算済みの車両がゲートに近付くと自動で開くようになっています。

以上から，自然言語処理が行われているのは，**ア** (a，b，c) です。

問15 不正アクセス禁止法

法務

不正アクセス禁止法とは，他の人のパスワードなどを不正な方法で取得し，アクセス制限されているコンピュータにアクセスを行ったり，脆弱なコンピュータ (サーバ) の問題点をついて不正侵入を行うなどの行為を禁止する法律です。

a：自分のIDとパスワードを同僚に伝える行為は，不正に取得したわけではないので，不正アクセス禁止法の対象にはなりません。

b：自分のPCに，社内データベースアクセス用の自分のパスワードのメモを貼り付けただけでは不正アクセス禁止法の対象にはなりません。なお，そのパスワードを見て不正アクセスを行った人は不正アクセス禁止法で規制されます。

c：文書の閲覧用パスワードだけを，その文書を見る権利のない人に教えただけでは不正アクセス禁止法の対象になりません。なお，そのパスワードを見て不正アクセスを行った場合は不正アクセス禁止法で規制されます。

d：他人のIDとパスワードを，無断で第三者に伝えることは，不正アクセスを助長する行為のため，不正アクセス禁止法で規制されています。**⇒正解です。**

以上から，**エ** (d) が正解です。

問16 AI 活用事例：FAQ

ビジネスインダストリ

コールセンターでの電話応対業務では，顧客の要望をいち早く理解してその要望に的確に答える必要があります。顧客の要望を早く理解するには，過去の事例をFAQ (Frequently Asked Questions) として準備しておき，その中から選べるようにしておくと手間がかかりにくくなります。

その際，AI (人工知能) を使って音声を解析し，ある程度質問内容などを絞り込むことができれば，その確度は大いに高まります。**エ**が正解です。

ア 既存のFAQを使った，一般的な電話応対に関するオペレーターの説明です。

イ ある程度内容を絞り込んで応対はできますが，AIを使った事例ではありません。

ウ 顧客データベースを使った，一般的な電話応対に関するオペレーターの説明です。

解答 問14 **ア** 問15 **エ** 問16 **エ**

問 17 難易度 中

ITの進展や関連するサービスの拡大によって，様々なデータやツールを自社のビジネスや日常の業務に利用することが可能となっている。このようなデータやツールを課題解決などのために適切に活用できる能力を示す用語として，最も適切なものはどれか。

ア アクセシビリティ　　　　　　　イ コアコンピタンス
ウ 情報リテラシー　　　　　　　　エ デジタルディバイド

問 18 難易度 中

EUの一般データ保護規則（GDPR）に関する記述として，適切なものだけを全て挙げたものはどれか。

a EU域内に拠点がある事業者が，EU域内に対してデータやサービスを提供している場合は，適用の対象となる。
b EU域内に拠点がある事業者が，アジアや米国などEU域外に対してデータやサービスを提供している場合は，適用の対象とならない。
c EU域内に拠点がない事業者が，アジアや米国などEU域外に対してだけデータやサービスを提供している場合は，適用の対象とならない。
d EU域内に拠点がない事業者が，アジアや米国などからEU域内に対してデータやサービスを提供している場合は，適用の対象とならない。

ア a　　　　　イ a, b, c　　　　　ウ a, c　　　　　エ a, c, d

問 19 難易度 中

住宅地に設置してある飲料の自動販売機に組み込まれた通信機器と，遠隔で自動販売機を監視しているコンピュータが，ネットワークを介してデータを送受信することによって在庫管理を実現するような仕組みがある。このように，機械同士がネットワークを介して互いに情報をやり取りすることによって，自律的に高度な制御や動作を行う仕組みはどれか。

ア MOT　　　　　イ MRP　　　　　ウ M2M　　　　　エ O2O

問 20 難易度 低

資本活用の効率性を示す指標はどれか。

ア 売上高営業利益率　　　　　　　イ 自己資本比率
ウ 総資本回転率　　　　　　　　　エ 損益分岐点比率

問 17 情報リテラシー
システム戦略

ITを使って業務や生活に必要なデータを検索したり，調査や改善などの目的に合わせてデータを分析したりするなどの，情報を活用する能力のことを，情報リテラシーといいます。ウが正解です。
ア アクセシビリティとは，高齢者，障害者が情報にアクセスできるようにすることです。アクセ

シビリティが低いと，高齢者などは情報を利用することができません。
イ コアコンピタンスとは，企業経営上で核となる，他社がもっていないような独自の技術やノウハウなどのことをいいます。
エ デジタルディバイドとは，情報リテラシーの有無やITの利用環境の相違などを原因として発生する，社会的または経済的格差のことです。

問18　EUの一般データ保護規則（GDPR）

法務

EUの一般データ保護規則（GDPR：General Data Protection Regulation）とは，個人情報やその取扱いについてEU域内の各国に適用される法令のことです。具体的に重要な規制は次の条文となります。

第2条　実体的適用範囲

2. 本規則は，以下の個人データの取扱いには適用されない。
　　(a) EU法の適用範囲外にある活動の過程で行われる場合。
　　　　　　　　：

⇒EU域内で活動を行わない企業（支店も含む）は対象外

第3条　地理的適用範囲

1. 本規則は，その取扱いがEU域内で行われるものであるか否かを問わず，EU域内の管理者又は処理者の拠点の活動の過程における個人データの取扱いに適用される。

2. 取扱活動が以下と関連する場合，本規則は，EU域内に拠点のない管理者又は処理者によるEU域内のデータ主体の個人データの取扱いに適用される。
　　(a) データ主体の支払いが要求されるか否かを問わず，EU域内のデータ主体に対する物品又はサービスの提供。
⇒EU域内に拠点がない企業がEU域内で行う活動はすべて適用される
　　(b) データ主体の行動がEU域内で行われるものである限り，その行動の監視。
⇒EU域内にある企業（支店など含む）がEU域内で行う活動はすべて適用される

3. 本規則は，EU域内に拠点のない管理者によるものであっても，国際公法の効力により加盟国の国内法の適用のある場所において行われる個人データの取扱いに適用される。

（GDPR：一般データ保護規則より一部抜粋加筆）

a〜dの記述内容を確認します。

a：正しい記述です。

b：EU域内に拠点がある事業者はどの国に対しても，適用となります。

c：正しい記述です。

d：EU域内に拠点がない事業者が，EU域内に対してデータやサービスを提供している場合は，適用の対象となります。

以上から，**ウ**（a，c）が正解です。

問19　M2M

システム戦略

ネットワークに接続された機器同士が自律的に直接通信を行い，データの送受信や機器の自動制御などを行う技術を，M2M（Machine to Machine）といいます。**ウ**が正解です。

ア MOT（Management Of Technology：技術経営）とは，技術に関連する事業を行っている企業が，技術開発に投資して新しい技術や新製品の製造などを自社の事業に取り入れてビジネスに結び付けることです。

イ MRP（Materials Requirements Planning：資材所要量計画）とは，生産管理手法の一つです。

エ O2O（Online to Offline）とは，オンライン上でのサービスなどを実店舗での購買行動へ誘導するような考え方のことをいいます。

問20　総資本回転率

企業活動

売上のために資本（資産）がどの程度有効に利用されているかを示す指標を，総資本回転率といいます。

式：総資本回転率＝売上高÷総資本（単位：回）

資本が効率的に利用され，より多くの売上が発生すると，総資本の額に対して売上高が大きくなり，総資本回転率の値が高くなります。この指標の値が高ければ高いほど，会社の効率性が高いことになります。**ウ**が正解です。

ア 売上高営業利益率は，**営業利益÷売上高**で表される財務指標で，この値によって売上高に占める本業の割合がわかります。この値が高いほど経営効率が良く収益性が高くなります。

イ 自己資本比率は，**自己資本÷総資本**で表される財務指標で，この値が高いほど経営の健全性が高くなります。

エ 損益分岐点比率は，**損益分岐点÷実際の売上高**で表される財務指標で，この値が低いほど損益分岐点売上高に対する実際の売上高が大きくなり，収益性や安全性が高くなります。

解答　問17 **ウ**　問18 **ウ**　問19 **ウ**　問20 **ウ**

問 21 難易度 中

フリーミアムの事例として，適切なものはどれか。

- ア 購入した定額パスをもっていれば，期限内は何杯でもドリンクをもらえるファーストフード店のサービス
- イ 無料でダウンロードして使うことはできるが，プログラムの改変は許されていない統計解析プログラム
- ウ 名刺を個人で登録・管理する基本機能を無料で提供し，社内関係者との間での顧客情報の共有や人物検索などの追加機能を有料で提供する名刺管理サービス
- エ 有料広告を収入源とすることによって，無料で配布している地域限定の生活情報などの広報誌

問 22 難易度 中

資金決済法における前払式支払手段に該当するものはどれか。

- ア Webサイト上で預金口座から振込や送金ができるサービス
- イ インターネット上で電子的な通貨として利用可能な暗号資産
- ウ 全国のデパートや商店などで共通に利用可能な使用期限のない商品券
- エ 店舗などでの商品購入時に付与され，同店での次回の購入代金として利用可能なポイント

問 23 難易度 中

OMG（Object Management Group）によって維持されており，国際規格ISO/IEC19510として標準化されているビジネスプロセスのモデリング手法及び表記法はどれか。

- ア BABOK
- イ BPMN
- ウ BPO
- エ BPR

問 24 難易度 高

需要量が年間を通じて安定している場合において，定量発注方式に関する記述として，最も適切なものはどれか。

- ア 最適な発注量は，発注費用と在庫維持費用の総額が最小となる場合である。
- イ 発注回数の多寡で比較したとき，発注回数の多い方が商品を保管するスペースを広くする必要がある。
- ウ 発注は毎週金曜日，毎月末など，決められた同じサイクルで行われる。
- エ 毎回需要予測に基づき発注が行われる。

問 21 フリーミアムの事例

ビジネスインダストリ

　フリーミアムとは，「フリー（無料）」と「プレミアム（割増）」を合わせた言葉で，基本的なサービスは無料ですが，それ以降の追加サービスは有料とするものです。ZOOMやクックパッドなどがこの形式で提供されています。

　ここでは，名刺を個人で登録・管理する無料機能と，社内関係者との間で顧客情報を共有する有料の追加機能の組合せで成り立っているので，フリーミ

アムの事例です。ウが正解です。

- ア 定額制サービスの事例です。
- イ フリーウェアの事例です。
- エ フリーペーパーの事例です。

問 22 資金決済法

法務

　資金決済法の第三条「前払式支払手段」を簡潔に表現すると，次の四つの条件を満たすものになります。

① 金額や商品などの数量などが記載されている証券等である (磁気的なものもOK)。
② 事前に対価が支払われている。
③ ①には番号や記号などが付加されている。
④ 商品の購入時に③の番号や記号が使用可能な状態である。

以上から，**ウ**の「デパートの商品券やカタログギフト券」が該当します。

ア，**イ**，**エ**は，金額などの数量が記載されている証券ではないので，該当しません。

問23 BPMN
システム戦略

OMG (Object Management Group) によって維持されており，国際規格ISO/IEC19510として標準化されているのは，BPMN (Business Process Model and Notation：業務プロセスモデル) です。**イ**が正解です。

次の図のように，ある業務について開始から終了までの流れを図式化する方法です。

BPMN の例

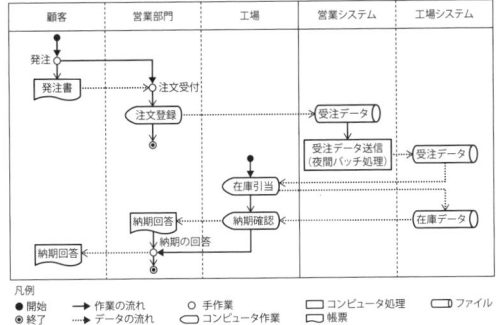

ア BABOK (Business Analysis Body Of Knowledge) とは，ビジネス上の課題を解決するビジネスアナリシスの知識体系のことです。
ウ BPO (Business Process Outsourcing) とは，自社の業務の一部を，安く実施できる外部の事業者に任せて (アウトソースして)，コストの削減を図る経営手法です。
エ BPR (Business Process Reengineering) とは，現在の業務プロセスを見直し，組織や業務を再構築して生産性を向上させることです。

問24 定量発注方式
経営戦略マネジメント

定量発注方式とは，発注量を毎回一定とし，発注の時期 (発注間隔) を毎回変化させる方式です。発注量が毎回同じなので発注手続きが単純になります。また，在庫量が一定数を割った時点で発注をかける方法が一般的です。

最適な発注量の求め方

> E＝1回の発注で発生する発注費用 (製品を何個発注しても同じ値とする)
> D＝一定期間内の製品の需要
> Q＝1回の発注で仕入れる製品の数 (**総費用が最も少なくなるQを求めるのが主題**)
> H＝製品1個当たりの在庫管理費用

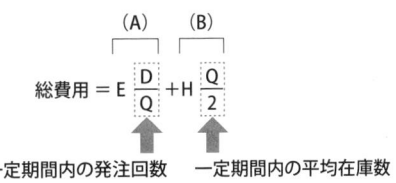

$$総費用 = E\frac{D}{Q} + H\frac{Q}{2}$$

一定期間内の発注回数　　一定期間内の平均在庫数

この式の (A) と (B) をグラフで表すと次のようになります。(A) はQに反比例し，(B) はQに比例します。

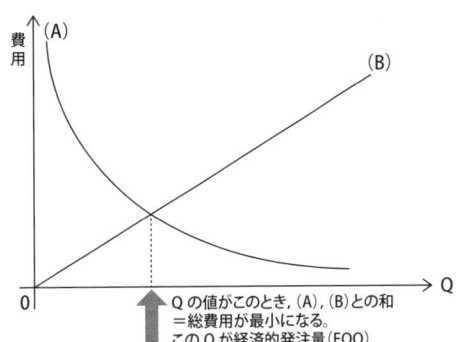

Qの値がこのとき，(A)，(B) との和＝総費用が最小になる。このQが経済的発注量 (EOQ)

グラフから，(A) と (B) が一致するときのQが経済的発注量になります。**ア**が正解です。

イ 定量発注方式では，発注回数が多くても在庫量は一定の範囲を超えないので，保管スペースを広げる必要はありません。
ウ 定期発注方式の特徴です。
エ 需要量が年間を通じて安定しているため，毎回需要予測を行う必要はありません。

解答 問21 **ウ** 問22 **ウ** 問23 **イ** 問24 **ア**

問 25 難易度低

　企業の行為に関する記述a～cのうち，コンプライアンスにおいて問題となるおそれのある行為だけを全て挙げたものはどれか。

a　新商品の名称を消費者に浸透させるために，誰でも応募ができて，商品名の一部を答えさせるだけの簡単なクイズを新聞や自社ホームページ，雑誌などに広く掲載し，応募者の中から抽選で現金10万円が当たるキャンペーンを実施した。

b　人気のあるWebサイトを運営している企業が，広告主から宣伝の依頼があった特定の商品を好意的に評価する記事を，広告であることを表示することなく一般の記事として掲載した。

c　フランスをイメージしてデザインしたバッグを国内で製造し，原産国の国名は記載せず，パリの風景写真とフランス国旗だけを印刷したタグを添付して，販売した。

　ア a, b　　　　**イ** a, b, c　　　　**ウ** a, c　　　　**エ** b, c

問 26 難易度高

　組立製造販売業A社では経営効率化の戦略として，部品在庫を極限まで削減するためにかんばん方式を導入することにした。この戦略実現のために，A社が在庫管理システムとオンラインで連携させる情報システムとして，最も適切なものはどれか。

　なお，A社では在庫管理システムで部品在庫も管理している。また，現在は他のどのシステムも在庫管理システムと連携していないものとする。

　ア 会計システム　　　　　　　　**イ** 部品購買システム
　ウ 顧客管理システム　　　　　　**エ** 販売管理システム

問 27 難易度中

　ファミリーレストランチェーンAでは，店舗の運営戦略を検討するために，店舗ごとの座席数，客単価及び売上高の三つの要素の関係を分析することにした。各店舗の三つの要素を，一つの図表で全店舗分可視化するときに用いる図表として，最も適切なものはどれか。

　ア ガントチャート　　　　　　　**イ** バブルチャート
　ウ マインドマップ　　　　　　　**エ** ロードマップ

問 28 難易度中

　AIを開発するベンチャー企業のA社が，資金調達を目的に，金融商品取引所に初めて上場することになった。このように，企業の未公開の株式を，新たに公開することを表す用語として，最も適切なものはどれか。

　ア IPO　　　　**イ** LBO　　　　**ウ** TOB　　　　**エ** VC

問 25　| コンプライアンス　 頻出 法務

　コンプライアンスとは，「法令遵守」のことです。企業活動において，消費者や取引先，株主の信頼を得るために必要な社会通念，倫理や道徳などの遵守も含まれます。

　a～cを順に確認していきます。

a：商品名を浸透させるためのキャンペーンです。⇒**コンプライアンスに問題はありません。**

b：Webサイトを運営している企業は広告主に便宜を図ったと受け取られ，消費者からの信頼を失うことになります。⇒**コンプライアンスに問題があります。**

c：フランスで生産していないにも関わらず，あたかもフランス製であるかのようなタグの添付は，消費者や取引先の信用を失うことになります。⇒**コンプライアンスに問題があります。**

以上から，**エ** (b，c) が正解です。

問 26 かんばん方式
部品購買システム

かんばん方式 (ジャストインタイム方式ともいう) は，"必要な物を，必要な時に，必要なだけ適切に生産"することによって，工程の途中での中間在庫を可能な限り減少させ，余剰在庫を減らす生産方式のことです。

かんばん方式では，後工程が前工程に依頼して，必要な部品を必要なだけ購買 (調達) します。後工程は，必要な部品の量を記載したかんばんを前工程に回して，その分だけの部品を送るよう依頼します。前工程は，後工程から回ってくるかんばんの指示量に備えて，在庫が最小限になるように調整しながら部品を生産する必要があります。

以上から，在庫管理システムと連携させるのは，**部品購買システム**です。**イ**が正解です。

ア，**ウ**，**エ**は，部品在庫の削減とは直接の関係はありません。

問 27 バブルチャート
企業活動

三つの要素を同時に可視化するには，次の図のような**バブルチャート**を使うことで，わかりやすく店舗ごとの大きさが比較できます。**イ**が正解です。

バブルチャートの例

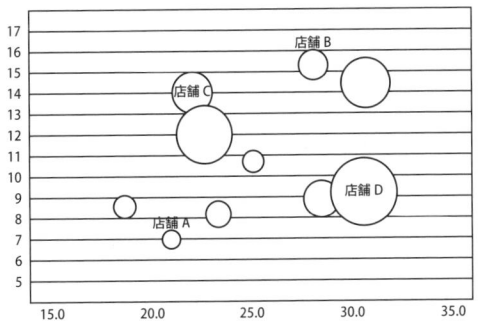

図	横軸の指標	縦軸の指標	バブルの大きさ
売上分析	客単価 (百円)	座席数 (席)	売上高

ア ガントチャートとは，作業の予定と実績を明示するための図です。

ウ マインドマップとは，自分の思考の流れをその考えの中心となる概念から分岐させる形で表現した図のことです。

エ ロードマップとは，横軸に時間軸，縦軸には技術，機能，製品などの軸をとった図で，時間経過とともに新しい技術が生まれたり，新機能が世に広まったりするときの道筋を表したものです。

問 28 IPO
経営戦略マネジメント

未上場企業の株式を株式市場に上場させることを，IPO (Initial Public Offering：新規公開株式) といいます。IPOは，市場から資金調達を行う目的で行われます。**ア**が正解です。

イ LBO (Leveraged Buy-Out：レバレッジド・バイアウト) とは，買収対象企業の資産か，将来において当該企業が得る予定のキャッシュフローを担保にして資金を借り入れ，当該企業を買収することです。

ウ TOB (Take Over Bid：株式公開買付け) とは，価格や期間を公示 (広告) して，特定の会社の株式を不特定多数の株主から買い付け，株式を一定数以上取得することで，当該会社の経営権を獲得しようとする行為のことです。

エ VC (Venture Capital：ベンチャーキャピタル) とは，未上場のベンチャー企業の株式を取得しておき，将来その企業が上場した際に株式を売却して大きな利益の獲得を目指すファンドのことをいいます。

解答 問 25 **エ** 問 26 **イ** 問 27 **イ** 問 28 **ア**

問29 不正な販売行為を防ぐために，正当な理由なく映像ソフトのコピープロテクトを無効化するプログラムの販売行為を規制している法律はどれか。

難易度 高

ア 商標法
イ 特定商取引に関する法律
ウ 不正アクセス行為の禁止等に関する法律
エ 不正競争防止法

問30 犯罪によって得た資金を正当な手段で得たように見せかける行為を防ぐために，金融機関などが実施する取組を表す用語として，最も適切なものはどれか。

難易度 中

ア AML（Anti-Money Laundering）
イ インサイダー取引規制
ウ スキミング
エ フィッシング

問31 様々な企業のシステム間を連携させる公開されたインタフェースを通じて，データやソフトウェアを相互利用し，それらの企業との協業を促進しながら新しいサービスを創出することなどで，ビジネスを拡大していく仕組みを表す用語として，最も適切なものはどれか。

難易度 中

ア APIエコノミー　　　　　　　イ アウトソーシング
ウ シェアリングエコノミー　　　エ プロセスイノベーション

問32 新システムの導入を予定している企業や官公庁などが作成するRFPの説明として，最も適切なものはどれか。

難易度 中

ア ベンダー企業から情報収集を行い，システムの技術的な課題や実現性を把握するもの
イ ベンダー企業と発注者で新システムに求められる性能要件などを定義するもの
ウ ベンダー企業と発注者との間でサービス品質のレベルに関する合意事項を列挙したもの
エ ベンダー企業にシステムの導入目的や機能概要などを示し，提案書の提出を求めるもの

問29 ｜ 不正競争防止法

頻出

法務

　不正な販売行為のために「営業上の秘密」を取得したり，他社の製品の評判を落とすようなデマを流したりすることを禁止する法律を不正競争防止法といいます。また，正当な理由なく映像ソフトのコピープロテクトを無効化するプログラムの販売も違反となります。**エ**が正解です。不正競争行

為には，次のようなものがあります。

> ① 周知の他者の商品表示（商号，商標，容器，包装など）と極めて類似しているものを使用して，本物の商品と混同させる行為
> ② 著名なブランドのもつ信用を利用する行為（業種，業務内容は関係ない）
> ③ 他社の営業秘密を不正な手段で入手して使用する行為
> ④ 商品の原産地や品質，内容，製造方法，用途，数量などを虚偽に表示する行為

⑤ 競争関係にある他人の信用を害する虚偽の事実やうわさを流す行為

ア 商標法は，商品の名称やロゴ，固有のマークなど (商標) を保護するための法律です。

イ 特定商取引に関する法律 (特定商取引法) は，訪問販売や通信販売などのトラブルが生じやすい取引において，事業者による不正な勧誘などを防止することで，消費者の利益を保護する法律です。

ウ 不正アクセス行為の禁止等に関する法律 (不正アクセス禁止法) は，脆弱なコンピュータ (サーバ) の問題点をついて不正侵入を行う行為を禁止する法律です。

問30 AML (Anti-Money Laundering)
ビジネスインダストリ

犯罪など違法な手段で得た収入を，正当な営業活動で得たかのように見せかけることをマネーロンダリングといいます。この行為を防ぐため，金融機関は新規の口座開設時の本人確認を徹底し，取引が不自然でないかを監視する必要があります。

このような取組を，AML (Anti-Money Laundering：アンチ・マネーロンダリング) といいます。アが正解です。

イ インサイダー取引とは，株式を公開している企業の関係者などから，その職務により知り得た未公表の情報を利用して，その企業の株式を売買して利益を得ることです。

ウ スキミングとは，他人のクレジットカードやキャッシュカードから情報を不正に抜き取る行為のことです。

エ フィッシングとは，サイトの偽装や偽造電子メールの使用などの方法で，ユーザを騙して個人情報やパスワードを不正に入手しようとする行為のことです。

問31 API エコノミー
技術戦略マネジメント

Instagramで投稿した記事がX (Twitter) など他のSNSにも投稿されたり，各種サイトでGoogle Mapの地図を表示したりするなど，各種のプログラムを連携させる仕組みをAPI (Application Programming Interface) といいます。

また，各種サービスを連携させてより付加価値の高い大きなサービスを提供する仕組みを，API エコノミーといいます。アが正解です。

イ アウトソーシングとは，企業内の専門的な業務の運営や管理を，外部の専門業者に一括して委託すること，またはそのサービスをいいます。

ウ シェアリングエコノミーとは，インターネットを通じて情報共有することで，人やモノを時間単位で借りることができるものです。

エ プロセスイノベーションは，プロセス (作業工程や作業技術) を刷新することを指し，コストの削減や品質の向上などが期待できます。

問32 RFP (提案依頼書)

システム企画

RFP (Request For Proposal：提案依頼書) とは，発注する側 (企業や官公庁など) が情報システムの概要や発注依頼事項，調達条件などを明示し，提案書の提出を依頼するための文書です。

RFP の例

```
1 システムの概要
  1-1 システム化の背景
    システム名：在庫管理システム
    発注元の経営戦略：在庫管理業務の効率化により……
    目標：・在庫管理に要する人件費を50%削減
        ・在庫管理業務に要する時間を30%以上削減
    発注元の売上・従業員数：10億円, 150名
  1-2 システム化の目的と方針
    ⋮
  1-6 予算
    上限：1億円
    ⋮
2 発注依頼事項
    ⋮
```

RFPを受け取ったベンダは，発注元に開発するシステムの機能や開発期間，価格などを記載した提案書を作成します。

以上から，エが正解です。

ア RFI (Request For Information：情報提供依頼書) の説明です。

イ 機能要件の説明です。

ウ SLA (Service Level Agreement：サービスレベル合意書) の説明です。

解答　問29 エ　問30 ア　問31 ア　問32 エ

問33 難易度 中

製品Aを1個生産するのに部品aが2個，部品bが1個必要である。部品aは1回の発注数量150個，調達期間1週間，部品bは1回の発注数量100個，調達期間2週間の購買部品である。製品Aの6週間の生産計画と，部品a，部品bの1週目の手持在庫が表のとおりであるとき，遅くとも何週目に部品を発注する必要があるか。ここで，部品の発注，納品はそれぞれ週の初めに行われるものとし，納品された部品はすぐに生産に利用できるものとする。

	週	1	2	3	4	5	6
製品Aの生産個数		0	40	40	40	40	40
部品a	所要数量	0	80	80	80	80	80
	手持在庫数量	250					
	発注数量						
部品b	所要数量	0					
	手持在庫数量	150					
	発注数量						

注記　網掛けの部分は，表示していない。

ア 2 　　　　**イ** 3 　　　　**ウ** 4 　　　　**エ** 5

問34 難易度 中

記述a～cのうち，"人間中心のAI社会原則"において，AIが社会に受け入れられ，適正に利用されるために，社会が留意すべき事項として記されているものだけを全て挙げたものはどれか。

a　AIの利用に当たっては，人が利用方法を判断し決定するのではなく，AIが自律的に判断し決定できるように，AIそのものを高度化しなくてはならない。
b　AIの利用は，憲法及び国際的な規範の保障する基本的人権を侵すものであってはならない。
c　AIを早期に普及させるために，まず高度な情報リテラシーを保有する者に向けたシステムを実現し，その後，情報弱者もAIの恩恵を享受できるシステムを実現するよう，段階的に発展させていかなくてはならない。

ア a, b 　　　　**イ** a, b, c 　　　　**ウ** b 　　　　**エ** b, c

問35 難易度 低

第4次産業革命に関する記述として，最も適切なものはどれか。

ア 医療やインフラ，交通システムなどの生活における様々な領域で，インターネットやAIを活用して，サービスの自動化と質の向上を図る。
イ エレクトロニクスを活用した産業用ロボットを工場に導入することによって，生産の自動化と人件費の抑制を行う。
ウ 工場においてベルトコンベアを利用した生産ラインを構築することによって，工業製品の大量生産を行う。
エ 織機など，軽工業の機械の動力に蒸気エネルギーを利用することによって，人手による作業に比べて生産性を高める。

問 33 部品の発注計画
経営戦略マネジメント

問題の表を順に埋めながら，発注の時期を検討します。

週		1	2	3	4	5	6
製品Aの生産個数		0	40	40	40	40	40
部品a	所要数量	0	80	80	80	80	80
	手持在庫数量	250	170	90	10		
	発注数量						
部品b	所要数量	0	40	40	40	40	40
	手持在庫数量	150	110	70	30		
	発注数量						

<第2週>
- 部品aの所要数量80個を手持在庫数量から引くと，残り170個
- 部品bの所要数量は40個のため，手持在庫数量から引くと，残り110個

<第3週>
- 部品aの所要数量80個を手持在庫数量から引くと，残り90個
- 部品bの所要数量は40個のため，手持在庫数量から引くと，残り70個

<第4週>
- 部品aの所要数量80個を手持在庫数量から引くと，残り10個　⇒次週不足
- 部品bの所要数量は40個のため，手持在庫数量から引くと，残り30個　⇒次週不足

以上から，＜第5週＞で足りなくなることが予想されます。商品aは調達期間が1週間なので第4週に発注すればいいのですが，商品bは調達期間が2週間であることから，遅くとも第3週（イ）で発注する必要があります。

問 34 人間中心の AI 社会原則
ビジネスインダストリ

「人間中心のAI社会原則」では，次の内容が記載されています。

> AI社会原則は，「AI-Readyな社会」において，国や自治体をはじめとする我が国社会全体，さらには多国間の枠組みで実現されるべき社会的枠組みに関する原則である。

(1)人間中心の原則
AIの利用は，憲法及び国際的な規範の保障する基本的人権を侵すものであってはならない。

AIは，人々の能力を拡張し，多様な人々の多様な幸せの追求を可能とするために開発され，社会に展開され，活用されるべきである。AIが活用される社会において，人々がAIに過度に依存したり，AIを悪用して人の意思決定を操作したりすることのないよう，我々は，リテラシー教育や適正な利用の促進などのための適切な仕組みを導入することが望ましい。

・AIは，人間の労働の一部を代替するのみならず，高度な道具として人間を補助することにより，人間の能力や創造性を拡大することができる。
・AIの利用にあたっては，人が自らどのように利用するかの判断と決定を行うことが求められる。AIの利用がもたらす結果については，問題の特性に応じて，AIの開発・提供・利用に関わった種々のステークホルダーが適切に分担して責任を負うべきである。
・各ステークホルダーは，AIの普及の過程で，いわゆる「情報弱者」や「技術弱者」を生じさせず，AIの恩恵をすべての人が享受できるよう，使いやすいシステムの実現に配慮すべきである。

（内閣府　「人間中心のAI社会原則」より引用）

以上から，ウ (b) が正解です。a（AIの高度化）とc（高度なリテラシー保有者優先）は，人間中心のAI基本原則には記載されていません。

問 35 第4次産業革命
企業活動

第4次産業革命では，IT技術を利用した情報システムを利用して，注文から製造，納品までの一連の流れを管理することで，コストの低減や納期の短縮，顧客ごとの製品作成なども可能となっています。また生産システムなどの産業領域の自動化に加え，遠隔診療や自動運転なども実用化が近づき，身近な生活領域でもサービスの自動化や質の向上がはかられています。アが正解です。
- イ 第3次産業革命の説明です。
- ウ 第2次産業革命の説明です。
- エ 第1次産業革命の説明です。

解答 問33 イ　問34 ウ　問35 ア

問36から問55までは, マネジメント系の問題です。

問36 ✓✓✓ 難易度 中

サービスデスクの業務改善に関する記述のうち, 最も適切なものはどれか。

ア サービスデスクが受け付けた問合せの内容や回答, 費やした時間などを記録して分析を行う。

イ 障害の問合せに対して一時的な回避策は提示せず, 根本原因及び解決策の検討に注力する体制を組む。

ウ 利用者が問合せを速やかに実施できるように, 問合せ窓口は問合せの種別ごとにできるだけ細かく分ける。

エ 利用者に対して公平性を保つように, 問合せ内容の重要度にかかわらず受付順に回答を実施するように徹底する。

問37 ✓✓✓ 難易度 低

システム監査人の行動規範に関して, 次の記述中のa, bに入れる字句の適切な組合せはどれか。

システム監査人は, 監査対象となる組織と同一の指揮命令系統に属していないなど, 　a　上の独立性が確保されている必要がある。また, システム監査人は 　b　立場で公正な判断を行うという精神的な態度が求められる。

	a	b
ア	外観	客観的な
イ	経営	被監査側の
ウ	契約	経営者側の
エ	取引	良心的な

問38 ✓✓✓ 難易度 高

システム開発プロジェクトの品質目標を検討するために, 複数の類似プロジェクトのプログラムステップ数と不良件数の関係性を示す図として, 適切なものはどれか。

ア 管理図　　　　イ 散布図　　　　ウ 特性要因図　　　エ パレート図

問39 ✓✓✓ 難易度 中

運用中のソフトウェアの仕様書がないので, ソースコードを解析してプログラムの仕様書を作成した。この手法を何というか。

ア コードレビュー　　　　　　イ デザインレビュー
ウ リバースエンジニアリング　　エ リファクタリング

問36 サービスデスクの業務改善
サービスマネジメント

サービスデスクでは, システムの利用者に単一窓口を提供し, インシデントの発生時には当該窓口に連絡するようにさせることで, インシデント

が事業へ与える影響を最小限にし，利用者が通常サービスへ復帰できるように支援します。

利用者からの問合せ内容やその回答などを記録に残し，分析することで次回以降の問合せや，異なる利用者から同様の問合せがあった場合の迅速な対応が可能になります。**ア**が正解です。

イ 根本原因の検討は，サービスデスクではなく問題管理部門の業務です。

ウ 問合せを速やかに実施できるように，問合せ窓口をある程度分けることもありますが，必要以上に細かく分けてしまうと，かえって利用者が混乱する場合があります。

エ システム障害の緊急度や重要度によって優先度をつけることもサービスデスク担当者に求められる能力の一つです。

問37 システム監査人の行動規範
システム監査

システムの管理部門に所属している者や，以前に当該部門に所属していてシステムの内情について熟知している者などは，システム及びその管理部門から独立しているとはみなされません。このような者が当該部門のシステム監査を行うのは不適切です。

> **2.1 外観上の独立性**
> システム監査人は，システム監査を客観的に実施するために，監査対象から独立していなければならない。監査の目的によっては，被監査主体と身分上，密接な利害関係を有することがあってはならない。

（経済産業省公表の「システム監査基準」より引用）

以上から，**ア**（a：**外観** b：**客観的な**）の組合せが適切です。

問38 散布図
システム開発技術

二つの要素（変数）の間にどの程度の関係性が存在するかを調べるために用いられる図は，散布図です。散布図では，二つの要素の関係を相関係数として表すことができます。**イ**が正解です。

散布図の例

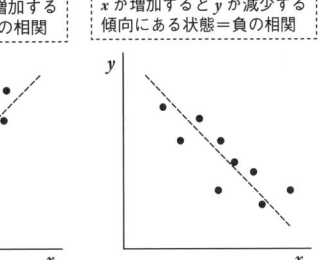

正の相関 / 負の相関

ア 管理図は，時系列のデータを使って上限や下限の限界値を設定し，品質管理や工程管理で利用するグラフです。

ウ 特性要因図は，ある結果に対して原因と考えられる要因を，類似しているものが近接するようにして分類し，系統立てて整理するための図です。

エ パレート図は，重点的に管理すべき項目の把握のために利用します。例えば，顧客動向（例：売上高，クレーム件数）や在庫データ（例：数量や金額）などを値の大きい順に並べて棒グラフを作成し，同時にその累積データを折れ線グラフで表記します。

問39 リバースエンジニアリング
ソフトウェア開発管理技術

既存のプログラム（ソースコード）から，そのプログラムの仕様を導き出す手法を，リバースエンジニアリングといいます。**ウ**が正解です。

ア コードレビューとは，プログラムコードをチェックすることです。

イ デザインレビューとは，システム設計の全体像（デザイン全体）をチェックすることです。

エ リファクタリングとは，プログラムの動作を変えずに，プログラムの内部構造を改善することです。

解答 問36 **ア** 問37 **ア** 問38 **イ** 問39 **ウ**

令和5年度 公開

ソフトウェア開発におけるDevOpsに関する記述として，最も適切なものはどれか。

ア 運用側で利用する画面のイメージを明確にするために，開発側が要件定義段階でプロトタイプを作成する。

イ 開発側が，設計・開発・テストの工程を順に実施して，システムに必要な全ての機能及び品質を揃えてから運用側に引き渡す。

ウ 開発側と運用側が密接に連携し，自動化ツールなどを取り入れることによって，仕様変更要求などに対して迅速かつ柔軟に対応する。

エ 一つのプログラムを2人の開発者が共同で開発することによって，生産性と信頼性を向上させる。

次のアローダイアグラムに基づき作業を行った結果，作業Dが2日遅延し，作業Fが3日前倒しで完了した。作業全体の所要日数は予定と比べてどれくらい変化したか。

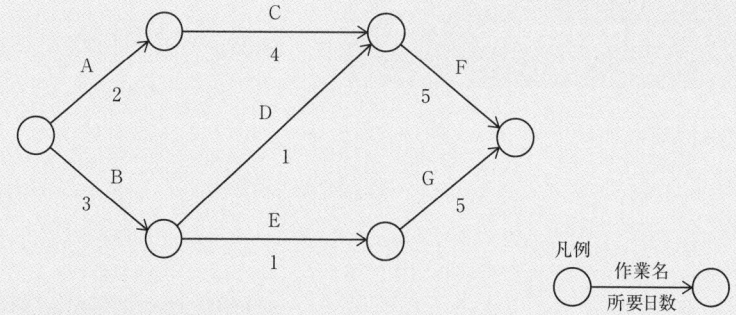

ア 3日遅延
イ 1日前倒し
ウ 2日前倒し
エ 3日前倒し

ソフトウェア開発における，テストに関する記述a〜cとテスト工程の適切な組合せはどれか。

a 運用予定時間内に処理が終了することを確認する。
b ソフトウェア間のインタフェースを確認する。
c プログラムの内部パスを網羅的に確認する。

	単体テスト	結合テスト	システムテスト
ア	a	b	c
イ	a	c	b
ウ	b	a	c
エ	c	b	a

問40 DevOps（デブオプス）

ソフトウェア開発管理技術

　DevOps（デブオプス）とは，開発者（Development）と運用者（Operations）が密接に連携することで，より開発効率を上げようとするものです。システムの信頼性や生産性を向上させる効果があります。**ウ**が正解です。

ア プロトタイプ開発の説明です。

イ ウォーターフォールモデルの説明です。

エ ペアプログラミングの説明です。

問41 アローダイアグラム

プロジェクトマネジメント

　アローダイアグラムとは，順序関係がある複数の作業順序をネットワーク図にしたものです。作業ごとに検討していきます。色字が作業時間の合計です。

変更前

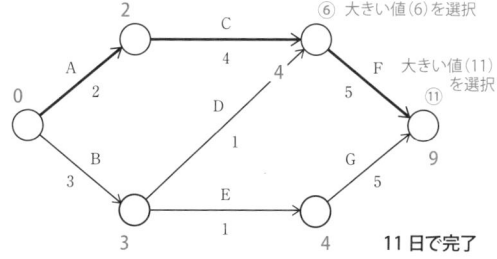

11日で完了

D が 2 日遅延／F が 3 日前倒しで完了

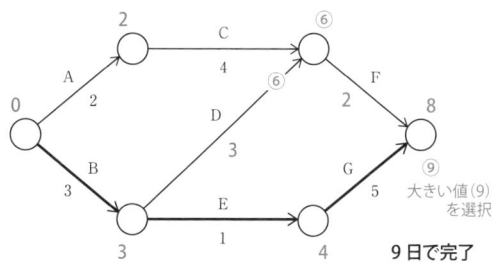

9日で完了

　作業前の予定と作業完了後で，クリティカルパスが変化しています。上記の図から，**2日前倒し**になります。**ウ**が正解です。

問42 テスト工程の適切な組合せ

システム開発技術

　ソフトウェア開発における，各テストの機能について，次の表にまとめます。

テスト名	機能
単体テスト	プログラムごとにテスト対象であるシステムの内部構造や，内部ロジックの動きを確認する。
結合テスト	プログラムモジュール間のインタフェースに関するテストを実施し，その機能を満たしているかを確認する。
システムテスト	結合テストの終了後，システムが完成に近づいた際に開発側が行うテスト。プログラム全体として設計内容が実現されているかどうかを，機能，性能，操作性の面から確認する。

　以上から，**エ**の組合せが適切です。

テスト関連用語

　テストは頻出項目の一つです。次の用語も覚えておきましょう。

● **ボトムアップテスト**

　結合テストの際，末端のモジュールから先にテストを開始するテスト手法です。上位モジュールが未完成の場合，そのままでは下位モジュールを呼び出して実行できないため，ドライバを用います。

● **トップダウンテスト**

　結合テストの際，システムの最上位のモジュールから先にテストを開始するテスト手法です。下位モジュールが未完成の場合，テストを行うモジュールから呼び出される仮の下位モジュールとしての"スタブ"が必要となります。

● **ブラックボックステスト**

　モジュールの内部構造などは考慮せず，モジュールに与えた入力と出力の値のみを比較することで，テストを行う方法のことです。

● **ホワイトボックステスト**

　プログラムの内部構造やアルゴリズムに基づいてテストデータを作成し，テストを行う方法のことです。

令和5年度 公開

解答 問40 **ウ**　問41 **ウ**　問42 **エ**

問43 難易度 中

ソフトウェア導入作業に関する記述a〜dのうち，適切なものだけを全て挙げたものはどれか。

a 新規開発の場合，導入計画書の作成はせず，期日までに速やかに導入する。
b ソフトウェア導入作業を実施した後，速やかに導入計画書と導入報告書を作成し，合意を得る必要がある。
c ソフトウェアを自社開発した場合，影響範囲が社内になるので導入計画書の作成後に導入し，導入計画書の合意は導入後に行う。
d 本番稼働中のソフトウェアに機能追加する場合，機能追加したソフトウェアの導入計画書を作成し，合意を得てソフトウェア導入作業を実施する。

ア a, c　　　　　イ b, c, d　　　　　ウ b, d　　　　　エ d

問44 難易度 低

A社のIT部門では，ヘルプデスクのサービス可用性の向上を図るために，対応時間を24時間に拡大することを検討している。ヘルプデスク業務をA社から受託しているB社は，これを実現するためにチャットボットをB社に導入して活用することによって，深夜時間帯は自動応答で対応する旨を提案したところ，A社は24時間対応が可能であるのでこれに合意した。この合意に用いる文書として，最も適切なものはどれか。

ア BCP　　　　　イ NDA　　　　　ウ SLA　　　　　エ SLM

問45 難易度 中

プロジェクトマネジメントでは，スケジュール，コスト，品質といった競合する制約条件のバランスをとることが求められる。計画していた開発スケジュールを短縮することになった場合の対応として，適切なものはどれか。

ア 資源の追加によってコストを増加させてでもスケジュールを遵守することを検討する。
イ 提供するシステムの高機能化を図ってスケジュールを遵守することを検討する。
ウ プロジェクトの対象スコープを拡大してスケジュールを遵守することを検討する。
エ プロジェクトメンバーを削減してスケジュールを遵守することを検討する。

問43 ソフトウェア導入作業
システム開発技術

ソフトウェア導入計画書は，開発したソフトウェアをシステムに導入（インストール）する際のスケジュールのほか，必要な機器や追加した機能など事前に合意した内容を基に作成されます。

ソフトウェアを本番環境に導入するときの流れ（例）

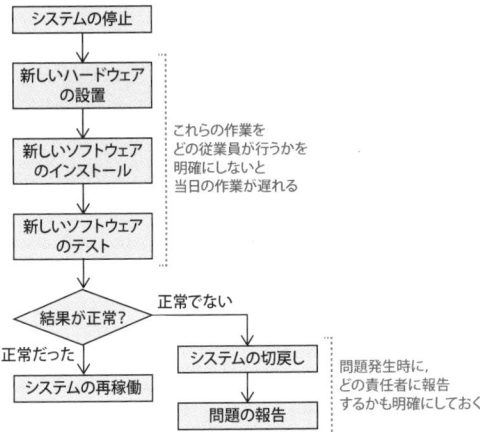

各記述の内容を確認します。

a：ソフトウェア導入計画書は，新規か更新かを問わず作成する必要があります。⇒**誤りです。**

b：ソフトウェア導入作業の前に導入計画書を作成し，顧客と合意する必要があります。⇒**誤りです。**

c：影響範囲が社内外を問わず，導入計画書の合意は事前に行っておく必要があります。⇒**誤りです。**

d：現在稼働中のソフトウェアに機能追加する場合は，機能追加したソフトウェアの導入計画書を作成しておけば，作業のトラブルなどが減る可能性があります。⇒**正しい記述です。**

以上から，**エ**（d）が正解です。

問44 SLA（サービスレベル合意書）
サービスマネジメント

本問のような各種のITサービスのサービスレベルについて，利用者と提供者との間でなされた合意，及びその合意をまとめた合意書のことを，SLA（Service Level Agreement：サービスレベル合意書）といいます。**ウ**が正解です。

ITサービスの課金項目，問合せ対応時間，障害

時の復旧時間などの他に，通信サービスの場合は，回線の最低通信速度，平均遅延時間，利用不能時間の上限が定められています。一般に契約事項が実行されなかった場合，料金を減額する規定が盛り込まれています。

ア BCP（Business Continuity Plan：事業継続計画）とは，大地震などの災害時であっても，企業が事業を継続できるようにするための基本計画のことです。

イ NDA（Non-Disclosure Agreement：秘密保持契約）とは，秘密として管理すべき自社の情報（個人情報や新製品の情報など）を取引先に提示するとき，その秘密を外部に流出させたり意図的に漏らしたりさせないように，事前に結んでおく契約のことです。

エ SLM（Service Level Management：サービスレベル管理）とは，SLAに基づいてITサービスのサービスレベルを管理することにより，ITサービスの品質を維持・向上するための活動を行うことです。

問45 プロジェクトマネジメント
プロジェクトマネジメント

プロジェクトマネジメントでは，システム開発のプロジェクトに関する各種の事項（予算配分，納期，作業範囲）をバランスよく管理する必要があります。

計画していた開発スケジュールを短縮することになった場合は，スケジュールを遵守することを優先として，品質を保つことを条件にその分のコストの増加を考慮する必要があります。**ア**が正解です。

イ 提供するシステムの高機能化を求められてはおりません。

ウ プロジェクトの対象スコープを拡大させるとスケジュールが遅れる可能性が高くなります。

エ プロジェクトメンバーを削減すると，短縮するスケジュールを遵守することは難しくなります。

解答 問43 **エ** 問44 **ウ** 問45 **ア**

問 46
難易度 中

ITサービスに関する指標には，ITサービスが利用できなくなるインシデントの発生間隔の平均時間であるMTBSI（Mean Time Between Service Incidents）があり，サービスの中断の発生しにくさを表す。ITサービスにおいてMTBSIの改善を行っている事例として，最も適切なものはどれか。

ア インシデント対応事例のデータベースを整備し，分析することによって，サービスの中断から原因究明までの時間の短縮を図る。

イ サービスのメニューを増やすことによって，利用者数の増加を図る。

ウ サービスを提供しているネットワークの構成を二重化することによって，ネットワークがつながらなくなる障害の低減を図る。

エ ヘルプデスクの要員を増やすことによって，サービス利用者からの個々の問合せにおける待ち時間の短縮を図る。

問 47
難易度 中

あるホスティングサービスのSLAの内容にa～cがある。これらと関連するITサービスマネジメントの管理との適切な組合せはどれか。

a サーバが稼働している時間
b ディスクの使用量が設定したしきい値に達したことを検出した後に，指定された担当者に通知するまでの時間
c 不正アクセスの検知後に，指定された担当者に通知するまでの時間

	サービス可用性管理	容量・能力管理	情報セキュリティ管理
ア	a	b	c
イ	a	c	b
ウ	b	a	c
エ	c	b	a

問 48
難易度 低

システム環境整備に関する次の記述中のa，bに入れる字句の適切な組合せはどれか。

企業などがシステム環境である建物や設備などの資源を最善の状態に保つ考え方として ┌ a ┐ がある。その考え方を踏まえたシステム環境整備の施策として，突発的な停電が発生したときにサーバに一定時間電力を供給する機器である ┌ b ┐ の配備などがある。

	a	b
ア	サービスレベルマネジメント	IPS
イ	サービスレベルマネジメント	UPS
ウ	ファシリティマネジメント	IPS
エ	ファシリティマネジメント	UPS

問 46 MTBSI の改善

サービスマネジメント

MTBSI (Mean Time Between Service Incidents)とは，ITサービスが利用できなくなるインシデントの発生間隔の平均時間です。これは，サービスの中断の発生のしにくさを表す指標です。そのため，できるだけサービスが継続しやすいような環境を整備する必要があります。**ウ**が正解です。

ア インシデント対応事例のデータベースを整備することで中断時間は短くなりますが，中断の発生頻度には影響しません。

イ サービスのメニューを増やすとシステムの負荷が増え，中断の発生頻度が高まる可能性があります。

エ ヘルプデスクの要員を増やすと待ち時間は減りますが，中断の発生頻度には影響しません。

問 47 IT サービスマネジメント

サービスマネジメント

ホスティングサービスとは，サービス提供事業者が，自社の所有している通信機器を利用者に貸与し，利用させるサービスです。レンタルサーバとも呼ばれます。なお，ホスティングサービスでは，コンピュータ上の業務アプリケーションは，サービス提供者ではなく利用者が用意します。

また，ITサービスのSLAは，利用者と提供者との間でなされたサービス内容についての合意のことを指します。以下の表にまとめます。

名称	説明
サービス可用性管理	サービスが必要なときに利用できるようにしておく施策のことで，サーバが稼働している時間がSLAに該当する。
容量・能力管理	ネットワークの帯域やディスクなどが一定量に達した場合に対策を検討することで，しきい値に達した場合に担当者に通知する時間がSLAに該当する。
情報セキュリティ管理	不正アクセスなどのセキュリティ侵害があることを想定した対策のことで，不正アクセスの検知後に担当者に通知する時間がSLAに該当する。

以上から，**ア**の組合せが適切です。

問 48 ファシリティマネジメントと UPS

サービスマネジメント

企業の施設や機器設備（ファシリティ）が適切に利用されているかを確認したり，従業員が快適に業務を行えるようにしたり管理することをファシリティマネジメント（facility management）といいます。

突然の停電や瞬断（瞬時停電）によるシステムダウンを防ぐための一時的な予備電源装置をUPS（Uninterruptible Power Supply：無停電電源装置）といい，停電が発生すると自動的にバッテリから電源を供給します。よって，**エ**の組合せが適切です。

● サービスレベルマネジメント（**SLM**：Service Level Management）

SLAに基づいてITサービスのサービスレベルを管理することにより，ITサービスの品質を維持・向上するための活動を行うことです。

● **IPS**（Intrusion Prevention System：**侵入防止システム**）

外部からの攻撃を検知すると，ファイアウォールに指示をして攻撃元からのアクセスを遮断したり，サーバを停止させたりすることで，被害を出さないようにするシステムのことです。

令和5年度 公開

解答 問46 **ウ** 問47 **ア** 問48 **エ**

問 49 難易度 低

リファクタリングの説明として，適切なものはどれか。

- ア ソフトウェアが提供する機能仕様を変えずに，内部構造を改善すること
- イ ソフトウェアの動作などを解析して，その仕様を明らかにすること
- ウ ソフトウェアの不具合を修正し，仕様どおりに動くようにすること
- エ 利用者の要望などを基に，ソフトウェアに新しい機能を加える修正をすること

問 50 難易度 低

内部統制において，不正防止を目的とした職務分掌に関する事例として，最も適切なものはどれか。

- ア 申請者は自身の申請を承認できないようにする。
- イ 申請部署と承認部署の役員を兼務させる。
- ウ 一つの業務を複数の担当者が手分けして行う。
- エ 一つの業務を複数の部署で分散して行う。

問 51 難易度 中

ITサービスマネジメントにおいて，過去のインシデントの内容をFAQとしてデータベース化した。それによって改善が期待できる項目に関する記述a～cのうち，適切なものだけを全て挙げたものはどれか。

a ITサービスに関連する構成要素の情報を必要な場合にいつでも確認できる。
b 要員候補の業務経歴を確認し，適切な要員配置計画を立案できる。
c 利用者からの問合せに対する一次回答率が高まる。

- ア a
- イ a，b
- ウ a，c
- エ c

問 52 難易度 低

会計監査の目的として，最も適切なものはどれか。

- ア 経理システムを含め，利用しているITに関するリスクをコントロールし，ITガバナンスが実現されていることを確認する。
- イ 経理部門が保有しているPCの利用方法をはじめとして，情報のセキュリティに係るリスクマネジメントが効果的に実施されていることを確認する。
- ウ 組織内の会計業務などを含む諸業務が組織の方針に従って，合理的かつ効率的な運用が実現されていることを確認する。
- エ 日常の各種取引の発生から決算報告書への集計に至るまで，不正や誤りのない処理が行われていることを確認する。

問49 リファクタリング
ソフトウェア開発管理技術

リファクタリングとは，外部から見たプログラムの振る舞い(画面構成，インタフェース及び処理内容)をそのままにしつつ，プログラムの保守性を向上させて，デバッグや保守を容易にする技法のことです。⑦が正解です。

<例1>
クラス名，メソッド名，属性(フィールド)名などを，意味が理解しやすいものに変更する。

```
class a {
    int a;
    int method(void) {…}
}
        ↓↓↓
class human_age {
        int age;
        int getAge(void) {…}
}
```

<例2>
長いメソッドを，複数の短く簡潔なメソッドに分ける。

```
void calc(void) {
        (処理1)
        (処理2)
        …
        (処理n)
}
        ↓↓↓
void calc_1(void) {(処理1)}
void calc_2(void) {(処理2)}
        …
void calc_n(void) {(処理n)}
```

⑦ リバースエンジニアリングの説明です。
⑦ バグフィックスの説明です。
⑤ ソフトウェア保守に関する説明です。

問50 内部統制
システム監査

内部統制とは，自社の業務を適法かつ適正に遂行していくために，従業員を適切に管理する体制を構築して運用する仕組みのことです。

近年，企業が管理していた重要な機密情報や個人情報が，内部の人間によって外部に漏えいする事件が多発しています。これらの内部犯行を防止するためには，社内の従業員の監視や管理を厳正に行う必要があります。そのため，申請者は自身の申請を承認できないようにすることで，不正な申請を防げます。⑦が正解です。

⑦ 申請部署役員と承認部署の役員が同一の場合，不正が見抜けない場合があります。
⑦ 一つの業務を複数の担当者が手分けして行うことで業務の効率化が図れますが，不正防止が主な目的ではありません。
⑤ 一つの業務を複数の部署で分散して行うと，作業の責任の所在が不明確になります。

問51 FAQ
サービスマネジメント

FAQ (Frequently Asked Questions：よくある質問と答え)をデータベース化して準備しておき，その中から選べるようにしておくと，利用者からの問合せ対応にかかる時間の短縮が期待できます。

a：構成要素の情報は，FAQの整備ではなく，構成管理データベース(CMDB)を準備することで改善できます。
b：FAQの整備ではなく，要員のデータベースを作成することで改善できます。
c：適切です。

以上から，⑤ (c) が正解です。

問52 会計監査の目的
システム監査

会計監査とは，企業などが作成した会計報告が正確に処理されているかを独立した機関にチェックしてもらうことです。⑤が正解です。

⑦ システム監査の説明です。
⑦ 情報セキュリティ監査の説明です。
⑤ 業務監査の説明です。

解答 問49 ⑦ 問50 ⑦ 問51 ⑤ 問52 ⑤

問 53 ✓✓✓

難易度 **中**

ITが適切に活用されるために企業が実施している活動を，ルールを決める活動と，ルールに従って行動する活動に分けたとき，ルールを決める活動に該当するものはどれか。

- **ア** IT投資判断基準の確立
- **イ** SLA遵守のためのオペレーション管理
- **ウ** 開発プロジェクトの予算管理
- **エ** 標準システム開発手法に準拠した個別のプロジェクトの推進

問 54 ✓✓✓

難易度 **中**

システム開発のプロジェクトマネジメントに関する記述a～dのうち，スコープのマネジメントの失敗事例だけを全て挙げたものはどれか。

- a 開発に必要な人件費を過少に見積もったので，予算を超過した。
- b 開発の作業に必要な期間を短く設定したので，予定期間で開発を完了させることができなかった。
- c 作成する機能の範囲をあらかじめ決めずにプロジェクトを開始したので，開発期間を超過した。
- d プロジェクトで実施すべき作業が幾つか計画から欠落していたので，システムを完成できなかった。

ア a, b   **イ** b, c   **ウ** b, d   **エ** c, d

問 55 ✓✓✓

難易度 **低**

ソフトウェア開発の仕事に対し，10名が15日間で完了する計画を立てた。しかし，仕事開始日から5日間は，8名しか要員を確保できないことが分かった。計画どおり15日間で仕事を完了させるためには，6日目以降は何名の要員が必要か。ここで，各要員の生産性は同じものとする。

ア 10   **イ** 11   **ウ** 12   **エ** 14

問 53 | IT 統制

システム監査

ITが適切に活用されているかを企業が監視することを，IT統制といいます。経済産業省公表の「システム管理基準 追補版（財務報告に係るIT 統制ガイダンス）」では，IT統制を次の表のように分類しています。

種類	概要
IT全社的統制	企業の統制が有効に機能する環境を保証するための方針と手続
IT業務処理統制	承認された業務を正確に処理，記録するために業務プロセスに組み込まれた活動
IT全般統制	業務処理統制を有効に機能させるための統制活動

これらの統制を行うために，企業ではそのルール（基準）を決めておく必要があります。解答群の中でこの基準に当てはまるものは，**ア**の「IT投資判断基準の確立」です。

■ SLA遵守のためのオペレーション管理は，事前に決められたサービスレベルに合わせて，その運用（オペレーション）方法を正しく行うことなので，ルールに従って行動する活動です。

■ 開発プロジェクトの予算管理は，決められた予算の中で開発プロジェクトを行うので，ルールに従って行動する活動です。

■ 標準システム開発手法に準拠した個別のプロジェクトの推進は，標準システム開発手法に合わせて個別プロジェクトを実行していくので，ルールに従って行動する活動です。

問 54 プロジェクトスコープ マネジメント
プロジェクトマネジメント

プロジェクトスコープマネジメントとは，プロジェクトにおいて行う作業や作成する成果物の範囲（スコープ）を管理することを指します。

プロジェクトスコープマネジメントにおいては，プロジェクトスコープ記述書という文書が作成され，プロジェクト内で実行される作業や作成される成果物の管理が行われます。

a：開発に必要な人件費を過少に見積もり，予算を超過したことは，プロジェクトコストマネジメントの失敗事例です。

b：開発の作業に必要な期間を短く設定したため，予定期間で開発を完了させることができなかったのは，プロジェクトスケジュールマネジメントの失敗事例です。

c：作成する機能の範囲をあらかじめ決めずにプロジェクトを開始したので，開発期間を超過したのは，機能の範囲（スコープ）を定めていなかったので，**プロジェクトスコープマネジメントの失敗事例**です。

d：プロジェクトで実施すべき作業が幾つか計画から欠落していたのは，作業の範囲が定まっていなかったので，**プロジェクトスコープマネジメントの失敗事例**です。

以上から，■（c, d）が正解です。

問 55 ソフトウェア開発の作業要員
プロジェクトマネジメント

10名（人）が15日間で，開発作業が完了するので，作業の工数は

---

10 × 15 = 150（人日）

となります。しかし，作業開始日から5日間は8名（人）で作業しなければならないので，

8 × 5 = 40（人日）

しか作業が進みません。

残りは，

150 − 40 = 110（人日）

なので，これを10日間で終えるには

110（人日）÷ 10（日）= **11人**（■）

が必要となります。

計算問題のポイント

●生産性に関する計算

例えば「10名（人）が5か月かかる仕事」の場合に工数を求めるには，

10人 × 5か月 = 50人月

のように，単位もそのまま掛けます。

また，人月がわかっていて，そこから人数もしくは期間を求める場合は，

50人月 ÷ ▲か月 = 50/▲人

50人月 ÷ ■人 = 50/■か月

のように，単位もそのまま割ります。

●通信に関する計算

「ダウンロードするデータ量が○○バイト，回線速度が△△bpsのとき，ダウンロードに要する時間は何秒か」という形式が頻出です。

理科で習った「距離，速さから時間を求める」式である，「距離÷速さ＝時間」がヒントになります。この式の「距離＝データ量，速さ＝回線速度」とみなせば，次の式に置き換えられます。

データ量 ÷ 回線速度 = 時間
（ダウンロードに要する時間）

【注意点】

・データ量はたいていバイトで与えられるのでビットに直す（回線速度の単位がbps＝ビット／秒なので）。

・「この回線の伝送効率が＊＊％である」と指示されている場合，回線速度に伝送効率を乗じて求めた実効速度を用いて計算すること。

解答 問53 ■ 問54 ■ 問55 ■

問56から問100までは，テクノロジ系の問題です。

問56
難易度 高

ISMSクラウドセキュリティ認証に関する記述として，適切なものはどれか。

ア PaaS，SaaSが対象であり，IaaSは対象ではない。
イ クラウドサービス固有の管理策が適切に導入，実施されていることを認証するものである。
ウ クラウドサービスを提供している組織が対象であり，クラウドサービスを利用する組織は対象ではない。
エ クラウドサービスで保管されている個人情報について，適切な保護措置を講じる体制を整備し，運用していることを評価して，プライバシーマークの使用を認める制度である。

問57
難易度 中

IoTデバイスにおけるセキュリティ対策のうち，耐タンパ性をもたせる対策として，適切なものはどれか。

ア サーバからの接続認証が連続して一定回数失敗したら，接続できないようにする。
イ 通信するデータを暗号化し，データの機密性を確保する。
ウ 内蔵ソフトウェアにオンラインアップデート機能をもたせ，最新のパッチが適用されるようにする。
エ 内蔵ソフトウェアを難読化し，解読に要する時間を増大させる。

問58
難易度 中

Webサイトなどに不正なソフトウェアを潜ませておき，PCやスマートフォンなどのWebブラウザからこのサイトにアクセスしたとき，利用者が気付かないうちにWebブラウザなどの脆弱性を突いてマルウェアを送り込む攻撃はどれか。

ア DDoS攻撃　　　　　　　　　イ SQLインジェクション
ウ ドライブバイダウンロード　　エ フィッシング攻撃

ISMS クラウドセキュリティ認証は，情報セキュリティマネジメント認証 (ISO/IEC27002) に基づいた，クラウドサービスの情報セキュリティの管理策の規格です。この規格は「ISO/IEC27017」として 2015 年 12 月に発行されました。

この制度は，ユーザが安心してクラウドサービスを利用できることを目的としています。**イ**が正解です。

- **ア** クラウド全般が対象のため，PaaS，SaaS だけでなく，IaaS も対象になります。
- **ウ** クラウドサービスを提供する組織はもちろん，それを利用する組織も対象になります。
- **エ** プライバシーマーク制度の説明です。

タンパ (tamper) とは，改ざんする，いじり回すという意味です。耐タンパ性は，IoT やクレジットカードなどの内部情報の不正読取に対抗するための保護機能のことです。

IoT 機器に耐タンパ性をもたせるには，例えば導入されているソフトウェアに暗号化を施して，読取りを難しくすることやハッシュ値を使って改ざんされにくい仕組みを導入するなどの施策をとります。**エ**が正解です。**ア**，**イ**，**ウ**はセキュリティ対策としては有効ですが，耐タンパ性を高めることとは無関係です。

- **ア** サーバへの不正アクセス対策の説明です。
- **イ** 通信データの機密性に関する対策です。
- **ウ** セキュリティホール対策に関する説明です。

ブラウザやプラグインの脆弱性を利用して，利用者が Web サイトを閲覧している間に，密かにマルウェアを PC やスマートフォンにダウンロードする攻撃のことを，ドライブバイダウンロードといいます。**ウ**が正解です。

- **ア** DDoS 攻撃 (Distributed Denial of Service attack) とは，インターネット上で提供されているサービスに対して大量のアクセス要求を送り付けてサービスを中断させようとする妨害行為 (DoS 攻撃) のうち，複数のマシンから同時に行われる場合を指します。
- **イ** SQL インジェクションとは，Web ページの入力フォームに攻撃用の文字列を入力して不正な SQL 文を作成させ，Web アプリケーションを誤動作させたり，データベースの内容を不正に閲覧・削除したりする攻撃方法のことです。
- **エ** フィッシング攻撃とは，サイトの偽装や偽造の電子メールの使用でユーザを騙して，個人情報やパスワードを不正に入手しようとする攻撃のことです。

解答 問 56 **イ** 問 57 **エ** 問 58 **ウ**

 問 **59** ✓✓✓ 難易度 中

関係データベースで管理された"会員管理"表を正規化して,"店舗"表,"会員種別"表及び"会員"表に分割した。"会員"表として,適切なものはどれか。ここで,表中の下線は主キーを表し,一人の会員が複数の店舗に登録した場合は,会員番号を店舗ごとに付与するものとする。

会員管理

店舗コード	店舗名	会員番号	会員名	会員種別コード	会員種別名
001	札幌	1	試験 花子	02	ゴールド
001	札幌	2	情報 太郎	02	ゴールド
002	東京	1	高度 次郎	03	一般
002	東京	2	午前 桜子	01	プラチナ
003	大阪	1	午前 桜子	03	一般

店舗

店舗コード	店舗名

会員種別

会員種別コード	会員種別名

ア

会員番号	会員名

イ

会員番号	会員名	会員種別コード

ウ

会員番号	店舗コード	会員名

エ

会員番号	店舗コード	会員名	会員種別コード

問 **60** ✓✓✓ 難易度 高

手続printArrayは,配列integerArrayの要素を並べ替えて出力する。手続printArrayを呼び出したときの出力はどれか。ここで,配列の要素番号は1から始まる。

〔プログラム〕
```
○printArray()
  整数型: n, m
  整数型の配列: integerArray ← {2, 4, 1, 3}
  for(nを1から (integerArrayの要素数-1)まで1ずつ増やす)
    for(mを1から (integerArrayの要素数-n)まで1ずつ増やす)
      if(integerArray[m] > integerArray[m+1])
        integerArray[m] と integerArray[m+1]の値を入れ替える
      endif
    endfor
  endfor
  integerArrayの全ての要素を先頭から順にコンマ区切りで出力する
```

ア 1, 2, 3, 4   イ 1, 3, 2, 4   ウ 3, 1, 4, 2   エ 4, 3, 2, 1

 問 **59** 関係データベースの正規化
データベース

関係データベースの正規化は,表の関連性を失うことなく,表の項目をグループ分けしていく作業のことです。データベースの項目が多すぎると,データの修正,削除の際に,データの不整合や重複

が発生します。正規化を行って表を分割すれば,冗長構成を排除することができます。

次の例から,正規化を確認していきます。

店舗コード	店舗名	会員番号	会員名	会員種別コード	会員種別名

表の主キー(表の行を一意に特定できる列,または列の組合せ)は,同じ会員番号でも異なる店舗

の組合せが存在するので，店舗コードと会員番号です。

また，店舗コードから店舗名が一意に定まるので店舗表は以下のようになります。

● **店舗**

店舗コード	店舗名

同様に会員種別コードから会員種別が一意に定まるので会員種別表は，次のようになります。

● **会員種別**

会員種別コード	会員種別名

ここで，注意すべきは，会員番号から会員名が一意に定まらないことです。

会員番号は店舗ごとに定められているので，店舗コードが必要です。この時点で(会員番号, 店舗コード, 会員名)があれば，会員名は一意に定まります。さらに，上記会員種別表は，他の表との関連がなくならないようにするために，会員表に会員種別コードを入れないといけません。

以上から，**エ**の表が正解です。

問 60 並べ替えアルゴリズム
情報メディアとプログラミング

本問のプログラム部分を次に示します。説明のために行番号を付けています。

```
 1:  ○printArray()
 2:      整数型: n, m
 3:      整数型の配列: integerArray ← {2, 4, 1, 3}
 4:      for (n を 1 から (integerArray の要素数 － 1)
                                  まで 1 ずつ増やす)
 5:          for (m を 1 から (integerArray の要素数 － n)
                                  まで 1 ずつ増やす)
 6:              if (integerArray[m] > integerArray
                                          [m + 1])
 7:                  integerArray[m] と integerArray[m + 1]
                                          の値を入れ替える
 8:              endif
 9:          endfor
10:      endfor
```

プログラムを順に追っていきます。①②…は1回目，2回目の意味です。

● **3行目**

配列: integerArray

要素番号	1	2	3	4
要素	2	4	1	3

● **4行目①**　n＝1を設定：integerArrayの要素数は4なので，4－1＝3まで処理する。

● **5行目①**　m＝1を設定：(integerArrayの要素数－n)なので，4－1＝3まで処理する。

● **6行目**　if intergerArray[1]＝2＜integerArray[1+1]＝4なので，7行目の処理は行わないで5行目に戻る。

● **5行目②**　m＝2を設定

● **6行目**　if intergerArray[2]＝4＞integerArray[2+1]＝1なので，7行目でintegerArray[2]とintegerArray[3]の値を入れ替える。

配列: integerArray

要素番号	1	2	3	4
要素	2	1	4	3

● **5行目③**　m＝3を設定

● **6行目**　if intergerArray[3]＝4＞integerArray[3+1]＝3なので，7行目でintegerArray[3]とintegerArray[4]の値を入れ替える。

配列: integerArray

要素番号	1	2	3	4
要素	2	1	3	4

● **4行目②**　n＝2を設定

● **5行目2－①**　m＝1を設定：(integerArrayの要素数－n)なので，4－2＝2まで処理する。

● **6行目**　if intergerArray[1]＝2＞integerArray[1+1]＝1なので，7行目でintegerArray[1]とintegerArray[2]の値を入れ替える。

配列: integerArray

要素番号	1	2	3	4
要素	1	2	3	4

● **5行目2－②**　m＝2を設定

● **6行目**　if intergerArray[2]＝2＜integerArray[2+1]＝3なので，7行目の処理は行わないで4行目に戻る。

● **4行目③**　n＝3を設定

● **5行目3－①**　m＝1を設定：4－3＝1だけ処理する。

● **6行目**　if intergerArray[1]＝1＜integerArray[1+1]＝2なので，7行目の処理は行わないで終了する。

以上から，手続を呼び出したときの出力結果は，**ア** (1,2,3,4)となります。

解答　問59 **エ**　　問60 **ア**

難易度 中

問 61 IoT システムなどの設計，構築及び運用に際しての基本原則とされ，システムの企画，設計段階から情報セキュリティを確保するための方策を何と呼ぶか。

ア セキュアブート　　　　　　　　　　イ セキュリティバイデザイン
ウ ユニバーサルデザイン　　　　　　　エ リブート

難易度 中

問 62 情報セキュリティにおける認証要素は 3 種類に分類できる。認証要素の 3 種類として，適切なものはどれか。

ア 個人情報，所持情報，生体情報　　　イ 個人情報，所持情報，知識情報
ウ 個人情報，生体情報，知識情報　　　エ 所持情報，生体情報，知識情報

難易度 高

問 63 容量が 500G バイトの HDD を 2 台使用して，RAID0，RAID1 を構成したとき，実際に利用可能な記憶容量の組合せとして，適切なものはどれか。

	RAID0	RAID1
ア	1T バイト	1T バイト
イ	1T バイト	500G バイト
ウ	500G バイト	1T バイト
エ	500G バイト	500G バイト

難易度 中

問 64 関数 sigma は，正の整数を引数 max で受け取り，1 から max までの整数の総和を戻り値とする。プログラム中の a に入れる字句として，適切なものはどれか。

〔プログラム〕
```
○整数型: sigma(整数型: max)
    整数型: calcX ← 0
    整数型: n
    for(n を 1 から max まで 1 ずつ増やす)
        ┌─────┐
        │  a  │
        └─────┘
    endfor
    return calcX
```

ア calcX ← calcX×n
イ calcX ← calcX+1
ウ calcX ← calcX+n
エ calcX ← n

問 61 セキュリティバイデザイン

セキュリティ

　情報セキュリティを企画・設計段階から確保するための方策のことを，セキュリティバイデザインといいます。
　設計段階からセキュリティを意識したハードウェアやソフトウェアを作成することによって，外部などからの攻撃を想定した製品ができるので，脆弱性が軽減される可能性が高くなります。**イ**が正解です。

ア セキュアブートとは，PC の起動時に OS やドライバのデジタル署名を検証し，許可されていないものを実行しないようにすることによって，OS 動作前のマルウェアや不正な OS の実行を防ぐ技術のことです。

- ウ ユニバーサルデザインとは，性別，言語や文化，国籍などにかかわらず，誰もが利用できることを目指した建築物や製品，Webサイトなどのデザイン（設計）のことです。
- エ リブートとは，OSを再起動することをいいます。

問
62
認証要素の3種類
セキュリティ

認証要素の3種類を、次の表に示します。

名称	説明
知識認証	その知識があれば認証が可能なもの。 例）ID/パスワード
生体認証 （バイオメトリクス認証）	その個人の身体的特徴で認証が可能なもの。 例）指紋，虹彩，顔の形状など
所持認証	その個人が所有するものを使って認証が可能なもの。 例）ICカード

以上から，エの3種類が正解です。

問
63
RAID の記憶容量
コンピュータ構成要素

RAID (Redundant Arrays Inexpensive Disks) とは，複数のディスクを用いて信頼性向上やアクセス速度の向上を図る技術のことです。

HDDを2台利用して，RAID0とRAID1の記憶容量を比較してみます。

RAID0

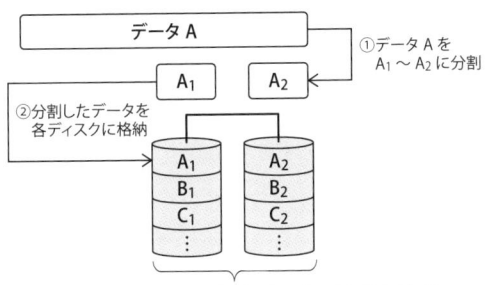

①データ A を A₁ ～ A₂ に分割

②分割したデータを各ディスクに格納

いずれかのディスクが故障すると，そのディスクに保存されていたデータが消失してしまう

RAID0では，高速化を目的にしてデータを分割します。本問の場合は，HDD2台分のデータを格納することができます。よって，実際に利用可能な記憶容量は，

500Gバイト×2台＝1000Gバイト＝**1Tバイト**
となります。

RAID1

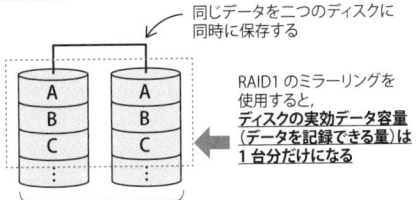

同じデータを二つのディスクに同時に保存する

RAID1 のミラーリングを使用すると，**ディスクの実効データ容量（データを記録できる量）は1台分だけになる**

一方のディスクが故障しても，他方のディスクに同じデータが保存されているので，データが消失する確率は低くなる。また，他方のディスクだけを用いて業務を継続できるので，信頼性が高くなる。

RAID1では，信頼性向上を目的に同じデータを複数のディスクに保存します。本問ではHDDを2台使用していますが，同じデータが2つずつあるため1台分の容量しかデータの保存に使用できません。よって，**500Gバイト**になります。

以上から，**イ**の組合せが正解です。

問
64
整数の総和アルゴリズム
情報メディアとプログラミング

本問のプログラム部分を次に示します。説明のために行番号を付けています。

```
1: ○整数型: sigma(整数型: max)
2:   整数型: calcX ← 0
3:   整数型: n
4:   for (n を 1 から max まで 1 ずつ増やす)
5:       a
6:   endfor
7:   return calcX
```

問題文には「正の整数を引数maxで受け取り，1からmaxまでの整数の総和を戻り値とする。」とありますので，7行目（return calcx）のcalcXに計算結果が求められます。このとき，2行目でcalcXの初期値を0としているので，ここに値を順に加算する処理が必要です。

$$calcX = 1 + 2 + 3 + \cdots\cdots + max$$

4行目でnを順にmaxまで変化させているので，その値を加算していると考えられます。よって，空欄aには，**ウ**（calcX ← calcX + n）が入ります。

解答 問61 **イ** 問62 **エ** 問63 **イ** 問64 **ウ**

問 65

難易度 高

Wi-Fiのセキュリティ規格であるWPA2を用いて，PCを無線LANルータと接続するときに設定するPSKの説明として，適切なものはどれか。

- ア アクセスポイントへの接続を認証するときに用いる符号（パスフレーズ）であり，この符号に基づいて，接続するPCごとに通信の暗号化に用いる鍵が生成される。
- イ アクセスポイントへの接続を認証するときに用いる符号（パスフレーズ）であり，この符号に基づいて，接続するPCごとにプライベートIPアドレスが割り当てられる。
- ウ 接続するアクセスポイントを識別するために用いる名前であり，この名前に基づいて，接続するPCごとに通信の暗号化に用いる鍵が生成される。
- エ 接続するアクセスポイントを識別するために用いる名前であり，この名前に基づいて，接続するPCごとにプライベートIPアドレスが割り当てられる。

問 66

難易度 中

トランザクション処理におけるコミットの説明として，適切なものはどれか。

- ア あるトランザクションが共有データを更新しようとしたとき，そのデータに対する他のトランザクションからの更新を禁止すること
- イ トランザクションが正常に処理されたときに，データベースへの更新を確定させること
- ウ 何らかの理由で，トランザクションが正常に処理されなかったときに，データベースをトランザクション開始前の状態にすること
- エ 複数の表を，互いに関係付ける列をキーとして，一つの表にすること

問 67

難易度 中

ネットワーク環境で利用されるIDSの役割として，適切なものはどれか。

- ア IPアドレスとドメイン名を相互に変換する。
- イ ネットワーク上の複数のコンピュータの時刻を同期させる。
- ウ ネットワークなどに対する不正アクセスやその予兆を検知し，管理者に通知する。
- エ メールサーバに届いた電子メールを，メールクライアントに送る。

問 68

難易度 低

インターネット上のコンピュータでは，Webや電子メールなど様々なアプリケーションプログラムが動作し，それぞれに対応したアプリケーション層の通信プロトコルが使われている。これらの通信プロトコルの下位にあり，基本的な通信機能を実現するものとして共通に使われる通信プロトコルはどれか。

- ア FTP
- イ POP
- ウ SMTP
- エ TCP/IP

問 65 WPA2-PSK
セキュリティ

WPA2 (Wi-Fi Protected Access 2) とは，WEPの脆弱性を改良するために作成された，無線LANの暗号規格やプロトコルなどの総称です。Wi-Fiを使用して通信するアクセスポイント (無線LAN接続機器) を識別する値に，SSIDとその認証にパスフレーズとしてPSK (Pre-Shared Key：事前共有鍵) を入力します。

PSKを基に作成された鍵を使って，アクセスポイントとの暗号通信を行うことが可能です。**ア**が正解です。なお，プライベートIPアドレスの割り当てはDHCPが行いますが，PSKに基づいて割り当てたりはしません。

問 66 トランザクション処理におけるコミット
データベース

トランザクションとは，切り分けできない複数の処理のまとまりのことです。

障害などによってシステムが停止した時に，データベースを更新するトランザクションを更新途中の状態でとどめておくと，どの段階まで更新が進んだかの判定が困難で，データの整合性が失われることがあります。また，更新が正しく完了していたトランザクションは，障害発生後の復旧作業において，更新内容を復元する必要があります。

障害回復時に，トランザクションは「まったく実行されていない」状態にされる (ロールバック処理) か，または「完全に実行された状態」にされる (コミット処理) かのどちらかの状態を取ります。**イ**が正解です。
- **ア** 排他制御の説明です。
- **ウ** ロールバックの説明です。
- **エ** 結合の説明です。

問 67 IDS (侵入検知システム)
セキュリティ

外部から社内ネットワークに対して行われる不正侵入などの攻撃を検知し，管理者に警告を発するシステムを，IDS (Intrusion Detection System：侵入検知システム) といいます。**ウ**が正

解です。
- **ア** DNS (Domain Name System) の説明です。
- **イ** NTP (Network time Protocol) の説明です。
- **エ** POP (Post Office Protocol) などの説明です。

問 68 TCP/IP
ネットワーク

インターネット上でデータを送受信する際の，データ通信に関する機能を階層的に分割したモデルをTCP/IPといいます。次の表に示す四つの層から構成されています。**エ**が正解です。**ア**～**ウ**は，TCP/IPの上位に位置するプロトコルです。

TCP/IP の四つの層

名称	プロトコル名	
アプリケーション層	HTTP, HTTPS SMTP, POP3 FTP など	DNS, DHCP NTP など
トランスポート層	TCP	UDP
インターネット層	IP	
インタフェース層	CSMA/CD, CSMA/CA	

- **ア** FTP (File Transfer Protocol) は，ファイルを転送するプロトコルです。
- **イ** POP (Post Office Protocol) は，サーバ上のメールボックスから，電子メールを取り出すプロトコルです。
- **ウ** SMTP (Simple Mail Transfer Protocol) は，SMTPサーバへ電子メールを転送するプロトコルです。

令和5年度 公開

解答 問65 **ア** 問66 **イ** 問67 **ウ** 問68 **エ**

127

問 69 配列に格納されているデータを探索するときの，探索アルゴリズムに関する記述のうち，適切なものはどれか。

難易度 高

ア 2分探索法は，探索対象となる配列の先頭の要素から順に探索する。

イ 線形探索法で探索するのに必要な計算量は，探索対象となる配列の要素数に比例する。

ウ 線形探索法を用いるためには，探索対象となる配列の要素は要素の値で昇順又は降順にソートされている必要がある。

エ 探索対象となる配列が同一であれば，探索に必要な計算量は探索する値によらず，2分探索法が線形探索法よりも少ない。

問 70 Webサービスなどにおいて，信頼性を高め，かつ，利用者からの多量のアクセスを処理するために，複数のコンピュータを連携させて全体として一つのコンピュータであるかのように動作させる技法はどれか。

難易度 中

ア クラスタリング　イ スプーリング　ウ バッファリング　エ ミラーリング

問 71 IoTシステムにおけるエッジコンピューティングに関する記述として，最も適切なものはどれか。

難易度 中

ア IoTデバイスの増加によるIoTサーバの負荷を軽減するために，IoTデバイスに近いところで可能な限りのデータ処理を行う。

イ 一定時間ごとに複数の取引をまとめたデータを作成し，そのデータに直前のデータのハッシュ値を埋め込むことによって，データを相互に関連付け，改ざんすることを困難にすることによって，データの信頼性を高める。

ウ ネットワークの先にあるデータセンター上に集約されたコンピュータ資源を，ネットワークを介して遠隔地から利用する。

エ 明示的にプログラミングすることなく，入力されたデータからコンピュータが新たな知識やルールを獲得できるようにする。

問 69 — 探索アルゴリズム
情報メディアとプログラミング

データが配列に格納されている場合，代表的なデータの探索方法は次の二つです。

● 線形探索

配列の先頭から末尾まで順に探索を行う方法です。配列の要素数がn個の場合，線形探索の探索回数は最大n回，最小1回となるので，計算量は配列の要素数に比例します。なお，計算量とは，アルゴリズム（プログラム）がデータを処理するのに要する時間のことを指します。

● 2分探索

初めは配列の全体を探索範囲として中心を探索し，2回目以降は探索範囲を半分ずつに縮小しながら探索を進めていく方法です。表の要素数がn個の場合，計算量は$\log_2 n$となります。これは，計算量がnの対数に比例するという意味です。データが元の数の2乗に増えると，計算量が2倍になります。

探索対象の配列は，あらかじめ昇順または降順にソート（整）列しておく必要があります。以上から，**イ**が正解です。

ア 2分探索では，探索対象の中心から探索していきます。

ウ 線形探索法では，あらかじめ配列をソートしておく必要はありません。

エ 探索する値が先頭付近にあった場合は，線形探索法の方が早い場合もあります。

問 70 — クラスタリング
システム構成要素

Webサービスなどで，複数のサーバを準備して，アクセスの効率化や信頼性を高めて，全体として一つのコンピュータであるかのように動作させる技法を，クラスタリングといいます。**ア**が正解です。

イ スプーリングとは，プリンタなどの比較的遅い入出力装置に対するデータの転送を，一時的に他の記憶装置を介して実行する機能のことです。

ウ バッファリングとは，機器間でのデータのやり取りの際に速度の違いによる問題などを減らすために，一時的に記憶装置にデータを保存しておくことです。

エ ミラーリングとは，同じデータを複数のディスクに冗長保存して安全性を高めることです。

問 71 — エッジコンピューティング
ネットワーク

エッジコンピューティングとは，端末（PCやスマートフォン，IoT機器など）の近辺に多数のサーバ（エッジサーバ）を分散配置して，端末とサーバとの距離をできるだけ短くすることで，負荷を分散して通信遅延を少なくする方法です。

遠隔地のサーバが行っていた処理をエッジサーバに代行させることで，アプリケーション処理の高速化を図ります。**ア**が正解です。

エッジコンピューティング

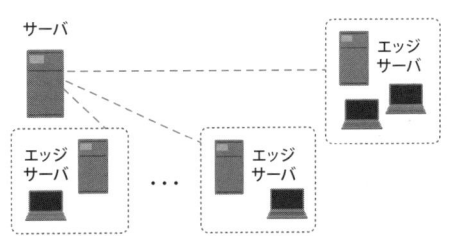

・どの端末も必ず近辺にエッジサーバが存在するので通信遅延が少ない
・処理をエッジサーバに代行させることで速度向上を図る

イ ブロックチェーンの記述です。

ウ クラウドコンピューティングの記述です。

エ AIによる機械学習の記述です。

解答 問69 **イ** 問70 **ア** 問71 **ア**

令和5年度 公開

129

問72
難易度 中

情報セキュリティのリスクマネジメントにおけるリスク対応を，リスク回避，リスク共有，リスク低減及びリスク保有の四つに分類したとき，リスク共有の説明として，適切なものはどれか。

ア 個人情報を取り扱わないなど，リスクを伴う活動自体を停止したり，リスク要因を根本的に排除したりすること

イ 災害に備えてデータセンターを地理的に離れた複数の場所に分散するなど，リスクの発生確率や損害を減らす対策を講じること

ウ 保険への加入など，リスクを一定の合意の下に別の組織へ移転又は分散することによって，リスクが顕在化したときの損害を低減すること

エ リスクの発生確率やリスクが発生したときの損害が小さいと考えられる場合に，リスクを認識した上で特に対策を講じず，そのリスクを受け入れること

問73
難易度 中

攻撃者がコンピュータに不正侵入したとき，再侵入を容易にするためにプログラムや設定の変更を行うことがある。この手口を表す用語として，最も適切なものはどれか。

ア 盗聴　　　イ バックドア　　　ウ フィッシング　　　エ ポートスキャン

問74
難易度 中

ニューラルネットワークに関する記述として，最も適切なものはどれか。

ア PC，携帯電話，情報家電などの様々な情報機器が，社会の至る所に存在し，いつでもどこでもネットワークに接続できる環境

イ 国立情報学研究所が運用している，大学や研究機関などを結ぶ学術研究用途のネットワーク

ウ 全国の自治体が，氏名，生年月日，性別，住所などの情報を居住地以外の自治体から引き出せるようにネットワーク化したシステム

エ ディープラーニングなどで用いられる，脳神経系の仕組みをコンピュータで模したモデル

問72 リスクマネジメント
セキュリティ

　情報セキュリティのリスクマネジメントとは，データが破壊されたり，システムの可用性が損なわれたりした場合にシステムが使用不能の時間を最小限にするために実施します。

　リスク対応は，次の表のように分類されます。

名称	説明
リスク回避	リスクの発生原因を元から絶ったり，リスクに関連する事業から撤退したりすることなどによって，リスクそのものを発生しないようにすること。
リスク共有	保険に加入するなどの手段で，リスク発生時の損失や損害を他者に肩代わりさせること。
リスク低減 (軽減)	セキュリティ管理を厳重にしたり，障害発生時でも代替のシステムを稼働させて業務を継続できるようにしたりするなどの方法により，リスクの発生確率を減らすこと。
リスク保有 (受容)	発生確率や被害額が小さいリスクに対して対策を行うと，想定される被害額よりも対策費用の方が大きくなり，かえって損をしてしまうことがある。そのため，発生確率や被害額が小さいリスクは，あえて対策を行わないままにすること。

　以上から，ウが正解です。
- ⑦ リスク回避の説明です。
- ⑦ リスク低減の説明です。
- ⑤ リスク保有の説明です。

問73 バックドア
セキュリティ

　企業内ネットワークやサーバに不正侵入した者が，通常のアクセス経路以外で再度侵入するために組み込む不正プログラムなどの仕掛けのことをバックドアといいます。⑦が正解です。
- ⑦ 盗聴とは，通信データを盗み見ることです。
- ⑤ フィッシングとは，サイトの偽装や偽造の電子メールの使用でユーザを騙して個人情報やパスワードを不正に入手しようとする行為のことです。
- ⑤ ポートスキャンとは，サーバのポート番号 (0～65,535) に順次アクセスし，各ポートに対応するサービスが動作しているかを探し出す手法のことです。

問74 ニューラルネットワーク
基礎理論

　ニューラルネットワークとは，コンピュータを使って人間の脳の神経回路を模したモデルのことです。入力された情報を，つながりを持ったいくつかの層を用いて重みづけしながら処理して出力するもので，AIを使ったディープラーニングに用いられます。⑤が正解です。

ニューラルネットワークのイメージ

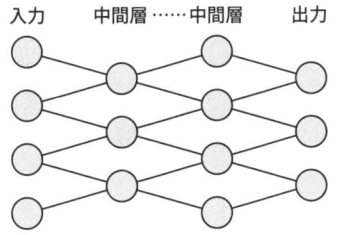

- ⑦ ユビキタスネットワークの記述です。
- ⑦ 学術情報ネットワークの記述です。
- ⑤ 住民基本台帳ネットワークシステム (住基ネット)の記述です。

令和5年度 公開

解答　問72 ウ　問73 イ　問74 エ

問75 難易度 中

　表計算ソフトを用いて，二つの科目X，Yの点数を評価して合否を判定する。それぞれの点数はワークシートのセルA2，B2に入力する。合格判定条件（1）又は（2）に該当するときはセルC2に“合格”，それ以外のときは“不合格”を表示する。セルC2に入力する式はどれか。

〔合格判定条件〕
（1）科目Xと科目Yの合計が120点以上である。
（2）科目X又は科目Yのうち，少なくとも一つが100点である。

	A	B	C
1	科目 X	科目 Y	合否
2	50	80	合格

ア　IF（論理積（(A2＋B2)≧120, A2＝100, B2＝100），'合格', '不合格'）
イ　IF（論理積（(A2＋B2)≧120, A2＝100, B2＝100），'不合格', '合格'）
ウ　IF（論理和（(A2＋B2)≧120, A2＝100, B2＝100），'合格', '不合格'）
エ　IF（論理和（(A2＋B2)≧120, A2＝100, B2＝100），'不合格', '合格'）

問76 難易度 高

　品質管理担当者が行っている検査を自動化することを考えた。10,000枚の製品画像と，それに対する品質管理担当者による不良品かどうかの判定結果を学習データとして与えることによって，製品が不良品かどうかを判定する機械学習モデルを構築した。100枚の製品画像に対してテストを行った結果は表のとおりである。品質管理担当者が不良品と判定した製品画像数に占める，機械学習モデルの判定が不良品と判定した製品画像数の割合を再現率としたとき，このテストにおける再現率は幾らか。

単位 枚

		機械学習モデルによる判定	
		不良品	良品
品質管理担当者による判定	不良品	5	5
	良品	15	75

ア　0.05　　　イ　0.25　　　ウ　0.50　　　エ　0.80

問77 難易度 高

　受験者10,000人の4教科の試験結果は表のとおりであり，いずれの教科の得点分布も正規分布に従っていたとする。ある受験者の4教科の得点が全て71点であったとき，この受験者が最も高い偏差値を得た教科はどれか。

単位 点

	平均点	標準偏差
国語	62	5
社会	55	9
数学	58	6
理科	60	7

ア　国語　　　イ　社会　　　ウ　数学　　　エ　理科

問 75 表計算ソフト
ソフトウェア

問題文の〔合格判定条件〕を順に検討します。
(1) 科目Xと科目Yの合計が120点以上である。
　　⇒科目Xの得点がA2，科目Yの得点がB2に
　　　それぞれ入力されているので，その合計が
　　　120点以上 … $(A2 + B2) \geqq 120$ ①
(2) 科目X又は科目Yのうち，少なくとも一つが
　　100点である。
　　⇒少なくとも一つなので，どちらか一つでも
　　　100点ならばよい。
　　　$A2 \geqq 100$ ② または $B2 \geqq 100$ ③

なお，『合格判定条件 (1) 又は (2) に該当すると
きはセルC2に"合格"，それ以外のときは"不合
格"を表示する。』ので，①，②，③のどれか一つ
でも満たせば合格になります。

以上から，ウ (IF(論理和((A2 + B2) ≧ 120, A2
= 100, B2 = 100), '合格', '不合格')) が入力する
式となります。

問 76 テストの再現率
基礎理論

品質管理担当者が不良品と判定した製品画像数
は，問題の表から，

　　5枚＋5枚＝**10枚**

です。

機械学習モデルが不良品と判定した製品画像数
は，そのうち5枚です。

単位 枚

		機械学習モデルによる判定	
		不良品	良品
品質管理担当者に よる判定	不良品	5	5
	良品	15	75

再現率＝5枚÷10枚＝0.50 (ウ)
となります。

問 77 偏差値
基礎理論

正規分布は，テストの点数や体重など，データ
を一定以上集めたときに現れる分布です。次の図
のように山形または釣鐘型の形状をとります。グ
ラフの山の中央の最も高い部分 (最も度数が多い

値) に相当するのが，データの平均値です。平均か
ら離れるほど，データが少なくなります。

正規分布の例

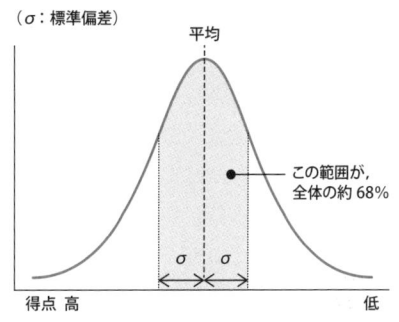

標準偏差 (σ) は，平均からのずれ (偏差という：
|値−平均値|) を使って，

　　標準偏差＝$\sqrt{\sum 偏差^2 / データの件数}$

から求めることができます。ここで$\sum$は総和，| |
は絶対値の意味です。

また，偏差値は平均を50，標準偏差を10にし
たと想定した場合の取る値のことで，

　　偏差値＝(個人の得点−平均点)÷標準偏差×
　　　　　　10 + 50

から求めます。

問題表から偏差値を順に計算していきます。
　　国語：$(71 - 62) \div 5 \times 10 + 50 = 68$
　　社会：$(71 - 55) \div 9 \times 10 + 50 \fallingdotseq 67.78$
　　数学：$(71 - 58) \div 6 \times 10 + 50 \fallingdotseq$ **71.67**
　　理科：$(71 - 60) \div 7 \times 10 + 50 \fallingdotseq 65.71$
以上から，ウ (数学) が正解です。

解答 問75 ウ 問76 ウ 問77 ウ

関係データベースの主キーの設定に関する記述として，適切なものだけを全て挙げたものはどれか。

a　値が他のレコードと重複するものは主キーとして使用できない。
b　インデックスとの重複設定はできない。
c　主キーの値は数値でなければならない。
d　複数のフィールドを使って主キーを構成できる。

ア a, c　　　　**イ** a, d　　　　**ウ** b, c　　　　**エ** b, d

PDCAモデルに基づいてISMSを運用している組織の活動において，次のような調査報告があった。この調査はPDCAモデルのどのプロセスで実施されるか。

社外からの電子メールの受信に対しては，情報セキュリティポリシーに従ってマルウェア検知システムを導入し，維持運用されており，日々数十件のマルウェア付き電子メールの受信を検知し，破棄するという効果を上げている。しかし，社外への電子メールの送信に関するセキュリティ対策のための規定や明確な運用手順がなく，社外秘の資料を添付した電子メールの社外への誤送信などが発生するリスクがある。

ア P　　　　　**イ** D　　　　　**ウ** C　　　　　**エ** A

USBメモリなどの外部記憶媒体をPCに接続したときに，その媒体中のプログラムや動画などを自動的に実行したり再生したりするOSの機能であり，マルウェア感染の要因ともなるものはどれか。

ア オートコレクト　　　　　　　　　　**イ** オートコンプリート
ウ オートフィルター　　　　　　　　　**エ** オートラン

HDDを廃棄するときに，HDDからの情報漏えい防止策として，適切なものだけを全て挙げたものはどれか。

a　データ消去用ソフトウェアを利用し，ランダムなデータをHDDの全ての領域に複数回書き込む。
b　ドリルやメディアシュレッダーなどを用いてHDDを物理的に破壊する。
c　ファイルを消去した後，HDDの論理フォーマットを行う。

ア a, b　　　　**イ** a, b, c　　　　**ウ** a, c　　　　**エ** b, c

問 78 | 主キー

データベース 頻出

主キーは，関係データベースの表の行を検索するときなどに，行を一意に区別するための値をもつ列のことです。表の作成者は，表の主キーとなる一つの列または複数の列の組を指定する必要があり，主キーの値を指定すると，表のただ一つの行だけが抽出されます。また，主キーの列の値が重複する行が，表の中に複数存在してはならないという規則があります。

a～dをそれぞれ検討していきます。

a：値が他のレコードと重複するものは，主キーとして使用できません。⇒**適切な記述です。**

b：インデックスとは関係データベースの表の特定の列を用いて検索を行い，特定の行のみを取り出すために用いられるデータのことです。そのため，主キーとの重複設定は可能です。

c：主キーの値は，数値に限らず文字や記号も利用できます。

d：複数のフィールド（列）を使って主キーを構成できます。⇒**適切な記述です。**

以上から，**イ** (a, d) が正解です。

問79 PDCA モデル
セキュリティ

ISMSの導入・運用・改善を継続して実行するために，PDCAサイクルが用いられます。ISMSにおいて用いられるPDCAサイクルの各フェーズの名称と概要を示します。

PDCA サイクルの内容

フェーズの名称	概要
計画 (Plan)	情報セキュリティの手順を決めたり，ISMSを運用する組織の体制を構築したりして，ISMSの確立を行う。
実行 (Do)	ISMSの導入や運用の他に，ISMSに関する従業者への教育や訓練が実施される。
点検 (Check)	ISMSの運用状況を定期的に点検して問題点を見つけ出すために，ISMSの監視及びレビューが行われる。
処置 (Act)	点検フェーズで発見された問題点を改めるために，ISMSの見直しや改善が行われる。

問題文では，
『…日々数十件のマルウェア付き電子メールの受信を検知し，破棄するという効果を上げている。しかし，社外への電子メールの送信に関するセキュリティ対策のための規定や明確な運用手順がなく，社外秘の資料を添付した電子メールの社外への誤送信などが発生するリスクがある。』
とあります。

これは，問題点を検知する，点検 (c) フェーズのプロセスで実行されます。**ウ**が正解です。

問80 オートラン
ソフトウェア

USBメモリなどの記憶装置をPCに接続するだけで，OSが自動的に認識をしてプログラムの実行や動画の再生が行われる機能のことを，オートランといいます。**エ**が正解です。

ア オートコレクトとは，入力した英字の行頭が，小文字から大文字に自動で変換される機能のことです。

イ オートコンプリートとは，検索語句などの入力欄に最初の何文字かを入力すると，その文字と先頭部分が一致する過去の検索語句の候補が表示され，それらの中から目的の語句を指定するだけで入力が可能になる機能のことです。

ウ オートフィルターとは，表計算ソフトにおいて，条件に合うデータを含む行だけを抽出して表示する機能のことです。

問81 HDD からの情報漏えい防止策
ハードウェア

HDD内のデータを削除しても，特別なツールを用いることで内容を復元することが可能です。a〜cの防止策を情報漏えい対策から確認します。

a：HDDに残っているデータファイルの情報を完全に削除するために，16進数の00やFF，または乱数などの意味のない情報を上書きすることは有効な方法です。⇒**適切です。**

b：物理的にドリルやシュレッダーで破壊して使用できなくすることで，情報漏えいのリスクを下げることができます。⇒**適切です。**

c：論理フォーマットとは，HDDのファイル管理情報の内容をクリアして，HDDに存在していたファイルをOSからは認識できないようにする操作のことです。この操作では，ファイルをごみ箱に入れてごみ箱を空にするような削除操作と同様に，ファイル管理情報の内容だけが削除され，ファイルの本体の内容はそのままとなります。よって，前述のツールなどを用いて，情報が盗まれる危険性が高くなります。

以上から，**ア** (a, b) の防止策が適切です。

解答 問78 **イ** 問79 **ウ** 問80 **エ** 問81 **ア**

OSS（Open Source Software）に関する記述a～cのうち，適切なものだけを全て挙げたものはどれか。

a　ソースコードに手を加えて再配布することができる。
b　ソースコードの入手は無償だが，有償の保守サポートを受けなければならない。
c　著作権が放棄されており，無断で利用することができる。

ア a　　　　**イ** a, c　　　　**ウ** b　　　　**エ** c

スマートフォンなどで，相互に同じアプリケーションを用いて，インターネットを介した音声通話を行うときに利用される技術はどれか。

ア MVNO　　　**イ** NFC　　　**ウ** NTP　　　**エ** VoIP

メッセージダイジェストを利用した送信者のデジタル署名が付与された電子メールに関する記述のうち，適切なものはどれか。

ア デジタル署名を受信者が検証することによって，不正なメールサーバから送信された電子メールであるかどうかを判別できる。
イ デジタル署名を送信側メールサーバのサーバ証明書で受信者が検証することによって，送信者のなりすましを検知できる。
ウ デジタル署名を付与すると，同時に電子メール本文の暗号化も行われるので，電子メールの内容の漏えいを防ぐことができる。
エ 電子メール本文の改ざんの防止はできないが，デジタル署名をすることによって，受信者は改ざんが行われたことを検知することはできる。

IoT機器におけるソフトウェアの改ざん対策にも用いられ，OSやファームウェアなどの起動時に，それらのデジタル署名を検証し，正当であるとみなされた場合にだけそのソフトウェアを実行する技術はどれか。

ア GPU　　　**イ** RAID　　　**ウ** セキュアブート　　**エ** リブート

問82 OSS

OSS（Open Source Software：オープンソースソフトウェア）とは，著作権を維持しながらコンパイルを行う前のプログラムコード（ソースコード）を公開して，その改良を認め，改良後のプログラムの再配布を自由に行うことのできるようにしたソフトウェアのことです。

OSSのソースコードは，無償で提供することも，有償で頒布（はんぷ）することも認められていますが，配布先を制限したり，特定の用途での使用を禁止したりすることは認められていません。

a：ソースコードは改良後の再配布が可能です。⇒**適切です。**
b：保守サポートがある場合，そのサービスが有償であるか無償であるかの制限はありません。
c：無償で利用することもできますが，著作権は放棄されていません。
　以上から，**ア**（a）が適切な記述です。

問83 VoIP

ネットワーク

LINE無料通話やひかり電話などのインターネット電話で利用されている技術の総称を, VoIP (Voice over IP) といいます。**エ**が正解です。VoIPでは, 音声をデジタル信号に変換してTCP/IPパケットに乗せてリアルタイムで送受信することが可能です。

ア MVNO (Mobile Virtual Network Operator: 仮想移動体通信事業者) とは, 移動体通信サービスを提供するための設備を自社では保有せず, MNO (Mobile Network Operator: 移動体通信事業者) が保有している設備や通信帯域を借りることで, 当該サービスを利用者に提供する事業者のことです。

イ NFC (Near Field Communication) とは, ソニーとNXPセミコンダクターズが共同開発した, 近距離無線通信の国際規格です。

ウ NTP (Network Time Protocol) とは, 複数ノード間の時刻の同期を図るためのプロトコルです。

問84 デジタル署名

セキュリティ 頻出

メッセージダイジェスト (MD) とは, データファイルからハッシュ関数を用いて生成される, 検査用の短い文字列のことです。同一のハッシュ関数を同一のデータに使うと, 常に同じMDが生成されるので, ファイルの同一性が確認できます。しかし一部でも異なるデータの場合は, 異なるMDが生成されます。

デジタル署名の仕組みを, 次の図に示します。

デジタル署名の送付・検証

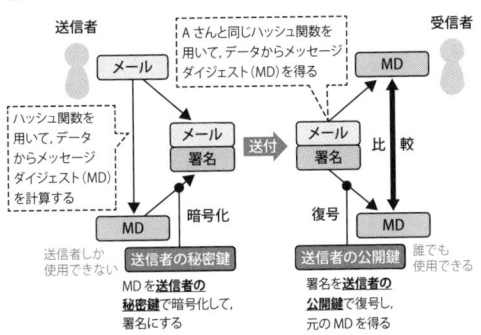

本人が持つ秘密鍵や共通のハッシュ関数を利用していることから, デジタル署名では以下のことが実現できます。

- なりすましの検知 (真正性)
- 改ざんの検知 (完全性)
- データを送信した人は, 後でそれを否定できない (否認防止)

図の例では, 署名が送信者の公開鍵で復号できるなら, 秘密鍵を持つ送信者が確かに暗号化したことになります。また, MD (メッセージダイジェスト) が一致していれば, 改ざんされていないことがわかります。**エ**が正解です。

ア デジタル署名を受信者が検証することで, 送信者がなりすまされているかの検知ができます。

イ デジタル署名を送信者側メールサーバのサーバ証明書で受信者が検証することで, 送信者ではなく送信側メールサーバのなりすましを検知できます。

ウ デジタル署名を付与することと, 電子メールの本文を暗号化することは, 暗号化の仕組みが異なります。

問85 セキュアブート

セキュリティ NEW

PCの起動時にOSやドライバのデジタル署名を検証し, 許可されていないソフトウェアを実行しないようにすることによって, OS動作前のマルウェアの実行を防ぐ技術を, セキュアブートといいます。**ウ**が正解です。

ア GPU (Graphics Processing Unit: グラフィックプロセッサ) とは, 3次元グラフィックスの計算処理を高速に実行するために, 当該処理をCPUに変わって実行する演算装置のことです。

イ RAID (Redundant Arrays Inexpensive Disks) とは, 複数のディスクを用いて信頼性向上やアクセス速度の向上を図る技術のことです。

エ リブートとは, OSを再起動することをいいます。

解答　問82 **ア**　問83 **エ**　問84 **エ**　問85 **ウ**

問 86 ✓✓✓ 難易度 高

ハイブリッド暗号方式を用いてメッセージを送信したい。メッセージと復号用の鍵の暗号化手順を表した図において，メッセージの暗号化に使用する鍵を（1）とし，（1）の暗号化に使用する鍵を（2）としたとき，図のa，bに入れる字句の適切な組合せはどれか。

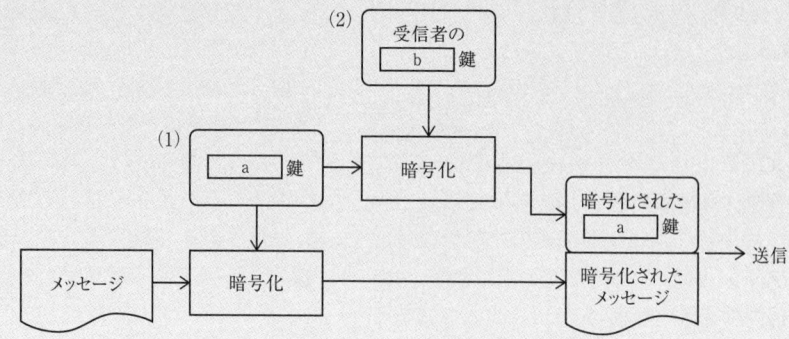

	a	b
ア	共通	公開
イ	共通	秘密
ウ	公開	共通
エ	公開	秘密

問 87 ✓✓✓ 難易度 中

IoTエリアネットワークでも用いられ，電気を供給する電力線に高周波の通信用信号を乗せて伝送させることによって，電力線を伝送路としても使用する技術はどれか。

ア PLC
イ PoE
ウ エネルギーハーベスティング
エ テザリング

問 88 ✓✓✓ 難易度 低

読出し専用のDVDはどれか。

ア DVD-R　　**イ** DVD-RAM　　**ウ** DVD-ROM　　**エ** DVD-RW

問 89 ✓✓✓ 難易度 低

企業の従業員になりすましてIDやパスワードを聞き出したり，くずかごから機密情報を入手したりするなど，技術的手法を用いない攻撃はどれか。

ア ゼロデイ攻撃
イ ソーシャルエンジニアリング
ウ ソーシャルメディア
エ トロイの木馬

問 86 | ハイブリッド暗号方式

NEW
セキュリティ

ハイブリッド暗号方式とは，公開鍵暗号方式と共通鍵暗号方式を組み合わせた暗号方式のことをいいます。

ハイブリッド暗号方式の例

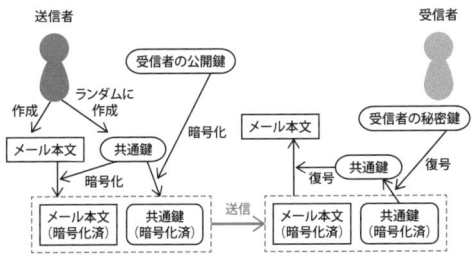

通信の都度，ランダムに生成した共通鍵 (a) を，受信者 (相手) の公開鍵 (b) で暗号化して送ります。受信者は，送られてきた共通鍵を秘密鍵で復号して，共通鍵を取り出し，メッセージを復号します。

攻撃者は相手の秘密鍵を利用できないので，共通鍵を盗むことができません。以上から，㋐の組合せが適切です。

問 87 | PLC
ネットワーク

電化製品に電力を供給する電力線上で，電力と一緒に通信用信号を送受信して，電力供給とデータ通信を同時に行うための技術を，PLC (Power Line Communications：電力線搬送通信) といいます。PLCは有線ネットワークです。㋐が正解です。

㋑ PoE (Power over Ethernet) とは，スイッチングハブや無線LANのアクセスポイントの通信装置から，イーサネットケーブル (LANケーブル) を通じて，電力を供給するための技術です。

㋒ エネルギーハーベスティング (energy harvesting) とは，IoT (モノのインターネット) で使用される様々なデバイスに電力を供給するために，身の回りにあるわずかなエネルギー (光，振動，温度など) を電力に変換し，活用することを目的とした技術のことです。

㋓ デザリングとは，スマートフォンなどを中継機器として使って，別のPCなどをインターネットに接続することです。

問 88 | DVD
コンピュータ構成要素

DVD (Digital Versatile Disc) は，読込みや書込みを行うための補助記憶装置で，データの読出しと書込みの両方にレーザ光を用います。読取り専用のものを，DVD-ROM (DVD-Read Only Memory) といいます。㋒が正解です。

㋐ DVD-R (DVD-Recordable) は，一度の追記書込みだけが可能です。

㋑ DVD-RAM (DVD-Random Access Memory) は，利用者が必要に応じて何度も上書き，消去を繰返し行うことが可能です。

㋓ DVD-RW (DVD ReWritable) は，追記はできませんが (すべて消去してから書込みを行う)，何度も繰返しや書込みが可能です。

問 89 | ソーシャルエンジニアリング
セキュリティ

人間が通常行うであろう社会的行動から，個人や企業にとって重要な情報を手に入れることを，ソーシャルエンジニアリングといいます。例えば，機密情報がゴミ箱に捨てられているのを拾うこと (スキャベンジング) や，パスワードを入力している際に横や後ろから覗き見ること (ショルダーハッキング) などが該当します。

また，ある企業の従業員のSNS投稿から，当該企業及び従業員の情報を攻撃者に推測され，標的型攻撃の手掛かりにされるようなこともあります。㋑が正解です。

㋐ ゼロデイ攻撃とは，OSやソフトウェアの提供者がまだ対策を公表していない，新種のマルウェアによって行われる攻撃，またはセキュリティパッチがまだ存在していないソフトウェアの脆弱性を突く攻撃のことです。

㋒ ソーシャルメディアとは，ブログやX (Twitter) などのようなインターネット経由で情報を発信したりすることが可能な双方向のメディアのことです。

㋓ トロイの木馬とは，潜伏型のウイルスのことです。

解答 問86 ㋐   問87 ㋐   問88 ㋒   問89 ㋑

問 90　情報セキュリティにおける物理的及び環境的セキュリティ管理策であるクリアデスクを職場で実施する例として，適切なものはどれか。

難易度 中

ア　従業員に固定された机がなく，空いている机で業務を行う。
イ　情報を記録した書類などを机の上に放置したまま離席しない。
ウ　机の上のLANケーブルを撤去して，暗号化された無線LANを使用する。
エ　離席時は，PCをパスワードロックする。

問 91　AIに利用されるニューラルネットワークにおける活性化関数に関する記述として適切なものはどれか。

難易度 高

ア　ニューラルネットワークから得られた結果を基に計算し，結果の信頼度を出力する。
イ　入力層と出力層のニューロンの数を基に計算し，中間層に必要なニューロンの数を出力する。
ウ　ニューロンの接続構成を基に計算し，最適なニューロンの数を出力する。
エ　一つのニューロンにおいて，入力された値を基に計算し，次のニューロンに渡す値を出力する。

問 92　電子メールに関する記述のうち，適切なものはどれか。

難易度 高

ア　電子メールのプロトコルには，受信にSMTP，送信にPOP3が使われる。
イ　メーリングリストによる電子メールを受信すると，その宛先には全ての登録メンバーのメールアドレスが記述されている。
ウ　メールアドレスの"@"の左側部分に記述されているドメイン名に基づいて，電子メールが転送される。
エ　メール転送サービスを利用すると，自分名義の複数のメールアドレス宛に届いた電子メールを一つのメールボックスに保存することができる。

問 90 クリアデスク
セキュリティ

物理的及び環境的セキュリティ対策とは，重要な情報や機器が存在する建物や部屋に不審者が侵入できないようにするために行う，監視カメラの設置や警備員の配置，窓やドアの施錠，壁の堅牢化などの各種対策のことです。

その中でも職場でのクリアデスクとは，机の上に書類などを放置したまま離席しないことをいいます。**イ**が正解です。

ア フリーアドレスの説明です。

ウ 暗号化された無線LANを利用することで盗聴のリスクが減りますが，クリアデスクの例ではありません。

エ クリアスクリーンの説明です。

問 91 ニューラルネットワークにおける活性化関数
基礎理論

人間の脳内では多数の神経細胞 (ニューロン) がネットワーク状に接続されています。ニューラルネットワークとは，コンピュータを使って人間の脳の考え方を模したモデルのことです。以下の模式図の○や◎の一つ一つが，脳内のニューロン (神経細胞) を模したものです (図中の数値は例です)。

ニューラルネットワークのイメージ

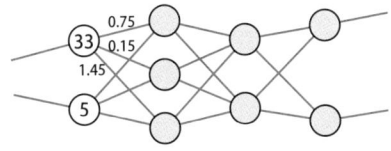

ニューロンにはそれぞれ値が入っていて，それぞれのニューロンから次に送られる際に重み付けの計算を行ったり，一定の計算式を用いて数値を変換したりします。数値変換の際に利用するものが活性化関数です。

活性化関数には，いくつものパターンがあり，一つのニューロンから渡された値を使って，出力する値を決めていきます。以上から，**エ**が正解です。

ア 評価関数の説明です。

イ，**ウ** ニューロンの数を出力する説明です。活性化関数の説明ではありません。

問 92 電子メール
ネットワーク

メール転送サービスを利用すると，複数のメールアドレス宛の電子メールを一つのメールボックスにまとめることができます。例えば次の図のように，xyz@sample.comをabc@example.co.jpに転送すると，両方のメールをabc@example.co.jpのメールボックス経由で保存し，受け取ることができます。**エ**の記述が正解です。

メール転送サービスを使用した受信例

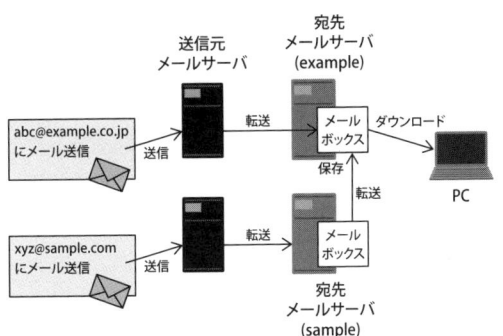

ア 電子メールプロトコルには，送信にSMTP，受信にPOP3が利用されます。

イ メーリングリストによる電子メールの宛先には，メーリングリストそのもののアドレスしか記述されません。

ウ @の右側部分に記述されているドメイン名に基づいて，電子メールが転送されます。

解答 問90 **イ**　問91 **エ**　問92 **エ**

令和5年度 公開

問93
難易度 低

フールプルーフの考え方を適用した例として，適切なものはどれか。

ア HDDをRAIDで構成する。
イ システムに障害が発生しても，最低限の機能を維持して処理を継続する。
ウ システムを二重化して障害に備える。
エ 利用者がファイルの削除操作をしたときに，"削除してよいか"の確認メッセージを表示する。

問94
難易度 低

ISMSにおける情報セキュリティ方針に関する記述として，適切なものはどれか。

ア 企業が導入するセキュリティ製品を対象として作成され，セキュリティの設定値を定めたもの
イ 個人情報を取り扱う部門を対象として，個人情報取扱い手順を規定したもの
ウ 自社と取引先企業との間で授受する情報資産の範囲と具体的な保護方法について，両社間で合意したもの
エ 情報セキュリティに対する組織の意図を示し，方向付けしたもの

問95
難易度 中

情報セキュリティにおける機密性，完全性及び可用性に関する記述のうち，完全性が確保されなかった例だけを全て挙げたものはどれか。

a オペレーターが誤ったデータを入力し，顧客名簿に矛盾が生じた。
b ショッピングサイトがシステム障害で一時的に利用できなかった。
c データベースで管理していた顧客の個人情報が漏えいした。

ア a   イ a, b   ウ b   エ C

問96
難易度 中

CPUのクロック周波数や通信速度などを表すときに用いられる国際単位系（SI）接頭語に関する記述のうち，適切なものはどれか。

ア Gの10の6乗倍は，Tである。
イ Mの10の3乗倍は，Gである。
ウ Mの10の6乗倍は，Gである。
エ Tの10の3乗倍は，Gである。

問93 フールプルーフ
システム構成要素

フールプルーフは，人間の不注意や勘違いなど

による操作ミスが発生しても，システムを安全に運用し続けるための技術や考え方となります。具体的には，以下のような機能をシステムに設けることで，フールプルーフを実現できます。

- 誤った入力に対するエラー処理や再入力処理を設けて，不要な入力や誤った入力を最初からできないようにする。
- 初心者のために適切なヘルプ機能を設ける。
- 万が一エラーデータなどが入力された時にも，システムが誤動作せず適切・安全に処理できるように設計する。

以上から，**エ**の記述が適切です。

ア，**ウ** フォールトトレラントの説明です。

イ フェールソフトの説明です。

問 94 | 情報セキュリティ方針
セキュリティ

情報セキュリティポリシや，情報セキュリティポリシに関連する文書を詳細化の順に並べると，次の図のようになります。

情報セキュリティ方針

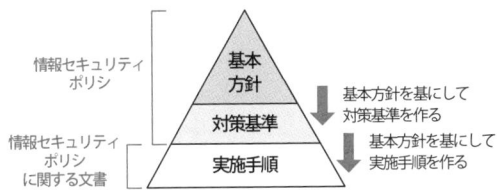

情報セキュリティポリシの基本方針 (情報セキュリティ方針) は，組織の行動全体を統括する重要な方針のことです。**エ**が正解です。

ア 情報セキュリティ製品に対する設定文書の説明です。

イ プライバシーポリシの説明です。

ウ NDA (Non-Disclosure Agreement：秘密保持契約) の説明です。

問 95 | 情報セキュリティの三大要素
セキュリティ

ISMS (情報セキュリティマネジメントシステム) とは，情報セキュリティを確保するための組織体制や取り組みのことで，機密性，完全性，可用性という以下の三つの要素を維持することを，情報セキュリティと定義しています。

これらの三つの要素を，情報セキュリティの三大要素といいます。

要素	性質
機密性 (Confidentiality)	アクセス権限を適切に管理し，権限をもたない利用者やプロセスから，データなどを不正に参照されないように非公開にすること。【高める方法】・情報を暗号化して第三者に読まれないようにする。・情報にアクセスする権限のある者だけに，参照・更新可能なアクセス権を与える。
完全性 (Integrity)	データの内容を常に正しい状態に保ち，改ざんや破壊などの被害を受けないようにすること。【高める方法】・データ更新のログを残す・入力したオペレータ以外の者がデータに誤りがないかチェックする
可用性 (Availability)	情報システムをできる限り長い間利用できるように保ち，認められた利用者が必要なときに情報にアクセスできるようにすること。【高める方法】・システムの機器を二重化し，一つの機器が故障しても残りを用いて業務を継続する。

a～cを順に完全性の観点から検討します。

a：顧客名簿に矛盾が生じるのは，完全性が確保されなかった例です。⇒**適切です**。

b：ショッピングサイトが利用できなくなるのは，可用性が確保されなかった例です。

c：個人情報が漏えいするのは，機密性が確保されなかった例です。

以上から，**ア** (a) が正解です。

問 96 | 国際単位系 (SI) 接頭語
基礎理論

国際単位で利用されている接頭語には，次のようなものがあります。

名称	倍数
k (キロ)	10の3乗
M (メガ)	10の6乗 ⇒kの10の3乗倍
G (ギガ)	10の9乗 ⇒Mの10の3乗倍
T (テラ)	10の12乗 ⇒Gの10の3乗倍

表の内容から，**イ**「Mの10の3乗倍は，Gである」が正解です。

解答 問93 **エ** 問94 **エ** 問95 **ア** 問96 **イ**

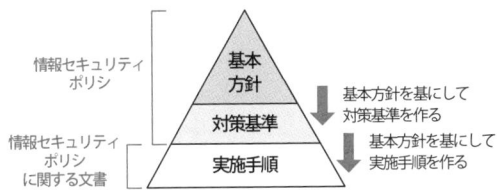

問 97 ✓✓✓
難易度 中

サブネットマスクの役割として，適切なものはどれか。

ア IPアドレスから，利用しているLAN上のMACアドレスを導き出す。
イ IPアドレスの先頭から何ビットをネットワークアドレスに使用するかを定義する。
ウ コンピュータをLANに接続するだけで，TCP/IPの設定情報を自動的に取得する。
エ 通信相手のドメイン名とIPアドレスを対応付ける。

問 98 ✓✓✓
難易度 中

IoT機器であるスマートメーターに関する記述として，適切なものはどれか。

ア カーナビゲーションシステムやゲームコントローラーに内蔵されて，速度がどれだけ変化したかを計測する。
イ 住宅などに設置され，電気やガスなどの使用量を自動的に計測し，携帯電話回線などを利用して供給事業者にそのデータを送信する。
ウ スマートフォンやモバイルPCなどのモバイル情報端末に保存しているデータを，ネットワークを介して遠隔地から消去する。
エ 歩数を数えるとともに，GPS機能などによって，歩行経路を把握したり，歩行速度や道のアップダウンを検知して消費エネルギーを計算したりする。

問 99 ✓✓✓
難易度 低

バイオメトリクス認証の例として，適切なものはどれか。

ア 機械では判読が困難な文字列の画像をモニターに表示して人に判読させ，その文字列を入力させることによって認証する。
イ タッチパネルに表示されたソフトウェアキーボードから入力されたパスワード文字列によって認証する。
ウ タッチペンなどを用いて署名する際の筆跡や筆圧など，動作の特徴を読み取ることによって認証する。
エ 秘密の質問として，本人しか知り得ない質問に答えさせることによって認証する。

問 100 ✓✓✓
難易度 低

関係データベースにおける結合操作はどれか。

ア 表から，特定の条件を満たすレコードを抜き出した表を作る。
イ 表から，特定のフィールドを抜き出した表を作る。
ウ 二つの表から，同じ値をもつレコードを抜き出した表を作る。
エ 二つの表から，フィールドの値によって関連付けした表を作る。

問 97 | サブネットマスク
ネットワーク

IPアドレスは，所属するネットワークを示すネットワークアドレスと，どの端末かを示すホス

トアドレスに分割されますが，どこまでがネットワークアドレスなのか判別がつきません。

そこで，サブネットマスクを使って先頭から何ビット目までがネットワークアドレスなのかを"1"のビットで表現し，ホストアドレスに当たる

部分を"0"のビットで表現します。**イ**が正解です。

サブネットマスクの例

IPアドレスが「192.168.1.200」の例で考えてみます。ネットワークアドレスの長さ＝28ビットのネットワークとすると，サブネットマスクは次のようになります。

255.255.255.240=11111111.11111111.11111111.1111**0000**
  ネットワークアドレス（28ビット）　ホストアドレス（4ビット）

192.168.1.200＝ 1100 0000.1010 1000.0000 0001.1100 1000
255.255.255.240＝1111 1111.1111 1111.1111 1111.1111 0000（AND）

　　　　　　　1100 0000.1010 1000.0000 0001.1100 0000
　＝192.168.1.192（ネットワークアドレス）

ア ARP（Address Resolution Protocol）の説明です。

ウ DHCP（Dynamic Host Configuration Protocol）の説明です。

エ DNS（Domain Name System）の説明です。

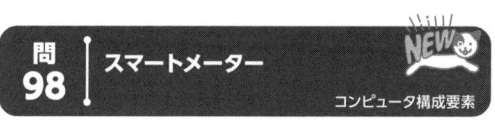

問98 スマートメーター
コンピュータ構成要素

　スマートメーターとは，電力会社などで使われている，インターネットに接続されたメーターのことです。**イ**が正解です。

ア スマートフォンなどに内蔵されている加速度センサの記述です。

ウ MDM（Mobile Device Management：モバイルデバイス管理）の記述です。

エ スマートウォッチなどに内蔵されている活動量計の記述です。

問99 バイオメトリクス認証（生体認証）
セキュリティ

　バイオメトリクス認証（生体認証）とは，指紋などの人間の身体的特徴や，署名の筆跡などの行動的特徴から個人の識別を行う認証システムのことです。**ウ**の例が適切です。

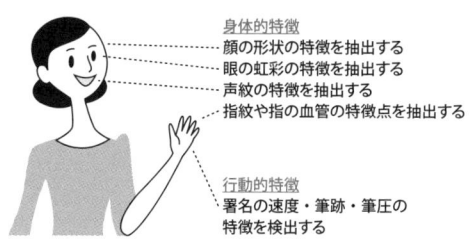

身体的特徴
…… 顔の形状の特徴を抽出する
…… 眼の虹彩の特徴を抽出する
…… 声紋の特徴を抽出する
…… 指紋や指の血管の特徴点を抽出する

行動的特徴
…… 署名の速度・筆跡・筆圧の特徴を検出する

ア ゆがんだ文字などを入力させる，CAPTCHA（Completely Automated Public Turing test to tell Computers and Humans Apart）の例です。

イ タッチパネルを用いたパスワード認証の例です。

エ リスクベース認証の例です。

問100 関係データベースにおける結合
データベース

　関係データベースの関連したフィールド（列）の値を使って，複数の表（テーブル）から新たな表を作り出す操作を，結合といいます。**エ**が正解です。

結合の例

社員表（T1）

社員番号	氏名	年齢
1001	A	32
1002	B	29
1003	C	27
1004	D	25

資格表（T2）

社員番号	資格番号	資格名称
1002	IP	ITパスポート
1002	FE	基本情報
1004	IP	ITパスポート

T1.社員番号	T1.氏名	T1.年齢	T2.社員番号	T2.資格番号	T2.資格名称
1002	B	29	1002	IP	ITパスポート
1002	B	29	1002	FE	基本情報
1004	D	25	1004	IP	ITパスポート

　関係データベースの表に対する操作のうち，主要なものを次にまとめます。

表に対する操作	内容
選択	表から特定の条件を満たす行だけを全て抽出する。
射影	表から特定の列だけを全て抽出する。
結合	複数の表の行同士を結び付け，新しい表を作る。
和	複数の表から，どちらかの表だけに存在する行及び両方の表に共通して存在する行を全て取り出す。

ア 選択の説明です。レコードとは行のことです。

イ 射影の説明です。

ウ 積の説明です。

解答 問97 **イ**　問98 **イ**　問99 **ウ**　問100 **エ**

 まとめてチェック！　○○分析

●ストラテジ系

3C分析	マーケティング環境を，顧客，競合，自社の三つの観点から分析
4P分析	Product（製品），Price（価格），Place（流通），Promotion（プロモーション）の四つの視点で分析
ABC分析	各商品の売上金額を高額な順に並べ，その累計構成比から各商品を三つのグループ（A，B，C）に分類して，売れ筋商品を把握して管理したい場合などに用いられる分析手法。**パレート図**がよく用いられる
PPM分析	プロダクトポートフォリオマネジメント。**マトリックス図**を用いたポートフォリオ類型を使用する
RFM分析	リピート顧客を，最終購買日（Recency），購買頻度（Frequency）及び累計購買金額（Monetary）の三つの観点から分析
SWOT分析	企業経営を行う際の意思決定のために，強み（Strength），弱み（Weakness），機会（Opportunity），脅威（Threat）の四つの指標を評価する
VRIO分析	企業の経営資源をValue（経済的な価値），Rareness（希少性），Imitability（模倣可能性），Organization（組織）の四つの要素で分析
ギャップ分析	**エンタープライズアーキテクチャ**において，将来の「あるべき姿」に変化させるために，適切な目標を設定しその差異（ギャップ）を明確にすること
セグメンテーション分析	消費者のニーズや欲求，購買動機などの基準によって全体市場を幾つかの小さな市場に区分し，標的とする市場を絞り込む
バリューチェーン分析	組織の事業活動を，購買，製造，出荷物流，販売といった主活動と人事管理や技術開発といった支援活動とに分け，事業活動のどの部分で製品やサービスなどに付加価値が付加されるかを分析
ポジショニング分析	自社の製品について，顧客や市場がどのように認識しているのかを把握するために，他社の製品と比較して顧客の中に占める相対的位置を調べる**ポジショニングマップ**を作成して分析
コーホート分析	顧客の消費行動を，時代，年齢，世代の三つの観点から分析

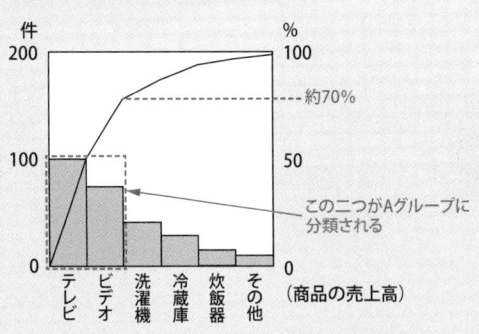
パレート図の例

この二つがAグループに分類される

PPM分析の例

●テクノロジ系

回帰分析	データ間の関係を解析する統計的な手法で，回帰式を求めて全体的な傾向や将来の予測に使用することができる。代表的な方法には最小2乗法がある
クラスタ分析	多様なデータから似たような性質のものを集めていく分析手法
主成分分析	複数の評価項目を準備するような場面で，そのいくつかの項目を要約して新たな変数（主成分）を作成し評価する
相関分析	二つのパラメータの関連性を表現する

ITパスポート
試験

令和4年度
公開問題

試験時間　**120** 分

問題は次の表に従って解答してください。

問題番号	選択方法
問 1 ～問 100	全問必須

問 1 ～問 35 ：ストラテジ系
問 36 ～問 54 ：マネジメント系
問 55 ～問 100 ：テクノロジ系

問1から問35までは，ストラテジ系の問題です。

問1 難易度中

著作権及び特許権に関する記述a〜cのうち，適切なものだけを全て挙げたものはどれか。

a 偶然二つの同じようなものが生み出された場合，発明に伴う特許権は両方に認められるが，著作権は一方の著作者にだけ認められる。

b ソフトウェアの場合，特許権も著作権もソースプログラムリストに対して認められる。

c 特許権の取得には出願と登録が必要だが，著作権は出願や登録の必要はない。

ア a, b **イ** b **ウ** b, c **エ** c

問2 難易度低

年齢，性別，家族構成などによって顧客を分類し，それぞれのグループの購買行動を分析することによって，集中すべき顧客層を絞り込むマーケティング戦略として，最も適切なものはどれか。

ア サービスマーケティング **イ** セグメントマーケティング
ウ ソーシャルマーケティング **エ** マスマーケティング

問3 難易度中

ゲーム機，家電製品などに搭載されている，ハードウェアの基本的な制御を行うためのソフトウェアはどれか。

ア グループウェア **イ** シェアウェア
ウ ファームウェア **エ** ミドルウェア

問4 難易度高

ITの活用によって，個人の学習履歴を蓄積，解析し，学習者一人一人の学習進行度や理解度に応じて最適なコンテンツを提供することによって，学習の効率と効果を高める仕組みとして，最も適切なものはどれか。

ア アダプティブラーニング **イ** タレントマネジメント
ウ ディープラーニング **エ** ナレッジマネジメント

問1 著作権と特許権  頻出 法務

著作権は，国内で作成された著作物のうち，言語系のもの（例：小説，脚本，詩歌），音楽（例：歌詞，曲），美術（例：絵画，彫刻，まんが）など個人

（法人）が創作した著作物の権利のことです。コンピュータプログラムやデータベースも保護対象となっており，すべての著作物は作成時から著作権が発生しています。

特許権は，産業上利用できる発明（自然法則を利用した技術的思想の創作のうち高度のもの）を行った人が，その発明を独占排他的に使用できる権利のことで，出願と登録をする必要があります。

a：特許権は早く出願した方（先願主義という）に認められ，著作権は偶然に同じようなものが生み出された場合でも両方に著作権が認められます。

b：ソフトウェアの場合，ソースプログラムリストには作成された時点で著作権は認められますが，特許権は特別な発明でないと認められません。

c：特許権の取得には，特許庁に出願と登録が必要ですが，著作権はその必要がありません。

以上から，エ（c）が正解です。

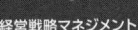

問2 セグメントマーケティング
経営戦略マネジメント

年齢，性別，嗜好などの各種要素を用いて，市場を幾つかのセグメント（例：10〜20代，30〜40代，50代以上といった三つのセグメント）に分割し，集中すべき顧客層（例：50代以上のセグメント向けの製品の開発）を絞り込む戦略をセグメントマーケティングといいます。イが正解です。

- ア サービスマーケティングとは，サービス業であればサービスそのものについて，何らかの製品を作っている企業であれば，窓口サービスなどのサービス分野に特化したマーケティング手法のことです。
- ウ ソーシャルマーケティングとは，経済的利益を追求するだけでなく，企業の社会的責任を同時に果たすために，福祉などの社会貢献事業を商業活動と並行して行うマーケティング手法のことです。
- エ マスマーケティングとは，新聞広告やテレビのコマーシャルなど，全ての消費者に対して同じ方法で行うマーケティング手法のことです。

問3 ファームウェア
ビジネスインダストリ

家電製品やAV機器，産業用機械などに内蔵されている組込みシステムを稼働させるために，あらかじめその機器の内蔵メモリ（ROMなど）に格納されているソフトウェアのことをファームウェアといいます。ウが正解です。

- ア グループウェアとは，電子会議，掲示板や電子メールなどのコミュニケーション機能やワークフロー機能をもち，個人やグループ間での業務における作業の支援を目的としたソフトウェアのことです。
- イ シェアウェアとは，一定の期間だけ無料試用ができ，期間経過後は使用料を払う必要があるソフトウェアのことです。
- エ ミドルウェアとは，OSとアプリケーションとの間に位置して，両者の間のデータ交換の仲立ちをするソフトウェアのことです。データベース管理システム（DBMS）などがその例です。

問4 アダプティブラーニング
企業活動

個人の学習状況を把握して，個人個人に合わせた最適なコンテンツや学習メニューを提供することで学習の効率を向上させ，その効果を最大限に伸ばす仕組みをアダプティブラーニング（適応型学習）といいます。アが正解です。

- イ タレントマネジメントとは，企業内での有能な人材の発見，配置，育成，評価を適切に実施するため，職場の風土や環境を改善する手段及び管理体制のことです。
- ウ ディープラーニングとは，機械学習の手法の一つで，人間の神経回路を模倣したニューラルネットワークを用いて，複数の信号を使って多角的に学習することです。
- エ ナレッジマネジメントとは，組織内で有益な知識の共有化を図る仕組みのことです。

解答 問1 エ 問2 イ 問3 ウ 問4 ア

問5 ✓✓✓ 難易度中

NDAに関する記述として，最も適切なものはどれか。

ア 企業などにおいて，情報システムへの脅威の監視や分析を行う専門組織
イ 契約当事者がもつ営業秘密などを特定し，相手の秘密情報を管理する意思を合意する契約
ウ 提供するサービス内容に関して，サービスの提供者と利用者が合意した，客観的な品質基準の取決め
エ プロジェクトにおいて実施する作業を細分化し，階層構造で整理したもの

問6 ✓✓✓ 難易度中

自社開発した技術の特許化に関する記述a～cのうち，直接的に得られることが期待できる効果として，適切なものだけを全て挙げたものはどれか。

a 当該技術に関連した他社とのアライアンスの際に，有利な条件を設定できる。
b 当該技術の開発費用の一部をライセンスによって回収できる。
c 当該技術を用いた商品や事業に対して，他社の参入を阻止できる。

ア a　　　イ a, b　　　ウ a, b, c　　　エ b, c

問7 ✓✓✓ 難易度中

業務と情報システムを最適にすることを目的に，例えばビジネス，データ，アプリケーション及び技術の四つの階層において，まず現状を把握し，目標とする理想像を設定する。次に現状と理想との乖離（かいり）を明確にし，目標とする理想像に向けた改善活動を移行計画として定義する。このような最適化の手法として，最も適切なものはどれか。

ア BI (Business Intelligence)
イ EA (Enterprise Architecture)
ウ MOT (Management of Technology)
エ SOA (Service Oriented Architecture)

問8 ✓✓✓ 難易度中

ある業務システムの再構築に関して，複数のベンダにその新システムの実現イメージの提出を求めるRFIを予定している。その際，同時にベンダからの提出を求める情報として，適切なものはどれか。

ア 現行システムの概要　　　イ システム再構築の狙い
ウ 新システムに求める要件　　　エ 適用可能な技術とその動向

問5 | **NDA (秘密保持契約)**

システム企画

NDA (Non-Disclosure Agreement：秘密保持契約) とは，秘密として管理すべき自社の情報 (個人情報など) を取引先に提示するとき，その秘密を外部に流出させたり意図的に漏らしたりさせないように事前に合意し，結んでおく契約のことです。

イが正解です。

ア CSIRT (Computer Security Incident Response Team) の説明です。

ウ SLA (Service Level Agreement：サービスレ

ベル契約)の説明です。

エ WBS (Work Breakdown Structure：作業分解構造)の説明です。

自社で開発した技術特許は，以下のようなことにも経営面で役立ちます。

● 特許をとった発明を，特許権者以外の者に有償で利用させることができる。
● 他社とのクロスライセンス契約を結び，お互いの特許を許諾し合うことで新たなサービスや製品を生み出すことができる。

以下，順にa〜cを確認します。

a：アライアンスとは，複数の企業が特定の契約を結び，業務連携をして事業活動を行うことを指します。このような際には，自社の特許を使って他社より有利な条件で交渉できます。⇒**直接的に得られる効果です。**

b：技術開発に投資した費用の回収方法の一つに，他社などとライセンス契約を行うことが考えられます。⇒**直接的に得られる効果です。**

c：当該技術を使ってしか作成できない製品や事業があれば，その製品の独占的販売ができる状況です。⇒**直接的に得られる効果です。**

以上から，**ウ** (a，b，c) が正解です。

組織の事業を長期間にわたって運用していくと，日々変化していく社会情勢や外部環境などと，自社の業務内容や情報システムとの間に食い違いが生じたり，情報システムが陳腐化したりします。

このような場合，業務内容や情報システムの全体最適化を進めて，問題点を解決することにより，理想の業務やシステムに近づけていく必要があります。そのために，EA (Enterprise Architecture：エンタープライズアーキテクチャ)という最適化手法があります。**イ**が正解です。

EAでは，自社の業務内容や情報システムを，政策・業務体系 (ビジネスアーキテクチャ)，データ体系 (データアーキテクチャ)，適用処理体系 (アプリケーションアーキテクチャ)，及び技術体系 (テクノロジアーキテクチャ)という四つの階層から最適化を進め，それをまとめて全体最適化の観点から業務の問題点などを見直したりします。

ア BI (Business Intelligence：ビジネスインテリジェンス) とは，基幹システムで生成されたデータをユーザ自身が抽出・加工するためのソフトウェアのことです。

ウ MOT (Management of Technology：技術経営) とは，企業が技術開発によって得られたノウハウを使って，新製品を開発するなどして，自社を成長させていくという経営の考え方，またはその考え方に基づいたマネジメントのことです。

エ SOA (Service Oriented Architecture：サービス指向アーキテクチャ) とは，大規模なシステムをいくつかの「部品」とみなして設計する手法のことです。

RFI (Request For Information：情報提供依頼書) は，システムの構築にあたり，資源の調達先候補となる企業に目標の実現に必要なハードウェア，ソフトウェア，ネットワーク，要員などに関する情報技術の提供を依頼することです。**エ**が正解です。

RFI の例

```
○○システムに関する情報提供のお願い
・システム名
  ○○システム
・システム概要
  (目的) システム機能の充実
  (概要) …
・情報依頼内容
  ①御社の概要
  ②過去の実績
  ②最新技術動向
・締め切り日
       :
```

ア 現行システム概要書に記載してある内容です。
イ 新システム提案書に記載してある内容です。
ウ 新システムの要件定義書に記載してある内容です。

解答 | 問5 **イ** | 問6 **ウ** | 問7 **イ** | 問8 **エ**

問 9 難易度中

不適切な行為a～cのうち，不正アクセス禁止法において規制されている行為だけを全て挙げたものはどれか。

a　他人の電子メールの利用者IDとパスワードを，正当な理由なく本人に無断で第三者に提供する。

b　他人の電子メールの利用者IDとパスワードを本人に無断で使用して，ネットワーク経由でメールサーバ上のその人の電子メールを閲覧する。

c　メールサーバにアクセスできないよう，電子メールの利用者IDとパスワードを無効にするマルウェアを作成する。

ア a, b　　　　**イ** a, b, c　　　　**ウ** b　　　　**エ** b, c

問 10 難易度低

特許戦略を策定する上で重要な"特許ポートフォリオ"について述べたものはどれか。

ア 企業が保有や出願している特許を，事業への貢献や特許間のシナジー，今後適用が想定される分野などを分析するためにまとめたもの

イ 技術イノベーションが発生した当初は特許出願が多くなる傾向だが，市場に支配的な製品の出現によって工程イノベーションにシフトし，特許出願が減少すること

ウ 自社製品のシェアと市場の成長率を軸にしたマトリックスに，市場における自社や競争相手の位置付けを示したもの

エ 複数の特許権者同士が，それぞれの保有する特許の実施権を相互に許諾すること

問 11 難易度中

与信限度額が3,000万円に設定されている取引先の5月31日業務終了時までの全取引が表のとおりであるとき，その時点での取引先の与信の余力は何万円か。ここで，受注分も与信に含めるものとし，満期日前の手形回収は回収とはみなさないものとする。

取引	日付	取引内訳	取引金額	備考
取引①	4/2	売上計上	400 万円	
	5/31	現金回収	400 万円	
取引②	4/10	売上計上	300 万円	満期日：6/10
	5/10	手形回収	300 万円	
取引③	5/15	売上計上	600 万円	
取引④	5/20	受注	200 万円	

ア 1,100
イ 1,900
ウ 2,200
エ 2,400

問 12 難易度低

クラウドファンディングは，資金提供の形態や対価の受領の仕方の違いによって，貸付型，寄付型，購入型，投資型などの種類に分けられる。A社は新規事業の資金調達を行うために，クラウドファンディングを通じて資金提供者と匿名組合契約を締結し，利益の一部を配当金として資金提供者に支払うことにした。A社が利用したクラウドファンディングの種類として，最も適切なものはどれか。

ア 貸付型クラウドファンディング　　**イ** 寄付型クラウドファンディング
ウ 購入型クラウドファンディング　　**エ** 投資型クラウドファンディング

問9 不正アクセス禁止法

法務

不正アクセス禁止法は，他人のパスワードなどを不正な方法で取得し，アクセス制限されているコンピュータにアクセスするなどの行為を禁止する法律です。

a：他人の利用者IDとパスワードを正当な理由なく本人に無断で第三者に提供する行為は，第五条（**不正アクセス行為を助長する行為の禁止**）で規制されています。

b：他人の利用者IDとパスワードを本人に無断で使用して，ネットワーク経由でメールを閲覧することは，第三条（**不正アクセス行為の禁止**）で規制されています。

c：利用者IDとパスワードを無効にするマルウェアの作成は，「不正指令電磁的記録作成罪（通称：ウイルス作成罪）」で規制されています。

以上から，**ア** (a, b) が正解です。

問10 特許ポートフォリオ

技術戦略マネジメント

特許ポートフォリオは，ある企業がもつ特許をその事業への有効性や特許間の関連性，また他社との比較などの観点で分析したもので，将来の技術開発戦略において利用されます。**ア**が正解です。

特許ポートフォリオの例

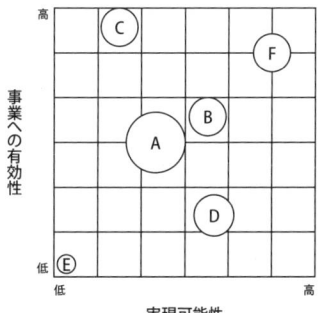

（A～Eは特許の分類，円の大きさは特許数）

イ イノベーションと特許との関連性の説明です。

ウ プロダクトポートフォリオマネジメントの説明です。

エ クロスライセンスの説明です。

問11 取引先の与信の余力を求める

企業活動

与信限度額とは，企業ごとに決めた債務の上限のことです。取引を時間で追って確認します。

				与信余力（万円）
4/2	取引①	売上計上	400万円	3,000 − 400 = 2,600
4/10	取引②	売上計上	300万円	2,600 − 300 = 2,300
5/10	取引②	手形回収	300万円 （満期日 6/10）	2,300
		※満期前の手形回収は回収とみなさない		
5/15	取引③	売上計上	600万円	2,300 − 600 = 1,700
5/20	取引④	受注	200万円	1,700 − 200 = 1,500
		※受注も与信に含める		
5/31	取引①	現金回収	400万円	1,500 + 400 = 1,900

以上から，**イ**（1,900万円）が正解です。

問12 クラウドファンディング

ビジネスインダストリ

クラウドファンディングとは，新しい事業の展開や社会貢献をするために，不特定多数の人からWebサイト経由で資金や寄付を集める行為です。クラウドファンディングにはいくつかの種類があります。

貸付型：資金提供者と貸付る企業とをクラウドファンディング運営会社を通じてマッチングし，資金を提供するもの。

寄付型：資金提供者からの支援を寄付金として扱うもの。

購入型：資金提供者に対して，その製品やサービスが完成した場合にその対価として製品やサービスを提供するもの。

投資型：資金提供者からの資金を利用して運営会社が事業を行い，利益が出た際は，その配当を支払うもの。

本問では，「匿名組合契約（資金提供者が企業や個人などの営業活動のために出資をし，その<u>営業活動から生ずる利益を分配する契約</u>）」を結んでいることから，<u>投資型クラウドファンディング</u>に該当します。**エ**が正解です。

<table>
<tr><td>解答</td><td>問9 ア</td><td>問10 ア</td><td>問11 イ</td><td>問12 エ</td></tr>
</table>

問 13 情報公開法に基づいて公開請求することができる文書として，適切なものはどれか。

難易度 中

ア 国会などの立法機関が作成，保有する立法文書
イ 最高裁判所などの司法機関が作成，保有する司法文書
ウ 証券取引所に上場している企業が作成，保有する社内文書
エ 総務省などの行政機関が作成，保有する行政文書

問 14 市販のソフトウェアパッケージなどにおけるライセンス契約の一つであるシュリンクラップ契約に関する記述として，最も適切なものはどれか。

難易度 高

ア ソフトウェアパッケージの包装を開封してしまうと，使用許諾条件を理解していなかったとしても，契約は成立する。
イ ソフトウェアパッケージの包装を開封しても，一定期間内であれば，契約を無効にできる。
ウ ソフトウェアパッケージの包装を開封しても，購入から一定期間ソフトウェアの利用を開始しなければ，契約は無効になる。
エ ソフトウェアパッケージの包装を開封しなくても，購入から一定期間が経過すると，契約は成立する。

問 15 業務プロセスを，例示するUMLのアクティビティ図を使ってモデリングしたとき，表現できるものはどれか。

難易度 高

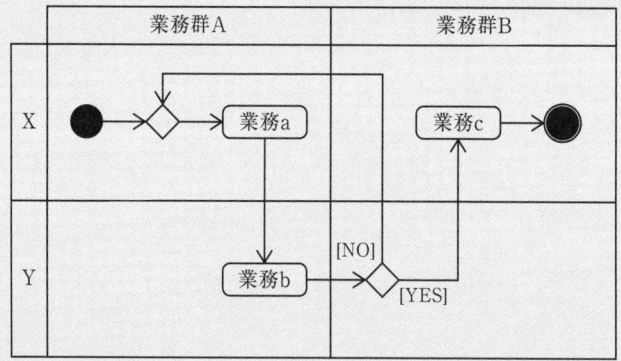

ア 業務で必要となるコスト
イ 業務で必要となる時間
ウ 業務で必要となる成果物の品質指標
エ 業務で必要となる人の役割

問 16 マイナンバーに関する説明のうち，適切なものはどれか。

難易度 低

ア 海外居住者を含め，日本国籍を有する者だけに付与される。
イ 企業が従業員番号として利用しても構わない。
ウ 申請をすれば，希望するマイナンバーを取得できる。
エ 付与されたマイナンバーを，自由に変更することはできない。

問13 情報公開法
法務

　情報公開法は，『行政機関の保有する情報の公開を図り，国民の的確な理解を果たすために公正で民主的な行政を推進することを目的とする』法律のことです。行政機関が作成した文章のため，**エ**が正解です。

- **ア** 国会などで作成，保有する立法文書は情報公開法の対象とされていませんが，情報公開制度の運用を行っています。
- **イ** 司法機関が作成，保有する文書は情報公開法の対象とされていませんが，"司法行政文書開示手続"で開示請求できます。
- **ウ** 企業が作成，保有している社内文章は情報公開法の対象とされていません。

問14 シュリンクラップ契約
法務

　シュリンクラップ契約は，ソフトウェアの入ったDVDなどのメディアの包装を破った時点で，ソフトウェアの使用許諾契約が成立します。よって，**ア**が正解です。購入したソフトウェアの代金を支払った時点またはソフトウェアの入ったDVDを受け取った時点では，ソフトウェアの使用許諾契約は成立しません。代金を支払っていても，包装を破っていない場合は返品などが可能です。ソフトウェアをPCにインストールするためには，メディアの包装を破る必要があるので，ソフトウェアをPCにインストールする時点よりも前にソフトウェアの使用許諾契約が成立しています。

- **イ, ウ** ソフトウェアパッケージの包装を開封してしまうと契約は成立します。
- **エ** ソフトウェアパッケージの包装を開封しなければ契約は成立しません。

問15 モデリング
システム戦略

　アクティビティ図は，処理の流れを具体的に明記するために使用される図で，システム設計にて用いられる，フローチャートに似た構成になっています。

　アクティビティ図では，矢印を用いて処理の流れを示します。角丸四角形の記号（□）は実行する処理を，ひし形の記号（◇）は条件分岐を示します。処理は黒丸印の記号（●）から開始し，二重線黒丸の記号（◉）に到達することで終了します。

　次の図では，業務群A（業務aとb）と業務群B（業務c）に分けられたそれぞれの業務があり，それをXとYで分けている様子がわかります。

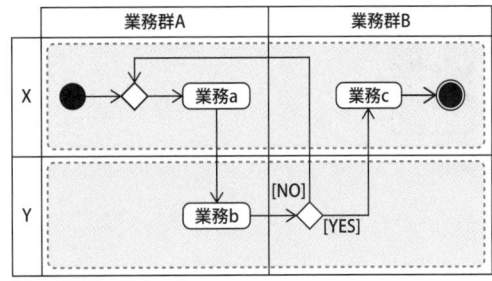

　このXとYが作業者（もしくは作業者グループ）となります。したがって，**エ**が正解です。

　なお，アクティビティ図ではコストや時間，品質を表すことはできません。

問16 マイナンバー
ビジネスインダストリ

　マイナンバー（個人番号）は，税金の支払や年金納入の手続きを簡略化して国民の利便性を高めるために，国民一人一人に設定される12桁の固有の番号のことです。

　この番号は原則的に生涯変更できませんが，個人番号通知書や個人番号カードを紛失してしまった場合や，第三者にマイナンバーが漏えいした可能性があると認められる場合には，マイナンバーを行政機関にて変更することができます。**エ**が正解です。

- **ア** マイナンバーは，外国籍の方でも中長期在留者や特別永住者などで住民票がある場合には付与されます。
- **イ** マイナンバー法でマイナンバーを利用できるのは，社会保障，税及び災害対策の分野に限られていますので，従業員番号としては利用できません。
- **ウ** マイナンバーは住民票コードを元に作成されていますので，申請しても希望するマイナンバーを取得することはできません。

解答 問13 **エ**　問14 **ア**　問15 **エ**　問16 **エ**

問 17 ✓✓✓
難易度低

BYODの事例として，適切なものはどれか。

ア 会社から貸与されたスマートフォンを業務中に私的に使用する。
イ 会社から貸与されたスマートフォンを業務で使用する。
ウ 会社が利用を許可した私物のスマートフォンを業務で使用する。
エ 私物のスマートフォンを業務中に私的に使用する。

問 18 ✓✓✓
難易度高

インダストリー4.0から顕著になった取組に関する記述として，最も適切なものはどれか。

ア 顧客ごとに異なる個別仕様の製品の，多様なITによるコスト低減と短納期での提供
イ 蒸気機関という動力を獲得したことによる，軽工業における，手作業による製品の生産から，工場制機械工業による生産への移行
ウ 製造工程のコンピュータ制御に基づく自動化による，大量生産品の更なる低コストでの製造
エ 動力の電力や石油への移行とともに，統計的手法を使った科学的生産管理による，同一規格の製品のベルトコンベア方式での大量生産

問 19 ✓✓✓
難易度高

製造販売業A社は，バランススコアカードの考え方を用いて戦略テーマを設定した。業務プロセス（内部ビジネスプロセス）の視点に基づく戦略テーマとして，最も適切なものはどれか。

ア 売上高の拡大　　　　　　　　　イ 顧客ロイヤルティの拡大
ウ 従業員の技術力強化　　　　　　エ 部品の共有化比率の向上

問 20 ✓✓✓
難易度中

あるデータを表現するために，1個のJANコードか1個のQRコードのどちらかの利用を検討する。表現できる最大のデータ量の大きい方を採用する場合，検討結果として，適切なものはどれか。

ア JANコードを採用する。
イ QRコードを採用する。
ウ 表現する内容によって最大のデータ量は変化するので決められない。
エ 表現できる最大のデータ量は同じなので決められない。

問 17 | **BYOD の事例**
　　　　　　　　　　システム戦略

BYOD (Bring Your Own Device) は，従業員が私的に保有するスマートフォンなどの情報端末

を会社内に持ち込んで，電子メールやWeb検索などの業務に利用することです。**ウ**が正解です。
ア，**イ**，**エ** BYODとは直接関係のない記述です。
　スマートフォンの利用に関しては，各企業の就業規則などで決められていることもあります。

問18 インダストリー 4.0

ビジネスインダストリ

「インダストリー 4.0」は，第4次産業革命を表す表現として利用されています。

第1次産業革命では，手工業の製品生産から，蒸気機関や水力を活用した機械製造設備が導入されました。第2次産業革命では，石油と電力を活用したベルトコンベア方式での大量生産が可能となりました。第3次産業革命では，IT技術を活用した製造工程の自動化技術により，低コストでの生産が可能となりました。

第4次産業革命では，IT技術を利用した情報システムを利用して，注文から製造，納品までの一連の流れを管理することで，コストの低減や納期の短縮，顧客ごとの製品作成なども可能となっています。**ア**が正解です。

- **イ** 第1次産業革命の説明です。
- **ウ** 第3次産業革命の説明です。
- **エ** 第2次産業革命の説明です。

問19 バランススコアカード

経営戦略マネジメント

バランススコアカード (Balanced Score Card：BSC) は，経営戦略を支援するための手法の一つです。自社の経営戦略やビジョンを四つの視点 (財務，顧客，業務プロセス，学習と成長) で分類して，具体的な戦略目標を満たすためのアクションプランを策定し実践していきます。

業務プロセス (内部ビジネスプロセス) は，A社 (販売製造業) の "製造業務の始まりから販売までの過程" のことで，この視点に基づく戦略テーマは「業務における各工程の流れを明確にし，効率的に製造／販売」することなどです。そのために，部品の共有化比率の向上などが挙げられます。**エ**が正解です。

- **ア** 売上高の拡大は，"財務の視点" に基づく戦略テーマです。
- **イ** 顧客ロイヤリティの拡大は，"顧客の視点" に基づく戦略テーマです。
- **ウ** 従業員の技術力強化は，"学習と成長の視点" に基づく戦略テーマです。

問20 JANコードとQRコード

法務

JANコード (Japan Article Number code) は，日本で採用されている商品識別用バーコードのコード体系です。13桁 (標準タイプ) の番号で，日本では，国コードが「49」で始まるものと「45」で始まるものの2種類があります。なお，8桁の短縮タイプも用意されています。

国コード	「49」2桁	「45」2桁
商品メーカコード	5桁	7桁
商品アイテムコード	5桁	3桁
チェックディジット	1桁	1桁

JANコードの例（国コード 49）

QRコード (Quick Response code) は，日本で最も普及している2次元バーコードです。

小さな2次元領域に漢字など含めて多くの情報量 (モデル2で，数字なら最大7089文字／英数字4296文字／漢字1817文字) を記録でき，読込速度は高速で，読取り時のエラー訂正機能があります。また，位置検出用パターンによって360度，どの方向からも読取りが可能です。

QRコードの例

上記より表現できるデータ量の大きい，QRコードを採用することが望ましいので，**イ**が正解です。

解答 問17 **ウ**　問18 **ア**　問19 **エ**　問20 **イ**

問 21 難易度低

政府が定める"人間中心のAI社会原則"では，三つの価値を理念として尊重し，その実現を追求する社会を構築していくべきとしている。実現を追求していくべき社会の姿だけを全て挙げたものはどれか。

a 持続性ある社会
b 多様な背景を持つ人々が多様な幸せを追求できる社会
c 人間があらゆる労働から解放される社会
d 人間の尊厳が尊重される社会

ア a, b, c   **イ** a, b, d   **ウ** a, c, d   **エ** b, c, d

問 22 難易度中

SCMシステムを構築する目的はどれか。

ア 企業のもっている現在の強み，弱みを評価し，その弱みを補完するために，どの企業と提携すればよいかを決定する。

イ 商品の生産から消費に関係する部門や企業の間で，商品の生産，在庫，販売などの情報を相互に共有して管理することによって，商品の流通在庫の削減や顧客満足の向上を図る。

ウ 顧客に提供する価値が調達，開発，製造，販売，サービスといった一連の企業活動のどこで生み出されているのかを明確化する。

エ 多種類の製品を生産及び販売している企業が，利益を最大化するために，最も効率的・効果的となる製品の製造・販売の組合せを決定する。

問 23 難易度高

オプトアウトに関する記述として，最も適切なものはどれか。

ア SNSの事業者が，お知らせメールの配信を希望した利用者だけに，新機能を紹介するメールを配信した。

イ 住宅地図の利用者が，地図上の自宅の位置に自分の氏名が掲載されているのを見つけたので，住宅地図の作製業者に連絡して，掲載を中止させた。

ウ 通信販売の利用者が，Webサイトで商品を購入するための操作を進めていたが，決済の手続が面倒だったので，画面を閉じて購入を中止した。

エ ドラッグストアの事業者が，販売予測のために顧客データを分析する際に，氏名や住所などの情報をランダムな値に置き換え，顧客を特定できないようにした。

問 24 難易度高

教師あり学習の事例に関する記述として，最も適切なものはどれか。

ア 衣料品を販売するサイトで，利用者が気に入った服の画像を送信すると，画像の特徴から利用者の好みを自動的に把握し，好みに合った商品を提案する。

イ 気温，天候，積雪，風などの条件を与えて，あらかじめ準備しておいたルールベースのプログラムによって，ゲレンデの状態がスキーに適しているか判断する。

ウ 麺類の山からアームを使って一人分を取り，容器に盛り付ける動作の訓練を繰り返したロボットが，弁当の盛り付けを上手に行う。

エ 録音された乳児の泣き声と，泣いている原因から成るデータを収集して入力することによって，乳児が泣いている原因を泣き声から推測する。

問 21 人間中心の AI 社会原則

企業活動

"人間中心のAI社会原則"では，以下の内容が基本理念として記載されています。

---

(1) 人間の尊厳が尊重される社会 (Dignity)

我々は，AIを利活用して効率性や利便性を追求するあまり，人間がAIに過度に依存したり，人間の行動をコントロールすることにAIが利用される社会を構築するのではなく，人間がAIを道具として使いこなすことによって，人間の様々な能力をさらに発揮することを可能とし，より大きな創造性を発揮したり，やりがいのある仕事に従事したりすることで，物質的にも精神的にも豊かな生活を送ることができるような，人間の尊厳が尊重される社会を構築する必要がある。

(2) 多様な背景を持つ人々が多様な幸せを追求できる社会 (Diversity & Inclusion)

多様な背景と価値観，考え方を持つ人々が多様な幸せを追求し，それらを柔軟に包摂した上で新たな価値を創造できる社会は，現代における一つの理想であり，大きなチャレンジである。AIという強力な技術は，この理想に我々を近づける一つの有力な道具となりえる。我々はAIの適切な開発と展開によって，このように社会のありかたを変革していく必要がある。

(3) 持続性ある社会 (Sustainability)

我々は，AIの活用によりビジネスやソリューションを次々と生み，社会の格差を解消し，地球規模の環境問題や気候変動などにも対応が可能な持続性のある社会を構築する方向へ展開させる必要がある。科学・技術立国としての我が国は，その科学的・技術的蓄積をAIによって強化し，そのような社会を作ることに貢献する責務がある。

【内閣府　人間中心のAI社会原則より引用】

以上から，**イ** (a, b, d) が正解です。

問 22 SCM システム

経営戦略マネジメント

SCM (Supply Chain Management：サプライチェーンマネジメント) は，関連企業間で情報を共有し，製品の生産，受発注の管理，資材調達，在庫管理，物流などの一連の業務を，全体最適化の視点から見直し，コンピュータシステムを用いて管理することです。

SCMの導入で，納期の短縮やコストの削減などを図ることができ，企業活動全体の効率を向上させ，ひいては顧客満足度の向上も期待できます。**イ**が正解です。

ア SWOT分析の説明です。

ウ バリューチェーン分析の説明です。

エ 線形計画法の説明です。

問 23 オプトアウト

法務

個人情報保護に関するオプトアウトとは，あらかじめ本人に対して，個人データを第三者提供することについて通知または認識できる状態にしておき，本人がこれに反対しない限り，同意したものとみなして第三者提供をすることを認めることです。ただし，その提供に反対をした場合には提供の中止や削除の依頼ができます。

以上から，**イ**が正解です。

ア オプトイン (Opt-In) メールの説明です。

ウ ログアウトの説明です。

エ 個人情報の匿名化ツールの機能の説明です。

問 24 教師あり学習の事例

ビジネスインダストリ

AI (Artificial Intelligence：人工知能) における「教師あり学習」では，大量のデータを準備しコンピュータに覚えさせることで，同様のパターンなどからその傾向を掴むことができます。

そのため，多くの乳児の泣き声とその原因の組み合わせの傾向から，今泣いている乳児の原因を推測することも可能になります。**エ**が正解です。

ア AIを使った画像認識システムの説明です。

イ ルールベースAIの説明です。

ウ ディープラーニングの説明です。

解答 問 21 **イ**　問 22 **イ**　問 23 **イ**　問 24 **エ**

令和4年度 公開

問 25 a～dのうち, 業務プロセスの改善に当たり, 業務プロセスを表記するために用いられる図表だけを全て挙げたものはどれか。

難易度 中

a DFD
c パレート図

b アクティビティ図
d レーダチャート

ア a, b   **イ** a, c   **ウ** b, d   **エ** c, d

問 26 自社が保有していない技術やノウハウを, 他社から短期間で補完するための手段として, 適切なものはどれか。

難易度 低

ア BPR
ウ インキュベーション

イ アライアンス
エ ベンチマーキング

問 27 個人情報保護法で定められた, 特に取扱いに配慮が必要となる"要配慮個人情報"に該当するものはどれか。

難易度 高

ア 学歴   **イ** 国籍   **ウ** 資産額   **エ** 信条

問 25 業務プロセス

システム戦略

a：DFD (Data Flow Diagram：データフローダイアグラム)

データの流れを表す四つの簡単な記号を用いて, 業務の流れを記述する方法の一つです。次の記号で表現されます。

名称	記号	説明
データフロー	⟶	データの流れを表す。
プロセス（処理）	◯	データに対する処理を表す。
データストア（ファイル）	━━	データベースやファイルなど, データの蓄積を表す。
データ源泉／データ吸収（外部）	□	データの発生源またはデータの行き先を表す。

DFD の例

b：アクティビティ図

処理の流れを具体的に明記するために使用される図で, システム設計にて用いられるフローチャートに似た構成になっています。そのため, 業務システムでも利用されます。

アクティビティ図では, 矢印を用いて処理の流れを示します。角丸四角形の記号は実行する処理を, ひし形の記号は条件分岐を示します。処理は黒丸印の記号から開始し, 二重線黒丸の記号に到達することで終了します。また, 太線は並行処理を表します。

アクティビティ図の例

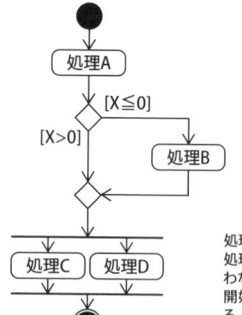

処理 A を行った後, X の値が 0 以下ならば処理 B を行い, そうでなければ処理 B は行わない。その後, 処理 C と処理 D を並行して開始し, 両方の処理が完了してから終了する。処理 C が完了しても, 処理 D が完了しなければ終了することはない（逆も同じ）。

c：パレート図

顧客動向 (例：売上げ，クレーム件数) や在庫データ (例：数量や金額) などを，値の大きい順に並べて棒グラフを作成します。そして，同時にその累積データを折れ線グラフで表記します。

この値を，重要項目の管理基準やその後のサービス向上などに使用します。主にABC分析で使用されます。

パレート図の例

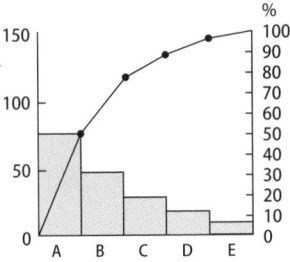

d：レーダチャート

複数の項目に対応する放射状の線上に数値を記録し，記録した各点を結ぶことで項目全体のバランスを表す図法です。クラスの平均点と学生の成績の比較や，科目間の成績のバランスなどを評価する際に適切なグラフです。

レーダチャートの例

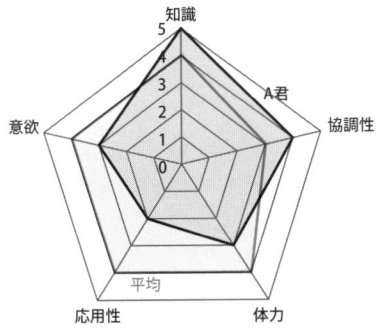

以上から，業務プロセスで利用されるのは，DFDとアクティビティ図になります。**ア** (a，b) が正解です。

問 26 ｜ アライアンス

経営戦略マネジメント

複数の企業が特定の契約を結び，業務連携をして事業活動を行うことをアライアンスといいます。アライアンスのメリットは，提携している企業間での技術やノウハウを得ることが可能になったり，市場での競争力が増したりすることです。

その際に必要となる費用は，アライアンスによって連携している企業間で分割して負担することになり，事業投資リスクを軽減することが期待できます。**イ** が正解です。

ア BPR (Business Process Reengineering) とは，現在の業務プロセスを見直し，組織や業務を再構築することで，より生産性を向上させることです。

ウ インキュベーションとは，起業をする人や新規事業を支援していくことです。

エ ベンチマーキングとは，競合他社や先進企業の成功事例 (ベストプラクティス) を参考にして，自社の業務プロセスを抜本的に改善する手法のことです。

問 27 ｜ 要配慮個人情報

法務

個人情報保護法の第二条3には，以下の記述があります。

> 要配慮個人情報とは，本人の人種，信条，社会的身分，病歴，犯罪の経歴，犯罪により害を被った事実その他本人に対する不当な差別，偏見その他の不利益が生じないようにその取扱いに特に配慮を要するものとして政令で定める記述等が含まれる個人情報をいう。

以上から，**エ** が正解です。

ア，**イ**，**ウ** 個人情報に該当します。

解答 問25 **ア** 問26 **イ** 問27 **エ**

令和4年度 公開

161

問 28 難易度中

A社のある期の資産，負債及び純資産が次のとおりであるとき，経営の安全性指標の一つで，短期の支払能力を示す流動比率は何％か。

単位　百万円

資産の部		負債の部	
流動資産	3,000	流動負債	1,500
固定資産	4,500	固定負債	4,000
		純資産の部	
		株主資本	2,000

ア 50　　　　**イ** 100　　　　**ウ** 150　　　　**エ** 200

問 29 難易度低

マネーロンダリングの対策に関する記述として，最も適切なものはどれか。

ア 金融取引に当たり，口座開設時の取引目的や本人確認を徹底し，資金の出所が疑わしい取引かどうかを監視する。

イ 紙幣の印刷に当たり，コピー機では再現困難な文字や線，傾けることによって絵が浮かび上がるホログラムなどの技術を用いて，複製を困難にする。

ウ 税金の徴収に当たり，外国にある子会社の利益を本国の親会社に配当されたものとみなして，本国で課税する。

エ 投資に当たり，安全性や収益性などの特徴が異なる複数の金融商品を組み合わせることによって，一つの事象によって損失が大きくなるリスクを抑える。

問 30 難易度低

営業利益を求める計算式はどれか。

ア （売上高）－（売上原価）

イ （売上総利益）－（販売費及び一般管理費）

ウ （経常利益）＋（特別利益）－（特別損失）

エ （税引前当期純利益）－（法人税，住民税及び事業税）

問 31 難易度低

コールセンタの顧客サービスレベルを改善するために，顧客から寄せられたコールセンタ対応に関する苦情を分類集計する。苦情の多い順に，件数を棒グラフ，累積百分率を折れ線グラフで表し，対応の優先度を判断するのに適した図はどれか。

ア PERT図　　　**イ** 管理図　　　**ウ** 特性要因図　　　**エ** パレート図

問 28 | 流動比率を求める

企業活動

流動比率とは，流動負債に対する流動資産の割合をいいます。流動負債は短期借入金など，通常1年以内に支払わなければならない負債をいい，流

動資産とは, 売掛金など, 通常1年以内に現金化できる資産をいいます。

流動比率が大きいほど, 企業の短期支払能力が高くなります。流動比率の値は200%程度が理想とされています。以下の式で求めます。

流動比率＝流動資産÷流動負債×100（単位：%）

以上から,

3000÷1500×100＝**200%**（エ）

となります。

問 29 ┃ マネーロンダリング対策 NEW
ビジネスインダストリ

マネーロンダリングとは, 違法な手段で得た収入をあたかも正当な営業活動で得たかのように見せかけることをいいます。

そのため, 金融機関は新規の口座開設時の本人確認を徹底し, その取引が不自然でないかを監視する必要があります。**ア**が正解です。

イ 紙幣で利用されている偽造防止の説明です。

ウ タックスヘイブンを防止する措置の説明です。

エ ポートフォリオ理論の説明です。

問 30 ┃ 営業利益を求める計算式 頻出
企業活動

営業利益は, 損益計算書に記載されています。一例を見てみましょう。

損益計算書の例

	単位：百万円	
売上高	3,000	（商品の売上額）
売上原価	1,500	（−）（販売した商品の仕入額）
売上総利益（粗利）	1,500	（売上によって得た利益）
販売費及び一般管理費	500	（−）（営業活動などに要する費用）
営業利益	1,000	（企業の本業＝営業活動の利益）
営業外収益	0	（+）（本業以外の活動による経常的収益）
営業外費用	15	（−）（本業以外の活動による経常的費用）
経常利益	985	（企業活動全体の利益）
特別利益	0	（+）（本業以外の活動による臨時的収益）
特別損失	300	（−）（本業以外の活動による臨時的費用）
税引前当期純利益	685	（法人税等を減額する前の当期純利益）
法人税等	300	（−）（法人税, 住民税及び事業税）
当期純利益	385	

以上から, 営業利益を求める計算式は,

売上総利益−販売費及び一般管理費（イ）

となります。

問 31 ┃ パレート図
企業活動

顧客動向 (例：売上高, クレーム件数) や在庫データ (例：数量や金額) などを値の大きい順に並べて棒グラフを作成します。そして, 同時にその累積データを折れ線グラフで表記します。これをパレート図といいます。**エ**が正解です。

この値を, 重要項目の管理基準やその後のサービス向上, 対応の優先度に使用します。主にABC分析で使用されます。

パレート図の例

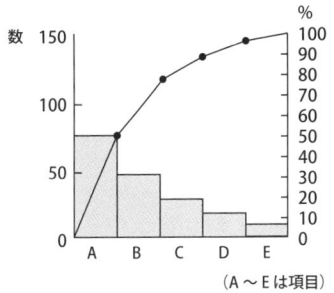

(A〜Eは項目)

ア PERT (Program Evaluation and Review Technique) 図は, プロジェクトの日程管理や工程管理を行うため, 作業工程の順番と所要時間をアローダイアグラムで網の目状に表示した図です。

イ 管理図は, 時系列のデータを使って上限や下限の限界値を設定し, 品質管理や工程管理で利用するグラフです。

ウ 特性要因図は, ある結果に対して原因と考えられる要因を, 類似しているものが近接するようにして分類し, 系統立てて整理するための図です。

解答 問28 **エ** 問29 **ア** 問30 **イ** 問31 **エ**

問32 難易度中

コンカレントエンジニアリングを適用した後の業務の流れを表した図として、最も適したものはどれか。ここで、図の中の矢印は業務の流れを示し、その上に各作業名を記述する。

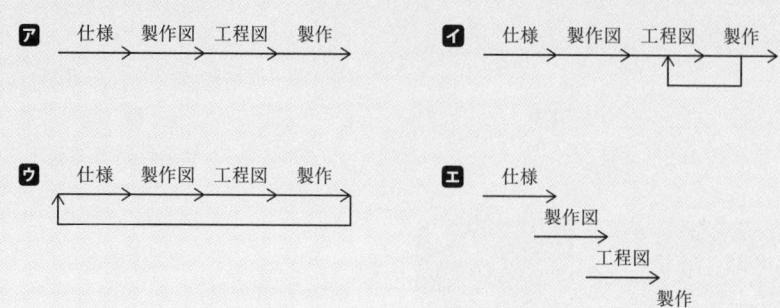

問33 難易度低

IT機器やソフトウェア、情報などについて、利用者の身体の特性や能力の違いなどにかかわらず、様々な人が同様に操作、入手、利用できる状態又は度合いを表す用語として、最も適切なものはどれか。

- ア アクセシビリティ
- イ スケーラビリティ
- ウ ダイバーシティ
- エ トレーサビリティ

問34 難易度中

あるオンラインサービスでは、新たに作成したデザインと従来のデザインのWebサイトを実験的に並行稼働し、どちらのWebサイトの利用者がより有料サービスの申込みに至りやすいかを比較、検証した。このとき用いた手法として、最も適切なものはどれか。

- ア A/Bテスト
- イ ABC分析
- ウ クラスタ分析
- エ リグレッションテスト

問35 難易度中

あるコールセンタでは、AIを活用した業務改革の検討を進めて、導入するシステムを絞り込んだ。しかし、想定している効果が得られるかなど不明点が多いので、試行して実現性の検証を行うことにした。このような検証を何というか。

- ア IoT
- イ PoC
- ウ SoE
- エ SoR

問32 コンカレントエンジニアリング
ビジネスインダストリ

コンカレントエンジニアリングとは，技術開発，製品の機能設計及びハードウェア設計など，製品やシステムの開発に関する各種作業のうち，<u>同時に実行できる作業を並行して進めること</u>で，手戻りや待ちをなくしたり，製品開発期間を短くしたりするための技術です。

本問の図では，**エ**が並行して作業しているので，コンカレントエンジニアリングを適用した後の業務の流れの図になります。

問33 アクセシビリティ

ビジネスインダストリ

利用者の身体的特性や年齢，性別，国籍などにかかわらず，サービスを支障なく操作または利用できるようにすることで，全ての人が情報にアクセスできるようにするために設計することをアクセシビリティといいます。**ア**が正解です。

悪い例：アクセシビリティが低い Web サイト

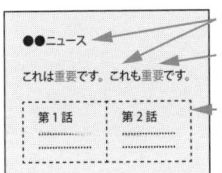

良い例：アクセシビリティが高い Web サイト

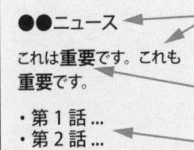

イ スケーラビリティ (拡張性) とは，サーバなどのシステムの利用負荷が急に大きくなっても，それに対応できるように柔軟に性能や機能を向上できることです。

ウ ダイバーシティとは，企業が多様な人材を積極的に採用し，業務に活用しようとする考え方のことです。

エ トレーサビリティとは，製品に貼ってあるラベルやRFIDタグなどに記録された情報を基にして，製品の原材料・生産者・加工した工場の場所や，加工過程・流通経路などの履歴情報を，消費者などが生産拠点までさかのぼって追跡できるようにすることです。

問34 A/Bテスト

経営戦略マネジメント

同じ企業やサービスでデザインの異なる複数のWebサイトを同時に稼働させて，最終的に有料サービスに申込をする割合 (コンバージョン率) をサイトごとに比較，検証する手法をA/Bテストといいます。**ア**が正解です。

このテストの結果で高い割合になればそのデザインを採用することになります。

イ ABC分析は，各商品の売上金額を高額な順に並べ，その累計構成比から各商品を三つのグループ (A，B，C) に分類して，売れ筋商品を把握して管理したい場合などに用いられる分析手法です。

ウ クラスタ分析は，多様なデータから似たような性質のものを集めていく分析手法です。

エ リグレッションテスト (退行テスト) は，システムの特定箇所を修正したときに，修正によって別の箇所に影響が及んでいないかを確認するテストのことです。

問35 PoC (概念実証)
システム戦略

新しい概念やアイディア，または新規の案件などの原理の実証を目的とした，開発の前段階における検証をPoC (Proof of Concept：概念実証) といいます。**イ**が正解です。

ア IoT (Internet of Things) とは，モノのインターネットともいわれ，様々な機器がインターネットに接続されていることをいいます。

ウ SoE (System of Engagement) とは，顧客の満足度を向上するために利用されるシステム (CRM：Customer Relationship Management など) 全般を指します。

エ SoR (System of Record) とは，記録を目的としたシステム (受発注管理や会計) のことです。

解答 問32 **エ**　問33 **ア**　問34 **ア**　問35 **イ**

問36から問54までは，マネジメント系の問題です。

問36 ✓✓✓
難易度 低

プロジェクトで作成するWBSに関する記述のうち，適切なものはどれか。

ア WBSではプロジェクトで実施すべき作業内容と成果物を定義するので，作業工数を見積もるときの根拠として使用できる。

イ WBSには，プロジェクトのスコープ外の作業も検討して含める。

ウ 全てのプロジェクトにおいて，WBSは成果物と作業内容を同じ階層まで詳細化する。

エ プロジェクトの担当者がスコープ内の類似作業を実施する場合，WBSにはそれらの作業を記載しなくてよい。

問37 ✓✓✓
難易度 中

システムによる内部統制を目的として，幾つかの機能を実装した。次の処理は，どの機能の実現例として適切か。

ログイン画面を表示して利用者IDとパスワードを入力する。利用者IDとパスワードの組合せがあらかじめ登録されている内容と一致する場合は業務メニュー画面に遷移する。一致しない場合は遷移せずにエラーメッセージを表示する。

ア システム障害の検知

イ システムによるアクセス制御

ウ 利用者に対するアクセス権の付与

エ 利用者のパスワード設定の妥当性の確認

問38 ✓✓✓
難易度 中

XP（エクストリームプログラミング）の説明として，最も適切なものはどれか。

ア テストプログラムを先に作成し，そのテストに合格するようにコードを記述する開発手法のことである。

イ 一つのプログラムを2人のプログラマが，1台のコンピュータに向かって共同で開発する方法のことである。

ウ プログラムの振る舞いを変えずに，プログラムの内部構造を改善することである。

エ 要求の変化に対応した高品質のソフトウェアを短いサイクルでリリースする，アジャイル開発のアプローチの一つである。

問39 ✓✓✓
難易度 中

提供するITサービスの価値を高めるためには，サービスの提供価格，どのようなことができるかというサービスの機能，及び可用性などを維持するサービスの保証の三つのバランスを考慮する必要がある。インスタントメッセンジャのサービスに関する記述のうち，サービスの保証に当たるものはどれか。

ア 24時間365日利用可能である。

イ ゲームなどの他のソフトウェアと連携可能である。

ウ 無料で利用可能である。

エ 文字の代わりに自分で作成したアイコンも利用可能である。

問36 WBS（作業分解構造）
プロジェクトマネジメント

WBS（Work Breakdown Structure：作業分解構造）とは，システム開発において必要なスコープ（作業範囲）内の作業を，大きいものから小さいものへと細分化し，切り分けたものです。WBSだけでは作業名以外の詳細な情報が不足するため，成果物などを記した補助文書（WBS辞書）を用いることがあります。

したがって，WBSは作業工数を見積もる根拠として使用できます。**ア**が正解です。また，WBS辞書には日付，成果物，作業担当者，責任者やコストなどが記述されます。

WBSの例

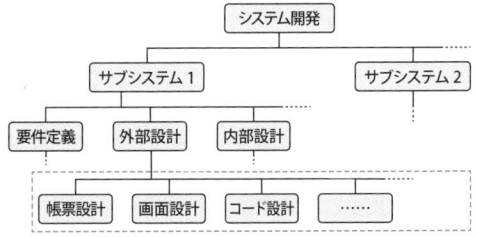

- **イ** WBSには，プロジェクトのスコープ作業を記しますので，それ以外を検討することはありません。
- **ウ** プロジェクトによってWBSの成果物と作業内容は異なるので，必ずしも同じ階層にはなりません。
- **エ** 担当者がスコープ内の作業を実施する場合には，その作業を記載する必要があります。

問37 内部統制
システム監査

内部統制とは，企業が自ら業務を適正に遂行していくために，従業員などを適切に管理する体制を構築して運用する仕組みのことです。従業者の内部犯行による不正行為を防止するためには，次の例のように，社内の従業員の監視や管理を厳正に行うなどの対策が必要です。

『ログイン画面を表示して利用者IDとパスワードを入力する。利用者IDとパスワードの組合せがあらかじめ登録されている内容と一致する場合は業務メニュー画面に遷

移する。一致しない場合は遷移せずにエラーメッセージを表示する。』

本問では，利用者IDとパスワードが一致したときだけ業務システムにアクセスできるので，**イ**「アクセス制御」が該当します。また，**ア**，**ウ**，**エ**は不正行為の防止には該当しませんが，内部統制の観点から解説を記載します。
- **ア** システム障害を検知した際の早期の情報伝達は内部統制において重要です。
- **ウ**，**エ** ITにおける情報統制においては重要な内容です。

問38 XP（エクストリームプログラミング）
ソフトウェア開発管理技術

XP（エクストリームプログラミング）とは，要求の変化に素早く対応するために，開発の初期段階よりもコーディングやテストを重視し，常にフィードバックを行って各工程の修正や再設計を行うという特徴をもつアジャイル開発のアプローチの一つです。**エ**が正解です。
- **ア** テスト駆動開発の説明です。
- **イ** ペアプログラミングの説明です。
- **ウ** アジャイル開発のアプローチの一つである，リファクタリングの説明です。

問39 インスタントメッセンジャ
サービスマネジメント

ITサービスの評価は，システムがそのサービスに見合う金額（サービスの提供価格）であるか，システムが処理できる内容（サービスの機能）が適切か，そのシステムが止まらないで動作する（サービスの保証）かのバランスが必要です。

LINEなどのインスタントメッセンジャのサービスの保証は，24時間365日動作可能であることから，**ア**が正解です。
- **イ**，**エ** サービスの機能に該当します。
- **ウ** サービスの提供価格に該当します。

解答 問36 **ア** 問37 **イ** 問38 **エ** 問39 **ア**

令和4年度 公開

167

ITガバナンスに関する記述として，最も適切なものはどれか。

ア ITサービスマネジメントに関して，広く利用されているベストプラクティスを集めたもの
イ システム及びソフトウェア開発とその取引の適正化に向けて，それらのベースとなる作業項目の一つ一つを定義して標準化したもの
ウ 経営陣が組織の価値を高めるために実践する行動であり，情報システム戦略の策定及び実現に必要な組織能力のこと
エ プロジェクトの要求事項を満足させるために，知識，スキル，ツール，技法をプロジェクト活動に適用すること

テレワークを推進しているある会社では，サテライトオフィスを構築している。サテライトオフィスで使用するネットワーク機器やPCを対象に，落雷による過電流を防止するための対策を検討した。有効な対策として，最も適切なものはどれか。

ア グリーンITに対応した機器の設置
イ サージ防護に対応した機器の設置
ウ 無線LANルータの設置
エ 無停電電源装置の設置

システムの開発側と運用側がお互いに連携し合い，運用や本番移行を自動化する仕組みなどを積極的に取り入れ，新機能をリリースしてサービスの改善を行う取組を表す用語として，最も適切なものはどれか。

ア DevOps
イ RAD
ウ オブジェクト指向開発
エ テスト駆動開発

図のアローダイアグラムにおいて，作業Bが2日遅れて完了した。そこで，予定どおりの期間で全ての作業を完了させるために，作業Dに要員を追加することにした。作業Dに当初20名が割り当てられているとき，作業Dに追加する要員は最少で何名必要か。ここで，要員の作業効率は一律である。

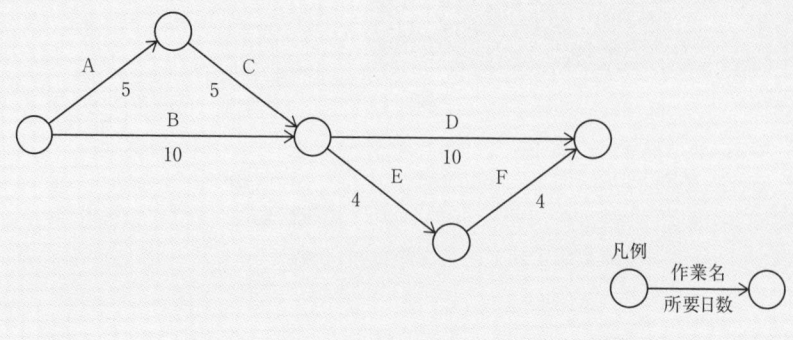

ア 2   イ 3   ウ 4   エ 5

問40 | ITガバナンス
システム監査

ITガバナンスとは，経営層がITを導入・活用するための目的や目標などを適切に設定して，企業が競争優位性を確立するためのIT戦略を策定し，企業をあるべき方向に導いていく組織能力や統率力のことです。**ウ**が正解です。

- **ア** ITIL (Information Technology Infrastructure Library) の説明です。
- **イ** 共通フレームの説明です。
- **エ** PMBOK (Project Management Body Of Knowledge) に記載されているプロジェクトマネジメントの記述です。

問41 | サージ防護
サービスマネジメント

落雷による電線などからの過電流のことを，雷サージといいます。雷サージは各家庭などにあるブレーカによって遮断される前に，電子機器に到達するために故障の原因となります。

その対策として，サージ防護デバイス (Surge Protective Device：SPD) に対応した機器を設置することが推奨されます。**イ**が正解です。

- **ア** グリーンITに対応した機器の設置は省電力には効果がありますが，落雷の過電流対策にはなりません。
- **ウ** 無線LANルータの設置は，落雷の過電流対策にはなりません。
- **エ** 無停電電源装置は，電源異常のとき一時的に電力を供給する機器ですが，落雷の過電流対策にはなりません。

問42 | DevOps（デブオプス）
ソフトウェア開発管理技術

開発者 (Development) と運用者 (Operations) が密接に連携し，運用者からのフィードバックを用いることで開発者側の効率を上げ，信頼性や生産性を向上させることをDevOps (デブオプス) といいます。**ア**が正解です。

- **イ** RAD (Rapid Application Development) とは，開発する機能を分割し，開発ツールや部品などを利用して，分割した機能ごとに効率よく迅速に進めていく開発手法です。
- **ウ** オブジェクト指向開発とは，現実世界の製品・組織・人などの「もの」(データ) と，その「もの」がもつ機能や処理 (メソッド) をまとめて扱う開発手法です。
- **エ** テスト駆動開発とは，テストプログラムを先に作成し，そのテストに合格するようにコードを記述する開発手法です。

問43 | アローダイアグラム
プロジェクトマネジメント

アローダイアグラムとは，順序関係がある複数の作業の実行順序をネットワーク図にしたものです。

次の図から，それぞれの作業の最早開始時刻と最早終了時刻を求めていきます。

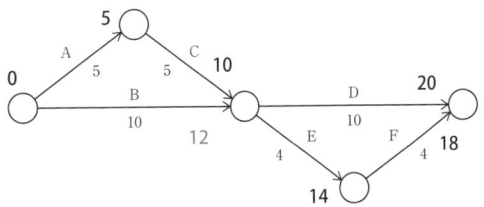

	最早開始時刻	最早終了時刻
作業A	0	5
作業B	0	10 ⇒ 12
作業C	5	10
作業D	10 ⇒ 12	20
作業E	10	14
作業F	14	18

前半の作業が2日遅れたので，後半の作業で2日短縮しなければなりません。つまり，作業Dでは，8日で作業終了させる必要があります。したがって，現在の10日の仕事を20人で行う計画を変更し，8日をx人で実施します。

$$10日 \times 20人 = 8日 \times x$$
$$x = 25人$$

よって，追加する要員は**5人 (エ)** 必要となります。

解答 問40 **ウ** 　問41 **イ** 　問42 **ア** 　問43 **エ**

ITサービスマネジメントにおけるインシデント管理の目的として，適切なものはどれか。

ア インシデントの原因を分析し，根本的な原因を解決することによって，インシデントの再発を防止する。

イ サービスに対する全ての変更を一元的に管理することによって，変更に伴う障害発生などのリスクを低減する。

ウ サービスを構成する全ての機器やソフトウェアに関する情報を最新，正確に維持管理する。

エ インシデントによって中断しているサービスを可能な限り迅速に回復する。

ブラックボックステストに関する記述として，適切なものはどれか。

ア プログラムの全ての分岐についてテストする。

イ プログラムの全ての命令についてテストする。

ウ プログラムの内部構造に基づいてテストする。

エ プログラムの入力と出力に着目してテストする。

a～dのうち，ファシリティマネジメントに関する実施事項として，適切なものだけを全て挙げたものはどれか。

a　コンピュータを設置した建物への入退館の管理
b　社内のPCへのマルウェア対策ソフトの導入と更新管理
c　情報システムを構成するソフトウェアのライセンス管理
d　停電時のデータ消失防止のための無停電電源装置の設置

ア a, c　　　　**イ** a, d　　　　**ウ** b, d　　　　**エ** c, d

問
47
難易度 中

ソフトウェア保守に関する記述のうち，適切なものはどれか。

ア 本番環境で運用中のシステムに対して，ソフトウェアの潜在不良を発見し，障害が発生する前に修正を行うことはソフトウェア保守には含まれない。

イ 本番環境で運用中のシステムに対して，ソフトウェアの不具合を修正することがソフトウェア保守であり，仕様変更に伴う修正はソフトウェア保守には含まれない。

ウ 本番環境で運用中のシステムに対して，法律改正に伴うソフトウェア修正もソフトウェア保守に含まれる。

エ 本番環境で運用中のシステムに対する修正だけでなく，納入前のシステム開発期間中に実施した不具合の修正もソフトウェア保守に含まれる。

インシデントとは，ITサービスが停止する原因となる出来事，障害などのことです。また，インシデント管理は，発生したインシデントに対して，可能な限り迅速に通常のサービス運用を回復して，ビジネスへの悪影響を最小限に抑えることを目的としています。**エ**が正解です。

なお，インシデント管理プロセスでは，インシデントの発生原因を**究明しない**ので注意が必要です。

ア 問題管理の目的です。
イ 変更管理の目的です。
ウ 構成管理の目的です。

問45 ブラックボックステスト
システム開発技術

ブラックボックステストは，テスト対象であるシステムの内部構造を意識せずにテストを実施します。

テスト実施者は様々な入力データを用意し，その出力結果のみに注目して評価します。主にシステムテストで用いられます。**エ**が正解です。
ア ホワイトボックステストの分岐網羅の説明です。
イ ホワイトボックステストの命令網羅の説明です。
ウ ホワイトボックステストの説明です。

問46 ファシリティマネジメント
サービスマネジメント

ファシリティマネジメント (facility management) とは，企業の施設や機器設備（ファシリティ）が適切に利用されているかを確認したり，従業員が快適に業務を行えるようにすることです。a〜dを順に確認します。
a：コンピュータを設置した建物への入退館の管理は，企業の施設に該当しますので，ファシリティマネジメントの実施事項になります。⇒**適切です。**
b：社内のPCへのマルウェア対策ソフトの導入と更新管理は，情報セキュリティ管理の実施事項

になります。
c：情報システムを構成するソフトウェアのライセンス管理は，サービスマネジメントの実施事項になります。
d：停電時のデータ消失防止のための無停電電源装置は，企業内の機器の安定稼働のために設置しますので，ファシリティマネジメントの実施事項になります。⇒**適切です。**

以上から，**イ** (a, d) が正解です。

問47 ソフトウェア保守
システム開発技術

ソフトウェア保守とは，本番環境に移行してから発見されたバグを取り除いたり，ソフトウェアを改良して処理性能を向上させたりする作業のことです。

また，情報技術の進展や経営戦略の変化，法律改正（消費税率変更など）に対応させるために，ソフトウェアの機能や性能を改善する必要がある場合も，ソフトウェア保守によってプログラムの修正や変更を行うことがあります。**ウ**が正解です。
ア 本番環境で運用中のシステムにおけるソフトウェアの潜在不良（バグ）の修正もソフトウェア保守に含まれます。
イ 本番環境で運用中のシステムに対して，仕様変更によってその修正を行うのもソフトウェア保守に含まれます。
エ 納入前のシステム開発期間中に実施した不具合の修正は，システム保守には含まれません。

解答 問44 **エ** 問45 **エ** 問46 **イ** 問47 **ウ**

問 48
✓✓✓
難易度 高

システム開発プロジェクトの品質マネジメントにおいて，品質上の問題と原因との関連付けを行って根本原因を追究する方法の説明として，適切なものはどれか。

ア 管理限界を設定し，上限と下限を逸脱する事象から根本原因を推定する。
イ 原因の候補リストから原因に該当しないものを削除し，残った項目から根本原因を絞り込む。
ウ 候補となる原因を魚の骨の形で整理し，根本原因を検討する。
エ 複数の原因を分類し，件数が多かった原因の順に対処すべき根本原因の優先度を決めていく。

問 49
✓✓✓
難易度 中

ITサービスの利用者からの問合せに自動応答で対応するために，チャットボットを導入することにした。このようにチャットボットによる自動化が有効な管理プロセスとして，最も適切なものはどれか。

ア インシデント管理 　　　　**イ** 構成管理
ウ 変更管理 　　　　　　　　**エ** 問題管理

問 50
✓✓✓
難易度 高

120kステップのソフトウェアを開発した。開発の各工程における生産性の実績が表のとおりであるとき，開発全体の工数は何人月か。ここで，生産性は1人月当たりのkステップとする。

単位　kステップ／人月

工程	生産性
設計	6.0
製造	4.0

ア 10
イ 12
ウ 24
エ 50

問 51
✓✓✓
難易度 低

ITサービスマネジメントにおけるSLAに関する次の記述において，a，bに当てはまる語句の組合せとして，適切なものはどれか。

SLAは，　a　と　b　との間で交わされる合意文書である。　a　が期待するサービスの目標値を定量化して合意した上でSLAに明記し，　b　はこれを測定・評価した上でサービスの品質を改善していく。

	a	b
ア	経営者	システム監査人
イ	顧客	サービスの供給者
ウ	システム開発の発注者	システム開発の受託者
エ	データの分析者	データの提供者

問 48 ┃ **品質マネジメント**
　　　　　　　　　　プロジェクトマネジメント

PMBOK (Project Management Body Of Knowledge)では，プロジェクトマネジメントに関する知識やプロセスを10に分類しています。その中の「プロジェクト品質マネジメント」には，『プロジェクトの成果物の品質を保ち，顧客のニーズを満足させることを目的として，品質のチェックを行います。』とあります。

品質上の問題と原因との関連付けを行って根本原因を追究する方法の一つに，ある結果に対して原因と考えられる要因を，類似しているものが近接するようにして分類し，系統立てて整理した特性要因図があります。**ウ**が正解です。

特性要因図の例

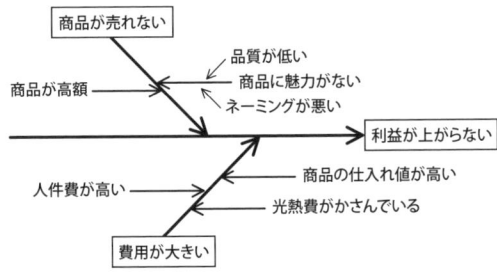

ア 管理図での管理法（管理限界を設定し，上限と下限を逸脱する事象から推定）は，生産工程の問題を判断する方法です。

イ チェックリストでの管理法（原因の候補リストから原因に該当しないものを削除）は，項目の漏れを確認する方法です。

エ パレート図での管理法（複数の原因を分類し，件数が多かった原因の順に対処）は，どの項目を優先的に扱うかを判断する方法です。

問 49 チャットボット 頻出
サービスマネジメント

チャットボットとは，「チャット」と「ボット」を組み合わせた言葉で，AIなどを使用した自動会話プログラムのことを指します。

この二つを組み合わせることで，人間に替わりロボットによる自動対話処理が可能になります。そのため，定形の業務に向いているので，窓口業務やそのサポートなどで利用可能です。**ア**が正解です。

インシデント発生時のサポートの流れ（一部）

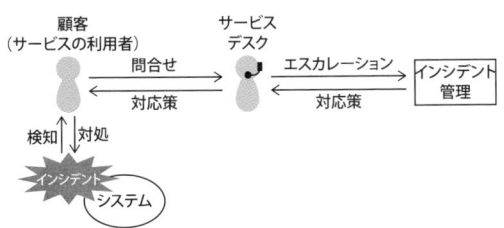

イ 構成管理は，ITサービス提供に必要な構成アイ

テム（CI）を常に正しく把握し，各プロセスに効果的な情報を提供する作業なので，チャットボット（自動対話処理）は有効ではありません。

ウ 変更管理は，変更要求（RFC）の内容について，変更諮問委員会（CAB）が，変更に伴う影響を検証して優先度の評価を行い，認可または却下を決定する作業なので，チャットボット（自動対話処理）は有効ではありません。

エ 問題管理は，未知のインシデントの発生原因を究明し，それに対する解決策（是正措置）などを考案する作業なので，チャットボット（自動対話処理）は有効ではありません。

問 50 開発全体の工数を求める
システム開発技術

120kステップにおける，各工程の生産性の実績を求めます。

- 設計：生産性→6.0kステップ／人月
  120kステップ／6.0kステップ／人月＝**20人月**
- 製造：生産性→4.0kステップ／人月
  120kステップ／4.0kステップ／人月＝**30人月**
  以上から，
  20＋30＝**50人月**（**エ**）
になります。

問 51 SLA 頻出
サービスマネジメント

SLA（Service Level Agreement：サービスレベル契約）は，利用部門などのサービスの利用者（顧客）と，情報システム部門などのサービス供給側とで取り交わされるサービス内容に関する契約事項です。

一般に契約事項が実行されなかった場合，料金を減額するなどの規定が盛り込まれています。**イ**の組合せが正解です。

ア 経営者とシステム監査人では，システム監査依頼書や報告書をやり取りします。

ウ システム開発の発注者とシステム開発の受託者は，契約書などをやり取りします。

エ データの分析者とデータの提供者は，データの分析結果などをやり取りします。

解答 問48 **ウ** 問49 **ア** 問50 **エ** 問51 **イ**

問52 ✓✓✓
難易度 低

　A社がB社にシステム開発を発注し，システム開発プロジェクトを開始した。プロジェクトの関係者①～④のうち，プロジェクトのステークホルダとなるものだけを全て挙げたものはどれか。

①A社の経営者
②A社の利用部門
③B社のプロジェクトマネージャ
④B社を技術支援する協力会社

ア　①，②，④
イ　①，②，③，④
ウ　②，③，④
エ　②，④

問53 ✓✓✓
難易度 低

　a～dのうち，システム監査人が，合理的な評価・結論を得るために予備調査や本調査のときに利用する調査手段に関する記述として，適切なものだけを全て挙げたものはどれか。

a　EA (Enterprise Architecture)の活用
b　コンピュータを利用した監査技法の活用
c　資料や文書の閲覧
d　ヒアリング

ア　a, b, c
イ　a, b, d
ウ　a, c, d
エ　b, c, d

問54 ✓✓✓
難易度 低

　顧客からの電話による問合せに対応しているサービスデスクが，次のようなオペレータ支援システムを導入した。このシステム導入で期待できる効果a～cのうち，適切なものだけを全て挙げたものはどれか。

　顧客とオペレータの会話をシステムが認識し，瞬時に知識データベースと照合，次に確認すべき事項や最適な回答の候補をオペレータのディスプレイに表示する。

a　経験の浅いオペレータでも最適な回答候補を基に顧客対応することができるので，オペレータによる対応のばらつきを抑えることができる。
b　顧客の用件を自動的に把握して回答するので，電話による問合せに24時間対応することができる。
c　対応に必要な情報をオペレータが探す必要がなくなるので，個々の顧客対応時間を短縮することができる。

ア　a, b
イ　a, b, c
ウ　a, c
エ　b, c

問52 | プロジェクトのステークホルダ　NEW
プロジェクトマネジメント

　ステークホルダとは，一般的には利害関係者 (株主，社員など) のことをいいます。システム開発の場合は，そのプロジェクトに直接関わっているメンバや，経営層，そのシステムを使用するすべての利用者を指します。

　この場合は，A社の経営者や利用部門，B社のプロジェクトマネージャや協力会社がステークホルダに該当しますので，**イ** (①, ②, ③, ④) が正解です。

問 53 システム監査の調査手段

システム監査

システム監査人は，情報システムにまつわるリスクに対するコントロールが，適切に整備，運用されていることを評価するため，以下の流れでシステム監査を実施していきます。

①システム監査の依頼

組織の経営層などが，システム監査人にシステム監査の実施を依頼する。

②個別計画書の作成

依頼を受けたシステム監査人は，システム監査の対象となる組織，監査対象のシステム，監査手続の実施順序やスケジュールなどをまとめた個別計画書を作成する。

③予備調査の実施

システムの概要や業務手順などの概要を理解しないと問題点を発見することができないので，システム監査人は監査対象の従業員に事前にアンケート調査を行ったり，業務に関連する資料や書類を閲覧したり，監査システムを利用して分析を行い，システムの概要をつかむ。

④本調査の実施

予備調査でシステムの概要をつかんだ後，システム監査人は現地に赴いて実際の業務内容を確認し，担当者にヒアリングしたり，システムの問題点の証拠となる書類などを保存したりする。このようにして保存した証拠を監査証拠と呼ぶ。システム監査人は，本調査で確認した事項などを監査調書にまとめる。

⑤監査報告書の作成

システム監査人は，本調査において収集した監査証拠と作成した監査調書を基に，監査対象のシステムの問題点などを監査報告書にまとめる。監査報告書は監査の依頼者に提出される。

⑥フォローアップ (改善勧告)

監査報告書に基づいて，監査の依頼者は情報システムや業務などの改善を行う。その改善が適切に実行されているかどうかを，システム監査人は定期的に確認し，助言を行う。

以上の内容から，a～dを確認します。

a：EAの活用は，現在とあるべき姿 (未来) の情報システムとを比較する際に利用します。

b：予備調査の段階でコンピュータを利用してネットワークへのログイン履歴や不正アクセスの有無などの監査が実施できます。⇒**適切です。**

c：予備調査で事前に必要な資料や文章の閲覧を行い，十分精査していくつかのターゲットを定めて，その資料や文章を利用しながら本調査を実施します。⇒**適切です。**

d：資料や文章などだけではわかりにくいことも，予備調査や本調査において関係者からのヒアリングをすることで明確になることもあります。⇒**適切です。**

調査手段に関する記述で適切なのは，**エ** (b，c，d) です。

問 54 サービスデスク

サービスマネジメント

サービスデスクは，システムの利用者に単一の窓口を提供し，インシデントの発生時には当該窓口に連絡させることで，インシデントが事業へ与える影響を最小限にし，利用者が通常サービスへ復帰できるように支援するためにあります。

本問のオペレータ支援システムは，『顧客とオペレータの会話をシステムが認識し，瞬時に知識データベースと照合，次に確認すべき事項や最適な回答の候補をオペレータのディスプレイに表示する。』ため，その状況を考えながらa～cを順に確認します。

a：知識データベースの結果を回答できるので，オペレータの経験の違いによってばらつきは小さくなりますので効果があります。⇒**適切です。**

b：電話による問合せに24時間対応するには本システムが確実に稼働するだけでなく，オペレータの交代も必要になります。

c：知識データベースの結果を回答するので，対応オペレータの経験の差による顧客の対応時間の短縮が期待できます。⇒**適切です。**

以上から，**ウ** (a，c) が適切です。

解答 問52 **イ**　問53 **エ**　問54 **ウ**

令和4年度 公開

問55から問100までは，テクノロジ系の問題です。

問55

難易度 高

情報セキュリティにおけるPCI DSSの説明として，適切なものはどれか。

- ア クレジットカード情報を取り扱う事業者に求められるセキュリティ基準
- イ コンピュータなどに内蔵されるセキュリティ関連の処理を行う半導体チップ
- ウ コンピュータやネットワークのセキュリティ事故に対応する組織
- エ サーバやネットワークの通信を監視し，不正なアクセスを検知して攻撃を防ぐシステム

問56

難易度 中

ランサムウェアによる損害を受けてしまった場合を想定して，その損害を軽減するための対策例として，適切なものはどれか。

- ア PC内の重要なファイルは，PCから取外し可能な外部記憶装置に定期的にバックアップしておく。
- イ Webサービスごとに，使用するIDやパスワードを異なるものにしておく。
- ウ マルウェア対策ソフトを用いてPC内の全ファイルの検査をしておく。
- エ 無線LANを使用するときには，WPA2を用いて通信内容を暗号化しておく。

問57

難易度 高

推論に関する次の記述中のa，bに入れる字句の適切な組合せはどれか。

   ［　a　］は，個々の事例を基にして，事例に共通する規則を得る方法であり，得られた規則は［　b　］。

	a	b
ア	演繹推論	成立しないことがある
イ	演繹推論	常に成立する
ウ	帰納推論	成立しないことがある
エ	帰納推論	常に成立する

問58

難易度 中

ISMSの計画，運用，パフォーマンス評価及び改善において，パフォーマンス評価で実施するものはどれか。

- ア 運用の計画及び管理
- イ 内部監査
- ウ 不適合の是正処置
- エ リスクの決定

問55 PCI DSS

セキュリティ

PCI DSS (Payment Card Industry Data Security Standard) は，クレジットカードなどのカード会員データのセキュリティ強化を目的として，VISA，American Expressなどが共同で策定した基準です。

PCI DSSには，技術面や運用面に関する各種のセキュリティ要件が提示されています。アが正解

です。

イ TPM (Trusted Platform Module) の説明です。

ウ CSIRT (Computer Security Incident Response Team) の説明です。

エ IDS (Intrusion Detection System：侵入検知システム) もしくはIPS (Intrusion Prevention System：侵入防止システム) の説明です。

問56 ランサムウェア
セキュリティ

ランサムウェアは，使用しているPCを強制的にロックしたり，その中にあるファイルを暗号化して，元の状態に戻すことと引き換えに身代金を要求してくるマルウェアの一種です。

ランサムウェアの対策には，コンピュータウイルス対策ソフトを導入するとともに，感染時にPCが利用不能にならないように外部媒体に定期的に必要な情報のバックアップをしておく必要があります。**ア**が正解です。

イ パスワードリスト攻撃の対策です。

ウ 一般的なマルウェア対策です。

エ 情報漏えいや盗聴の対策です。

問57 演繹推論と帰納推論
基礎理論

推論には，帰納法と演繹法があります。

● **帰納法**

実験や経験などから導き出される個々の事実をまとめて，その事実をもとに結論を導き出す方法のことをいいます。例えば，"象は卵を産まない"，"サルは卵を産まない"という事実から，『すべての哺乳類は卵を産まない』という結論が導かれます。しかし，すべての哺乳類が卵を産まないとは限りません。帰納法は，新しい性質などを発見するには有効な方法ですが，その事実が必ずしも正しいことを示していない可能性があります。

● **演繹法**

一般的 (論理的) な法則をもとにして，その法則に基づく内容から結論を導き出す方法のことをいいます。例えば，"哺乳類は脊椎動物である"という前提条件を基に，"象は哺乳類である"ことから，『象は脊椎動物である』という結論が導かれます。

また，"すべての哺乳類は卵を産まない"という前提条件の場合は，"象は哺乳類である"ことから，『象は卵を産まない』という結論になります。ただし，前提条件が誤っていると，その結論も誤ったものになってしまう場合もあります。

以上から，本問にある，『個々の事例を基に』しているのは，帰納推論であり，その推論は『成立しないこと』もあります。**ウ**の組合せが正解です。

問58 パフォーマンス評価
セキュリティ

ISMS (情報セキュリティマネジメントシステム) とは，情報セキュリティを確保するための組織体制や取組みのことです。ISMSの導入・運用・改善を継続して実行するために，PDCAサイクルが用いられます。

ISMSにおいて用いられるPDCAサイクルの各フェーズの名称と概要を示します。

フェーズの名称	概要
計画 (Plan)	情報セキュリティの手順を決めたり，ISMSを運用する組織の体制を構築したりして，ISMSの確立を行う。
運用, 実行 (Do)	ISMSの導入や運用の他に，ISMSに関する従業者への教育や訓練が実施される。
パフォーマンス評価, 点検 (Check)	ISMSの運用状況を定期的に点検して問題点を見つけ出すために，ISMSの監視及びレビューが行われる。
改善, 処置 (Act)	点検フェーズで発見された問題点を改めるために，ISMSの見直しや改善が行われる。

「パフォーマンス評価」で実施するのは，**イ**の内部監査です。

ア 「計画」で実施します。

ウ 「改善」で実施します。

エ 「計画」で実施します。

解答　問55 **ア**　　問56 **ア**　　問57 **ウ**　　問58 **イ**

問 **59**

難易度 低

次のデータの平均値と中央値の組合せはどれか。

〔データ〕
10, 20, 20, 20, 40, 50, 100, 440, 2000

	平均値	中央値
ア	20	40
イ	40	20
ウ	300	20
エ	300	40

問 **60**

難易度 高

公開鍵暗号方式で使用する鍵に関する次の記述中のa，bに入れる字句の適切な組合せはどれか。

それぞれ公開鍵と秘密鍵をもつA社とB社で情報を送受信するとき，他者に通信を傍受されても内容を知られないように，情報を暗号化して送信することにした。
A社からB社に情報を送信する場合，A社は　a　を使って暗号化した情報をB社に送信する。B社はA社から受信した情報を　b　で復号して情報を取り出す。

	a	b
ア	A社の公開鍵	A社の公開鍵
イ	A社の公開鍵	B社の秘密鍵
ウ	B社の公開鍵	A社の公開鍵
エ	B社の公開鍵	B社の秘密鍵

問 **61**

難易度 中

大学のキャンパス案内のWebページ内に他のWebサービスが提供する地図情報を組み込んで表示するなど，公開されているWebページやWebサービスを組み合わせて一つの新しいコンテンツを作成する手法を何と呼ぶか。

ア シングルサインオン　　　　　イ デジタルフォレンジックス
ウ トークン　　　　　　　　　　エ マッシュアップ

問 **62**

難易度 低

アドホックネットワークの説明として，適切なものはどれか。

ア アクセスポイントを経由せず，端末同士が相互に通信を行う無線ネットワーク
イ インターネット上に，セキュリティが保たれたプライベートな環境を実現するネットワーク
ウ サーバと，そのサーバを利用する複数台のPCをつなぐ有線ネットワーク
エ 本店と支店など，遠く離れた拠点間を結ぶ広域ネットワーク

問 59 ｜ 平均値と中央値

基礎理論

平均値は，次の式で求めます。

すべてのデータの合計÷データの件数

$= (10 + 20 + 20 + 20 + 40 + 50 + 100 + 440 + 2000) ÷ 9 （件） = 300$

中央値は，データを昇順（もしくは降順）に並べて中央に来る値となります。

10, 20, 20, 20, <u>40</u>, 50, 100, 440, 2000

データ件数が9件なので，中央値は，5番目の**40**です。

以上から，**エ**の組合せが正解です。

問 60 ｜ 公開鍵暗号方式

セキュリティ

公開鍵暗号方式とは，ペアで生成される「公開鍵」と「秘密鍵」の二つを用いる方式です。「公開鍵」は誰でも利用可能とし，「秘密鍵」は鍵の所有者が秘密に管理します。

受信する側が，安全に復号できる仕組みで考えてみます。

A社とB社間での公開鍵暗号方式の概要

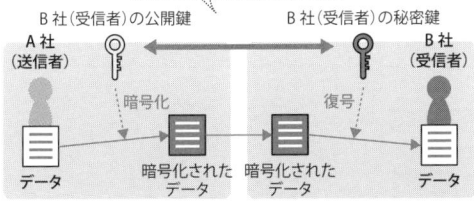

上図のようにA社とB社間で暗号化通信を行いたいときは，A社（送信者）は**B社（受信者）の公開鍵**を利用して暗号化を行い，受信した**B社（受信者）**で自分**の秘密鍵**を使って復号します。以上から，**エ**の組合せが正解です。

問 61 ｜ マッシュアップ

情報デザイン

インターネット上で提供されている複数のWebサービスを組み合わせて，新しいWebサービスやコンテンツを作り出す手法のことを**マッシュアップ**といいます。**エ**が正解です。

マッシュアップの例

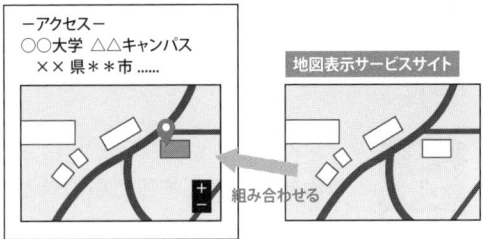

組み合わせる

ア シングルサインオンとは，一度利用者認証に成功すれば，その後はあらかじめ登録しておいたすべてのシステムを認証なしで利用できるようになるという形態のシステム及びこのようなシステムを実現するための技術です。

イ デジタルフォレンジックスとは，不正アクセスに関する証拠（記録・ログ）を立証するために必要な情報を，各種の手段を使って収集・分析することです。

ウ トークンとは，ワンタイムパスワードを表示するための機器のことです。

問 62 ｜ アドホックネットワーク

ネットワーク

アドホックネットワークとは，ルータやスイッチングハブなどの通信機器を介在せず，パソコンやスマートフォンなどの端末同士が直接相互通信を行うネットワークのことです。**ア**が正解です。

また，ルータなどのアクセスポイントを経由して，PCなどの機器が通信を行うことを**インフラストラクチャネットワーク**といいます。

イ VPN (Virtual Private Network)の説明です。

ウ 有線LANなどの説明です。

エ WAN (Wide Area Network)の説明です。

解答 問59 **エ** 問60 **エ** 問61 **エ** 問62 **ア**

令和4年度 公開

問 63 ✓✓✓ 難易度 中

スマートフォンやタブレットなどの携帯端末に用いられている，OSS（Open Source Software）であるOSはどれか。

ア Android   **イ** iOS   **ウ** Safari   **エ** Windows

問 64 ✓✓✓ 難易度 中

a～dのうち，ファイアウォールの設置によって実現できる事項として，適切なものだけを全て挙げたものはどれか。

a 外部に公開するWebサーバやメールサーバを設置するためのDMZの構築
b 外部のネットワークから組織内部のネットワークへの不正アクセスの防止
c サーバルームの入り口に設置することによるアクセスを承認された人だけの入室
d 不特定多数のクライアントからの大量の要求を複数のサーバに動的に振り分けることによるサーバ負荷の分散

ア a, b   **イ** a, b, d   **ウ** b, c   **エ** c, d

問 65 ✓✓✓ 難易度 低

条件①～⑤によって，関係データベースで管理する"従業員"表と"部門"表を作成した。"従業員"表の主キーとして，最も適切なものはどれか。

〔条件〕
① 各従業員は重複のない従業員番号を一つもつ。
② 同姓同名の従業員がいてもよい。
③ 各部門は重複のない部門コードを一つもつ。
④ 一つの部門には複数名の従業員が所属する。
⑤ 1人の従業員が所属する部門は一つだけである。

従業員

従業員番号	従業員名	部門コード	生年月日	住所

部門

部門コード	部門名	所在地

ア "従業員番号"   **イ** "従業員番号"と"部門コード"
ウ "従業員名"   **エ** "部門コード"

問 63 Android
ソフトウェア

OSS（Open Source Software：オープンソースソフトウェア）は，著作権を維持しながらコンパイルを行う前のプログラムコード（ソースコード）を公開して，その改良を認め，改良後のプログラムの再配布などを自由に行うことのできるようにしたソフトウェアのことです。**ア**が正解です。

代表的な OSS

名称	概要
Apache	Apacheソフトウェア財団によって公表され，オープンソース化されている，Webサーバプログラムである。Apacheに関するライセンスであるApache Licenseでは，利用者がApacheの使用や修正などを行うことを制限せず，利用者がApacheを利用して新しいソフトウェアを作ることなどが可能

Open Office	サン・マイクロシステムズが主導し、現在はその後継のApache OpenOfficeとLibre Open Officeの2種類が存在する。ワープロや表計算、データベースなどが使用できるオープンソースソフトウェア
firefox	Mozillaが開発したオープンソースのブラウザ
MySQL	オラクルによって、公開されているオープンソースのデータベース管理システム（RDBMS）
Android	Googleが開発した、オープンソースのOS

イ iOSは、Apple社がライセンスを保有している携帯端末OSです。

ウ Safariは、Apple社がライセンスを保有しているブラウザです。

エ Windowsは、Microsoft社がライセンスを保有しているOSです。

問 64 | ファイアウォール
セキュリティ

ファイアウォールは、インターネットと社内LANおよびDMZの間に配置し、インターネットから送られてくるパケットを遮断したり、社内LANからインターネットへの通信の際、特定のサービスのパケットだけを許可したりする装置です。

ファイアウォールの役割

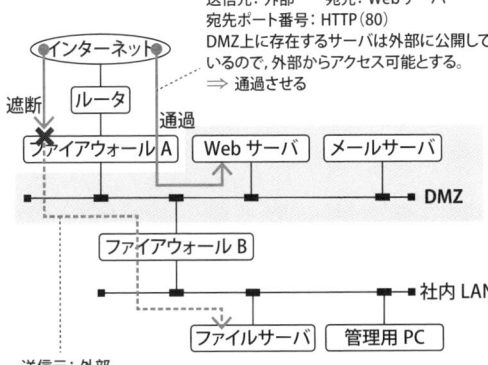

送信元: 外部　宛先: Webサーバ
宛先ポート番号: HTTP（80）
DMZ上に存在するサーバは外部に公開しているので、外部からアクセス可能とする。
⇒ 通過させる

送信元: 外部
宛先: ファイルサーバなど社内LAN上に存在するサーバなどには、機密情報などが記録されており、外部からアクセスさせない。
⇒ 遮断する

DMZ（DeMilitarized Zone：非武装地帯）は、自社が外部に公開するサーバなど、インターネットからのアクセスを許可する機器を配置するための領域で、社内LANとは分けられています。

a：DMZの構築が可能です。**⇒適切です。**

b：外部ネットワークからの内部ネットワークの不正侵入を防止できます。**⇒適切です。**

c：ファイアウォールは物理的入退室管理には利用できません。

d：サーバへの負荷分散はファイアウォールではなく、ロードバランサなど別の機器で行います。

以上から、**ア**（a, b）が正解です。

問 65 | 主キー
データベース

関係データベースにおいて、表の行を検索するときなどに、行を一意に区別するための値が必要となります。この値をもつ列のことを主キーといいます。関係データベースでは、表の一つの列または複数の列の組が主キーとして用いられます。

本問の条件から"従業員"表の主キーを検討します。

①と⑤から、従業員番号は重複がなく、一つの部門に所属するので、一意に他の項目を決定できます。

②から、従業員名は同姓同名がいるので、一意にならないため主キーにはなりません。

④から、一つの部門には複数名の従業員が所属するので、部門コードは主キーにはなりません。

以上から、主キーは、**"従業員番号"**のみになりますので、**ア**が正解です。

解答　問63 **ア**　問64 **ア**　問65 **ア**

問 66
難易度 低

IoT機器やスマートフォンなどに内蔵されているバッテリの容量の表記において，"100mAh"の意味として，適切なものはどれか。

ア 100mAの電流を1時間放電できる。
イ 100分間の充電で，電流を1時間放電できる。
ウ 1Aの電流を100分間放電できる。
エ 1時間の充電で，電流を100分間放電できる。

問 67
難易度 低

ディープラーニングに関する記述として，最も適切なものはどれか。

ア インターネット上に提示された教材を使って，距離や時間の制約を受けることなく，習熟度に応じて学習をする方法である。
イ コンピュータが大量のデータを分析し，ニューラルネットワークを用いて自ら規則性を見つけ出し，推論や判断を行う。
ウ 体系的に分類された特定分野の専門的な知識から，適切な回答を提供する。
エ 一人一人の習熟度，理解に応じて，問題の難易度や必要とする知識，スキルを推定する。

問 68
難易度 高

無線LANルータにおいて，外部から持ち込まれた端末用に設けられた，"ゲストポート"や"ゲストSSID"などと呼ばれる機能によって実現できることの説明として，適切なものはどれか。

ア 端末から内部ネットワークには接続をさせず，インターネットにだけ接続する。
イ 端末がマルウェアに感染していないかどうかを検査し，安全が確認された端末だけを接続する。
ウ 端末と無線LANルータのボタン操作だけで，端末から無線LANルータへの接続設定ができる。
エ 端末のSSIDの設定欄を空欄にしておけば，SSIDが分からなくても無線LANルータに接続できる。

問 69
難易度 中

サイバーキルチェーンの説明として，適切なものはどれか。

ア 情報システムへの攻撃段階を，偵察，攻撃，目的の実行などの複数のフェーズに分けてモデル化したもの
イ ハブやスイッチなどの複数のネットワーク機器を数珠つなぎに接続していく接続方式
ウ ブロックと呼ばれる幾つかの取引記録をまとめた単位を，一つ前のブロックの内容を示すハッシュ値を設定して，鎖のようにつなぐ分散管理台帳技術
エ 本文中に他者への転送を促す文言が記述された迷惑な電子メールが，不特定多数を対象に，ネットワーク上で次々と転送されること

問 66　バッテリの容量の表記

コンピュータ構成要素

100 m Ahとは，100ミリアンペア時間 (hour) です。これは，放電容量を表現する単位で，100ミリアンペアの電流を1時間持続できることを意味します。**ア**が正解です。

イ, **エ**　充電する機器 (電源設備) などによって充電時間は変化します。

ウ　「100mAh」の100は，100分の意味ではありません。

問 67　ディープラーニング

基礎理論

ディープラーニング (深層学習) とは，AI (Artificial Intelligence：人工知能) の技術の一つです。

ニューラルネットワーク (人間の脳神経回路) を模倣し，複数の信号を使って多角的に学習することで，画像，音声や人間の動作などの特徴を統計的にまとめることができます。**イ**が正解です。

ア　習熟度別オンライン学習の説明です。

ウ　エキスパートシステムの説明です。

エ　アダプティブラーニングの説明です。

問 68　無線 LAN ルータ

ネットワーク

無線LANでは，ルータを経由して端末同士を接続させたり，端末と有線LAN上のサーバなどとを接続させたりできます。そこで利用されるSSIDとは，無線LANのアクセスポイントを識別するために，各クライアントに設定される文字列のことです。

各クライアントは，同じ値のSSIDをもつアクセスポイントのみに接続することができますが，同一のネットワーク上では同じSSIDとなります。そのため，社内ネットワークに外部から持ち込まれた端末などを接続する際には別のSSIDを準備し，社内ネットワークに接続させないようにします。このSSIDのことを，ゲストSSIDやゲストポートといいます。**ア**が正解です。

SSID の機能

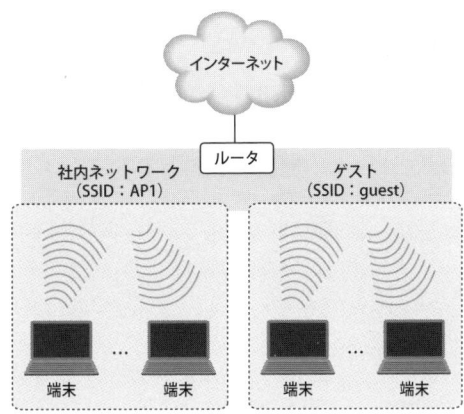

イ　検疫ネットワークの説明です。

ウ　WPS (Wi-Fi Protected Setup) の説明です。

エ　無線LANのANY設定の説明です。

問 69　サイバーキルチェーン

セキュリティ

サイバーキルチェーンは，情報システムへの攻撃を「偵察→ 武器化→ 配送→攻撃実行→ インストール→ 遠隔制御 → 目的の実行」の7段階に区分し，モデル化したものです。**ア**が正解です。

イ　デイジーチェーン接続の説明です。

ウ　ブロックチェーンの説明です。

エ　チェーンメールの説明です。

令和4年度 公開

解答　問 66 **ア**　問 67 **イ**　問 68 **ア**　問 69 **ア**

 **問 70** 難易度 高

電子メールにデジタル署名を付与することによって得られる効果だけを全て挙げたものはどれか。

a 可用性が向上する。
b 完全性が向上する。
c 機密性が向上する。

ア a, b   **イ** a, c   **ウ** b   **エ** b, c

 問 71 難易度 中

文書作成ソフトがもつ機能である禁則処理が行われた例はどれか。

ア 改行後の先頭文字が、指定した文字数分だけ右へ移動した。
イ 行頭に置こうとした句読点や閉じ括弧が、前の行の行末に移動した。
ウ 行頭の英字が、小文字から大文字に変換された。
エ 文字列の文字が、指定した幅の中に等間隔に配置された。

 **問 72** 難易度 低

情報セキュリティにおける機密性、完全性及び可用性と、①～③のインシデントによって損なわれたものとの組合せとして、適切なものはどれか。

① DDoS攻撃によって、Webサイトがダウンした。
② キーボードの打ち間違いによって、不正確なデータが入力された。
③ PCがマルウェアに感染したことによって、個人情報が漏えいした。

	①	②	③
ア	可用性	完全性	機密性
イ	可用性	機密性	完全性
ウ	完全性	可用性	機密性
エ	完全性	機密性	可用性

 **問 73** 難易度 中

膨大な数のIoTデバイスをインターネットに接続するために大量のIPアドレスが必要となり、IPアドレスの長さが128ビットで構成されているインターネットプロトコルを使用することにした。このプロトコルはどれか。

ア IPv4   **イ** IPv5   **ウ** IPv6   **エ** IPv8

 **問 70** デジタル署名 | 頻出 セキュリティ

本人が持つ秘密鍵や共通のハッシュ関数を利用していることから、デジタル署名では以下を実現できます。
■ なりすましの検知（真正性）
■ 改ざんの検知（完全性）

■ データを送信した人は、後でそれを否定できない（否認防止）

図の例では、署名がAさんの公開鍵で復号できるなら、秘密鍵を持つAさんが確かに暗号化したことになります。また、ハッシュ値が一致していれば改ざんされていないことがわかります。
したがって、**ウ** (b) が正解です。

デジタル署名の送付・検証

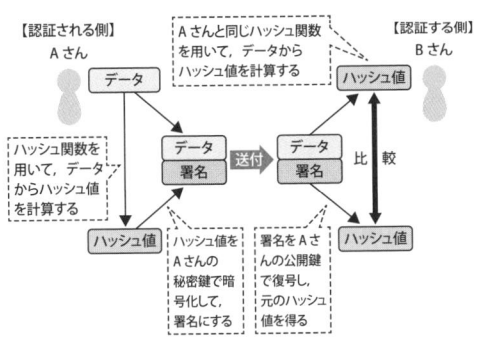

	データの内容を常に正しい状態に保ち，改ざんや破壊などの被害を受けないようにすること。【高める方法】・情報へのアクセス権を適切な者だけに与えて，むやみに更新されないようにする。
完全性 (Integrity)	
可用性 (Availability)	情報システムをできる限り長い間利用できるように保ち，認められた利用者が必要なときに情報にアクセスできるようにすること。【高める方法】・システムの機器を二重化し，一つの機器が故障しても残りを用いて業務を継続する。

表の内容から，問題文①〜③を検討します。

① DDoS (Distributed DoS) 攻撃は，複数のコンピュータからWebサーバなどへ多量のデータを送りつけて，サーバをダウンさせる攻撃なので，Webサーバの**可用性**が失われます。

② キーボードの打ち間違いによって，不正確なデータが入力されることはデータの**完全性**が失われることになります。

③ 原因に関わらず，個人情報が漏えいしたことは，**機密性**が失われたことになります。

以上から，**ア**の組合せが正解です。

問 71 禁則処理
ソフトウェア
NEW

禁則処理とは，一般的な日本語の文章作成において基本的に用いないルールを認めない考え方で，自動的にそのような表記にならないように調整される，文書作成ソフト (Wordなど) が持っている機能です。**イ**が正解です。

例

● 句読点 (“。” や “，”) や拗促音 (ゃ, ぉ, ゅなど) が行の先頭にならない。

● 始まりの括弧 “(” や “[” などが行の末尾にならない。

ア タブ (Tab) の説明です。

ウ オートコレクトの説明です。

エ 均等割付の説明です。

問 72 情報セキュリティの三大要素
セキュリティ
頻出

情報セキュリティには，機密性，完全性，可用性の三大要素があります。

要素	性質
機密性 (Confidentiality)	アクセス権限を適切に管理し，権限をもたない利用者やプロセスから，データなどを不正に参照されないように非公開にすること。【高める方法】・情報を暗号化して第三者に読まれないようにする。・情報にアクセスする権限のある者だけに，参照・更新可能なアクセス権を与える。

問 73 IPv6
ネットワーク

128ビットの長さのIPアドレスを用いているプロトコルは，IPv6 です。IPv4と比較してネットワーク部とホスト部という区分がなくなったことや，プラグアンドプレイ機能が追加されたことなどの特徴があります。**ウ**が正解です。

ア IPv4は，32ビットの長さをもつIPアドレスです。

イ，**エ** IPv5やIPv8は，実験プロトコルとして策定されたもので，一般には利用されません。

解答 問70 **ウ** 問71 **イ** 問72 **ア** 問73 **ウ**

難易度 高

サーバ室など，セキュリティで保護された区画への入退室管理において，一人の認証で他者も一緒に入室する共連れの防止対策として，利用されるものはどれか。

ア アンチパスバック
イ コールバック
ウ シングルサインオン
エ バックドア

難易度 中

バイオメトリクス認証に関する記述として，適切なものはどれか。

ア 指紋や静脈を使用した認証は，ショルダーハックなどののぞき見行為によって容易に認証情報が漏えいする。
イ 装置が大型なので，携帯電話やスマートフォンには搭載できない。
ウ 筆跡やキーストロークなどの本人の行動的特徴を利用したものも含まれる。
エ 他人を本人と誤って認証してしまうリスクがない。

難易度 高

情報セキュリティのリスクマネジメントにおけるリスク対応を，リスク回避，リスク共有，リスク低減及びリスク保有の四つに分類するとき，情報漏えい発生時の損害に備えてサイバー保険に入ることはどれに分類されるか。

ア リスク回避
イ リスク共有
ウ リスク低減
エ リスク保有

難易度 高

トランザクション処理のACID特性に関する記述として，適切なものはどれか。

ア 索引を用意することによって，データの検索時の検索速度を高めることができる。
イ データの更新時に，一連の処理が全て実行されるか，全く実行されないように制御することによって，原子性を保証することができる。
ウ データベースの複製を複数のサーバに分散配置することによって，可用性を高めることができる。
エ テーブルを正規化することによって，データに矛盾や重複が生じるのを防ぐことができる。

問74 | アンチパスバック
セキュリティ

IDカードリーダなどにIDカードを読み込ませて，部屋のドアが開く形式の入退室管理システムでは，正規の利用者がIDカードを読み込ませて入室しようとしたとき，その人の後ろについて一緒に部屋の中に入ることで，不審者が侵入できてしまいます。このような不正行為のことを共連れといいます。

そこで，IDの状態を記録し，入室済のIDでの再

入室や，退室済のIDでの再退室をできないようにすることをアンチパスバック方式といます。**ア**が正解です。

イ コールバックは，電話番号を通知して電話をかけ，その相手に電話をかけ直してもらうことで本人確認を行うことです。

ウ シングルサインオンは，一度利用者認証に成功すれば，その後はあらかじめ登録したすべてのシステムを認証なしで利用できるようになるという形態のシステム及びこのようなシステムを実現するための技術です。

エ バックドアは，企業内ネットワークやサーバに，侵入者が通常のアクセス経路以外で侵入するために組み込む不正プログラムなどの仕掛けのことです。

問 75 | バイオメトリクス認証
セキュリティ

バイオメトリクス認証 (生体認証) は，指紋，虹彩，顔の形状など，人間の身体的特徴などから個人の識別を行う認証システムのことです。

バイオメトリクス認証

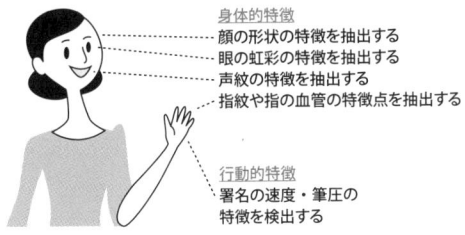

身体的特徴
- 顔の形状の特徴を抽出する
- 眼の虹彩の特徴を抽出する
- 声紋の特徴を抽出する
- 指紋や指の血管の特徴点を抽出する

行動的特徴
署名の速度・筆圧の特徴を検出する

身体的特徴以外にも行動的特徴 (筆跡や歩き方，キーストローク (キーボードの打ち方の深さや時間間隔) など) の認証があります。ウが正解です。

ア 指紋や静脈を使用した認証は，本人の身体的特徴での認証なので，のぞき見では漏えいしません。

イ 最近の認証装置は小型なものが多く，スマートフォンでも使用されています。

エ バイオメトリクス認証では，本人を拒否してしまうリスクと他人を受け入れてしまうリスクがあります。

問 76 | 情報セキュリティのリスクマネジメント
セキュリティ

情報セキュリティのリスクマネジメントにおけるリスクとは，損害発生の可能性のことです。リスクマネジメントとは，損害発生を食い止めるために，起こりうるリスクを想定して対応を検討することです。

リスクマネジメントは，データが破壊されたり，システムの可用性が損なわれたりした場合にシステムが使用不能の時間を最小限にするために実施します。リスクマネジメントは，次の表のように分類されます。

名称	説明
リスク回避	リスクの発生原因を元から絶ったり，リスクに関連する事業から撤退したりすることなどによって，リスクそのものを発生しないようにすること。
リスク共有	保険に加入するなどの手段で，リスク発生時の損失や損害を他者に肩代わりさせること。
リスク低減 (軽減)	セキュリティ管理を厳重にしたり，障害発生時でも代替のシステムを稼働させて業務を継続できるようにしたりするなどの方法により，リスクの発生確率を減らすこと。
リスク保有 (受容)	発生確率や被害額が小さいリスクに対して対策を行うと，想定される被害額よりも対策費用の方が大きくなり，かえって損をしてしまうことがある。そのため，発生確率や被害額が小さいリスクは，あえて対策を行わないままにすること。

問題文の『情報漏えい時の損害賠償に備えてサイバー保険に入る』ことは，リスク共有 (イ) に分類されます。リスク移転，リスク転嫁とも呼ばれます。

問 77 | ACID 特性
データベース

ACID特性とは，データベースを更新するトランザクションが満たすべき四つの性質のことです。

名称	概要
原子性 (Atomicity)	トランザクションの更新処理が全て実行された状態 (処理済の状態) か，全く実行されない状態 (未処理) かのどちらかで必ず終了し，途中の段階で終了することはないという性質
一貫性 (Consistency)	トランザクションを実行した結果が，実行前と後で矛盾した状態にならない性質
独立性 (Isolation)	相互のトランザクションは独立しており，同時に実行される他のトランザクションの実行には，自トランザクションは影響されないという性質
耐久性 (Durability)	トランザクションの実行が正常に終了すれば，その後に発生した障害によっては，トランザクションの実行結果はデータベースから失われないという性質

以上から，イが正解です。

ア, ウ, エ ACID特性とは関係がありません。

解答 問74 ア 問75 ウ 問76 イ 問77 イ

問 78 ✓✓✓

難易度 高

　関数checkDigitは，10進9桁の整数の各桁の数字が上位の桁から順に格納された整数型の配列originalDigitを引数として，次の手順で計算したチェックデジットを戻り値とする。プログラム中のaに入れる字句として，適切なものはどれか。ここで，配列の要素番号は1から始まる。

〔手順〕
(1)配列originalDigitの要素番号1〜9の要素の値を合計する。
(2)合計した値が9より大きい場合は，合計した値を10進の整数で表現したときの各桁の数字を合計する。この操作を，合計した値が9以下になるまで繰り返す。
(3)(2)で得られた値をチェックデジットとする。

〔プログラム〕
```
○整数型：checkDigit (整数型の配列：originalDigit)
  整数型：i, J, k
  j ← 0
  for (i を 1 から originalDigitの要素数まで 1 ずつ増やす)
    j ← j + originalDigit[i]
  endfor
  while (j が 9 より大きい)
    k ← j ÷ 10の商  /* 10進9桁の数の場合，j が 2桁を超えることはない */
        a
  endwhile
  return j
```

ア　j ← j - 10 × k
イ　j ← k + (j - 10 × k)
ウ　j ← k + (j - 10) × k
エ　j ← k + j

穴埋めのアルゴリズムの問題では，問題文に書いてある条件を確認してから，データの流れを見ることが重要です。

本問では，10進数9桁の整数型配列originalDigitが引数なので，次の図の条件を例として検討します。

originalDigit[9]

[1]	[2]	[3]	[4]	[5]	[6]	[7]	[8]	[9]
9	8	7	6	5	4	3	2	1

問題文の〔プログラム〕の4行目～6行目のfor以下の処理を順に確認します。

```
① for (i を 1 から originalDigitの要素数 まで
  1 ずつ増やす)
②   j ← j + originalDigit[i]
  endfor
```

≪1回目≫
① i = 1
② j ← j + originalDigit[1]
  j = 0 , originalDigit[1] = 9 より
  9 ← 0 + 9
≪2回目≫
① 次に，i の値が2に変化する。
② j ← j + originalDigit[2]
  j = 9 , originalDigit[2] = 8 より
  17 ← 9 + 8
      : [手順] (1)
すべて加算を実行します。j = 45

```
③ while (j が 9 より大きい)
④   k ← j ÷ 10 の商    /* 10進9桁の数の場合，j
  が2桁を超えることはない */
⑤     a
```

③ while(j = 45 が 9 より大きい)以下の処理を順に確認します。

④ k ← j ÷ 10
  j = 45 のため k = 4
  (整数型のため小数点以下は切捨て)

⑤ a
  ここでは〔手順〕(2)を実行するために，今求めた10の位のk = "4"と1の位"5"を加算する必要

があります。

そのため，元の値45－40を実行します。

現在j = 45のため，先ほど求めたkに10を乗算すれば40が作成できます。

よって，(j－10 × k)で1の位の数値が求められるので，10の位のkに加算した，

  ア j ← k + (j－10 × k)

が正解です。

参考

アルゴリズムの解法の手引き

アルゴリズムは，問題文から何を実行したいのかを理解する必要があります。そのためにも，アルゴリズムを実行するための入力データ (引数)と出力データ (戻り値)を確認しましょう。

なお，アルゴリズムは入力データから出力データを求めるブラックボックスと考えてください。

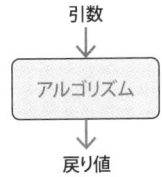

引数
↓
アルゴリズム
↓
戻り値

本問の記述から，

● **入力データ (引数)**
「10進9桁の整数の各桁の数字が上位の桁から順に格納された整数型の配列originalDigitを引数として」
● **出力データ (戻り値)**
「チェックデジットを戻り値とする」

となっています。ここで，分からない言葉 (例えば，チェックデジットなど)があっても深く気にせずに (軽く"そうらしい・・・"ぐらい)，次の問題文を確認しましょう。⇒**必ずどこかにその説明の記述があります。**

その後，問題文の記述に合わせて入力データ(引数)を設定して，アルゴリズムを順に確認していく作業をしていきます。

解答 問78 **ア**

令和4年度 公開

問79 ✓✓✓
難易度 高

流れ図で示す処理を終了したとき，xの値はどれか。

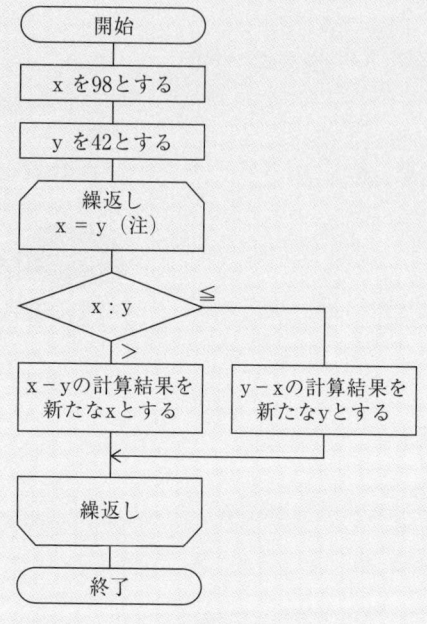

（注）ループ端の条件は，終了条件を示す。

ア 0　　　　イ 14　　　　ウ 28　　　　エ 56

問80 ✓✓✓
難易度 高

　自動車などの移動体に搭載されたセンサや表示機器を通信システムや情報システムと連動させて，運転者へ様々な情報をリアルタイムに提供することを可能にするものはどれか。

ア アクチュエータ
イ キャリアアグリゲーション
ウ スマートメータ
エ テレマティクス

問81 ✓✓✓
難易度 低

CPUの性能に関する記述のうち，適切なものはどれか。

ア 32ビットCPUと64ビットCPUでは，64ビットCPUの方が一度に処理するデータ長を大きくできる。
イ CPU内のキャッシュメモリの容量は，少ないほどCPUの処理速度が向上する。
ウ 同じ構造のCPUにおいて，クロック周波数を下げると処理速度が向上する。
エ デュアルコアCPUとクアッドコアCPUでは，デュアルコアCPUの方が同時に実行する処理の数を多くできる。

問79 | 流れ図
情報メディアとプログラミング

何らかのデータを入力して，その結果を求めるようなアルゴリズムは，先頭から順に実行していき，どのようになるかを確認するとよいでしょう。

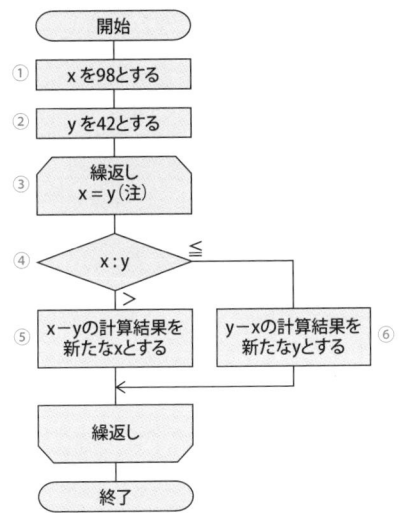

① x = 98

② y = 42

③ x = 98 > y = 42 なので （1回目）
④を実行して⑤へ行く

⑤ 98 − 42 = 56 （新たな x）

③ x = 56 > y = 42 なので （2回目）
④を実行して⑤へ行く

⑤ 56 − 42 = 14 （x）

③ x = 14 < y = 42 なので （3回目）
④を実行して⑥へ行く

⑥ 42 − 14 = 28 （y）

③ x = 14 < y = 28 なので （4回目）
④を実行して⑥へ行く

⑥ 28 − 14 = 14 （y）

③ x = 14　y = 14　となり終了

　以上から，**イ**（14）が正解です。

問80 | テレマティクス
ネットワーク

センサや情報システムとカーナビを連動させて，自動車などの移動体に情報を提供するシステムのことを，電気通信（Telecommunication）と情報（Informatics）を組み合わせた造語でテレマティクス（Telematics）といいます。**エ**が正解です。

　各地の車の速度をセンサで計測し，インターネット経由で集積・分析することで，リアルタイムな渋滞情報などが提供されます。

ア アクチュエータとは，発電機などの機器が生成した電気エネルギーなどを受け取り，それを運動に変換することで，機械や機構を物理的に動かすための機器です。

イ キャリアアグリゲーションとは，通信で使用する複数の周波数を同時に使用することです。

ウ スマートメータとは，人が検針しなくてもネットワーク経由で，遠隔地のメータ情報を計測できる機器やシステムのことです。

問81 | CPU の性能
コンピュータ構成要素

32ビットCPUより64ビットCPUの方が，内部で処理できるデータ（レジスタ長）が大きいので，それだけ多くのメモリ管理が可能になり，処理効率も向上します。**ア**が正解です。

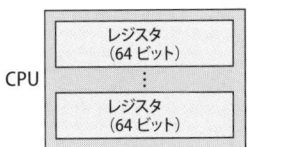
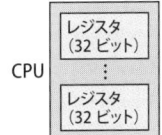

イ キャッシュメモリの容量が大きいほどCPUの処理能力は向上します。

ウ 同じ構造のCPUでは，クロック周波数が上がると処理能力が向上します。

エ デュアルコアCPUは二つのコアを持ち，クアッドコアCPUは四つのコアを持っているので，クアッドコアCPUの方が同時に実行する処理数を大きくできます。

解答 問79 **イ**　問80 **エ**　問81 **ア**

問 82 ✓✓✓ 難易度 高

A社では，従業員の利用者IDとパスワードを用いて社内システムの利用者認証を行っている。セキュリティを強化するために，このシステムに新たな認証機能を一つ追加することにした。認証機能a～cのうち，このシステムに追加することによって，二要素認証になる機能だけを全て挙げたものはどれか。

a　A社の従業員証として本人に支給しているICカードを読み取る認証
b　あらかじめシステムに登録しておいた本人しか知らない秘密の質問に対する答えを入力させる認証
c　あらかじめシステムに登録しておいた本人の顔の特徴と，認証時にカメラで読み取った顔の特徴を照合する認証

ア a　　　　　**イ** a, b, c　　　　**ウ** a, c　　　　**エ** b, c

問 83 ✓✓✓ 難易度 中

データを行と列から成る表形式で表すデータベースのモデルはどれか。

ア オブジェクトモデル　　　　**イ** 階層モデル
ウ 関係モデル　　　　　　　　**エ** ネットワークモデル

問 84 ✓✓✓ 難易度 低

IoT機器の記録装置としても用いられ，記録媒体が半導体でできており物理的な駆動機構をもたないので，HDDと比較して低消費電力で耐衝撃性も高いものはどれか。

ア DRM　　　　**イ** DVD　　　　**ウ** HDMI　　　　**エ** SSD

問 85 ✓✓✓ 難易度 低

情報セキュリティポリシを，基本方針，対策基準，実施手順の三つの文書で構成したとき，これらに関する説明のうち，適切なものはどれか。

ア 基本方針は，対策基準や実施手順を定めるためのトップマネジメントの意思を示したものである。
イ 実施手順は，基本方針と対策基準を定めるために実施した作業の手順を記録したものである。
ウ 対策基準は，ISMSに準拠した情報セキュリティポリシを策定するための文書の基準を示したものである。
エ 対策基準は，情報セキュリティ事故が発生した後の対策を実施手順よりも詳しく記述したものである。

問 82 | 二要素認証
セキュリティ

　二要素認証とは，認証方法が異なる二つの認証技術を併用して安全性を高めようとすることです。

＜主な認証技術＞
① 知識による認証（パスワードなど，それを知っている人だけ認証する）

② 所有物による認証（鍵，ICカード，トークンなど，それを持つ人だけ認証する）
③ バイオメトリクス認証（指紋など，その身体的または行動的特徴を有する人だけ認証する）
　上記のことを考慮してIDとパスワードの認証に加えて，a～cを確認します。
a：A社の従業員証ICカードを使用（上記の②）しているので，異なる要素を使って認証しています。⇒**正解です。**

b：本人しか知らない秘密の質問は，パスワードと同じ知識による認証なので，異なる要素には該当しません。

c：本人の顔の特徴（上記の③）は，異なる要素を使って認証しています。⇒**正解です。**

以上から，**ウ**（a, c）が正解です。

問83 関係モデル
データベース

データベースのモデルのうち，関係モデルではデータの集合を2次元の表によって表現します。表現形式が人間にもわかりやすく，実装も比較的簡単なため，広く用いられています。**ウ**が正解です。

 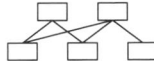 

階層モデル　　ネットワークモデル　　関係モデル

ア オブジェクトモデルは，関連する機能を持つオブジェクトやデータの集合として定義します。

イ 階層モデルは，データ同士が親子関係を持っています。

エ ネットワークモデルは，データ間の関係をポインタによって表現します。

問84 SSD
コンピュータ構成要素

近年多くのIoTの記憶装置で利用されるようになり，電気的に内容を書き直すことのできる半導体で構成され，書き込んだ情報は電源を入れていなくても常に保持することができる（不揮発性である）ものに，SSD（Solid State Drive）があります。**エ**が正解です。

SSDは，モータや磁気ヘッドなどの衝撃の影響を受けやすい部品をもっていないため，HDD（Hard Disk Drive：磁気ディスク装置）と比較して振動や衝撃に強く，またデータの読出しや書込みの速度もHDDより速いという特徴があります。ただし，記憶容量の単位当たりの価格が，HDDより高額となっています。

ア DRM（Digital Rights Management）は，動画や音楽などの各種コンテンツの著作権を保護するために，利用や複製を制限する技術の総称です。

イ DVDは，レーザ光を用いてデータの読み書きを行う記録媒体です。

ウ HDMI（High-Definition Multimedia Interface）は，音声・映像・制御信号のデジタルデータを1本のケーブルで送受信するインタフェース規格のことです。

問85 情報セキュリティポリシ
セキュリティ

情報セキュリティポリシとは，企業などの組織が，自社の情報セキュリティを維持するための方針，システムや体制などについて規定する文書のことです。

情報セキュリティポリシや，情報セキュリティポリシに関連する文書を詳細化の順に並べると，図のようになります。

情報セキュリティポリシに関する体系図

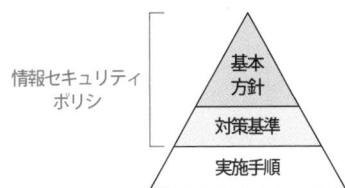

情報セキュリティポリシ　基本方針／対策基準／実施手順

名称	説明
基本方針	組織の情報セキュリティ対策についての根本的な考え方を，外部に公開するために重要な文書となる。この文書には，情報セキュリティを維持することについての組織の考え方や方針などが記載される。
対策基準	基本方針で示された情報セキュリティ対策を実現するために，組織が守るべき各種の行為や基準などを示したもの。
実施手順	対策基準で示された行為や基準などを，どのような方法や手順を用いて具体的に遵守・実行していくかを示したもの。

基本方針は，企業のトップの責任において情報セキュリティを進めることが記載されています。**ア**が正解です。

解答 問82 **ウ**　問83 **ウ**　問84 **エ**　問85 **ア**

問 86 難易度 高

情報セキュリティにおけるリスクアセスメントを，リスク特定，リスク分析，リスク評価の三つのプロセスに分けたとき，リスク分析に関する記述として，最も適切なものはどれか。

ア 受容基準と比較できるように，各リスクのレベルを決定する必要がある。
イ 全ての情報資産を分析の対象にする必要がある。
ウ 特定した全てのリスクについて，同じ分析技法を用いる必要がある。
エ リスクが受容可能かどうかを決定する必要がある。

問 87 難易度 高

メールサーバから電子メールを受信するためのプロトコルの一つであり，次の特徴をもつものはどれか。

① メール情報をPC内のメールボックスに取り込んで管理する必要がなく，メールサーバ上に複数のフォルダで構成されたメールボックスを作成してメール情報を管理できる。
② PCやスマートフォンなど使用する端末が違っても，同一のメールボックスのメール情報を参照，管理できる。

ア IMAP　　　イ NTP　　　ウ SMTP　　　エ WPA

問 88 難易度 低

IoTデバイスで収集した情報をIoTサーバに送信するときに利用されるデータ形式に関する次の記述中のa，bに入れる字句の適切な組合せはどれか。

　　　a　　形式は，コンマなどの区切り文字で，データの区切りを示すデータ形式であり，　　b　　形式は，マークアップ言語であり，データの論理構造を，タグを用いて記述できるデータ形式である。

	a	b
ア	CSV	JSON
イ	CSV	XML
ウ	RSS	JSON
エ	RSS	XML

問 86 リスク分析

セキュリティ

JIS Q 31000：2019では，「リスクアセスメントとは，リスク特定，リスク分析及びリスク評価を網羅するプロセス全体を指す。」としています。
次の表は，JIS Q 31000:2019を参考に作成しています（一部のプロセスを省略）。

対応策	説明
リスク特定	リスク源，影響を受ける領域，事象，原因，結果を特定する。
リスク分析	リスク特定により，リスクの影響度や発生確率を分析し決定する。
リスク評価	リスク分析の結果に基づき，対応するリスクと対応しないリスクの仕分けや，対応の優先順位を決定する。
リスク対応	リスクに対応するための各種の方法を選択する（リスク回避，リスク低減，リスク保有）。

ア 受容基準と比較できるように，各リスクのレベルを分析し，決定するのはリスク分析の説明です。⇒**適切です。**

イ 全ての情報資産をリスク分析の対象にするわけではありません。情報資産の特定はリスク特定で必要なプロセスです。

ウ 分析方法は，リスクごとに必要に応じて変更する必要があります。

エ リスク対応で決定する内容です。

以上から，**ア**が正解です。

問87 IMAP
ネットワーク

受信者の端末 (PCやスマートフォン) からメールサーバのメールボックスを参照して電子メールを確認するために用いられるプロトコルは，IMAP4 (Internet Message Access Protocol version4) です。

IMAP4では，メールボックスの電子メールを保存し続けることが可能なので，複数の端末から同一のメールを参照・管理できます。**ア**が正解です。

イ NTPは，複数ノード間の時刻の同期を図るためのプロトコルです。

ウ SMTP (Simple Mail Transfer Protocol) は，電子メールをPCから送信したり，メールサーバ間でメールを送受信するときに使用されるプロトコルです。

エ WPA (Wi-Fi Protected Access) は，無線LANの暗号規格やプロトコルなどの総称です。

問88 データ形式
アルゴリズムとプログラミング

コンマ (",") を用いて表計算などのセルを区切る方式を，CSV (Comma Separated Values) 形式といいます。表のレコードの末尾には改行コードを付加してレコードを区切ります。

CSV 形式への変換例

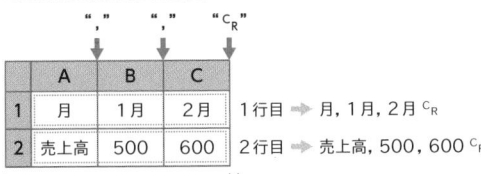

表計算　　　　　　　CSV形式

XML (eXtensible Markup Language) は，データ (文書) の構造や意味を，タグを用いて表現するマークアップ言語の一種です。

XMLで記述された文書の中に含まれる，段落や表などの「文書を構成するための部品」を，要素といいます。XMLでは，以下のようにして要素を表現しています。

XML の記述例

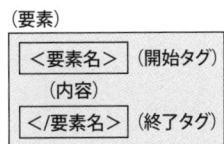

要素は，「開始タグ」，「終了タグ」，及び「内容」の三つから構成されています。図の (内容) の部分が，要素がもつ内容となります。XMLの文書例を示します。

```
<text>
  <p>ABCDE</p>
  <p>xyz</p>
  <p>123456</p>
</text>
```

以上から，**イ**の組合せが正解です。

- RSS (RDF Site SummaryまたはRich Site Summary) は，Webサイトの更新状況を外部に配信するための規約及びその文書形式のことです。
- JSON (JavaScript Object Notation) は，WebブラウザとWebサーバ間でデータを送受信する場合に利用されるフォーマットです。JSONでは「変数の名称：その変数の値」として変数と値の組を表します。複数の組を同時に渡す場合は「,」で区切ります。

解答 問86 **ア** 問87 **ア** 問88 **イ**

難易度 中

問89

電子メールを作成するときに指定する送信メッセージに用いられるテキスト形式とHTML形式に関する記述のうち，適切なものはどれか。

ア 受信した電子メールを開いたときに，本文に記述されたスクリプトが実行される可能性があるのは，HTML形式ではなく，テキスト形式である。

イ 電子メールにファイルを添付できるのは，テキスト形式ではなく，HTML形式である。

ウ 電子メールの本文の任意の文字列にハイパリンクを設定できるのは，テキスト形式ではなく，HTML形式である。

エ 電子メールの本文の文字に色や大きさなどの書式を設定できるのは，HTML形式ではなく，テキスト形式である。

問90

難易度 高

ディレクトリ又はファイルがノードに対応する木構造で表現できるファイルシステムがある。ルートディレクトリを根として図のように表現したとき，中間ノードである節及び末端ノードである葉に対応するものの組合せとして，最も適切なものはどれか。ここで，空のディレクトリを許すものとする。

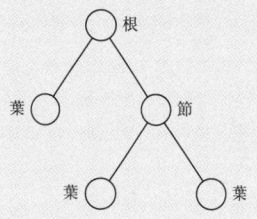

	節	葉
ア	ディレクトリ	ディレクトリ又はファイル
イ	ディレクトリ	ファイル
ウ	ファイル	ディレクトリ又はファイル
エ	ファイル	ディレクトリ

問91

難易度 中

ソーシャルエンジニアリングに該当する行為の例はどれか。

ア あらゆる文字の組合せを総当たりで機械的に入力することによって，パスワードを見つけ出す。

イ 肩越しに盗み見して入手したパスワードを利用し，他人になりすましてシステムを不正利用する。

ウ 標的のサーバに大量のリクエストを送りつけて過負荷状態にすることによって，サービスの提供を妨げる。

エ プログラムで確保している記憶領域よりも長いデータを入力することによってバッファをあふれさせ，不正にプログラムを実行させる。

問92

難易度 高

IoTエリアネットワークの通信などに利用されるBLEは，Bluetooth4.0で追加された仕様である。BLEに関する記述のうち，適切なものはどれか。

ア Wi-Fiのアクセスポイントとも通信ができるようになった。

イ 一般的なボタン電池で，半年から数年間の連続動作が可能なほどに低消費電力である。

ウ 従来の規格であるBluetooth3.0以前と互換性がある。

エ デバイスとの通信には，赤外線も使用できる。

問 89 | 電子メール

ネットワーク

電子メールには，GmailやYahooメールなどWebブラウザを主に使用するWebメールと，メールソフト（メーラ：Outlookなど）を使用して送受信するものとがあります。Webメール，メールソフトどちらの場合も，テキスト形式，HTML形式の両方を扱えます。

HTML形式を用いたメールは，Web表現のように色や大きさを文字ごとに変更でき，任意の文字列にハイパリンク（URLを紐づける）の設定も可能です。ただし，スクリプトが埋め込まれる可能性もあります。

テキスト形式は，文字コードを使って，送信しているので，データ量が少なくて済みます。**ウ**が正解です。

ア 受信した電子メールを開いたときに，本文に記述されたスクリプトが実行される可能性があるのは，HTML形式です。

イ 電子メールへのファイルの添付は，テキスト形式でもHTML形式でも可能です。

エ 電子メールの本文の文字に色や大きさなどの書式を設定できるのは，HTML形式です。

問 90 | ファイルシステム

NEW

ソフトウェア

木構造とは，データを格納する単位（節）が，親子関係（親＝上，子＝下）を構成しているデータ構造のことです。

木構造の構成

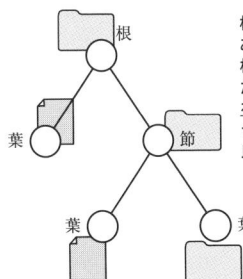

根の下には2つのノード（葉と節）があり，節の下に葉があるため，それを格納するのでディレクトリとなる。ただし，問題文には空のディレクトリを許すことになっているので，葉は，ディレクトリやファイルのどちらでも良いことになる。

以上から，**ア**の節（**ディレクトリ**），葉（**ディレクトリ又はファイル**）の組合せが正解です。

問 91 | ソーシャルエンジニアリング

セキュリティ

ソーシャルエンジニアリングとは，人間が通常行うであろう社会的行動から，個人や企業にとって重要な情報を手に入れることをいいます。

例えば，見積書などの機密情報がゴミ箱に捨てられているのを拾うこと（スキャベンジング）や，パスワードなどを入力している際に横や後ろから覗き見ること（ショルダーハッキング）などがあります。**イ**が正解です。

ア 総当たり（ブルートフォース）攻撃の説明です。

ウ DoS（Denial of Service）攻撃の説明です。

エ バッファオーバフローの説明です。

問 92 | BLE

ネットワーク

BLE（Bluetooth Low Energy）は，Bluetooth3.0バージョンに比べ大幅に省電力化された，数メートルの狭い範囲で利用される無線通信モードのことです。一つのボタン電池で，体温計などより消費電力が少ないものでは，最大数年間の利用も可能です。**イ**が正解です。

BLEとBluetooth3.0には互換性はありませんが，両方を利用できる規格もあります。

Bluetooth3.0 の規格

Bluetooth3.0 のみの規格	BLE のみの規格	BLE 通信と Bluetooth3.0 の両方が利用できる

ア Wi-Fiの規格とは異なるため，接続はできません。

ウ 上図のようにBluetooth3.0との互換性はありません。

エ デバイスとの通信は電波を利用するので，赤外線は利用できません。

解答 問89 **ウ** 問90 **ア** 問91 **イ** 問92 **イ**

令和4年度 公開

問93 ✓✓✓ 難易度中

A3判の紙の長辺を半分に折ると，A4判の大きさになり，短辺：長辺の比率は変わらない。A3判の長辺はA4判の長辺のおよそ何倍か。

ア 1.41   **イ** 1.5   **ウ** 1.73   **エ** 2

問94 ✓✓✓ 難易度中

インクジェットプリンタの印字方式を説明したものはどれか。

ア インクの微細な粒子を用紙に直接吹き付けて印字する。
イ インクリボンを印字用のワイヤなどで用紙に打ち付けて印字する。
ウ 熱で溶けるインクを印字ヘッドで加熱して用紙に印字する。
エ レーザ光によって感光体にトナーを付着させて用紙に印字する。

問95 ✓✓✓ 難易度高

攻撃対象とは別のWebサイトから盗み出すなどによって，不正に取得した大量の認証情報を流用し，標的とするWebサイトに不正に侵入を試みるものはどれか。

ア DoS攻撃   **イ** SQLインジェクション
ウ パスワードリスト攻撃   **エ** フィッシング

問96 ✓✓✓ 難易度高

関数calcXと関数calcYは，引数inDataを用いて計算を行い，その結果を戻り値とする。関数calcXをcalcX(1)として呼び出すと，関数calcXの変数numの値が，1→3→7→13と変化し，戻り値は13となった。関数calcYをcalcY(1)として呼び出すと，関数calcYの変数numの値が，1→5→13→25と変化し，戻り値は25となった。プログラム中のa，bに入れる字句の適切な組合せはどれか。

〔プログラム1〕
```
○整数型：calcX(整数型：inData)
  整数型：num, i
  num ← inData
  for (i を 1 から 3 まで 1 ずつ増やす)
    num ←  a
  endfor
  return num
```

〔プログラム2〕
```
○整数型：calcY(整数型：inData)
  整数型：num, i
  num ← inData
  for (  b  )
    num ←  a
  endfor
  return num
```

	a	b
ア	2 × num + i	iを1から7まで3ずつ増やす
イ	2 × num + i	iを2から6まで2ずつ増やす
ウ	num + 2 × i	iを1から7まで3ずつ増やす
エ	num + 2 × i	iを2から6まで2ずつ増やす

問93 比率を求める NEW 基礎理論

A3の短辺＝x，長辺＝y とすると
A4の短辺＝y/2，長辺＝x となります。

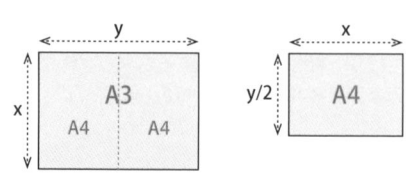

A3とA4の短辺と長辺の比率が等しいため，
$x : y = y/2 : x$
$y^2/2 = x^2 \Rightarrow y^2 = 2x^2 \Rightarrow y = \sqrt{2}\,x$
yはxの$\sqrt{2}$倍(≒1.41倍)となります。
アが正解です。

問94 インクジェットプリンタ
ハードウェア

インクジェットプリンタは，インクを極細のノズルから直接紙に噴射して印字を行う方式です。アが正解です。

イ インパクトプリンタの印字方式の説明です。
ウ 感熱式プリンタの印字方式の説明です。
エ レーザプリンタの印字方式の説明です。

問95 パスワードリスト攻撃
セキュリティ

別のWebサイトから流出した利用者IDとパスワードのリストを用いて，攻撃対象のWebサイトに対してログインを試行することをパスワードリスト攻撃といいます。ウが正解です。

ア DoS攻撃は，特定のサーバへ多量のデータを送りつけサーバをダウンさせることです。
イ SQLインジェクションは，Webページの入力フォームに特殊な文字列を入力し，データベースの内容を不正に閲覧・削除したりする攻撃のことです。
エ フィッシングは，サイトの偽装や偽造電子メールの使用などの方法で，パスワードなどを不正に入手しようとする行為のことです。

問96 アルゴリズム
情報メディアとプログラミング

問題文の〔プログラム1〕の3行目～5行目のnum以下の処理を順に確認します。

```
①　num ← inData
②　for (i を 1 から 3 まで 1 ずつ増やす)
③　　num ←  a
```

calcX(1) として呼び出すため
※引数のinDataが1という意味
① num = 1

≪1回目≫
② i = 1　③ num ← a

問題文には，numが1→3→7→13になると記載があり，①でnumは1となっているので，1回目の③ではnum＝3になる必要があります。
しかし，解答群を見ると，
2 × num + i(ア，イ)
num + 2 × i(ウ，エ)
それぞれ3になります。そこで処理を継続します。

≪2回目≫
② i = 2
③ ここで，2 × num + i＝2 × 3 + 2＝8
num ← num + 2 × i＝3 + 2 × 2＝7
となります。これでウかエが候補になります。
続いて，問題文の〔プログラム2〕の3行目～5行目のnum以下の処理を順に確認します。

```
④　num ← inData
⑤　for (  b  )
⑥　　num ←  a
```

calcY(1) として呼び出すため
④ num = 1

≪1回目≫
⑤ b
⑥ 問題文には，numが1→5→13→25になると記載があり，④でnumは1となっているので，1回目の⑥ではnum＝5になる必要があります。
データを代入すると，
num ← num + 2 × i
5＝1＋2 × i　となるので，
i＝2　になります。

≪2回目≫
⑤ b
⑥ num ← num + 2 × i
13←5 + 2 × i　となるので，
i＝4になります。

≪3回目≫
⑤ b
⑥ num ← num + 2 × i
25＝13 + 2 × i　となるので，
i＝6になります。
したがって，i＝2，4，6と2ずつ増やす処理を行います。以上から，エの組合せが正解です。

解答 問93 ア　問94 ア　問95 ウ　問96 エ

令和4年度 公開

199

問 **97** ✓✓✓

難易度 低

水田の水位を計測することによって，水田の水門を自動的に開閉するIoTシステムがある。図中のa，bに入れる字句の適切な組合せはどれか。

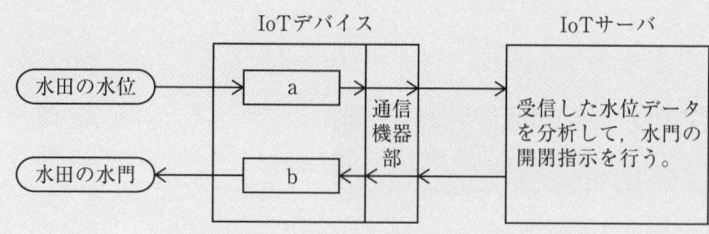

凡例
⟶：データや信号の送信方向

	a	b
ア	アクチュエータ	IoT ゲートウェイ
イ	アクチュエータ	センサ
ウ	センサ	IoT ゲートウェイ
エ	センサ	アクチュエータ

問 **98** ✓✓✓

難易度 高

関係データベースで管理している"従業員"表から，氏名の列だけを取り出す操作を何というか。

従業員

従業員番号	氏名	所属コード
H001	試験花子	G02
H002	情報太郎	G01
H003	高度次郎	G03
H004	午前桜子	G03
H005	午後三郎	G02

ア 結合　　　　**イ** 射影　　　　**ウ** 選択　　　　**エ** 和

問 **99** ✓✓✓

難易度 高

1台の物理的なコンピュータ上で，複数の仮想サーバを同時に動作させることによって得られる効果に関する記述a～cのうち，適切なものだけを全て挙げたものはどれか。

a　仮想サーバ上で，それぞれ異なるバージョンのOSを動作させることができ，物理的なコンピュータのリソースを有効活用できる。
b　仮想サーバの数だけ，物理的なコンピュータを増やしたときと同じ処理能力を得られる。
c　物理的なコンピュータがもつHDDの容量と同じ容量のデータを，全ての仮想サーバで同時に記録できる。

ア a　　　　　**イ** a, c　　　　　**ウ** b　　　　　**エ** c

問 100 難易度 **低**

社内に設置された無線LANネットワークに接続している業務用のPCで，インターネット上のあるWebサイトを閲覧した直後，Webブラウザが突然終了したり，見知らぬファイルが作成されたりするなど，マルウェアに感染した可能性が考えられる事象が発生した。このPCの利用者が最初に取るべき行動として適切なものはどれか。

- ア Webブラウザを再インストールする。
- イ マルウェア対策ソフトのマルウェア定義ファイルを最新にする。
- ウ 無線LANとの通信を切断し，PCをネットワークから隔離する。
- エ 無線通信の暗号化方式を変更する。

問 97 IoTシステム
コンピュータ構成要素

発電機などの機器が生成した電気エネルギーなどを受け取り，それを運動に変換することで，機械や機構を物理的に動かすための機器をアクチュエータといいます。窓を開閉したりする電気モータなどがアクチュエータの例となります。

外部からの情報（気温や水位など）を電子信号に変換するのは温度センサや水位センサの役割です。以上から，**エ**の組合せが正解です。

IoTゲートウェイとは，ルータのようにIoT機器をインターネット接続する際に中継する機器のことです。

問 98 データ操作
データベース

関係データベースの表（テーブル）から，上記のように特定列を取り出す操作を，射影といいます。**イ**が正解です。

従業員

従業員番号	氏名	所属コード
H001	試験花子	G02
H002	情報太郎	G01
H003	高度次郎	G03
H004	午前桜子	G03
H005	午後三郎	G02

関係データベースの表に対する操作のうち，主要なものを表にまとめます。

表に対する操作	内容
選択	表から特定の条件を満たす行だけを全て抽出する。
射影	表から特定の列だけを全て抽出する。
結合	複数の表の行同士を結び付け，新しい表を作る。
和	複数の表から，どちらかの表だけに存在する行及び両方の表に共通して存在する行を全て取り出す。

問 99 仮想サーバ
ハードウェア

物理サーバ上で多数の仮想サーバが稼働すると，物理サーバが持っているCPUやメモリ，HDDなどのリソース（資源）を余すことなく利用できる可能性が高まります。しかし，物理的には1台のリソースしかない状態で同時に多くのサーバが動作するので，処理が遅くなることもあります。

HDDの物理的容量も限界があり，複数のサーバで分け合うことになります。したがって，**ア** (a) が正解です。

問 100 マルウェア
セキュリティ

本問のようなマルウェア感染は，ドライブバイダウンロード攻撃の可能性があります。

ドライブバイダウンロード攻撃では，まず，Webサイトに不正なスクリプトを仕掛けて，利用者にWebブラウザで閲覧させます。

Webブラウザ上で稼働した不正なスクリプトは，利用者の意図を確認しないまま，利用者のPC

令和4年度 公開

に密かに不正プログラムを転送して，インストール及び実行させます。この不正プログラムは，PC内の機密情報を外部に流出させるなどの不正を働きます。

ドライブバイダウンロード攻撃

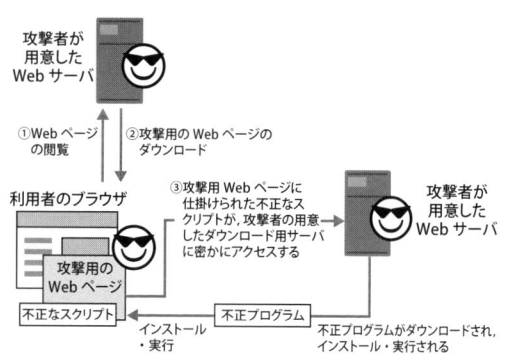

本問のようなドライブバイダウンロード攻撃に限らず，マルウェア感染が疑われる場合は，社内の無線LANネットワークに接続している他のコンピュータに感染する可能性があるので，無線LANとの通信を切断して，そのPCを隔離する必要があります。**ウ**が正解です。
- **ア** Webブラウザが何らかの理由で破壊された場合などに取る対策です。
- **イ** マルウェア対策の感染に備えて日頃から行っておく対策です。
- **エ** 通信内容の盗聴や漏えいの対策です。

解答　問97 **エ**　問98 **イ**　問99 **ア**　問100 **ウ**

　まとめてチェック！　○○法

●ストラテジ系

親和図法	複数のアイディアや意見を集約する際に，カードなどを用いて，一定のまとまりにグループ分けし問題の整理を行う
ペルソナ法	製品やサービスを提供する際にさまざまな調査を行い，その情報から仮想のユーザ像（性別，年齢，職業，年収など）を作成し，ユーザ視点からサービスを提供したり，開発者間の理解を共有したりするために用いられる

●マネジメント系

ファンクションポイント法	システム開発における工数見積もり技法の一つ。わかりやすい数値（帳票の数，ファイルの数，画面の数など）を使用して見積もりを実施する。その際，過去の情報を元に難易度で重み付けを行って，最後に複雑さの係数をかけて求める
類推（見積）法	過去に経験した類似のシステムについてのデータを基にして規模と工数を見積もる
積み上げ法	プロジェクトの作業ごとの工数を一つひとつ計算して，それを積み上げ計算して見積もる

●テクノロジ系

演繹法	一般的（論理的）な法則をもとにして，その法則に基づく内容から結論を導き出す方法
帰納法	実験や経験などから導き出される個々の事実をまとめて結論を導き出す方法
線形探索法	配列に格納されているデータの探索方法の一つ。配列の先頭から末尾まで順に探索を行う方法。配列の要素数がn個の場合，線形探索の探索回数は最大n回，最小1回となるので，計算量は配列の要素数に比例する
2分探索法	初めは配列の全体を探索範囲として中心を探索し，2回目以降は探索範囲を半分ずつに縮小しながら探索を進めていく方法。表の要素数がn個の場合，計算量はnの対数に比例する（データが元の数の2乗に増えると，計算量が2倍になる）。また，探索対象の配列は，あらかじめ昇順または降順にソート（整列）しておく必要がある

ITパスポート試験

令和3年度
公開問題

試験時間　120分

問題は次の表に従って解答してください。

問題番号	選択方法
問 1～問 100	全問必須

問　1～問 35　：ストラテジ系
問 36～問 55　：マネジメント系
問 56～問 100：テクノロジ系

問1から問35までは，ストラテジ系の問題です。

問1 E-R図を使用してデータモデリングを行う理由として，適切なものはどれか。

難易度 高

- ア 業務上でのデータのやり取りを把握し，ワークフローを明らかにする。
- イ 現行業務でのデータの流れを把握し，業務遂行上の問題点を明らかにする。
- ウ 顧客や製品といった業務の管理対象間の関係を図示し，その業務上の意味を明らかにする。
- エ データ項目を詳細に検討し，データベースの実装方法を明らかにする。

問2 国際標準化機関に関する記述のうち，適切なものはどれか。

難易度 高

- ア ICANNは，工業や科学技術分野の国際標準化機関である。
- イ IECは，電子商取引分野の国際標準化機関である。
- ウ IEEEは，会計分野の国際標準化機関である。
- エ ITUは，電気通信分野の国際標準化機関である。

問3 人間の脳神経の仕組みをモデルにして，コンピュータプログラムで模したものを表す用語はどれか。

難易度 低

- ア ソーシャルネットワーク
- イ デジタルトランスフォーメーション
- ウ ニューラルネットワーク
- エ ブレーンストーミング

問4 エンタープライズサーチの説明として，最も適切なものはどれか。

難易度 低

- ア 企業内の様々なシステムに蓄積されている定型又は非定型なデータを，一元的に検索するための仕組み
- イ 自然言語処理を実現するための基礎データとなる，電子化された大量の例文データベース
- ウ 写真や書類などを光学的に読み取り，デジタルデータ化するための画像入力装置
- エ 情報システムや業務プロセスの現状を把握し，あるべき企業の姿とのギャップを埋めるための目標を設定し，全体最適化を図ること

問1 E-R図を使用したデータモデリング

経営戦略マネジメント

情報システムに関する各種のデータや現実世界の事物などのことをエンティティ（実体）といい，エンティティ間の関係性（関連）のことを，リレーションシップ（関連）といいます。情報システムを構成するエンティティと，エンティティ間のリレーションシップを表現するための図がE-R図です。

E-R図の例

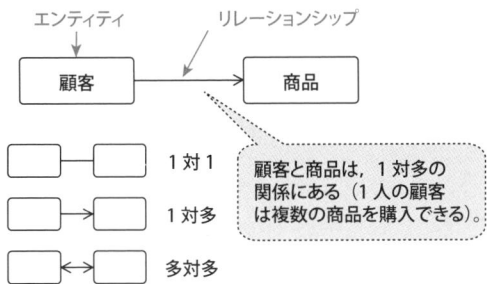

顧客と商品は，1対多の関係にある（1人の顧客は複数の商品を購入できる）。

また，データモデリングとは，業務などで使用するデータの構造やデータ同士の関連をまとめて，統一化された形式で表現することです。よって，業務の管理対象間の関連を図示し，その意味を明らかにする**ウ**が正解です。

ア ワークフロー図の説明です。

イ DFD（データフローダイアグラム）の説明です。

エ E-R図はデータベースを実装する方法を明らかにするものではありません。

問2 国際標準化機関

法務

ITU（International Telecommunication Union：国際電気通信連合）は，国際連合の専門機関の一つで，電気通信の国際標準化とその促進活動を行っている機関です。**エ**が正解です。

ア ICANN（Internet Corporation for Assigned Names and Numbers）は，インターネットで使用されるIPアドレスを管理している非営利組織です。工業や科学技術分野の国際標準化団体はISOです。

イ IEC（International Electrotechnical Commission）は，電気や電子技術分野の国際規格の策定を行っている国際標準化機関です。

なお，電子商取引の国際標準化機関はありません。

ウ IEEE（The Institute of Electrical and Electronics Engineers, Inc）は，アメリカに本部をもつ電気工学・電子工学技術の学会で，イーサネットの性能などについて規定している規格（IEEE 802.3）や，無線LANの規格（IEEE 802.11）を公表しています。会計分野の国際標準化は，IFRS（International Financial Reporting Standards）です。

問3 ニューラルネットワーク

ビジネスインダストリ

コンピュータを使って人間の脳の考え方を模したモデルをニューラルネットワークといい，コンピュータプログラムでも表現されます。特に，AI（人工知能）で使用されます。**ウ**が正解です。

ア ソーシャルネットワーク（社会的ネットワーク）とは，個人や組織間の思想や，友人関係などによりコンピュータで結びつけられた構造のことです。

イ デジタルトランスフォーメーションとは，ITの進化によって，人々の生活が豊かでより良い方向に向かうという理論です。

エ ブレーンストーミングとは，会議形式で参加者が自由に意見を述べることでアイデアを創出する方法です。

問4 エンタープライズサーチ

システム戦略

エンタープライズサーチとは，企業内にあるサーバを順次巡回していき，与えられた権限の中で必要なデータなどを検索することができるシステムのことです。このシステムの導入によって，業務の効率化が図れます。**ア**が正解です。

イ コーパスの説明です。

ウ スキャナなどの説明です。

エ エンタープライズアーキテクチャの説明です。

解答 問1**ウ**　問2**エ**　問3**ウ**　問4**ア**

令和3年度 公開

問 5 難易度 中

クラウドコンピューティングの説明として，最も適切なものはどれか。

ア システム全体を管理する大型汎用機などのコンピュータに，データを一極集中させて処理すること

イ 情報システム部門以外の人が自らコンピュータを操作し，自分や自部門の業務に役立てること

ウ ソフトウェアやハードウェアなどの各種リソースを，インターネットなどのネットワークを経由して，オンデマンドでスケーラブルに利用すること

エ ネットワークを介して，複数台のコンピュータに処理を分散させ，処理結果を共有すること

問 6 難易度 中

インターネットに接続できる機能が搭載されており，車載センサで計測した情報をサーバへ送信し，そのサーバから運転に関する情報のフィードバックを受けて運転の支援などに活用することができる自動車を表す用語として，最も適切なものはどれか。

ア カーシェアリング
イ カーナビゲーションシステム
ウ コネクテッドカー
エ 電気自動車

問 7 難易度 高

著作権法によって保護の対象と成り得るものだけを，全て挙げたものはどれか。

a インターネットに公開されたフリーソフトウェア
b データベースの操作マニュアル
c プログラム言語
d プログラムのアルゴリズム

ア a, b　　イ a, d　　ウ b, c　　エ c, d

問 8 難易度 高

画期的な製品やサービスが消費者に浸透するに当たり，イノベーションへの関心や活用の時期によって消費者をアーリーアダプタ，アーリーマジョリティ，イノベータ，ラガード，レイトマジョリティの五つのグループに分類することができる。このうち，活用の時期が2番目に早いグループとして位置付けられ，イノベーションの価値を自ら評価し，残る大半の消費者に影響を与えるグループはどれか。

ア アーリーアダプタ
イ アーリーマジョリティ
ウ イノベータ
エ ラガード

問 5 ┃ クラウドコンピューティング
ビジネスインダストリ

　クラウドコンピューティングとは，ネットワークを雲（クラウド）に見立てて表記したことに由来

し，その中の複数のサーバなどを連結させて構築したシステムを用いることで，需要に応じて（オンデマンド），拡張性（スケーラブル）や可用性が高く，利便性に富んだサービスが可能になります。ウが正解です。

ア 集中システムの説明です。

イ エンドユーザコンピューティング (EUC) の説明です。

エ 分散処理システムの説明です。

問6 コネクテッドカー
ビジネスインダストリ

コネクテッドカーとは、インターネットに接続されている車を指します。これにより、自動車のセンサで計測した情報をサーバに送信し、運転支援を行ったり、緊急時に車からの通報を運転者がしなくても警察や消防などに行ってくれたりする効果などが期待できます。

以上から、**ウ**が正解です。

ア カーシェアリングとは、登録された会員間で自動車を共同で使用することをいいます。

イ カーナビゲーションシステムは、自動車の位置を把握して目的地や近隣の施設までの道案内をしてくれるシステムです。

エ 電気自動車は電池に蓄電されている電気でモータを回転させて動作する自動車です。

問7 著作権法
法務

著作権法は、国内で作成された言語系のもの (小説, 脚本, 詩歌など)、音楽 (歌詞, 曲)、美術 (絵画, 彫刻, まんがなど) など個人や法人が創作した著作物の権利を保護するために制定された法律です。

この法律では、コンピュータプログラムやデータベースも保護対象となっており、すべての著作物は作成時から著作権が発生しています。また、著作権法で保護されるのは著作者の死後70年までとされています。

なお、特別の取り決めがない場合、法人の業務で作成したものについてはその作成者 (個人) ではなく法人に著作権があります。

a：フリーソフトウェアは、フリー (金銭的対価を求めない) ソフトウェアであり、著作権は放棄されていません。

b：データベースの操作マニュアルは、作成した企業 (もしくは個人) に著作権が発生します。

c, d：著作権法の第十条では、「……著作物に対するこの法律による保護は、その著作物を作成す

るために用いる<u>プログラム言語, 規約及び解法に及ばない</u>」と定義しています。解法とはアルゴリズムのことです。よって、これらは著作権法によって保護されません。

以上から、**ア** (a, b) が正解です。

問8 アーリーアダプタ
経営戦略マネジメント

新商品が発売された当初に自分の価値判断でその商品を購入して、使い勝手や特徴などを友人などに知らせ、後続する消費者層に大きな影響を与える人のことをアーリーアダプタといいます。**ア**が正解です。

本問で説明されている五つのグループに分類するマーケティング手法は、スタンフォード大学のロジャース教授が1962年に提唱したイノベータ理論です。この手法では、消費者全体を次の表に示すイノベータ, アーリーアダプタ, アーリーマジョリティ, レイトマジョリティ, ラガードの五つの層に分類しています。

イノベータ理論による分類

消費者層	特徴
イノベータ	冒険的で、新商品の販売開始を待って、率先して購入しようとする消費者層
アーリーアダプタ (オピニオンリーダ)	比較的早期に自らの価値判断で新商品を購入し、その商品に関する情報を他人に伝えることで、後続する消費者層に影響を与える消費者層
アーリーマジョリティ	やや慎重な判断をする消費者層。オピニオンリーダの意見を参考にして商品を購入しようとする
レイトマジョリティ	多くの人が新商品を利用していること (商品が普及したこと) を確認してから購入する消費者層
ラガード	保守的で、新商品が完全に定着し、定番の商品とならない限り購入しない消費者層

解答 問5 **ウ**　問6 **ウ**　問7 **ア**　問8 **ア**

不適切な行為a～cのうち，不正競争防止法で規制されているものだけを全て挙げたものはどれか。

a　キャンペーンの応募者の個人情報を，応募者に無断で他の目的のために利用する行為
b　他人のIDとパスワードを不正に入手し，それらを使用してインターネット経由でコンピュータにアクセスする行為
c　不正な利益を得ようとして，他社の商品名や社名に類似したドメイン名を使用する行為

ア a　　　　　　　**イ** a, c　　　　　　　**ウ** b　　　　　　　**エ** c

問
10

難易度 低

技術ロードマップの説明として，適切なものはどれか。

ア カーナビゲーションシステムなどに用いられている最短経路の探索機能の実現に必要な技術を示したもの
イ 業務システムの開発工程で用いるソフトウェア技術の一覧を示したもの
ウ 情報システム部門の人材が習得すべき技術をキャリアとともに示したもの
エ 対象とする分野において，実現が期待されている技術を時間軸とともに示したもの

問
11

難易度 高

RPA（Robotic Process Automation）の特徴として，最も適切なものはどれか。

ア 新しく設計した部品を少ロットで試作するなど，工場での非定型的な作業に適している。
イ 同じ設計の部品を大量に製造するなど，工場での定型的な作業に適している。
ウ システムエラー発生時に，状況に応じて実行する処理を選択するなど，PCで実施する非定型的な作業に適している。
エ 受注データの入力や更新など，PCで実施する定型的な作業に適している。

問
12

難易度 中

労働者派遣に関する記述a～cのうち，適切なものだけを全て挙げたものはどれか。

a　派遣契約の種類によらず，派遣労働者の選任は派遣先が行う。
b　派遣労働者であった者を，派遣元との雇用期間が終了後，派遣先が雇用してもよい。
c　派遣労働者の給与を派遣先が支払う。

ア a　　　　　　　**イ** a, b　　　　　　　**ウ** b　　　　　　　**エ** b, c

問
9　不正競争防止法

不正競争防止法は，いわゆる産業スパイなどが行う行為で，「営業上の秘密」を取得したり，他社の製品などの評判を落とすようなデマを流したり

することを禁止する法律です。大手サイトと見間違えるような名称や内容でサイトを立ち上げたりすることも違反となります。

なお，本法律の罰則は「10年以下の懲役若しくは1,000万円以下の罰金」と定められています。

不正競争行為には，次のようなものがあります。

①周知の他者の商品表示（商号，商標，容器，包装など）と極めて類似しているものを使用して，本物の商品と混同させる行為

②著名なブランドのもつ信用を利用する行為（業種，業務内容は関係ない）

③他社の営業秘密を不正な手段で入手して使用する行為

④商品の原産地や品質，内容，製造方法，用途，数量などを虚偽に表示する行為

⑤競争関係にある他人の信用を害する虚偽の事実やうわさを流す行為

a：個人情報保護法で規制されています。

b：不正アクセス禁止法で規制されています。

c：上記①に該当するので，不正競争防止法で規制されています。

以上から，**エ** (c) が正解です。

問10 技術ロードマップ
経営戦略マネジメント

技術開発戦略において作成されるロードマップとして，技術ロードマップがあります。

企業が研究開発に取り組むことによって技術が進歩していき，その過程で既存の製品の機能が向上していく過程を，マイルストーンとして時間軸上に記載したものです。横軸に時間を，縦軸に市場や製品などを示します。**エ**が正解です。

技術ロードマップの例

製品	2019年	2020年	2021年	2022年
アクセスポイント	速度：100Gbps	速度：300Gbps		速度：1Tbps
ルータ	接続可能数：最大1,000台		接続可能数：最大3,000台	
	アドレス変換機能：IPv4とIPv6の相互変換を可能にする			

ア 技術ロードマップは最短経路探索機能とは関係がありません。

イ 技術ロードマップは開発で用いられる技術の一覧ではありません。

ウ キャリアマップの説明です。

問11 RPA
企業活動

RPA (Robotic Process Automation) は，PCで行う事務の定型作業（議事録作成や受注データの入力など）をPC内のソフトウェアが代行して行うことです。これにより，生産性が向上し，人手不足の解消やコスト削減が期待できます。**エ**が正解です。

ア，**ウ** RPAは定型作業に適しています。

イ 同じ設計の部品を大量に製造するのは工場内での自動化の例です。

問12 労働者派遣
法務

労働者派遣には，一般派遣と紹介予定派遣があります。

● **一般派遣**

派遣企業と雇用契約を結んでいる派遣社員が就業する形態です。

● **紹介予定派遣**

一定期間派遣労働者として就業したあと，労働者と派遣先企業が合意した場合に，派遣先の企業と直接的な雇用の関係になることを前提とした形態です。

a：派遣労働者の選任は派遣元が行います。

b：派遣労働者であった者を派遣元との雇用関係が終了後，派遣先が雇用することは問題ありません。

c：派遣労働者の給与は派遣元が支払います。

以上から，**ウ** (b) が正解です。

解答 問9 **エ** 問10 **エ** 問11 **エ** 問12 **ウ**

問 13 難易度 中

FinTechの事例として，最も適切なものはどれか。

ア 銀行において，災害や大規模障害が発生した場合に勘定系システムが停止することがないように，障害発生時には即時にバックアップシステムに切り替える。

イ クレジットカード会社において，消費者がクレジットカードの暗証番号を規定回数連続で間違えて入力した場合に，クレジットカードを利用できなくなるようにする。

ウ 証券会社において，顧客がPCの画面上で株式売買を行うときに，顧客に合った投資信託を提案したり自動で資産運用を行ったりする，ロボアドバイザのサービスを提供する。

エ 損害保険会社において，事故の内容や回数に基づいた等級を設定しておき，インターネット自動車保険の契約者ごとに，1年間の事故履歴に応じて等級を上下させるとともに，保険料を変更する。

問 14 難易度 低

ソフトウェアライフサイクルを，企画プロセス，要件定義プロセス，開発プロセス，運用プロセスに分けるとき，システム化計画を踏まえて，利用者及び他の利害関係者が必要とするシステムの機能を明確にし，合意を形成するプロセスはどれか。

ア 企画プロセス　　　　　　　　　**イ** 要件定義プロセス
ウ 開発プロセス　　　　　　　　　**エ** 運用プロセス

問 15 難易度 高

A社の情報システム部門は，B社のソフトウェアパッケージを活用して，営業部門が利用する営業支援システムを構築することにした。構築に合わせて，EUC（End User Computing）を推進するとき，業務データの抽出や加工，統計資料の作成などの運用を行う組織として，最も適切なものはどれか。

ア A社の営業部門
イ A社の情報システム部門
ウ B社のソフトウェアパッケージ開発部門
エ B社のソフトウェアパッケージ導入担当部門

問 16 難易度 中

マーチャンダイジングの説明として，適切なものはどれか。

ア 消費者のニーズや欲求，購買動機などの基準によって全体市場を幾つかの小さな市場に区分し，標的とする市場を絞り込むこと

イ 製品の出庫から販売に至るまでの物の流れを統合的に捉え，物流チャネル全体を効果的に管理すること

ウ 店舗などにおいて，商品やサービスを購入者のニーズに合致するような形態で提供するために行う一連の活動のこと

エ 配送コストの削減と，消費者への接触頻度増加によるエリア密着性向上を狙って，同一エリア内に密度の高い店舗展開を行うこと

問13 FinTech の事例

システム戦略

　FinTechとは，金融 (Finance) と技術 (Technology) を組み合わせた造語で，スマートフォンやAI (人工知能)，ビッグデータなどの新しい情報技術と，金融サービスを結びつけたさまざまな革新的なシステムのことです。

　本問では，証券会社での顧客に合わせた投資の提案や自動で資産運用を行うロボアドバイザーで使用されているシステムが該当します。**ウ**が正解です。

ア BCP (Business Continuity Plan：事業継続計画) に記載する内容です。

イ 情報セキュリティの機密性に関する事例です。

エ 各保険会社が作成している等級変更システムに関する内容です。FinTechには該当しません。

問14 ソフトウェアライフサイクル

システム戦略

　ソフトウェアライフサイクルでは，企画プロセスにあるシステム化計画の立案で作成した内容を踏まえて，要件定義プロセスで利用者を含めた関係者間で開発するシステムの仕様について合意します。**イ**が正解です。

ソフトウェアライフサイクルのプロセス（一部）

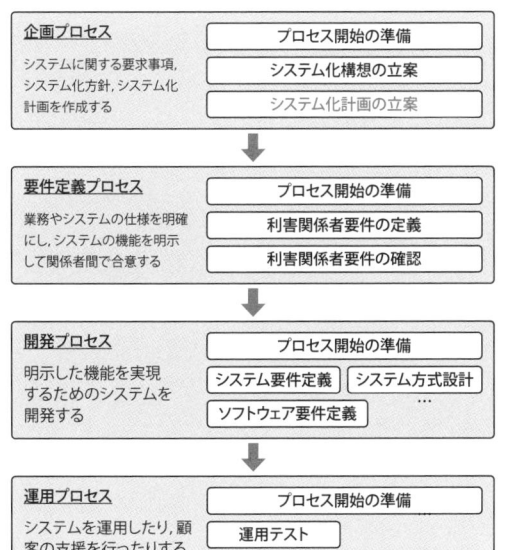

企画プロセス	プロセス開始の準備
システムに関する要求事項，システム化方針，システム化計画を作成する	システム化構想の立案
	システム化計画の立案

↓

要件定義プロセス	プロセス開始の準備
業務やシステムの仕様を明確にし，システムの機能を明示して関係者間で合意する	利害関係者要件の定義
	利害関係者要件の確認

↓

開発プロセス	プロセス開始の準備
明示した機能を実現するためのシステムを開発する	システム要件定義　システム方式設計 …
	ソフトウェア要件定義

↓

運用プロセス	プロセス開始の準備
システムを運用したり，顧客の支援を行ったりする	運用テスト

問15 EUC (End User Computing)

企業活動

　EUC (End User Computing) におけるエンドユーザは，最終的にコンピュータの利用を行う人を指します。エンドユーザへコンピュータの操作や利用方法などを教育して，円滑な業務が遂行できるようにすることです。

　本問の場合，業務データの抽出や加工，統計資料の作成をする部門は，エンドユーザであるA社の営業部門になります。**ア**が正解です。

イ A社の情報システム部門は，営業支援システムを構築する組織です。

ウ B社のソフトウェアパッケージ開発部門は，自社ソフトウェアパッケージを開発する組織です。

エ B社のソフトウェアパッケージ導入担当部門は，ソフトウェアパッケージを導入するか決める組織です。

問16 マーチャンダイジング

企業活動

　マーチャンダイジング (merchandising) とは，消費者の要求に沿った製品を，適切な価格やタイミングで提供する活動のことです。

　店舗での陳列を見やすく，かつわかりやすくして消費者にアピールすることや，販促キャンペーンを行って製品を告知することなど，消費者のニーズに合致する形態で様々な製品を提供する活動が該当します。**ウ**が正解です。

ア セグメンテーションの説明です。

イ SCM (Supply Chain Management：サプライチェーンマネジメント) の説明です。

エ ドミナント戦略の説明です。

解答 問13 **ウ**　問14 **イ**　問15 **ア**　問16 **ウ**

問 17 難易度 中

プロバイダが提供したサービスにおいて発生した事例a～cのうち，プロバイダ責任制限法によって，プロバイダの対応責任の対象となり得るものだけを全て挙げたものはどれか。

a　氏名などの個人情報が電子掲示板に掲載されて，個人の権利が侵害された。
b　受信した電子メールの添付ファイルによってマルウェアに感染させられた。
c　無断で利用者IDとパスワードを使われて，ショッピングサイトにアクセスされた。

ア a **イ** a, b, c **ウ** a, c **エ** c

問 18 難易度 中

戦略目標の達成状況を評価する指標には，目標達成のための手段を評価する先行指標と目標達成度を評価する結果指標の二つがある。戦略目標が"新規顧客の開拓"であるとき，先行指標として適切なものはどれか。

ア 売上高増加額 **イ** 新規契約獲得率
ウ 総顧客増加率 **エ** 見込み客訪問件数

問 19 難易度 低

ビッグデータの分析に関する記述として，最も適切なものはどれか。

ア 大量のデータから未知の状況を予測するためには，統計学的な分析手法に加え，機械学習を用いた分析も有効である。
イ テキストデータ以外の，動画や画像，音声データは，分析の対象として扱うことができない。
ウ 電子掲示板のコメントやSNSのメッセージ，Webサイトの検索履歴など，人間の発信する情報だけが，人間の行動を分析することに用いられる。
エ ブログの書き込みのような，分析されることを前提としていないデータについては，分析の目的にかかわらず，対象から除外する。

問 20 難易度 低

画像認識システムにおける機械学習の事例として，適切なものはどれか。

ア オフィスのドアの解錠に虹彩の画像による認証の仕組みを導入することによって，セキュリティが強化できるようになった。
イ 果物の写真をコンピュータに大量に入力することで，コンピュータ自身が果物の特徴を自動的に抽出することができるようになった。
ウ スマートフォンが他人に利用されるのを防止するために，指紋の画像認識でロック解除できるようになった。
エ ヘルプデスクの画面に，システムの使い方についての問合せを文字で入力すると，会話形式で応答を得ることができるようになった。

プロバイダ責任制限法(特定電気通信役務提供者の損害賠償責任の制限及び発信者情報の開示に関する法律)とは,正当でない情報による「被害者救済」と発信者の「表現の自由」等の権利のバランスに配慮し,プロバイダなどの通信事業者が適切な対応ができるようにするためのものです。

a:個人情報が掲載されて個人の権利が侵害されることは,プロバイダ責任制限法の対応責任の対象です。

b:刑法の不正指令電磁的記録に関する罪(コンピュータウイルスに関する罪)の規制対象です。

c:不正アクセス禁止法の規制対象です。
　以上より,**ア**(a)が正解です。

「目標達成のための手段を評価する先行指標」は,業績評価指標(KPI:Key Performance Indicator)のことです。また,「目標達成度を評価する結果指標」は,経営目標達成指標(KGI:Key Goal Indicator)のことです。

● **業績評価指標(KPI)**

戦略目標を達成するための各種の活動(手段)が,どの程度まで実行されたか確認するための指標のことです。業績評価指標としては,「顧客訪問回数」,「顧客からの引き合いの件数」など,各種の活動を行った回数などが使用されます。

例えば,戦略目標が"新規顧客の開拓"のとき,解答群のうち業績評価指標に該当するのは,**エ**の「見込み客訪問件数」です。新規顧客を開拓するためには,顧客となりうる見込み客のもとへ何度も足を運ぶことで,営業活動を積極的に実施する必要があります。

● **経営目標達成指標(KGI)**

戦略目標の達成度を評価するための目標です。例えば,戦略目標が"新規顧客の開拓"のとき,解答群のうち経営目標達成指標に該当するのは,**イ**「新規契約獲得率」,**ウ**「総顧客増加率」といった,新規顧客の増加の度合いを表すものとなります。

ビッグデータ(販売などで扱われる多種多様の膨大なデータ)を,統計解析・ニューラルネットワークを使って分析し,データの中に隠れた法則や因果関係などを見つけ出します。その分析の際に,AI(Artificial Intelligence:人工知能)を使って自動分析を行う機械学習を利用することも有効です。**ア**が正解です。

イ 動画や画像,音声データも分析に使用することができます。

ウ 人間の発信する情報以外の天候や曜日など他の要素も含めて,人間の行動を分析します。

エ ブログの書き込みなどでも分析することで,ある因果関係を発見できる場合があります。

機械学習とは,AI(人工知能)のもつ技術で,人間の作業データや画像データ,テキストデータなどの特徴をコンピュータ自身が見つけ出し,統計的にまとめることです。

コンピュータに形状の異なる同じ物質(例えば果物や野菜)の画像をあらゆる角度で複数回読み込ませることで,その物質を学習します。果物は形や色が,わずかに異なるものが多いので,学習する画像が多い方が判別での誤りを少なくすることができます。**イ**が正解です。

ア,**ウ** バイオメトリクス認証(生体認証)の事例です。

エ チャットボットの事例です。

解答　問17 **ア**　問18 **エ**　問19 **ア**　問20 **イ**

問 21 難易度中

ABC分析の事例として，適切なものはどれか。

- ア 顧客の消費行動を，時代，年齢，世代の三つの観点から分析する。
- イ 自社の商品を，売上高の高い順に三つのグループに分類して分析する。
- ウ マーケティング環境を，顧客，競合，自社の三つの観点から分析する。
- エ リピート顧客を，最新購買日，購買頻度，購買金額の三つの観点から分析する。

問 22 難易度高

業務パッケージを活用したシステム化を検討している。情報システムのライフサイクルを，システム化計画プロセス，要件定義プロセス，開発プロセス，保守プロセスに分けたとき，システム化計画プロセスで実施する作業として，最も適切なものはどれか。

- ア 機能，性能，価格などの観点から業務パッケージを評価する。
- イ 業務パッケージの標準機能だけでは実現できないので，追加開発が必要なシステム機能の範囲を決定する。
- ウ システム運用において発生した障害に関する分析，対応を行う。
- エ システム機能を実現するために必要なパラメタを業務パッケージに設定する。

問 23 難易度中

プロダクトポートフォリオマネジメントは，企業の経営資源を最適配分するために使用する手法であり，製品やサービスの市場成長率と市場におけるシェアから，その戦略的な位置付けを四つの領域に分類する。市場シェアは低いが急成長市場にあり，将来の成長のために多くの資金投入が必要となる領域はどれか。

- ア 金のなる木
- イ 花形
- ウ 負け犬
- エ 問題児

問 24 難易度低

テレワークに関する記述として，最も適切なものはどれか。

- ア ITを活用した，場所や時間にとらわれない柔軟な働き方のこと
- イ ある業務に対して従来割り当てていた人数を増員し，業務を細分化して配分すること
- ウ 個人が所有するPCやスマートデバイスなどの機器を，会社が許可を与えた上でオフィスでの業務に利用させること
- エ 仕事の時間と私生活の時間の調和に取り組むこと

問 21 | **ABC 分析の事例**

企業活動

ABC分析は，各商品の売上金額を高額な順に並べ，その累計構成比から各商品を三つのグループ（A，B，C）に分類して，売れ筋商品を把握して管理したい場合などに用いられる分析手法です。

売上高の合計が上位から70％程度（数値は条件により変更）を占める商品群をAグループ（重要な商品群）として重点的に管理し，残りの商品群はB

（中間的な商品群），Cグループ（さほど重要でない商品群）として管理します。**イ**が正解です。

ABC分析では**パレート図**がよく用いられます。パレート図は，各項目の値を表現する棒グラフと，項目の累計値を表現する折れ線グラフを組み合わせた図法です。項目全体のうち，重要な項目がどれであるかを明確にするために用いられます。

パレート図の例

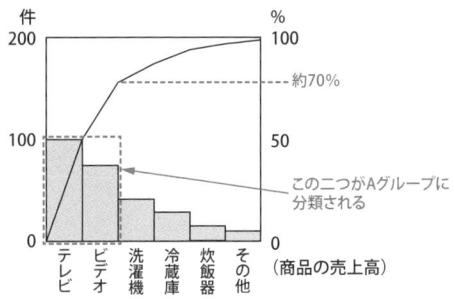

件 / % / 200 / 100 / 約70% / 50 / 100 / この二つがAグループに分類される / 0 / 0 / テレビ / ビデオ / 洗濯機 / 冷蔵庫 / 炊飯器 / その他 / （商品の売上高）

ア コーホート分析の事例です。
ウ 3C分析の事例です。
エ RFM分析の事例です。

問22 システム化計画プロセス
システム戦略 頻出

業務パッケージとは，業務（会計／在庫管理／顧客管理など）に特化した汎用のソフトウェアのことを指します。これを使って，情報システムを構築しようとする場合のライフサイクルを考えます。

情報システムのライフサイクルとは，**システム化計画プロセス，要件定義プロセス，開発プロセス，保守プロセス**といった，一連のプロセスの流れに沿ってシステム開発／運用を行うものです。

システム化計画プロセスでは，はじめに行うこととなので，実際にパッケージと自社の業務が合致しているかを機能・性能・価格などを基に評価する必要があります。**ア**が正解です。
イ 要件定義プロセスで実施する作業です。
ウ 保守プロセスで実施する作業です。
エ 開発プロセスで実施する作業です。

問23 プロダクトポートフォリオマネジメント（PPM）
経営戦略マネジメント 頻出

企業では，限られた費用（予算）配分や機器などの配分をどのように行うかを考える必要があります。そこで，市場の情勢を見ながら決定するための管理技法としてPPM分析があります。その際，使用されるのが**マトリックス図を用いたポートフォリオ類型**です。

横軸に自社の製品の占める市場シェア（市場占有率または相対的市場占有率）を，縦軸に市場成長率をとった模式図を用いて，経営資源を優先的に配分するべき製品を分析します。市場のシェアは現状では低いが，今後成長すると思われるものは問題児の領域です。**エ**が正解です。

ポートフォリオ類型

	市場占有率 高	市場占有率 低
市場成長率 高	花形製品	問題児
市場成長率 低	金のなる木	負け犬

問24 テレワーク
企業活動 NEW

テレワークとは，直接オフィスに出勤しないで自宅などの別の場所でネットワークを通じて業務を行うことです。柔軟な働き方が可能となります。**ア**が正解です。
イ 業務の最適化の説明です。
ウ BYOD（Bring Your Own Device）の説明です。
エ ワークライフバランスの説明です。

解答 問21 **イ**　問22 **ア**　問23 **エ**　問24 **ア**

問 25 難易度 低

暗号資産に関する記述として，最も適切なものはどれか。

ア 暗号資産交換業の登録業者であっても，利用者の情報管理が不適切なケースがあるので，登録が無くても信頼できる業者を選ぶ。

イ 暗号資産の価格変動には制限が設けられているので，価値が急落したり，突然無価値になるリスクは考えなくてよい。

ウ 暗号資産の利用者は，暗号資産交換業者から契約の内容などの説明を受け，取引内容やリスク，手数料などについて把握しておくとよい。

エ 金融庁や財務局などの官公署は，安全性が優れた暗号資産の情報提供を行っているので，官公署の職員から勧められた暗号資産を主に取引する。

問 26 難易度 中

企業の人事機能の向上や，働き方改革を実現することなどを目的として，人事評価や人材採用などの人事関連業務に，AIやIoTといったITを活用する手法を表す用語として，最も適切なものはどれか。

ア e-ラーニング　　　　イ FinTech
ウ HRTech　　　　　　エ コンピテンシ

問 27 難易度 低

BYODの事例として，適切なものはどれか。

ア 大手通信事業者から回線の卸売を受け，自社ブランドの通信サービスを開始した。

イ ゴーグルを通してあたかも現実のような映像を見せることで，ゲーム世界の臨場感を高めた。

ウ 私物のスマートフォンから会社のサーバにアクセスして，電子メールやスケジューラを利用することができるようにした。

エ 図書館の本にICタグを付け，簡単に蔵書の管理ができるようにした。

問 28 難易度 高

次の当期末損益計算資料から求められる経常利益は何百万円か。

単位　百万円

売上高	3,000
売上原価	1,500
販売費及び一般管理費	500
営業外費用	15
特別損失	300
法人税	300

ア 385　　　　イ 685　　　　ウ 985　　　　エ 1,000

なシステムのことです。

エ コンピテンシとは，高い成果を出した者に共通して見られる行動特性のことです。

問 25 | 暗号資産

NEW

ビジネスインダストリ

暗号資産は以前，仮想通貨とも言われていたもので，令和2年5月1日に施行された資金決済法の第63条には以下の記載があります。

『暗号資産交換業は，内閣総理大臣の登録を受けた者でなければ，行ってはならない。』

また，『暗号資産交換業者は，内閣府令で定めるところにより，暗号資産の性質に関する説明，手数料その他の暗号資産交換業に係る契約の内容についての情報の提供その他の暗号資産交換業の利用者の保護を図り，及び暗号資産交換業の適正かつ確実な遂行を確保するために必要な措置を講じなければならない。』とあります。

暗号資産は金融商品なので，リスクが伴うので説明を受けてから購入する必要があります。**ウ**が正解です。

ア 個人的に信頼できても，暗号資産交換業の登録されていない業者は選ばないようにしましょう。

イ 暗号資産は価格変動リスクがあるので，そのリスクを確認してから運用を行うことが大切です。

エ 官公署の職員に勧められても，その取引先が信頼のおける暗号資産交換業であるかを確認してから運用する必要があります。

問 26 | HRTech

企業活動

人事関連の業務（採用，配置，勤怠，育成など）を，コンピュータを使用して行うシステムもしくはサービスをHRTechといい，HR (Human Resources) とテクノロジー (Technology) を組み合わせた造語です。

最近ではAI (Artificial Intelligence：人工知能) を使って，採用や人事異動候補者のリストを作成したり，勤怠状況やメールなどから健康状態を管理したりするものなどがあります。**ウ**が正解です。

ア e-ラーニングとは，学習ソフトやオンライン講座など，ITを使って学習することの総称です。

イ FinTechとは，スマートフォンやAI (人工知能)，ビッグデータなどの新しい情報技術と，金融サービスを結びつけたさまざまな革新的

問 27 | BYOD の事例

システム戦略

BYOD (Bring Your Own Device) とは，従業員が私的に保有するスマートフォンなどの情報端末を社内に持ち込んで，電子メールやWeb検索などの業務に利用することです。**ウ**が正解です。

ア 光コラボレーションの事例です。モバイル通信の場合は，MVNO (Mobile Virtual Network Operator) が該当します。

イ VR (Virtual Reality) の事例です。

エ RFID (Radio Frequency IDentification：電子タグ) の事例です。

問 28 | 経常利益を求める

頻出

企業活動

次の損益計算書は，一般的な表記方法です。こちらから経常利益を求めます。なお，問題文中に記載されていない項目は0円としています。

損益計算書の例

単位：百万円

売上高	3,000		（商品の売上額）
売上原価	1,500	(−)	（販売した商品の仕入額）
売上総利益（粗利）	1,500		（売上によって得た利益）
販売費及び一般管理費	500	(−)	（営業活動などに要する費用）
営業利益	1,000		（企業の本業＝営業活動の利益）
営業外収益	0	(+)	（本業以外の活動による経常的収益）
営業外費用	15	(−)	（本業以外の活動による経常的費用）
経常利益	985		（企業活動全体の利益）
特別利益	0	(+)	（本業以外の活動による臨時的収益）
特別損失	300	(−)	（本業以外の活動による臨時的費用）
税引前当期純利益	685		（法人税等を減額する前の当期純利益）
法人税等	300	(−)	（法人税, 住民税及び事業税）
当期純利益	385		

以上から，経常利益は「**985万円**」（**ウ**）となります。

解答 問25 **ウ**　問26 **ウ**　問27 **ウ**　問28 **ウ**

令和3年度 公開

問 29
難易度 低

粗利益を求める計算式はどれか。

ア （売上高）－（売上原価）
イ （営業利益）＋（営業外収益）－（営業外費用）
ウ （経常利益）＋（特別利益）－（特別損失）
エ （税引前当期純利益）－（法人税，住民税及び事業税）

問 30
難易度 高

情報の取扱いに関する不適切な行為a～cのうち，不正アクセス禁止法で定められている禁止行為に該当するものだけを全て挙げたものはどれか。

a オフィス内で拾った手帳に記載されていた他人の利用者IDとパスワードを無断で使って，自社のサーバにネットワークを介してログインし，格納されていた人事評価情報を閲覧した。
b 同僚が席を離れたときに，同僚のPCの画面に表示されていた，自分にはアクセスする権限のない人事評価情報を閲覧した。
c 部門の保管庫に保管されていた人事評価情報が入ったUSBメモリを上司に無断で持ち出し，自分のPCで人事評価情報を閲覧した。

ア a　　　　　イ a, b　　　　　ウ a, b, c　　　　　エ a, c

問 31
難易度 中

APIエコノミーに関する記述として，最も適切なものはどれか。

ア インターネットを通じて，様々な事業者が提供するサービスを連携させて，より付加価値の高いサービスを提供する仕組み
イ 著作権者がインターネットなどを通じて，ソフトウェアのソースコードを無料公開する仕組み
ウ 定型的な事務作業などを，ソフトウェアロボットを活用して効率化する仕組み
エ 複数のシステムで取引履歴を分散管理する仕組み

問 32
難易度 高

a～cのうち，サイバーセキュリティ基本法に規定されているものだけを全て挙げたものはどれか。

a サイバーセキュリティに関して，国や地方公共団体が果たすべき責務
b サイバーセキュリティに関して，国民が努力すべきこと
c サイバーセキュリティに関する施策の推進についての基本理念

ア a, b　　　　　イ a, b, c　　　　　ウ a, c　　　　　エ b, c

問 29 粗利益を求める計算式
企業活動

　粗利益は売上総利益ともいい，商品やサービスそのものが持っている価値（金額）です。よって，粗利益を求める式は，**売上高から売上原価を減算**した式になります。**ア**が正解です。

- **イ** 経常利益を求める計算式です。
- **ウ** 税引前当期純利益を求める計算式です。
- **エ** 当期純利益を求める計算式です。

問 30 不正アクセス禁止法
法務

　不正アクセス禁止法は，他人のパスワードなどを不正な方法で取得し，アクセス制限されているコンピュータにアクセスしたり，脆弱なコンピュータ（サーバ）の問題点をついて不正侵入を行うなどの行為を禁止する法律です。

- a：オフィス内で取得したIDとパスワードを使って不正にログインしたので，不正アクセス禁止法の禁止行為になります。
- b：画面表示されている内容の閲覧では禁止行為にはなりません。
- c：USBメモリを持ち出した場合は，就業規則違反や窃盗の可能性がありますが，不正アクセス禁止法での禁止行為にはなりません。

　以上から，**ア**（a）が正解です。

問 31 APIエコノミー
ビジネスインダストリ

　API（Application Programming Interface）とは，各種のプログラムを連携させる仕組みのことをいいます。WebでのAPIの例には，Instagramで投稿した記事がX（Twitter）など他のSNSにも投稿されることや，各種サイトでGoogleMapなどの地図アプリと連携させているものがあります。このように，各種サービスを連携させてより付加価値の高い大きなサービスを提供する仕組みをAPIエコノミーといいます。**ア**が正解です。

- **イ** OSS（Open Source Software）の説明です。
- **ウ** RPA（Robotic Process Automation）の説明です。
- **エ** ブロックチェーンの説明です。

問 32 サイバーセキュリティ基本法
法務

　サイバーセキュリティ基本法の条文の一部を抜粋して，以下に示します。

> **＜「サイバーセキュリティ基本法」の目的＞**（一部抜粋）
> 「インターネットその他の高度情報通信ネットワークの整備及び情報通信技術の活用の進展に伴って世界的規模で生じているサイバーセキュリティに対する脅威の深刻化その他の内外の諸情勢の変化に伴い …… サイバーセキュリティに関する施策を総合的かつ効果的に推進し，もって経済社会の活力の向上及び持続的発展並びに国民が安全で安心して暮らせる社会の実現を図るとともに，国際社会の平和及び安全の確保並びに我が国の安全保障に寄与すること」

- a：第四条には，『国は，前条の基本理念（以下「基本理念」という。）にのっとり，サイバーセキュリティに関する総合的な施策を策定し，及び実施する責務を有する。』とあります。
- b：第九条には，『国民は，基本理念にのっとり，サイバーセキュリティの重要性に関する関心と理解を深め，サイバーセキュリティの確保に必要な注意を払うよう努めるものとする。』とあります。
- c：上記の目的が記載されている第一条には，『…我が国のサイバーセキュリティに関する施策に関し，基本理念を定め…』とあります。

　以上から，**イ**（a，b，c）が正解です。

解答 問29 **ア**　問30 **ア**　問31 **ア**　問32 **イ**

令和3年度 公開

問 33 難易度 中

コンピュータシステム開発の外部への発注において，発注金額の確定後に請負契約を締結した。契約後，支払までに発注側と受注側の間で交わされる書類の組合せのうち，適切なものはどれか。ここで，契約内容の変更はないものとする。

ア 提案書，納品書，検収書
イ 提案書，見積書，請求書
ウ 納品書，検収書，請求書
エ 見積書，納品書，請求書

問 34 難易度 低

SCMの導入による業務改善の事例として，最も適切なものはどれか。

ア インターネットで商品を購入できるようにしたので，販売チャネルの拡大による売上増が見込めるようになった。
イ 営業担当者がもっている営業情報や営業ノウハウをデータベースで管理するようにしたので，それらを営業部門全体で共有できるようになった。
ウ ネットワークを利用して売上情報を製造元に伝達するようにしたので，製造元が製品をタイムリーに生産し，供給できるようになった。
エ 販売店の売上データを本部のサーバに集めるようにしたので，年齢別や性別の販売トレンドの分析ができるようになった。

問 35 難易度 中

ある製造業では，後工程から前工程への生産指示や，前工程から後工程への部品を引き渡す際の納品書として，部品の品番などを記録した電子式タグを用いる生産方式を採用している。サプライチェーンや内製におけるジャストインタイム生産方式の一つであるこのような生産方式として，最も適切なものはどれか。

ア かんばん方式
イ クラフト生産方式
ウ セル生産方式
エ 見込み生産方式

問 33 請負契約

法務

民法では，請負（契約）に関する注文者や請負人の義務について定められています。注文者は仕事を依頼する側，請負人は注文者から依頼された仕事を引き受け，仕事を行う側となります。請負人は請け負った仕事を必ず完成させなければなりません。

また，注文者は仕事をしたことそのものではなく，仕事の結果（成果物）に対して報酬を支払うことになります。成果物が完成していない状態で報酬を要求することはできません。

受注側と発注側で交わされる書類の流れ

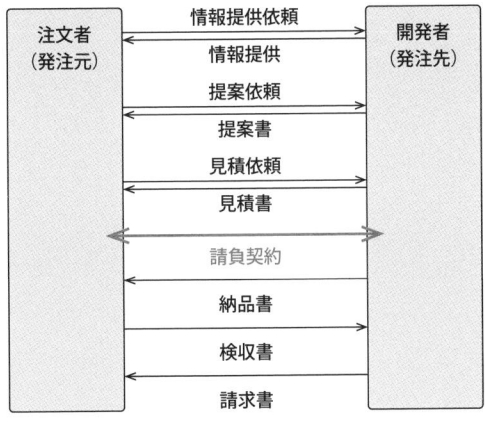

各種書類の流れは，一般的に上図のようになります。納品書は「発注された成果物を完成させ引き渡した」旨を通知し，検収書は「確かに成果物を受領した」旨を通知する書類です。よって，**ウ**が正解です。

問 34 SCM

経営戦略マネジメント

SCM（Supply Chain Management：サプライチェーンマネジメント）は，関連企業間で情報を共有し，製品の生産，受発注の管理，資材調達，在庫管理，物流などの一連の業務を，全体最適化の視点から見直し，コンピュータを用いて管理していきます。

これにより，調達（製造元）から販売（売上情報）までの一連のプロセスを改善し，納期の短縮やコストの削減など，企業活動全体の効率を向上させる効果が期待できます。**ウ**が正解です。

ア 販売チャネル（販路）の拡大はSCMとは無関係

です。

イ SFA（Sales Force Automation：営業支援システム）の説明です。

エ セグメンテーション分析の説明です。SCMでセグメンテーション分析ができるようになるわけではありません。

問 35 かんばん方式

頻出

ビジネスインダストリ

"必要な物を，必要な時に，必要なだけ適切に生産"することによって，工程の途中での中間在庫を可能な限り減少させ，余剰在庫を減らす生産方式のことをかんばん方式といいます。

後工程が前工程に依頼して，必要な部品を必要なだけ調達します。後工程は，必要な部品の量を記載したかんばんを前工程に回して，その分だけの部品を送るよう依頼します。

前工程は，後工程から回ってくるかんばんの指示量に備えて，在庫が最小限になるように調整しながら部品を生産する必要があります。**ア**が正解です。

かんばん方式の流れ

作業順序 →

工程② 机の脚の製造 | かんばん 脚＝8本 | 工程③ 机の組み立て

かんばんに書かれた分だけ製品を送る

イ, ウ クラフト生産方式とセル生産方式は，だいたい同じ意味で使用されます。多品種少量生産を効率よく行うために，1人から数人の作業員が製品の製造工程の大部分もしくは全工程を担当して，必要最小限の商品をフレキシブルに製造する方式です。クラフト生産方式の場合，熟練の職人によるという意味合いが強くなり，セル生産方式の場合は複数の工程を担当するという意味合いが強くなります。

エ 見込み生産方式とは，あらかじめ需要を見込んで製品を製造する方式です。

解答 問33 **ウ** 問34 **ウ** 問35 **ア**

問 36 から問 55 までは，マネジメント系の問題です。

問 36
難易度 低

開発期間 10 か月，開発の人件費予算 1,000 万円のプロジェクトがある。5 か月経過した時点で，人件費の実績は 600 万円であり，成果物は全体の 40％が完成していた。このままの生産性で完成まで開発を続けると，人件費の予算超過はいくらになるか。

ア 100 万円　　**イ** 200 万円　　**ウ** 250 万円　　**エ** 500 万円

問 37
難易度 高

システムの利用者数が当初の想定よりも増えてシステムのレスポンスが悪化したので，増強のためにサーバを 1 台追加することにした。動作テストが終わったサーバをシステムに組み入れて稼働させた。この作業を実施する IT サービスマネジメントのプロセスとして，適切なものはどれか。

ア インシデント管理　　　　　　　**イ** 変更管理
ウ 問題管理　　　　　　　　　　　**エ** リリース及び展開管理

問 38
難易度 中

システム監査の手順に関して，次の記述中の a，b に入れる字句の適切な組合せはどれか。

システム監査は，　a　に基づき　b　の手順によって実施しなければならない。

	a	b
ア	監査計画	結合テスト，システムテスト，運用テスト
イ	監査計画	予備調査，本調査，評価・結論
ウ	法令	結合テスト，システムテスト，運用テスト
エ	法令	予備調査，本調査，評価・結論

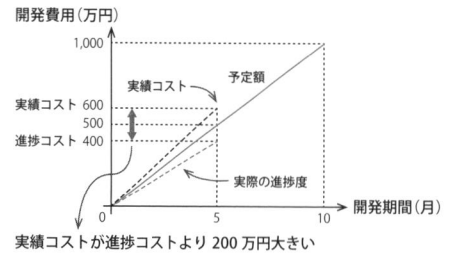

問 36 ┃ 人件費の予算超過を求める
プロジェクトマネジメント

システムの開発期間が 10 か月，開発の人件費予算は 1,000 万円です。開発期間を横軸，開発費用の累積額（予定額）を縦軸にとったグラフは次のようになります。

開発を開始してから 5 か月が経過した時点で，開発に費やした費用の額（実績コスト）は 600 万円です。また，進捗率（40％）から利用可能な予算（進捗コスト）は，

1000 万円 × 0.4 ＝ 400 万円

です。

現在，

600 万円 － 400 万円 ＝ 200 万円

の差があり，進捗率が 100％になるとき完成するため，100 ÷ 40 ＝ 2.5 倍の時間と費用が掛かることになります。よって，

200 万円 × 2.5 倍 ＝ **500 万円（エ）**

の超過となります。

問 37 ITサービスマネジメント
サービスマネジメント

本問で実施している，『レスポンスが悪化したので，増強のためにサーバを1台追加する』は，運用中のサービスにハードウェアを追加する活動を行っています。このような作業を"展開管理"といいます。

また，『動作テストが終わったサーバをシステムに組み入れて稼働させた』は，テスト環境や稼働環境へのリリースを実行する作業なので"リリース管理"が該当します。

これらは，ITIL v3では「リリース管理及び展開管理」となっています。■が正解です。

- ■ インシデント管理は，発生したインシデント（サービスが停止する原因となる出来事）に対し，可能な限り迅速に通常のサービスを回復して，ビジネスへの悪影響を最小限に抑える作業を実施します。
- ■ 変更管理では，変更要求（RFC）の内容について，変更諮問委員会（CAB）が，変更に伴う影響を検証してインパクトや優先度の評価を行い，認可または却下を決定します。
- ■ 問題管理は，未知のインシデントの発生原因を究明し，同様のインシデントが今後発生しないようにするために，システムのバグの修正や運用手順の変更などを提案したり，ハードウェアを増強することを提案したりします。

問 38 システム監査の手順
システム監査

システム監査基準（平成30年改訂）では，次のようにシステム監査を定義しています。

> システム監査とは，専門性と客観性を備えたシステム監査人が，一定の基準に基づいて情報システムを総合的に点検・評価・検証をして，監査報告の利用者に情報システムのガバナンス，マネジメント，コントロールの適切性等に対する保証を与える，又は改善のための助言を行う監査の一類型である。

①システム監査の依頼

組織の経営層などが，システム監査人にシステム監査の実施を依頼する。

②個別計画書の作成

依頼を受けたシステム監査人は，システム監査の対象となる組織，監査対象のシステム，監査手続の実施順序やスケジュールなどをまとめた個別計画書を作成する。

③予備調査の実施

システムの概要や業務手順などの概要を理解しないと問題点を発見することができないので，システム監査人は監査対象の従業員にアンケート調査を行ったり，業務に関連する書類を閲覧したりして，システムの概要をつかむ。

④本調査の実施

予備調査でシステムの概要をつかんだ後，システム監査人は現地に赴いて実際の業務内容を確認したり，システムの問題点の証拠となる書類などを保存したりする。この書類などを監査証拠と呼ぶ。システム監査人は，本調査で確認した事項などを監査調書にまとめる。

⑤監査報告書の作成

システム監査人は，本調査において収集した監査証拠と作成した監査調書を基に，監査対象のシステムの問題点などを監査報告書にまとめる。監査報告書は監査の依頼者に提出される。

⑥改善勧告

監査報告書に基づいて，監査の依頼者は情報システムや業務などの改善を行う。その改善が適切に実行されているかどうかを，システム監査人は定期的に確認し，助言を行う。

システム監査の大まかな流れ

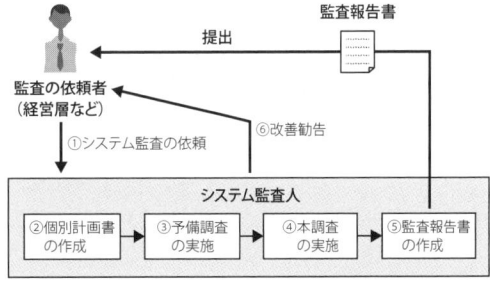

上記より，『システム監査は「監査計画」に基づき，「予備調査→本調査→評価→結論」の手順で実施しなければならない』ので，■の組合せが正解です。

解答 問36 ■ 問37 ■ 問38 ■

問39 難易度 低

プロジェクトマネジメントのプロセスには，プロジェクトコストマネジメント，プロジェクトコミュニケーションマネジメント，プロジェクト資源マネジメント，プロジェクトスケジュールマネジメントなどがある。システム開発プロジェクトにおいて，テストを実施するメンバを追加するときのプロジェクトコストマネジメントの活動として，最も適切なものはどれか。

- ア 新規に参加するメンバに対して情報が効率的に伝達されるように，メーリングリストなどを更新する。
- イ 新規に参加するメンバに対する，テストツールのトレーニングをベンダに依頼する。
- ウ 新規に参加するメンバに担当させる作業を追加して，スケジュールを変更する。
- エ 新規に参加するメンバの人件費を見積もり，その計画を変更する。

問40 難易度 高

同一難易度の複数のプログラムから成るソフトウェアのテスト工程での品質管理において，各プログラムの単位ステップ数当たりのバグ数をグラフ化し，上限・下限の限界線を超えるものを異常なプログラムとして検出したい。作成する図として，最も適切なものはどれか。

- ア 管理図
- イ 特性要因図
- ウ パレート図
- エ レーダチャート

問41 難易度 中

クラスや継承という概念を利用して，ソフトウェアを部品化したり再利用することで，ソフトウェア開発の生産性向上を図る手法として，適切なものはどれか。

- ア オブジェクト指向
- イ 構造化
- ウ プロセス中心アプローチ
- エ プロトタイピング

問39 プロジェクトコスト マネジメント
プロジェクトマネジメント 頻出

PMBOK (Project Management Body Of Knowledge：プロジェクトマネジメント体系化ガイド)では，プロジェクトマネジメントに関する知識やプロセスを，次の10に分類しています。

①プロジェクト統合マネジメント

プロジェクトに含まれる各種プロセスの調整を行い，プロジェクト全体の作業を適切に遂行して，プロジェクトを問題なく完了させることです。

②プロジェクトスコープマネジメント

必要な作業を過不足なく実行し，プロジェクトを成功させることを目的とします。

③プロジェクトスケジュールマネジメント

プロジェクトをスケジュールどおりに進め，期限内に完成させることを目的とします。

④プロジェクトコストマネジメント

プロジェクトを決められた予算内で完了させることを目的とし，コストの見積りを実行します。

⑤プロジェクト品質マネジメント

プロジェクトの成果物の品質を保ち，顧客のニーズを満足させることを目的とします。

⑥プロジェクト資源マネジメント

プロジェクトチームの各メンバに自分の役割と責任を果たさせ，プロジェクトの目標を達成することを目的とします。

⑦プロジェクトコミュニケーションマネジメント

プロジェクトの情報をメンバが適切に把握でき

るようにするとともに，メンバ同士の情報伝達の管理を行います。

⑧プロジェクトリスクマネジメント

プロジェクトにとってマイナスとなる事象（リスク）の発生確率や影響を減らし，リスクを適切に管理することを目的とします。

⑨プロジェクト調達マネジメント

プロジェクトの作業を実行するための資源を外部から引合い，それを購入または取得するために必要な契約を結び，その契約を適切に管理します。

⑩プロジェクトステークホルダーマネジメント

顧客だけでなく自社の経営者など社外社内を問わず，幅広いプロジェクト関係者と良好な関係を築きプロジェクトを円滑に進めていくことを目的とします。

解答群を順に検討します。

㋐ プロジェクトコミュニケーションマネジメントの活動です。

㋑ プロジェクト資源マネジメントの活動です。

㋒ プロジェクトスケジュールマネジメントの活動です。

㋓ 新規に参加するメンバの人件費を見積もり，その計画を変更するのはプロジェクトコストマネジメントの活動です。**⇒正解です。**

問 40 管理図
企業活動

品質管理や工程管理で利用するグラフとして，時系列のデータを使って上限や下限の限界値を設定し，そのデータを確認する管理図があります。㋐が正解です。

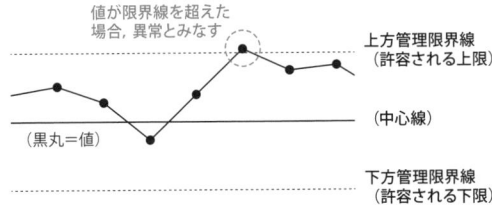

管理図

㋑ 特性要因図は，複数の特性について，どれが影響を及ぼしているかを明らかにするための図法でフィッシュボーンとも呼ばれます。

㋒ パレート図は，管理上重要な項目を確認すると

きに用います。

㋓ レーダチャートは，複数の項目間の大きさを同時に確認する場合に利用します。

問 41 オブジェクト指向
ソフトウェア開発管理技術

現実世界の製品・組織・人などの「もの」（データ）と，その「もの」がもつ機能や処理（メソッド）をまとめて扱うことができる設計手法をオブジェクト指向といいます。また，データとメソッドをまとめたものをクラスといいます。㋐が正解です。

オブジェクト指向設計により同じデータやメソッドを受け継いだ（継承），新たな下位クラスを作成することができ，上位クラスの再利用や部品化が可能となり生産性が向上します。

オブジェクト指向設計が開発される前の開発技法	オブジェクト指向設計
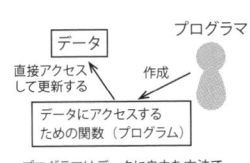	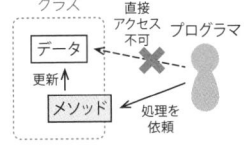

㋑ 構造化とは，順次，選択，繰返しの三つの要素だけを用いてプログラムを作成する手法です。

㋒ プロセス中心アプローチとは，プロセス（業務の処理手順）に着目し，どのように実装するかといった観点からシステム分析を行い，ソフトウェアを構築しようとする考え方です。

㋓ プロトタイピングとは，開発の早い段階で試作品（プロトタイプ）を作成して，ユーザの確認を取りながら繰返し進めて行く方法です。

解答 問39 ㋓ 問40 ㋐ 問41 ㋐

 **問42** 難易度高

システム開発プロジェクトにおいて，利用者から出た要望に対応するために，プログラムを追加で作成することになった。このプログラムを作成するために，先行するプログラムの作成を終えたプログラマを割り当てることにした。そして，結合テストの開始予定日までに全てのプログラムが作成できるようにスケジュールを変更し，新たな計画をプロジェクト内に周知した。このように，変更要求をマネジメントする活動はどれか。

ア プロジェクト資源マネジメント
イ プロジェクトスコープマネジメント
ウ プロジェクトスケジュールマネジメント
エ プロジェクト統合マネジメント

 **問43** 難易度高

A社で新規にシステムを開発するプロジェクトにおいて，システムの開発をシステム要件定義，設計，プログラミング，結合テスト，総合テスト，運用テストの順に行う。A社は，外部ベンダのB社と設計，プログラミング及び結合テストを委託範囲とする請負契約を結んだ。A社が実施する受入れ検収はどの工程とどの工程の間で実施するのが適切か。

ア システム要件定義と設計の間 **イ** プログラミングと結合テストの間
ウ 結合テストと総合テストの間 **エ** 総合テストと運用テストの間

 **問44** 難易度低

ITサービスマネジメントにおいて，サービスデスクが受け付けた難度の高いインシデントを解決するために，サービスデスクの担当者が専門技術をもつ二次サポートに解決を委ねることはどれか。

ア FAQ **イ** SLA
ウ エスカレーション **エ** ワークアラウンド

問45 難易度中

ITILに関する記述として，適切なものはどれか。

ア ITサービスの提供とサポートに対して，ベストプラクティスを提供している。
イ ITシステム開発とその取引の適正化に向けて，作業項目を一つ一つ定義し，標準化している。
ウ ソフトウェア開発組織の成熟度を多段階のレベルで定義している。
エ プロジェクトマネジメントの知識を体系化している。

 **問42** | **プロジェクト統合マネジメント**
プロジェクトマネジメント

本問では，プログラムを追加で作成するために，プロジェクトのメンバ（プログラマ）の再割り当てを実施し，その後スケジュールの変更を行ってから，それを全員に周知しています。

このように，プロジェクトに含まれる各種プロセスの調整を行い，プロジェクト全体の作業を適切に遂行して，プロジェクトを問題なく完了させることを**プロジェクト統合マネジメント**といいます。**エ**が正解です。

ア プロジェクト資源マネジメントは，プロジェクトチームの各メンバに自分の役割と責任を果

たさせ，プロジェクトの目標を達成することを目的とします。

イ プロジェクトスコープマネジメントは，プロジェクトにおいて必要な作業を過不足なく実行し，プロジェクトを成功させることを目的とします。

ウ プロジェクトスケジュールマネジメントは，プロジェクトをスケジュールどおりに進め，期限内に完成させることを目的とします。

問 43 | システム開発

システム開発技術

A社のシステム開発プロジェクトでは以下の工程のうち，設計，プログラミング，結合テストでB社と請負契約を結んでいます。

システム要件定義 →
【設計 → プログラミング → 結合テスト】
→ 総合テスト → 運用テスト

ここで，A社が行う受入れ検収とは，B社から納品されたプログラム（ソフトウェア）に対して不具合などはないかを確認して，承認することです。

したがって，ここではB社が請け負った作業が終了する時点である，結合テストと総合テストの間で検収を実施することが望ましいです。**ウ** が正解です。

問 44 | エスカレーション

NEW

サービスマネジメント

インシデント管理プロセスにおいて，インシデントの内容や現状などの情報をより専門知識のあるスタッフや権限を持つスタッフなどに伝達して，インシデントに対処する業務を引き継ぐことをエスカレーションといいます。**ウ** が正解です。

インシデント発生時のサポートの流れ（一部）

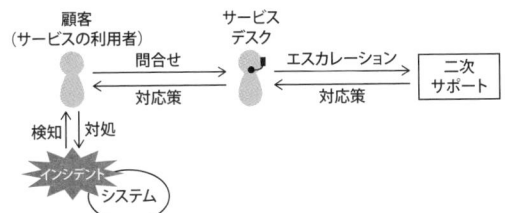

ア FAQ (Frequently Asked Questions) とは，

よくある質問と回答のことです。

イ SLA (Service Level Agreement：サービスレベル契約) とは，各種サービスの品質について，そのサービスの利用者と提供者との間でなされた合意のことです。

エ ワークアラウンドとは，インシデントが発生したときに，サービスの停止時間をできる限り少なくしたり，サービスを停止させずに業務を継続したりするための回避策のことです。

問 45 | ITIL

頻出

サービスマネジメント

ITIL (Information Technology Infrastructure Library) とは，1989年に英国政府の中央コンピュータ電気通信局によって作成・公表された，ITサービスマネジメントにおけるベストプラクティス (有益な経験則やルール) をまとめたものです。

ITサービスマネジメントとは，コンピュータを使用したサービスの実行状況を適切に管理し，障害から早急に復帰できるようにして，常に高品質なサービスを提供できるようにすることです。**ア** が正解です。

イ 共通フレームの説明です。

ウ CMMI (Capability Maturity Model Integration：能力成熟度) の説明です。

エ PMBOK (Project Management Body of Knowledge) の説明です。

解答 問 42 **エ**　問 43 **ウ**　問 44 **ウ**　問 45 **ア**

問46 システム要件定義で明確にするもののうち，性能に関する要件はどれか。

難易度 高

- ア 業務要件を実現するシステムの機能
- イ システムの稼働率
- ウ 照会機能の応答時間
- エ 障害の復旧時間

問47 システム開発プロジェクトにおいて，成果物として定義された画面・帳票の一覧と，実際に作成された画面・帳票の数を比較して，開発中に生じた差異とその理由を確認するプロジェクトマネジメントの活動はどれか。

難易度 高

- ア プロジェクト資源マネジメント
- イ プロジェクトスコープマネジメント
- ウ プロジェクト調達マネジメント
- エ プロジェクト品質マネジメント

問48 既存のプログラムを，外側から見たソフトウェアの動きを変えずに内部構造を改善する活動として，最も適切なものはどれか。

難易度 中

- ア テスト駆動開発
- イ ペアプログラミング
- ウ リバースエンジニアリング
- エ リファクタリング

問46 | システム要件定義

システム開発技術

システム要件とは，システム化目標，システムの機能・能力などをまとめたものです。「要件」は，機能要件と非機能要件に分けられます。

機能要件とは，業務要件を実現するために用いられる，システムの機能のことです。

非機能要件とは，システムの処理性能の高さ，使いやすさ，及び処理速度の早さなど，システムの機能そのものとは直接の関係がない，システムの利用状況に関する各種要素のことです。

そのうち，『性能』に関する要件は，処理可能なデータ量や単位時間のアクセス数，応答時間などが該当します。**ウ**が正解です。

- ア 業務要件を実現するシステムの機能は，機能要件の説明です。
- イ システムの稼働率は，可用性に関する要件です。
- エ 障害の復旧時間は，信頼性に関する要件です。

問47 | プロジェクトスコープマネジメント

プロジェクトマネジメント

PMBOK (Project Management Body Of Knowledge：プロジェクトマネジメント体系化ガイド)では，プロジェクトマネジメントに関する知識やプロセスを，次の10に分類しています。

①プロジェクト統合マネジメント

プロジェクトに含まれる各種プロセスの調整を行い，プロジェクト全体の作業を適切に遂行して，プロジェクトを問題なく完了させることです。

②プロジェクトスコープマネジメント

プロジェクトにおいて必要な作業を過不足なく実行し，プロジェクトを成功させることを目的とします。

③プロジェクトスケジュールマネジメント

プロジェクトをスケジュールどおりに進め，期限内に完成させることを目的とします。

④プロジェクトコストマネジメント

プロジェクトを決められた予算内で完了させることを目的とし，コストの見積りなどを実行します。

⑤プロジェクト品質マネジメント

プロジェクトの成果物の品質を保ち，顧客のニーズを満足させることを目的として，品質のチェックを行います。

⑥プロジェクト資源マネジメント

プロジェクトチームの各メンバに自分の役割と責任を果たさせ，プロジェクトの目標を達成することを目的とします。

⑦プロジェクトコミュニケーションマネジメント

プロジェクトの情報をメンバが適切に把握できるようにするとともに，メンバ同士の情報伝達の管理を行います。

⑧プロジェクトリスクマネジメント

プロジェクトにとってマイナスとなる事象（リスク）の発生確率や影響を減らし，リスクを適切に管理することを目的とします。

⑨プロジェクト調達マネジメント

プロジェクトの作業を実行するための資源などを外部から引合い，それを購入または取得するために必要な契約を結び，その契約を適切に管理します。

⑩プロジェクトステークホルダーマネジメント

顧客だけでなく自社の経営者など社外社内を問わず，幅広いプロジェクト関係者と良好な関係を築きプロジェクトを円滑に進めていくことを目的とします。

以上から，成果物として定義された画面・帳票の一覧と実際に作成された画面・帳票の数を比較して過不足なく実施されたかの差異を確認するプロジェクトマネジメントは，**プロジェクトスコープマネジメント**です。**イ**が正解です。

問 48 リファクタリング
ソフトウェア開発管理技術

アジャイル開発は，システム開発においてコーディングやテストを重視し，常にフィードバックを行って機能ごとに修正や再設計を行う開発手法のことです。**XP（エクストリームプログラミング）**や**スクラム**などの手法が用いられます。

アジャイル開発では，開発者が行うべき習慣（プラクティス）の一つとして，外部から見たプログラムの振る舞い（画面構成，インタフェース及び処理内容）をそのままにしつつ，プログラムの保守性を

向上させて，デバッグや保守を容易にする技法として**リファクタリング**を定義しています。**エ**が正解です。

● 例1：クラス名，メソッド名，属性（フィールド）名などを，意味が理解しやすいものに変更する

```
        ×                          ○
class a {                  class human_age {
    int a;                     int age;
    int method(void) {…}       int getAge(void) {…}
}                          }
```

● 例2：長いメソッドを，複数の短く簡潔なメソッドに分ける

```
        ×                          ○
void calc(void) {          void calc_1(void) { (処理1)}
    （処理1）                void calc_2(void) { (処理2)}
    （処理2）                     :
      :                     void calc_n(void) { (処理n)}
    （処理n）
}
```

ア テスト駆動開発とは，プログラムの作成前にテストケースを作成して，そのテストケースに合うように開発を行う手法のことです。

イ ペアプログラミングとは，二人が一組となってソフトウェアのコーディングを行う手法のことです。

ウ リバースエンジニアリングとは，既存のシステムやプログラムを解析して，その要求仕様や設計情報を導き出すための技術です。

解答 問 46 ウ　問 47 イ　問 48 エ

ITガバナンスに関する次の記述中のaに入れる，最も適切な字句はどれか。

| a |は，現在及び将来のITの利用についての評価とIT利用が事業の目的に合致することを確実にする役割がある。

ア 株主　　　　　　　　　　　　　イ 監査人
ウ 経営者　　　　　　　　　　　　エ 情報システム責任者

自分のデスクにあるPCと共有スペースにあるプリンタの起動を1人で行う。PCとプリンタの起動は図の条件で行い，それぞれの作業・処理は逐次実行する必要がある。自動処理の間は，移動やもう片方の作業を並行して行うことができる。自分のデスクにいる状態でPCの起動を開始し，移動してプリンタを起動した上で自分のデスクに戻り，PCの起動を終了するまでに必要な時間は，最短で何秒か。

〔条件〕

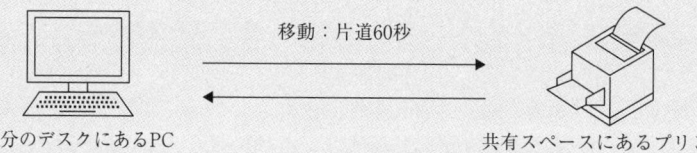

自分のデスクにあるPC　　　　　　　　　　　　　　　移動：片道60秒　　　　　共有スペースにあるプリンタ

PCの起動の流れ

作業・処理内容	所要時間	処理種別
（起動開始）		
A　電源を入れる	3秒	手作業
B　ログイン画面 　　起動処理	150秒	自動処理
C　ログイン操作	10秒	手作業
D　ログイン後の 　　アプリケーション 　　起動処理	60秒	自動処理
（起動終了）		

プリンタの起動の流れ

作業・処理内容	所要時間	処理種別
（起動開始）		
E　電源を入れる	3秒	手作業
F　起動処理	60秒	自動処理
（起動終了）		

ア 223　　　　　　イ 256　　　　　　ウ 286　　　　　　エ 406

アジャイル開発を実施している事例として，最も適切なものはどれか。

ア AIシステムの予測精度を検証するために，開発に着手する前にトライアルを行い，有効なアルゴリズムを選択する。
イ IoTの様々な技術を幅広く採用したいので，技術を保有するベンダに開発を委託する。
ウ IoTを採用した大規模システムの開発を，上流から下流までの各工程における完了の承認を行いながら順番に進める。
エ 分析システムの開発において，分析の精度の向上を図るために，固定された短期間のサイクルを繰り返しながら分析プログラムの機能を順次追加する。

問 49 ITガバナンス

システム監査

ITガバナンスとは，ITを導入・活用するための目的や目標などを適切に設定して，企業が競争優位性を確立するために適切なIT戦略を策定し，企業をあるべき方向に導いていくための組織能力や統率力のことです。

本問の『現在及び将来のITの利用についての評価とIT利用が事業の目的に合致することを確実にする役割がある。』のは，トップである経営者になります。**ウ**が正解です。

ア 株主には，投資している企業が倒産したり，経営的な問題を起こしたりしたとき，保有している株価の下落という形で責任をとる義務があります。

イ 監査人には，監査対象のシステムが適切に利用されているかを検証し，その結果を監査の依頼者に報告する義務があります。

エ 情報システム責任者には，管理するシステム部門の各種業務を問題なく遂行する責任があります。

問 50 PCの起動から終了時間を求める

サービスマネジメント

最短時間を求める必要があるために，同時に実行できる時間を考慮します。そのため，PCの電源を入れてからログイン画面起動処理中に移動してプリンタの電源を入れ，すぐにPCに戻って（この間プリンタは自動で起動処理）その後の処理を続けます。

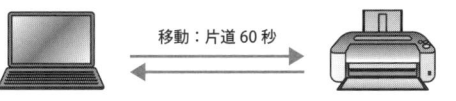

移動：片道60秒

①PCを起動する **3秒** その後，プリンタの電源を入れに行くために
②移動する **60秒**
③プリンタの電源を入れる **3秒**
ここで起動処理が行われますが，自動なのですぐにPCに戻ります。
④移動する **60秒**（この間プリンタ起動終了）
PCに戻ると起動してから123秒経過
（②＋③＋④）

⑤ログイン画面起動 150秒ですが123秒経過しているので，残り **27秒**
⑥ログイン操作 **10秒**
⑦ログイン後のアプリケーション起動時間 **60秒**
①～⑦の合計
　＝3秒＋60秒＋3秒＋60秒＋27秒＋10秒＋60秒
　＝**223秒**（**ア**）

問 51 アジャイル開発

ソフトウェア開発管理技術

アジャイル開発は，システム開発においてコーディングやテストを重視し，常にフィードバックを行って機能ごとに修正や再設計を行う開発手法のことです。

アジャイル開発の方法として，XP（エクストリームプログラミング）やスクラムなどの手法が用いられます。この方法では要件定義からテストまでの流れを繰り返しながら少しずつ完成度を高めていくので，機能追加などにも柔軟に対応できます。**エ**が正解です。

ア PoC（Proof of Concept：概念実証）の開発事例です。

イ 外部委託の開発事例です。

ウ ウォータフォールモデルによる開発事例です。

解答 問49 **ウ**　問50 **ア**　問51 **エ**

令和3年度 公開

問 52 自社の情報システムに関して，BCP（事業継続計画）に基づいて，マネジメントの視点から行う活動a～dのうち，適切なものだけを全て挙げたものはどれか。

難易度 中

a 重要データのバックアップを定期的に取得する。
b 非常時用の発電機と燃料を確保する。
c 複数の通信網を確保する。
d 復旧手順の訓練を実施する。

ア a, b, c　　イ a, b, c, d　　ウ a, d　　エ b, c, d

問 53 ITサービスにおけるSLMに関する説明のうち，適切なものはどれか。

難易度 中

ア SLMでは，SLAで合意したサービスレベルを維持することが最優先課題となるので，サービスの品質の改善は補助的な活動となる。
イ SLMでは，SLAで合意した定量的な目標の達成状況を確認するために，サービスの提供状況のモニタリングやレビューを行う。
ウ SLMの目的は，顧客とサービスの内容，要求水準などの共通認識を得ることであり，SLAの作成が活動の最終目的である。
エ SLMを効果的な活動にするために，SLAで合意するサービスレベルを容易に達成できるレベルにしておくことが重要である。

問 54 WBSを作成するときに，作業の記述や完了基準などを記述した補助文書を作成する。この文書の目的として，適切なものはどれか。

難易度 中

ア WBSで定義した作業で使用するデータの意味を明確に定義する。
イ WBSで定義した作業の進捗を管理する。
ウ WBSで定義した作業のスケジュールのクリティカルパスを求める。
エ WBSで定義した作業の内容と意味を明確に定義する。

問 55 有料のメールサービスを提供している企業において，メールサービスに関する開発・設備投資の費用対効果の効率性を対象にしてシステム監査を実施するとき，システム監査人が所属している組織として，最も適切なものはどれか。

難易度 高

ア 社長直轄の品質保証部門
イ メールサービスに必要な機器の調達を行う運用部門
ウ メールサービスの機能の選定や費用対効果の評価を行う企画部門
エ メールシステムの開発部門

問 52 BCP（事業継続計画）

サービスマネジメント

BCP（Business Continuity Plan：事業継続計画）とは，企業が事業の継続に取り組む際の基本計画のことです。

災害やシステム障害などの予期せぬ事態が発生しても重要な業務の継続を可能とするため，事前に各種の行動計画を策定しておきます。

a：重要データのバックアップは復旧の際に必要

なため，定期的に取得しておく必要があります。

b：情報システムでは，機器の非常用電源に使用する発電機と燃料を確保しておく必要があります。

c：一つの通信網だけで運用している場合，障害が発生した際に通信が寸断される可能性があるため，複数の通信網を準備しておく必要があります。

d：日ごろから，災害に遭った際の復旧の訓練をしておくことで，問題点などが明確になり緊急時の対応がスムースになります。

以上から，**イ** (a，b，c，d) が正解です。

問53 ITサービスにおけるSLM
サービスマネジメント

SLA (Service Level Agreement：サービスレベル契約) とは，各種のITサービスのサービスレベルについて，そのサービスの利用者と提供者との間でなされた合意，及びその合意をまとめた合意書のことです。

SLM (Service Level Management：サービスレベル管理) とは，SLAに基づいてITサービスのサービスレベルを管理することにより，ITサービスの品質を維持・向上するための活動を行うことです。サービスの提供状況のモニタリングやレビューも必要となります。以上から，**イ** が正解です。

ア SLMでは，サービス品質の改善が主な活動です。

ウ SLMは，SLAに基づいて行われるものです。

エ SLAを設定してからSLM活動を行うので，SLMを実効性のあるものにするためにSLAを設定することはありません。

問54 WBS（作業分解構造）
プロジェクトマネジメント

WBS (Work Breakdown Structure：作業分解構造) とは，システム開発において必要な作業を，大きいものから小さいものへと細分化し，切り分けたものです。

WBSだけでは作業名以外の詳細な情報が不足するために，補助文書を用いることがあります。

エ が正解です。

WBS の例

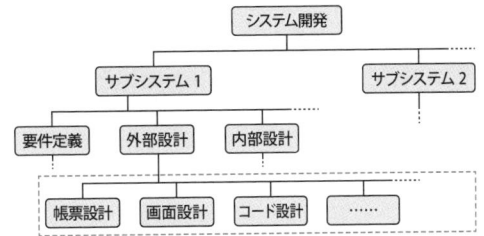

ア 作業で使用するデータの意味を定義するのは，データ定義書です。

イ 作業の進捗管理は，工程管理表などで管理します。

ウ クリティカルパスを求めるのは，PERT図です。

問55 システム監査人
システム監査

システム監査人はシステム開発や設備投資が本来必要かどうか客観的な目線で費用対効果分析をして，システム開発が妥当なものか確認します。

そのためにシステム監査人は，関連部門から独立した立場で，開発するか取りやめるかを決定できるトップダウンが可能な，**社長直轄の品質保証部門 (ア)** に所属することが望ましいです。

機器の調達を行う運用部門 (**イ**)，機能の選定や費用対効果の評価を行う企画部門 (**ウ**)，メールシステムの開発部門 (**エ**) は，いずれも第三者として客観的な判断をするシステム監査人としては不適切です。

解答 問52 **イ** 問53 **イ** 問54 **エ** 問55 **ア**

令和3年度 公開

問56から問100までは，テクノロジ系の問題です。

難易度 高

インターネットにおいてドメイン名とIPアドレスの対応付けを行うサービスを提供しているサーバに保管されている管理情報を書き換えることによって，利用者を偽のサイトへ誘導する攻撃はどれか。

ア DDoS攻撃
イ DNSキャッシュポイズニング
ウ SQLインジェクション
エ フィッシング

難易度 中

CPU，主記憶，HDDなどのコンピュータを構成する要素を1枚の基板上に実装し，複数枚の基板をラック内部に搭載するなどの形態がある，省スペース化を実現しているサーバを何と呼ぶか。

ア DNSサーバ
イ FTPサーバ
ウ Webサーバ
エ ブレードサーバ

難易度 中

サーバルームへの共連れによる不正入室を防ぐ物理的セキュリティ対策の例として，適切なものはどれか。

ア サークル型のセキュリティゲートを設置する。
イ サーバの入ったラックを施錠する。
ウ サーバルーム内にいる間は入室証を着用するルールとする。
エ サーバルームの入り口に入退室管理簿を置いて記録させる。

難易度 中

Aさんが，Pさん，Qさん及びRさんの3人に電子メールを送信した。Toの欄にはPさんのメールアドレスを，Ccの欄にはQさんのメールアドレスを，Bccの欄にはRさんのメールアドレスをそれぞれ指定した。電子メールを受け取った3人に関する記述として，適切なものはどれか。

ア PさんとQさんは，同じ内容のメールがRさんにも送信されていることを知ることができる。
イ Pさんは，同じ内容のメールがQさんに送信されていることを知ることはできない。
ウ Qさんは，同じ内容のメールがPさんにも送信されていることを知ることができる。
エ Rさんは，同じ内容のメールがPさんとQさんに送信されていることを知ることはできない。

問56 | DNSキャッシュポイズニング
セキュリティ

DNSキャッシュポイズニングとは，ドメイン名とIPアドレスの対応付けを行うDNSサーバに対して不正な情報を送り込み，参照してきた利用者を，本来のWebサーバとは異なるサーバに誘導する攻撃手法のことです。イが正解です。

DNS キャッシュポイズニングのイメージ

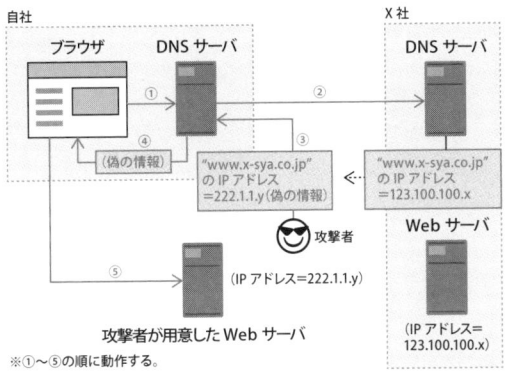

※①～⑤の順に動作する。

⑦ DDoS (Distributed DoS) 攻撃とは，特定サイトに複数のPCから同時に攻撃することです。

⑤ SQLインジェクションとは，データベースの内容を不正に閲覧または削除する攻撃方法です。

⒠ フィッシングとは，偽装したメールを送って個人情報などを入手する行為のことです。

問 57 ブレードサーバ
コンピュータ構成要素

CPUやメモリなどの最小限の装置のみを有している，ボード型のサーバシステムのことをブレードサーバといいます。電源装置やインタフェースなどをサーバ間で共有することで，高密度化や省スペース化を実現しています。⒠が正解です。

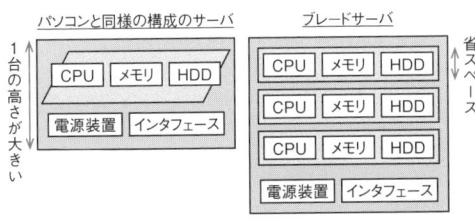

⑦ DNSサーバは，ドメイン名からIPアドレス情報を参照することができるサーバです。

⒤ FTPサーバは，ファイル転送用のサーバです。

⒲ Webサーバは，HTMLなどで作成されたページを提供するサーバです。

問 58 物理的セキュリティ対策
セキュリティ

共連れとは，カードを読み込ませることで部屋のドアが開く入退室管理システムで，正規の利用者について部屋に入ることです。対策はサークル式のセキュリティゲートを設置して，1人ずつしか入室できないようにします。⑦が正解です。

⒤ 盗難や不正接続の防止は可能ですが，共連れの対策にはなりません。

⒲ 入室証を持っていれば誰でも入室できるので，共連れの対策にはなりません。

⒠ 入退出管理簿に記入すれば誰でも入室できてしまうので，共連れの対策にはなりません。

問 59 電子メール
ネットワーク

問題文の状況から，次の図のようになります。

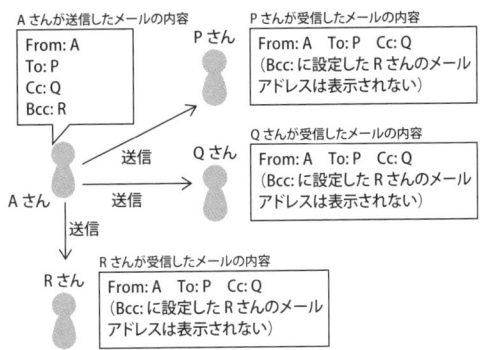

送信者を表すFrom:の欄には，Aさんのメールアドレスが入ります。To:とCc: (Carbon Copy)の欄はAさんが設定して送信したメールと同じ内容になります。Bcc: (Blind Carbon Copy)の欄は，**受信者のメールには表示されません。**

⑦, ⒤, ⒠ PさんとQさんのメールアドレスは全員に表示されますが，RさんのメールアドレスはPさんとQさんのメールには表示されません。

⒲ Qさんが受信したメールには，Pさんのメールアドレスが表示されるため，同じメールがPさんにも送信されたことが分かります。⇒**正解です。**

解答	問56 ⒤	問57 ⒠	問58 ⑦	問59 ⒲

問60
難易度低

情報システムにおける二段階認証の例として，適切なものはどれか。

- ア 画面に表示されたゆがんだ文字列の画像を読み取って入力した後，利用者ID とパスワードを入力することによって認証を行える。
- イ サーバ室への入室時と退室時に生体認証を行い，認証によって入室した者だけが退室の認証を行える。
- ウ 利用者IDとパスワードを入力して認証を行った後，秘密の質問への答えを入力することによってログインできる。
- エ 利用者IDの入力画面へ利用者IDを入力するとパスワードの入力画面に切り替わり，パスワードを入力することによってログインできる。

問61
難易度中

クレジットカードの会員データを安全に取り扱うことを目的として策定された，クレジットカード情報の保護に関するセキュリティ基準はどれか。

- ア NFC
- イ PCI DSS
- ウ PCI Express
- エ RFID

問62
難易度中

金融システムの口座振替では，振替元の口座からの出金処理と振替先の口座への入金処理について，両方の処理が実行されるか，両方とも実行されないかのどちらかであることを保証することによってデータベースの整合性を保っている。データベースに対するこのような一連の処理をトランザクションとして扱い，矛盾なく処理が完了したときに，データベースの更新内容を確定することを何というか。

- ア コミット
- イ スキーマ
- ウ ロールフォワード
- エ ロック

問63
難易度中

PCやスマートフォンのブラウザから無線LANのアクセスポイントを経由して，インターネット上のWebサーバにアクセスする。このときの通信の暗号化に利用するSSL/TLSとWPA2に関する記述のうち，適切なものはどれか。

- ア SSL/TLSの利用の有無にかかわらず，WPA2を利用することによって，ブラウザとWebサーバ間の通信を暗号化できる。
- イ WPA2の利用の有無にかかわらず，SSL/TLSを利用することによって，ブラウザとWebサーバ間の通信を暗号化できる。
- ウ ブラウザとWebサーバ間の通信を暗号化するためには，PCの場合はSSL/TLSを利用し，スマートフォンの場合はWPA2を利用する。
- エ ブラウザとWebサーバ間の通信を暗号化するためには，PCの場合はWPA2を利用し，スマートフォンの場合はSSL/TLSを利用する。

問60 情報システムにおける
二段階認証
セキュリティ

二段階認証とは，利用者IDとパスワード入力の他に，別の情報（セキュリティコードなど）の入力

を追加することで不正アクセスを防止する仕組みのことです。**ウ**が正解です。

- ア ゆがんだ文字（CAPTCHA）は人間しか読めないので，コンピュータが自動的にアクセスするのを防ぐ役割があります。

ウ アンチパスバックの認証方式の説明です。

エ 通常の利用者IDとパスワードの認証方式です。

問61 PCI DSS
セキュリティ

クレジットカードなどのカード会員データのセキュリティ強化を目的として制定された基準として，PCI DSS (Payment Card Industry Data Security Standard) があります。

VISA，American Expressなどが共同で策定した基準で，技術面や運用面に関する各種のセキュリティ要件が提示されています。**イ**が正解です。

ア NFC (Near Field Communication) は，ソニーとNXPセミコンダクターズが共同開発した無線通信の国際規格です。

ウ PCI Express (Peripheral Component Interconnect-Express：PCI-e) は，マザーボードで使用されているシリアルインタフェース規格です。

エ RFID (Radio Frequency IDentification：電子タグ) は，IC チップを埋め込んだタグのことです。

問62 コミット
データベース

トランザクションが正常終了した場合は，コミットを行います。コミットによってデータの作成・更新・削除が確定します。**ア**が正解です。また，異常終了した場合は，ロールバックを行います。

トランザクション処理の例

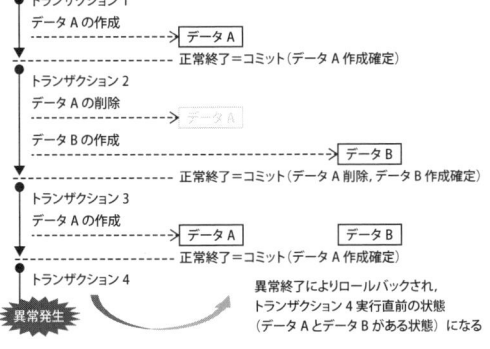

イ スキーマは，データベースの構造のことです。

ウ ロールフォワードは，データベース管理システムが障害から復旧した後に，障害が発生するまでに終了していたトランザクションの更新内容を再現することです。

エ ロックは，データベース管理システムで，あるトランザクションが資源にアクセスしている間は，他のトランザクションをその資源にアクセスさせない機能です。

問63 暗号化
セキュリティ

PCやスマートフォンのブラウザから，無線LANのアクセスポイントを経由してインターネットのWebサーバにアクセスするルートは次の図のようになります。

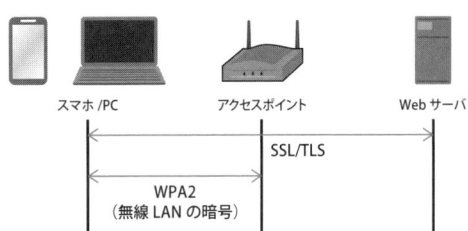

SSL/TLSの利用の際には，スマホやPCのブラウザとWebサーバ間で直接暗号化通信が行われています。また，無線LANの暗号方式であるWPA2は，スマホやPCとアクセスポイントとの間だけ暗号化通信が行われています。

よって，SSL/TLSを使用している場合は，WPA2の利用の有無に関わらず暗号化されています。**イ**が正解です。

解答 問60 **ウ** 問61 **イ** 問62 **ア** 問63 **イ**

問64

難易度 **中**

CPU内部にある高速小容量の記憶回路であり、演算や制御に関わるデータを一時的に記憶するのに用いられるものはどれか。

ア GPU　　　　**イ** SSD　　　　**ウ** 主記憶　　　　**エ** レジスタ

問65
難易度 **低**

シャドーITの例として、適切なものはどれか。

ア 会社のルールに従い、災害時に備えて情報システムの重要なデータを遠隔地にバックアップした。
イ 他の社員がパスワードを入力しているところをのぞき見て入手したパスワードを使って、情報システムにログインした。
ウ 他の社員にPCの画面をのぞかれないように、離席する際にスクリーンロックを行った。
エ データ量が多く電子メールで送れない業務で使うファイルを、会社が許可していないオンラインストレージサービスを利用して取引先に送付した。

問66

難易度 **高**

RGBの各色の階調を、それぞれ3桁の2進数で表す場合、混色によって表すことができる色は何通りか。

ア 8　　　　**イ** 24　　　　**ウ** 256　　　　**エ** 512

問67

難易度 **中**

ISMSにおける情報セキュリティに関する次の記述中のa，bに入れる字句の適切な組合せはどれか。

情報セキュリティとは、情報の機密性、完全性及び　a　を維持することである。さらに、真正性、責任追跡性、否認防止、　b　などの特性を維持することを含める場合もある。

	a	b
ア	可用性	信頼性
イ	可用性	保守性
ウ	保全性	信頼性
エ	保全性	保守性

問 64 レジスタ
コンピュータ構成要素

レジスタとは，CPUの内部でデータを一時的に保存しておくための小容量の記憶装置です。

レジスタの種類には，CPUが演算を行うために用いる汎用レジスタ，命令実行後のCPUの状態を示すステータスレジスタ，アドレス計算を行うためのインデックスレジスタなどがあります。**エ**が正解です。

ア GPU (Graphics Processing Unit) は，3次元グラフィックスの計算処理などをCPUに代わって高速に実行する演算装置のことです。

イ SSD (Solid State Drive) は，大容量のフラッシュメモリを用いて構成される外部記憶装置です。

ウ 主記憶は，メモリとも呼ばれ，PCで実行中のプログラムや使用中のデータを入れておく場所です。

問 65 シャドーIT
セキュリティ

シャドーITとは，企業の従業員が私物のPC，携帯電話，スマートフォン，及びネットワーク機器を勝手に社内に持ち込み，LANに接続することを指します。また，企業のIT部門の許可を得ないまま，Web上のオンラインストレージサービスなど，クラウドサービスを勝手に利用することなども該当します。**エ**が正解です。

シャドーITを許しておくと，セキュリティ設定が適切でない機器が社内に持ち込まれ，それを介してマルウェアが社内に侵入したりする危険性があります。また，機密情報が記録されたファイルがオンラインストレージサービスに勝手にアップロードされ，情報漏えいする恐れもあります。

ア BCP (Business Continue Plan：事業継続計画) の説明です。

イ 不正アクセスの説明です。

ウ ショルダーハッキング (覗き見) 対策の説明です。

問 66 RGB
マルチメディア

赤 (Red)，緑 (Green)，青 (Blue) の各色を，光の3原色といいます。赤 (R)，緑 (G)，青 (B) の色を発光させて重ね合わせることによって，様々な色を表現することができます。

本問の場合，各色3桁なので，

R：000 001 010 011 100 101 110 111
(8通り)

G：000・・・(8通り)

B：000・・・(8通り)

各色が$2^3 = 8$通りで3色あるので，その組合せは

$8 \times 8 \times 8 = 512$**通り** (**エ**)

になります。

問 67 ISMSにおける情報セキュリティ

セキュリティ

情報セキュリティは，JIS Q 27000:2019では，

「情報の機密性，完全性及び可用性を維持すること。

注記 さらに，真正性，責任追跡性，否認防止，信頼性などの特性を維持する。」

と定義されています。したがって，**ア**の組合せが正解です。

なお，保守性 (保全性) は，機器などのメンテナンスをしなくてもよい状態が続くことやメンテナンス (保守) のしやすさを指します。

令和3年度 公開

解答 問64 **エ** 問65 **エ** 問66 **エ** 問67 **ア**

全ての通信区間で盗聴されるおそれがある通信環境において，受信者以外に内容を知られたくないファイルを電子メールに添付して送る方法として，最も適切なものはどれか。

難易度 高

ア S/MIME を利用して電子メールを暗号化する。
イ SSL/TLS を利用してプロバイダのメールサーバとの通信を暗号化する。
ウ WPA2 を利用して通信を暗号化する。
エ パスワードで保護されたファイルを電子メールに添付して送信した後，別の電子メールでパスワードを相手に知らせる。

バイオメトリクス認証における認証精度に関する次の記述中のa，bに入れる字句の適切な組合せはどれか。

難易度 低

バイオメトリクス認証において，誤って本人を拒否する確率を本人拒否率といい，誤って他人を受け入れる確率を他人受入率という。また，認証の装置又はアルゴリズムが生体情報を認識できない割合を未対応率という。
認証精度の設定において，　 a 　が低くなるように設定すると利便性が高まり，　 b 　が低くなるように設定すると安全性が高まる。

	a	b
ア	他人受入率	本人拒否率
イ	他人受入率	未対応率
ウ	本人拒否率	他人受入率
エ	未対応率	本人拒否率

条件①～④を全て満たすとき，出版社と著者と本の関係を示すE-R図はどれか。ここで，E-R図の表記法は次のとおりとする。

〔表記法〕

　a ――→ b 　　aとbが，1対多の関係であることを表す。

〔条件〕
① 出版社は，複数の著者と契約している。
② 著者は，一つの出版社とだけ契約している。
③ 著者は，複数の本を書いている。
④ 1冊の本は，1人の著者が書いている。

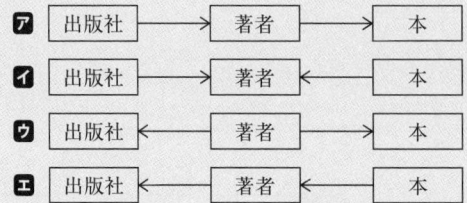

全ての通信区間で盗聴されるおそれがあるため，受信者まで確実に暗号化処理される，S/MIMEを使用します。S/MIMEでは，メッセージ本文を暗号化するために，共通鍵を用います。この共通鍵を送信者と受信者との間で安全に受け渡すことと，電子メールの改ざんを検出することを目的として，公開鍵暗号方式によるデジタル署名を用いています。

S/MIMEを利用する場合，送信者は受信者のデジタル証明書を得て，その中に記録されている受信者の公開鍵を入手します。次に送信者は，メール本文を共通鍵で暗号化した後，受信者の公開鍵を用いて，その共通鍵を暗号化し，メール本文と共に受信者に送信します。

受信者は，自分の秘密鍵を用いて暗号化されていた共通鍵を復号し，復号した共通鍵を用いてメール本文を復号します。添付ファイルについても同様です。以上から，アが正解です。

S/MIME

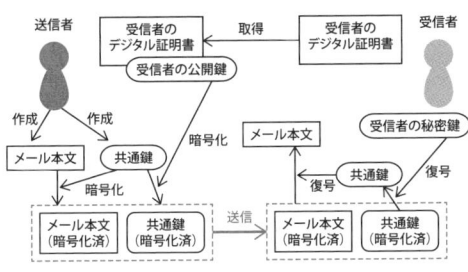

イ SSL/TLSを利用した場合は，送信者からプロバイダのメールサーバまでしか暗号化されません。

ウ WPA2を利用した場合は，PCやスマートフォンからアクセスポイントまでしか暗号化されません。

エ 別な電子メールでパスワードを知らせる際，そのパスワードが暗号化されていません。

バイオメトリクス認証（生体認証）では，FRR（False Rejection Rate：本人拒否率）とFAR（False Acceptance Rate：他人受入率）という二つのパラメタが用いられます。FRRとFARは，反比例の関係にあります。

● 本人拒否率

正規の利用者本人を他人と誤認識して拒否してしまう確率のことで，判定する値を低くするほど利便性が上昇します。

● 他人受入率

他人を正規の利用者と誤認識して受け入れてしまう確率のことで，判定する値を低くするほど安全性が上昇します。

以上から，ウの組合せが正解です。

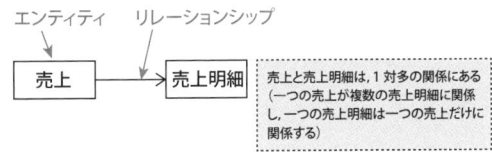
E-R図は，システムが扱う情報（データ），事物などを「エンティティ（実体）」とし，エンティティの間に存在する関係性を「リレーションシップ（関連）」として表現するための図法です。

E-R図

売上と売上明細は，1対多の関係にある（一つの売上が複数の売上明細に関係し，一つの売上明細は一つの売上だけに関係する）

上記から〔条件〕を順に確認します。
① 出版社は，複数の著者と契約している。
② 著者は，一つの出版社とだけ契約している。

の関係になります。また，
③ 著者は複数の本を書いている。
④ 1冊の本は，1人の著者が書いている。

著者 → 本

以上から，アのE-R図が正解です。

解答　問68 ア　問69 ウ　問70 ア

問71 難易度低

移動体通信サービスのインフラを他社から借りて，自社ブランドのスマートフォンやSIMカードによる移動体通信サービスを提供する事業者を何と呼ぶか。

ア ISP　　　イ MNP　　　ウ MVNO　　　エ OSS

問72 難易度中

IoTデバイスとIoTサーバで構成され，IoTデバイスが計測した外気温をIoTサーバへ送り，IoTサーバからの指示で窓を開閉するシステムがある。このシステムのIoTデバイスに搭載されて，窓を開閉する役割をもつものはどれか。

ア アクチュエータ　　　　　　イ エッジコンピューティング
ウ キャリアアグリゲーション　　エ センサ

問73 難易度中

IoTデバイスに関わるリスク対策のうち，IoTデバイスが盗まれた場合の耐タンパ性を高めることができるものはどれか。

ア IoTデバイスとIoTサーバ間の通信を暗号化する。
イ IoTデバイス内のデータを，暗号鍵を内蔵するセキュリティチップを使って暗号化する。
ウ IoTデバイスに最新のセキュリティパッチを速やかに適用する。
エ IoTデバイスへのログインパスワードを初期値から変更する。

問74

流れ図Xで示す処理では，変数iの値が，1→3→7→13と変化し，流れ図Yで示す処理では，変数iの値が，1→5→13→25と変化した。図中のa，bに入れる字句の適切な組合せはどれか。

難易度中

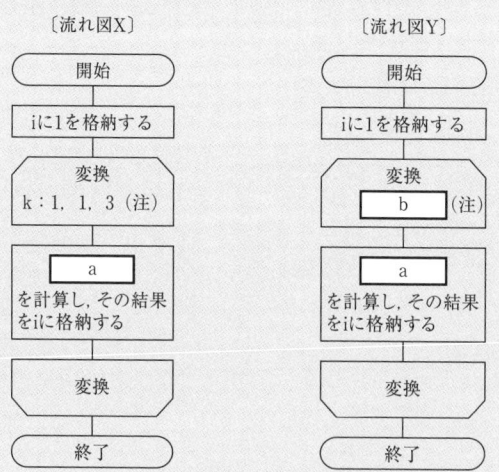

（注）ループ端の繰返し指定は，変数名：初期値，増分，終値を示す。

	a	b
ア	2i + k	k：1，3，7
イ	2i + k	k：2，2，6
ウ	i + 2k	k：1，3，7
エ	i + 2k	k：2，2，6

問 71 | MVNO

ネットワーク

移動体通信サービスを提供するための設備を自社では保有せず、MNO（携帯電話の基地局など移動体通信サービスのための設備を自社で保有する事業者）が保有している設備や通信帯域を借りることで、当該サービスを利用者に提供している事業者をMVNO（Mobile Virtual Network Operator：仮想移動体通信事業者）といいます。代表的なサービスに、UQ mobileなどがあります。ウが正解です。

ア ISP（Internet Services Provider：インターネットサービスプロバイダ）とは、インターネットに接続するサービスを家庭や企業などに提供している通信事業者のことです。

イ MNP（Mobile Number Portability：ナンバーポータビリティ）とは、電話番号は変えずに利用する携帯電話会社を変更することです。

エ OSS（Open Source Software：オープンソースソフトウェア）とは、プログラムのソースコードを無償で公開し、その改良や再配布などを自由に行うことのできるように定められたソフトウェアのことです。

問 72 | アクチュエータ

コンピュータ構成要素

発電機などの機器が生成した電気エネルギーなどを受け取り、それを運動に変換することで、機械や機構を物理的に動かすための機器のことをアクチュエータといいます。

本問の場合、IoTデバイスに搭載されている、窓を開閉する電気モータなどがアクチュエータの例となります。アが正解です。

イ エッジコンピューティングとは、端末の近辺にサーバ（エッジサーバ）を分散配置して、端末とサーバとの距離をできるだけ短くすることで、通信遅延を少なくしようとする仕組みです。

ウ キャリアアグリゲーションとは、通信で使用する複数の周波数を同時に使用することです。

エ センサとは、情報を計測し機器が取扱うことのできるデータに置き換える装置のことです。

問 73 | 耐タンパ性

セキュリティ

ICカードやハードウェア内の情報の不正読取に対抗するための保護機能のことを、耐タンパ性（tamper resistant）といいます。イが正解です。

例えば、ICカード内部のチップを暗号化したり、それを保護膜で厳重に包み、保護膜をはがしてチップを読み取ろうとするとチップ自体が破壊されるような仕組みにしておくという技術などが考案されています。

ア・ウ・エでは、IoTデバイスが盗まれた場合、データが読み取られる恐れがあり、耐タンパ性は高まりません。

問 74 | 流れ図

基礎理論

アルゴリズムの問題では、データの動きを確認することと、穴埋めの場所で止まらずに次に進む必要があります（ヒントはその先にあります）。

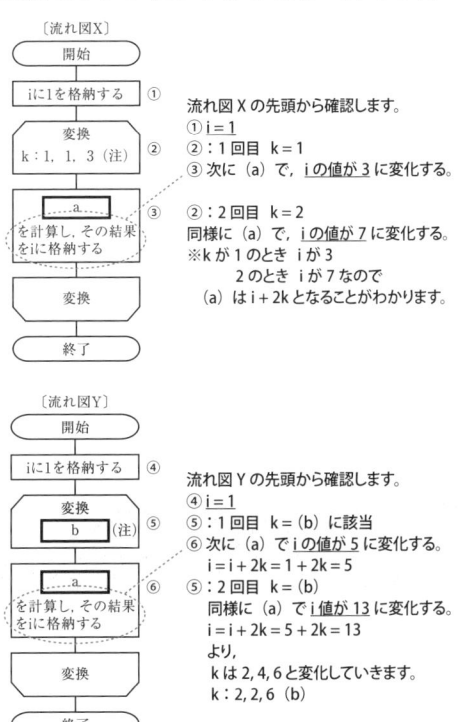

以上から、エの組合せが正解です。

解答 問71 ウ　問72 ア　問73 イ　問74 エ

問 75 ✓✓✓ 難易度 **中**

情報システムに関する機能a～dのうち，DBMSに備わるものを全て挙げたものはどれか。

a アクセス権管理
b 障害回復
c 同時実行制御
d ファイアウォール

ア a, b, c   **イ** a, d   **ウ** b, c   **エ** c, d

問 76 ✓✓✓ 難易度 **中**

IoTデバイス群とそれを管理するIoTサーバで構成されるIoTシステムがある。全てのIoTデバイスは同一の鍵を用いて通信の暗号化を行い，IoTサーバではIoTデバイスがもつ鍵とは異なる鍵で通信の復号を行うとき，この暗号技術はどれか。

ア 共通鍵暗号方式   **イ** 公開鍵暗号方式
ウ ハッシュ関数   **エ** ブロックチェーン

問 77 ✓✓✓ 難易度 **低**

PDCAモデルに基づいてISMSを運用している組織の活動において，リスクマネジメントの活動状況の監視の結果などを受けて，是正や改善措置を決定している。この作業は，PDCAモデルのどのプロセスで実施されるか。

ア P   **イ** D   **ウ** C   **エ** A

問 78 ✓✓✓ 難易度 **高**

OSS (Open Source Software)に関する記述として，適切なものはどれか。

ア ソースコードを公開しているソフトウェアは，全てOSSである。
イ 著作権が放棄されており，誰でも自由に利用可能である。
ウ どのソフトウェアも，個人が無償で開発している。
エ 利用に当たり，有償サポートが提供される製品がある。

問 75 | DBMS

🐕 頻出
データベース

DBMS (データベース管理システム) とは，データベースを構築・運用し，大量のデータを円滑に管理するためのシステムのことです。

データの集合体としてのテーブル (表) の作成や，テーブルを構成するレコード (行) の挿入や検索などの機能を利用者に提供することで，利用者がデータを保存したり参照したりできるようにします。

DBMSには次の機能があります。
① データベースを作成し，その名前などを定義する機能
② データベースのテーブル (表) を作成・削除したり，列の構成を変更したり，そのアクセス権を定義する機能 ⇒**aに該当**
③ テーブル中のレコード (行) を挿入，削除，更新したり，検索したりする機能
④ 複数のトランザクションが同時に実行されたとき，同じレコードを同時に更新するとデータの値が不適切になるので，同時に更新しないよう

に制御する機能　⇒cに該当

⑤ 障害発生後に再立ち上げした際に，データを回
　復するためにロールフォワードやロールバック
　する機能　⇒bに該当

dのファイアウォール機能は通信機器 (ルータ
など) に備えられています。以上から，**ア** (a, b, c)
が正解です。

問 **76** ┃ 公開鍵暗号方式
頻出
セキュリティ

次の図のように，暗号化鍵と復号鍵は異なって
いて，ペアで生成される「公開鍵」と「秘密鍵」の二
つを用いる方式を公開鍵暗号方式といいます。**イ**
が正解です。

「公開鍵」は誰でも利用可能とし，「秘密鍵」は鍵
の所有者が秘密に管理します。

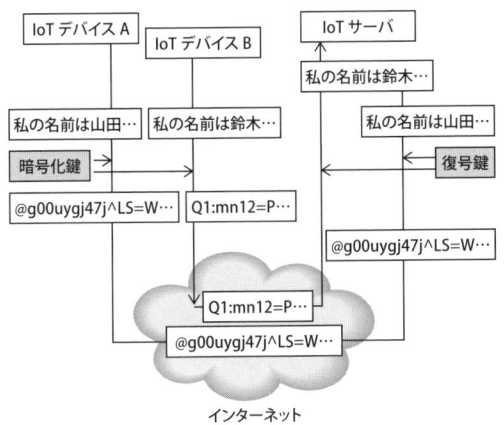

インターネット

- **ア** 共通鍵暗号方式は，暗号化と復号に同じ鍵 (共
通鍵) を用いる方式です。
- **ウ** ハッシュ関数から作成したハッシュ値は改ざん
検知に使用されます。
- **エ** ブロックチェーンは，ハッシュ関数の特徴を利
用して，その値を変更 (改ざん) されても元の
データの完全性と可用性が確保される仕組み
です。

問 **77** ┃ PDCA モデル
頻出
セキュリティ

ISMS の導入・運用・改善を継続して実行する
ために，PDCA サイクルが用いられます。各フェー
ズの名称と概要を示します。

フェーズの名称	概要
計画 (Plan)	情報セキュリティの手順を決めたり，ISMS を運用する組織の体制を構築したりして，ISMS の確立を行う。
実行 (Do)	ISMS の導入や運用の他に，ISMS に関する従業者への教育や訓練が実施される。
点検 (Check)	ISMS の運用状況を定期的に点検して問題点を見つけ出すために，ISMS の監視及びレビューが行われる。
処置 (Act)	点検フェーズで発見された問題点を改めるために，ISMS の見直しや改善が行われる。

PDCA サイクルでは，各フェーズは次の順序で
実行されます。

　P→D→C→A→P→D→C→A→……(繰返し)

以上から，活動状況の監視 (C) を受けて，是正や
改善措置を行うのは，A (**エ**) となります。

問 **78** ┃ OSS
(Open Source Software)
頻出
ソフトウェア

OSS (Open Source Software：オープンソー
スソフトウェア) は，著作権を維持しながらコン
パイルを行う前のプログラムコード (ソースコー
ド) を公開して，その改良を認め，改良後のプログ
ラムの再配布などを自由に行うことのできるよう
にしたソフトウェアのことです。

OSS のソースを自ら作成していない企業でも，
そのサポートを有償で行っているケースがかなり
多くあります。**エ**が正解です。

- **ア** ソースコードを公開しているソフトウェアで
も，改変を認めていないもの (これは OSS では
ない) もあります。
- **イ** OSS の著作権は放棄されていません。
- **ウ** OSS には団体が作成しているものが数多くあ
ります。

令和3年度 公開

解答 問75 **ア**　問76 **イ**　問77 **エ**　問78 **エ**

問79
難易度 高

中小企業の情報セキュリティ対策普及の加速化に向けて，IPAが創設した制度である"SECURITY ACTION"に関する記述のうち，適切なものはどれか。

ア ISMS認証取得に必要な費用の一部を国が補助する制度
イ 営利を目的としている組織だけを対象とした制度
ウ 情報セキュリティ対策に取り組むことを自己宣言する制度
エ 情報セキュリティ対策に取り組んでいることを第三者が認定する制度

問80
難易度 高

IoTデバイス，IoTゲートウェイ及びIoTサーバで構成された，温度・湿度管理システムがある。IoTデバイスとその近傍に設置されたIoTゲートウェイとの間を接続するのに使用する，低消費電力の無線通信の仕様として，適切なものはどれか。

ア BLE　　　　イ HEMS　　　　ウ NUI　　　　エ PLC

問81
難易度 中

J-CRATに関する記述として，適切なものはどれか。

ア 企業などに対して，24時間体制でネットワークやデバイスを監視するサービスを提供する。
イ コンピュータセキュリティに関わるインシデントが発生した組織に赴いて，自らが主体となって対応の方針や手順の策定を行う。
ウ 重工，重電など，重要インフラで利用される機器の製造業者を中心に，サイバー攻撃に関する情報共有と早期対応の場を提供する。
エ 相談を受けた組織に対して，標的型サイバー攻撃の被害低減と攻撃の連鎖の遮断を支援する活動を行う。

問82
難易度 中

ネットワークに接続した複数のコンピュータで並列処理を行うことによって，仮想的に高い処理能力をもつコンピュータとして利用する方式はどれか。

ア ウェアラブルコンピューティング　　　イ グリッドコンピューティング
ウ モバイルコンピューティング　　　　　エ ユビキタスコンピューティング

問79 SECURITY ACTION

NEW

セキュリティ

中小企業の情報セキュリティ対策ガイドラインは，「『中小企業の皆様に情報を安全に管理することの重要性について認識いただき，必要な情報セキュリティ対策を実現するための考え方や方策を紹介する』こと」を目的として，中小企業や小規模事業者を対象としてIPAが公表しているものです。
　その中に，自己啓発用に"SECURITY ACTION"という取り組みがあり，中小企業が情報セキュリティに取り組むことを自己宣言する制度です。一

つ星と二つ星があります。ウが正解です。

ア ISMS適合性評価制度は，財団法人 日本情報処理開発協会（JIPDEC）が公表している評価制度です。組織のISMS（情報セキュリティマネジメントシステム）が，JIS Q 27001の基準を満たしていることを評価します。

ウ 営利目的でない，中小企業と同等規模の団体等も対象となっています。

エ 認定制度ではなく，情報セキュリティ対策に取り組んでいることを自ら宣言する制度です。

問80 BLE
コンピュータ構成要素

温度や湿度管理システムを利用するIoTデバイス（各種電子機器）と，IoTゲートウェイ（IoT機器のデータを集約してサーバに中継する）機器間の無線通信には，一般的にWi-FiやBluetoothなど様々な規格が使用されていますが，低消費電力では，BLE（Bluetooth Low Energy）が該当します。Bluetooth3.0バージョンに比べ大幅に省電力化された無線通信モードです。**ア**が正解です。

イ HEMS（Home Energy Management System）は，家庭内の電気機器などの電気使用量やその稼働状況をモニタしたうえで，電力使用状況などを調整できるシステムです。

ウ NUI（Natural User Interface）は，自然で直観的に操作（触る／話すなど）できるインタフェースです。

エ PLC（Power Line Communications：電力線搬送通信）は，電化製品などに電力を供給する電力線上で，電力と一緒に通信用信号を送受信して，電力供給とデータ通信を同時に行うための技術です。PLCは有線ネットワークです。

問81 J-CRAT
セキュリティ

サーバレスキュー隊（J-CRAT）とは，2017年IPA（情報処理推進機構）が発足させた標的型サイバー攻撃の被害低減などを目的とした組織です。"標的型サイバー攻撃特別相談窓口"があり，一般から情報提供などを受け付けています。**エ**が正解です。

ア 24時間体制で監視するサービスは，ネットワーク運営サービス企業などで実施しています。

イ CSIRT（Computer Security Incident Response Team）は，インターネット上で，セキュリティに関する問題（セキュリティインシデント）の発生を監視し，対応に当たります。企業や行政機関など様々な組織単位で設置されます。

ウ サイバー情報共有イニシアティブ（J-CSIP：Initiative for Cyber Security Information sharing Partnership of Japan）は，重工，重電など，重要インフラで利用される機器の製造業者を中心に，情報共有と早期対応の場となっています。

問82 グリッドコンピューティング
ネットワーク

複数のコンピュータを，LANやインターネットなどのネットワークで結び，処理を分散して同時並行的に実行させることで，あたかも一つの高性能コンピュータのように短時間で大量の処理を実行させる方式のことを，グリッドコンピューティングといいます。**イ**が正解です。

ア ウェアラブルコンピューティングとは，人間が身に着けるもの（時計／眼鏡／イヤホンなど）にコンピュータを内蔵して，歩数や心拍数など身体に関する情報を計測したり，知識の共有を図ることです。

ウ モバイルコンピューティングとは，移動可能な環境で持ち運び可能なコンピュータを使って音声，画像，文字データなどによるコミュニケーションをすることです。

エ ユビキタスコンピューティングとは，あらゆる情報端末や機器が，有線や無線の多様なネットワークによって接続され，いつでもどこからでも様々なサービスが利用できることです。

解答　問79 **ウ**　問80 **ア**　問81 **エ**　問82 **イ**

問 83 難易度 中

多くのファイルの保存や保管のために，複数のファイルを一つにまとめることを何と呼ぶか。

ア アーカイブ
イ 関係データベース
ウ ストライピング
エ スワッピング

問 84 難易度 高

PCにメールソフトを新規にインストールした。その際に設定が必要となるプロトコルに該当するものはどれか。

ア DNS　　　イ FTP　　　ウ MIME　　　エ POP3

問 85 難易度 中

無線LANのセキュリティにおいて，アクセスポイントがPCなどの端末からの接続要求を受け取ったときに，接続を要求してきた端末固有の情報を基に接続制限を行う仕組みはどれか。

ア ESSID
イ MACアドレスフィルタリング
ウ VPN
エ WPA2

問 86 難易度 高

店内に設置した多数のネットワークカメラから得たデータを，インターネットを介してIoTサーバに送信し，顧客の行動を分析するシステムを構築する。このとき，IoTゲートウェイを店舗内に配置し，映像解析処理を実行して映像から人物の座標データだけを抽出することによって，データ量を減らしてから送信するシステム形態をとった。このようなシステム形態を何と呼ぶか。

ア MDM
イ SDN
ウ エッジコンピューティング
エ デュプレックスシステム

問 83 アーカイブ
ソフトウェア

複数のファイルを一つのファイルにまとめて格納する技術，及びそのファイルをアーカイブといいます。元来は「書庫」などの意味をもつ用語です。アが正解です。

イ 関係データベースとは，行と列を使った表の形式で管理するデータベースです。

ウ ストライピングとは，複数のディスクを使ってアクセス速度の向上を図る技術です。

エ スワッピングとは，仮想記憶において主記憶装置上のデータを仮想的にメモリとして扱われる別の記憶領域（ハードディスクなど）へ移すことです。

問 84 メールソフトの設定
ネットワーク

メールの送受信で利用されるプロトコルは，次のようになります。

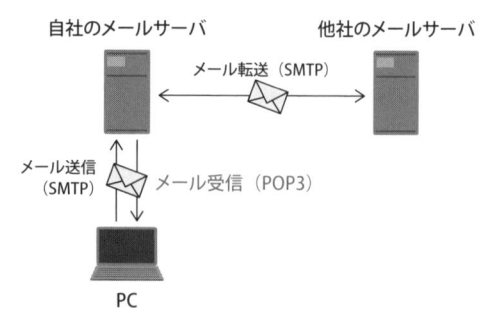

PCが自社のメールサーバからPOP3を用いてメールを受信するために，自社のメールサーバの名称やパスワードなどの設定をメールソフトに行

う必要があります。**エ**が正解です。

ア DNS (Domain Name System) は，ドメイン名とIPアドレスを対応させ，相互の変換を行うシステムです。これは，インターネットにPCなどを接続する際に設定が必要になります。

イ FTP (File Transfer Protocol) は，サーバとクライアントとの間でファイル転送を行うためのプロトコルです。FTP機能を利用する際に設定が必要になります。

ウ MIME (Multi purpose Internet Mail Extensions) は，文字のみを送受信することを前提としている電子メールの伝送プロトコル (SMTP) 上で，画像ファイルや音声ファイルなどのバイナリファイルを送信できるようにした規格のことです。この規格を使用するための設定は必要ありません。

問 85 | MAC アドレスフィルタリング
セキュリティ

コンピュータやスマートフォンなどに搭載される固有のLANカードを一意に識別するために用いられる，48ビットのアドレスをMACアドレスといいます。

特定のMACアドレスをもつクライアントしか，無線LANのアクセスポイントに接続できないようにして，無線LANのセキュリティを確保することを，MACアドレスフィルタリングといいます。**イ**が正解です。

ア ESSID (Extended Service Set IDentifier) は，無線LANのネットワークを識別するために，アクセスポイントごとに設定する文字列のことです。各クライアントは，無線LAN上の複数のアクセスポイントのうち，自分と同じESSIDをもつアクセスポイントのみに接続することができます。

ウ VPN (Virtual Private Network) は，暗号化などの仕組みを利用して，インターネットなどの開かれたネットワークを，仮想的に専用回線であるかのように利用して，データを安全に送受信するために用いられる技術です。

エ WPA2 (Wi-Fi Protected Access 2) は，無線LANの暗号通信規格の一つです。

問 86 | エッジコンピューティング
コンピュータ構成要素

端末 (この場合ネットワークカメラ) の近辺にサーバを分散配置して，端末とサーバとの距離をできるだけ短くすることで，通信遅延を少なくするシステム形態をエッジコンピューティングといいます。

遠隔地のサーバが行っていた処理をエッジサーバに代行させることで，アプリケーション処理の高速化 (低遅延化) を図ります。**ウ**が正解です。

従来のクライアントサーバシステム

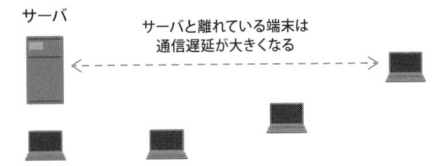

サーバ　　サーバと離れている端末は通信遅延が大きくなる

エッジコンピューティング

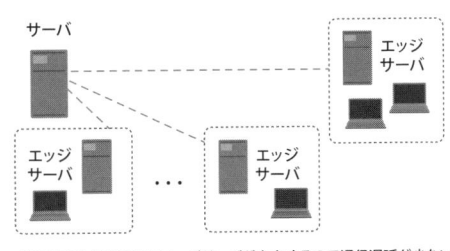

サーバ　エッジサーバ　エッジサーバ　エッジサーバ

・どの端末も必ず近辺にエッジサーバが存在するので通信遅延が少ない
・処理をエッジサーバに代行させることで速度向上を図る

ア MDM (Mobile Device Management) は，モバイル端末の監視などを行うことです。

イ SDN (Software-Defined Network) は，ソフトウェアによって制御することが可能なネットワークです。

エ デュプレックスシステムは，2系統のシステムで構成され，1系統はオンラインリアルタイム処理を行い，もう1系統は通常，バッチ処理を行うシステムです。オンライン処理系システムが故障した場合，バッチ処理系システムに切り替えて処理を継続します。

解答　問83 **ア**　問84 **エ**　問85 **イ**　問86 **ウ**

問 87

単語を読みやすくするために，表示したり印刷したりするときの文字幅が，文字ごとに異なるフォントを何と呼ぶか。

難易度 中

ア アウトラインフォント   **イ** 等幅フォント
ウ ビットマップフォント   **エ** プロポーショナルフォント

問 88

ISMSのリスクアセスメントにおいて，最初に行うものはどれか。

難易度 中

ア リスク対応   **イ** リスク特定   **ウ** リスク評価   **エ** リスク分析

問 89

情報の表現方法に関する次の記述中のa～cに入れる字句の組合せはどれか。

難易度 低

情報を，連続する可変な物理量（長さ，角度，電圧など）で表したものを ┌ a ┐ データといい，離散的な数値で表したものを ┌ b ┐ データという。音楽や楽曲などの配布に利用されるCDは，情報を ┌ c ┐ データとして格納する光ディスク媒体の一つである。

	a	b	c
ア	アナログ	デジタル	アナログ
イ	アナログ	デジタル	デジタル
ウ	デジタル	アナログ	アナログ
エ	デジタル	アナログ	デジタル

問 90

CPUのクロックに関する説明のうち，適切なものはどれか。

難易度 高

ア USB接続された周辺機器とCPUの間のデータ転送速度は，クロックの周波数によって決まる。
イ クロックの間隔が短いほど命令実行に時間が掛かる。
ウ クロックは，次に実行すべき命令の格納位置を記録する。
エ クロックは，命令実行のタイミングを調整する。

問 87 | プロポーショナルフォント

マルチメディア

単語を読みやすくするために，文字自体の大きさに合わせて文字幅が変わるフォントのことをプロポーショナルフォントといいます。**エ**が正解です。昔のWindowsで標準となっていたMSPゴシックはプロポーショナルフォントになってい

ます。

プロポーショナルフォントの例

IoT で利用する wifi

等幅フォントの例

IoT で利用する wifi

ア アウトラインフォントは，文字を構成する線の輪郭（アウトライン）を線分で描画し，データを拡大しても形が美しいように作成したフォントです。

イ 等幅（とうはば）フォントは，文字の大きさによってその幅が変化しないフォントです（例：MSゴシックなど）。

ウ ビットマップフォントは，文字の形を点（ドット）の集合で表現するフォントです。

問 88 ISMS のリスクアセスメント
セキュリティ

JIS Q 31000：2019では，「リスクアセスメントとは，リスク特定，リスク分析及びリスク評価を網羅するプロセス全体を指す。」としています。

① リスク特定：組織の目的の達成を妨害する可能性のあるリスクを発見し，認識することを指します。

② リスク分析：上記の特定されたリスクを起こりやすさなどの指標を使って定性的もしくは定量的に影響の大きさを検討することを指します。

③ リスク評価：リスク分析で検討された内容や値を，あらかじめ定めたリスク基準と比べて優先的に対応するかどうか決めることです。

以上から，最初に行うのは，**リスク特定（イ）**です。

なお，リスク対応とは，必要な情報を入手，分析し，その対応の優先順位を決定した後に行う活動です。

問 89 情報の表現方法
基礎理論

情報の中で，連続した音声のような可変なデータを**アナログデータ**といいます。

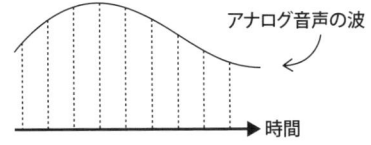

また，整数値を決められたビット数のビット列で表したものを，**デジタルデータ**といいます。インターネットで配信される音楽や画像やCDなども全てデジタルデータです。以上から，**イ**の組合せ

が正解です。

問 90 CPU のクロック
コンピュータ構成要素

クロック周波数は，CPUの命令実行タイミングを制御するために利用されるクロック信号の周波数で，Hz（クロック／秒）という単位で表記します。**エ**が正解です。

クロック周波数には，CPU内部にあってCPU自体の動作基準となる**内部クロック周波数**と，CPUと主記憶などの外部機器とを結ぶシステムバスの動作基準となる**外部クロック周波数**があり，両者は同一ではありません（通常，内部クロック周波数の方が高速です）。

1 命令の実行に 4 クロックを要する場合

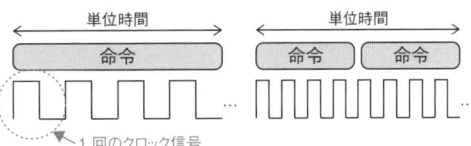

クロック周波数が大きくなるほど，単位時間内に実行できる命令数が増える

ア USB接続された周辺装置とCPU間のデータ転送速度は，接続された機器のUSBのバージョンによって異なります。

イ 上図のように，クロック信号の間隔が短いほど命令実行には時間がかかりません。

ウ 次に実行すべき命令の格納位置はプログラムカウンタ（命令アドレスレジスタ）です。

解答 問87 **エ**　問88 **イ**　問89 **イ**　問90 **エ**

難易度 高

問 91　次の作業a～dのうち，リスクマネジメントにおける，リスクアセスメントに含まれるものだけを全て挙げたものはどれか。

a　脅威や脆弱性などを使ってリスクレベルを決定する。
b　リスクとなる要因を特定する。
c　リスクに対してどのように対応するかを決定する。
d　リスクについて対応する優先順位を決定する。

ア a, b　　　　**イ** a, b, d　　　　**ウ** a, c, d　　　　**エ** c, d

難易度 低

問 92　IoT機器からのデータ収集などを行う際の通信に用いられる，数十kmまでの範囲で無線通信が可能な広域性と省電力性を備えるものはどれか。

ア BLE　　　　**イ** LPWA　　　　**ウ** MDM　　　　**エ** MVNO

難易度 高

問 93　ブログのサービスで使用されるRSSリーダが表示する内容として，最も適切なものはどれか。

ア ブログから収集した記事の情報
イ ブログにアクセスした利用者の数
ウ ブログに投稿した記事の管理画面
エ ブログ用のデザインテンプレート

難易度 中

問 94　特定のPCから重要情報を不正に入手するといった標的型攻撃に利用され，攻撃対象のPCに対して遠隔から操作を行って，ファイルの送受信やコマンドなどを実行させるものはどれか。

ア RAT　　　　　　　　　**イ** VPN
ウ デバイスドライバ　　　　**エ** ランサムウェア

問 91 ┃ リスクアセスメント

頻出
セキュリティ

情報セキュリティのリスクアセスメントとは，システムに存在する情報資産にまつわる脅威（情報資産やシステムに損害を与える事故の原因），脆弱性（脅威によって損害を受けうる弱さ）及びリスク（不確かさの影響）を確認し，それらの大きさを

評価する作業のことです。
　リスクアセスメントを行う際には，リスク分析（保護すべき情報資産を明らかにして，それらに対するリスクを評価すること）を行い，リスクの潜在する情報資産に対する優先度を決定する必要があります。
a：脅威や脆弱性などを使ってリスクレベルを決定する。⇒**リスクアセスメントに含まれます。**

b：リスクとなる原因を特定する。⇒**リスクアセス
　メントに含まれます。**

c：リスクに対してどのように対応するか決定す
　る。⇒**リスク対応の説明です。**

d：リスクについて対応する優先順位を決定する。
　⇒**リスクアセスメントに含まれます。**

　以上から，**イ** (a，b，d) が正解です。

問 92 ｜ LPWA
ネットワーク

　IoTでは，バッテリで稼働する機器が無線通信
を行うので，従来の消費電力が大きい無線通信技
術ではすぐにバッテリが消耗し，通信ができなく
なります。

　そこで，その問題を解消した低消費電力で広範
囲 (数十Km) のデータ送受信 (最大100Mbps程
度) を可能とする通信技術のLPWA (Low Power
Wide Area) が登場しました。**イ** が正解です。
LPWAによって，IoT機器などがインターネット
と接続して通信ができるようになりました。

ア BLE (Bluetooth Low Energy) は，数メートル
　の狭い範囲で利用される無線通信モードです
　(規格としては数百メートル到達するものもあ
　ります)。

ウ MDM (Mobile Device Management)は，モ
　バイル端末の監視などを行います。

エ MVNO (Mobile Virtual Network
　Operator：**仮想移動体通信事業者**) は，移動
　体通信サービスを提供するための設備を自
　社では保有せず，MNO (Mobile Network
　Operator：**移動体通信事業者**) が保有してい
　る設備や通信帯域を借りることで，当該サービ
　スを利用者に提供している事業者です。

問 93 ｜ RSS リーダ
ネットワーク

　RSS (RDF Site Summary，もしくはRich Site
Summary)は，Webサイトの更新状況 (新規に作
成された，または更新された記事の見出しや内容
の概略，及び更新日時など) を外部に配信するため
の規約及びその文書形式のことです。

　RSSリーダは，RSSの文書として表現される，ブ
ログから収集した記事の情報を見やすい形式で表

示する機能をもっています。**ア**が正解です。

イ アクセス解析ツールで表示できます。

ウ ブログの管理画面はブラウザで表示できます。

エ デザインテンプレートは，CSS (Cascading
　Style Sheets) を使って表示することが可能で
　す。

問 94 ｜ RAT
セキュリティ

　攻撃対象のPCに密かに潜り込んで，遠隔から
操作を行う標的型攻撃を，RAT (Remote Admi-
nistration Tool ／ Remote Access Tool) とい
います。

　RATは，外部からは見えにくいところで活動し
ており，RATに感染した端末の遠隔操作が可能に
なります。**ア**が正解です。

イ VPN (Virtual Private Network) は，暗号化な
　どの仕組みを利用して，インターネットなどの
　開かれたネットワークを仮想的に専用回線で
　あるかのように利用して，データを安全に送受
　信するための技術です。

ウ デバイスドライバは，周辺機器特有の機能を実
　行するための専用のプログラムです。

エ ランサムウェアは，攻撃対象のコンピュータに
　感染し，ファイルなどを勝手に暗号化して，利
　用者がデータを利用できないようにします。

令和3年度 公開

解答 問91 **イ** 　問92 **イ** 　問93 **ア** 　問94 **ア**

問95 難易度中

関係データベースで管理された"商品"表，"売上"表から売上日が5月中で，かつ，商品ごとの合計額が20,000円以上になっている商品だけを全て挙げたものはどれか。

商品

商品コード	商品名	単価（円）
0001	商品A	2,000
0002	商品B	4,000
0003	商品C	7,000
0004	商品D	10,000

売上

売上番号	商品コード	個数	売上日	配達日
Z00001	0004	3	4/30	5/2
Z00002	0001	3	4/30	5/3
Z00005	0003	3	5/15	5/17
Z00006	0001	5	5/15	5/18
Z00003	0002	3	5/5	5/18
Z00004	0001	4	5/10	5/20
Z00007	0002	3	5/30	6/2
Z00008	0003	1	6/8	6/10

ア 商品A，商品B，商品C
イ 商品A，商品B，商品C，商品D
ウ 商品B，商品C
エ 商品C

問96 難易度中

情報セキュリティ方針に関する記述として，適切なものはどれか。

ア 一度定めた内容は，運用が定着するまで変更してはいけない。
イ 企業が目指す情報セキュリティの理想像を記載し，その理想像に近づくための活動を促す。
ウ 企業の情報資産を保護するための重要な事項を記載しているので，社外に非公開として厳重に管理する。
エ 自社の事業内容，組織の特性及び所有する情報資産の特徴を考慮して策定する。

問97 難易度中

複数のコンピュータが同じ内容のデータを保持し，各コンピュータがデータの正当性を検証して担保することによって，矛盾なくデータを改ざんすることが困難となる，暗号資産の基盤技術として利用されている分散型台帳を実現したものはどれか。

ア クラウドコンピューティング
イ ディープラーニング
ウ ブロックチェーン
エ リレーショナルデータベース

問95 関係データベース
データベース

検索する条件は，次の通りです。
① 売上日は5月中
② 商品ごとの合計額が20,000円以上
　①より商品ごとの合計を計算します。
　　0001（商品A）は5個＋4個＝9個
　　→単価は2,000円　より　18,000円×
　　0002（商品B）は3個＋3個＝6個
　　→単価は4,000円　より　24,000円○
　　0003（商品C）は3個
　　→単価は7,000円　より　21,000円○
以上から，**ウ**（商品Bと商品C）が正解です。

売上

売上番号	商品コード	個数	売上日	配達日
Z00001	0004	3	4/30	5/2
Z00002	0001	3	4/30	5/3
Z00005	0003（C）	3	5/15	5/17
Z00006	0001（A）	5	5/15	5/18
Z00003	0002（B）	3	5/5	5/18
Z00004	0001（A）	4	5/10	5/20
Z00007	0002（B）	3	5/30	6/2
Z00008	0003	1	6/8	6/10

① （左端に①のマーク）

問96 情報セキュリティ方針
セキュリティ

情報セキュリティ方針は，企業などの組織が，自社の情報セキュリティを維持するための方針，システムや体制などについて規定し，内外に公表する文書のことです。

また，情報セキュリティ方針は，自社の事業内容や組織の特性を考慮して作成し，必要があれば変更する必要があります。**エ**が正解です。

ア 情報セキュリティは，社会情勢などによって変化するものであるため，必要に応じて変更する必要があります。

イ 情報セキュリティの理想像に近づくための活動は，情報セキュリティ啓蒙活動で実施します。

ウ 情報セキュリティの方針は経営方針とも関係しているので，できる限り社外に公開する必要があります。

問97 ブロックチェーン
ネットワーク

複数のコンピュータが同じ内容を保持し，各コンピュータがハッシュ関数でその値の正当性を確認して，変更（改ざん）されても元のデータの完全性と可用性が確保される仕組みをブロックチェーンといいます。暗号資産（仮想通貨）などで使用されています。**ウ**が正解です。

ブロックチェーン

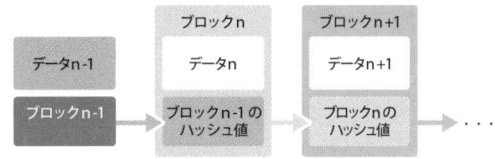

ア クラウドコンピューティングは，ネットワーク上の複数のサーバなどを連結させて構築したシステムです。

イ ディープラーニング（深層学習）は，ビッグデータを人間の神経回路を模倣したモデルで解析し，複数の信号を使って多角的に学習することです。

エ リレーショナルデータベースとは，行と列を使った表の形式で管理するデータベースです。

解答　問95 **ウ**　問96 **エ**　問97 **ウ**

問98 ✓✓✓

難易度 高

インターネットで用いるドメイン名に関する記述のうち，適切なものはどれか。

ア ドメイン名には，アルファベット，数字，ハイフンを使うことができるが，漢字，平仮名を使うことはできない。

イ ドメイン名は，Webサーバを指定するときのURLで使用されるものであり，電子メールアドレスには使用できない。

ウ ドメイン名は，個人で取得することはできず，企業や団体だけが取得できる。

エ ドメイン名は，接続先を人が識別しやすい文字列で表したものであり，IPアドレスの代わりに用いる。

問99 ✓✓✓

難易度 中

情報セキュリティのリスクマネジメントにおいて，リスク移転，リスク回避，リスク低減，リスク保有などが分類に用いられることがある。これらに関する記述として，適切なものはどれか。

ア リスク対応において，リスクへの対応策を分類したものであり，リスクの顕在化に備えて保険を掛けることは，リスク移転に分類される。

イ リスク特定において，保有資産の使用目的を分類したものであり，マルウェア対策ソフトのような情報セキュリティ対策で使用される資産は，リスク低減に分類される。

ウ リスク評価において，リスクの評価方法を分類したものであり，管理対象の資産がもつリスクについて，それを回避することが可能かどうかで評価することは，リスク回避に分類される。

エ リスク分析において，リスクの分析手法を分類したものであり，管理対象の資産がもつ脆弱性を客観的な数値で表す手法は，リスク保有に分類される。

問100 ✓✓✓

難易度 中

システムの経済性の評価において，TCOの概念が重要視されるようになった理由として，最も適切なものはどれか。

ア システムの総コストにおいて，運用費に比べて初期費用の割合が増大した。

イ システムの総コストにおいて，初期費用に比べて運用費の割合が増大した。

ウ システムの総コストにおいて，初期費用に占めるソフトウェア費用の割合が増大した。

エ システムの総コストにおいて，初期費用に占めるハードウェア費用の割合が増大した。

問98 ドメイン名

ネットワーク

インターネットはTCP/IPを採用しているため，接続されたコンピュータや周辺機器はIPアドレスで識別されています。しかし，IPアドレスは数値だけで表記され，扱いにくいため，実際にはドメイン名というニックネームが利用されています。

このドメイン名とIPアドレスを対応させ，相互の変換を行うシステムのことをDNS (Domain Name System)といいます。**エ**が正解です。

https://gihyo.jp

ドメイン名

ア ドメイン名は，漢字や平仮名も使用できます。
イ 電子メールアドレスの@以下は，ドメイン名を使用できます。
ウ ドメイン名は，JPRSに個人でも申請できます。

リスクとは，損害発生の可能性のことで，リスクマネジメントとは，損害発生を食い止めるために，起こりうるリスクを想定して対応を検討することです。

リスクマネジメントは，データが破壊されたり，システムの可用性が損なわれたりした場合にシステムが使用不能の時間を最小限にするために実施します。リスクマネジメントは，次の表のように分類されます。

名称	説明
リスク回避	リスクの発生原因を元から絶ったり，リスクに関連する事業から撤退したりすることなどによって，リスクそのものを発生しないようにすること。
リスク移転（転嫁）	保険に加入するなどの手段で，リスク発生時の損失や損害を他者に肩代わりさせること。
リスク低減（軽減）	セキュリティ管理を厳重にしたり，障害発生時でも代替のシステムを稼働させて業務を継続できるようにしたりするなどの方法により，リスクの発生確率を減らすこと。
リスク保有（受容）	発生確率や被害額が小さいリスクに対して対策を行うと，想定される被害額よりも対策費用の方が大きくなり，かえって損をしてしまうことがある。そのため，発生確率や被害額が小さいリスクは，あえて対策を行わないままにすること。

以上から，アが正解です。
イ リスク低減は，リスクの発生確率を減らすものです。
ウ リスク回避は，リスクを発生させないようにすることです。
エ リスク保有は，リスクの対策を行わないことです。

TCO (Total Cost of Ownership) とは，システムのハードウェア・ソフトウェアの導入段階でのコストから，システムの設計，設置，維持及び運用管理までの各段階でのコストをすべて含めた，システムの導入から管理までのすべての過程において生じるコストの総計のことです。

サービスレベル契約 (SLA) の作成において，システムの可用性を高くしようとすると，システムを構成する機器を多数そろえて多重化しなければならなくなり，運用費用が大きくなりすぎるなどの問題が発生します。

最近では，セキュリティ対策やシステムの老朽化などでも運用費用が増える傾向にあります。イが正解です。
ア 上記のようにシステムの総コストのうち運用コストの割合が増えています。
ウ，エ システムの総コストにおいて，初期費用に占めるソフトウェアやハードウェアの割合が増大したことと，TCOが重要視されるようになったこととは直接関係ありません。

令和3年度 公開

解答 問 98 エ 問 99 ア 問 100 イ

257

まとめてチェック！　法律

個人情報保護法	個人の権利と利益を保護するために，個人情報を取扱っている事業者に対して様々な義務と対応を定めた法律。個人情報の取り扱いのほか，**要配慮個人情報**が定められている
サイバーセキュリティ基本法	サイバーセキュリティに関する施策を総合的かつ効果的に推進することで，経済活力の向上や，国民が安全で安心して暮らせる社会の実現などを目的とする
下請代金支払遅延等防止法	通称，下請法。親業者から下請業者への代金の支払が不正に遅延・滞納されたり，正当な理由なしで代金を減殺されたりすることを防ぐことを目的とし，下請代金の支払期日を「親事業者が下請事業者の給付を受領した日……から起算して，**60日**の期間内において，かつ，できる限り短い期間内において，定められなければならない」と規定している
資金決済法	資金決済法の第三条で「前払式支払手段」の定義などが定められている
商標法	商品の名称やロゴ，固有のマークなど（商標）を保護するための法律
情報公開法	行政機関の保有する情報の公開を図り，国民の的確な理解を果たすために公正で民主的な行政を推進することを目的とする
著作権法	国内で作成された言語系のもの，音楽，美術など個人（法人）が創作した著作物の権利を保護する。著作権法で保護されるのは著作者の死後**70年**までとされている
特定商取引法	特定商取引に関する法律。訪問販売や通信販売などのトラブルが生じやすい取引において，事業者による不正な勧誘などを防止することで，消費者の利益を保護する
特許法	「特許権」を保護するための法律。特許権とは，産業上利用できる発明を行った人が，その発明を独占排他的に使用できる権利のことで，出願と登録が必要。また，特許出願の日から**20年**で終了する
不正アクセス禁止法	他の人のパスワードなどを不正な方法で取得し，アクセス制限されているコンピュータにアクセスしたり，脆弱なコンピュータ（サーバ）の問題点をついて不正侵入を行う行為などを禁止する
不正競争防止法	不正な販売行為のために「営業上の秘密」を取得したり，他社の製品の評判を落とすようなデマを流したりすることを禁止する
プロバイダ責任制限法	正当でない情報による「被害者救済」と発信者の「表現の自由」等の権利のバランスに配慮し，通信事業者が適切に対応できるようにするため法律
マイナンバー法	マイナンバーを適切に運用するために定められた“行政手続における特定の個人を識別するための番号の利用等に関する法律”のこと。法定された場合を除き，個人番号の提供を求めることは禁止されている
会社法	会社の設立，組織，運営及び管理について定めている法律です。一定の条件を満たす株式会社において，取締役の職務に関するコンプライアンスを確保するための体制整備を義務付けています
労働基準法	労働時間，休憩，休暇など，労働条件の最低基準を定めた法律。労働基準法では，労働時間は1日8時間，週40時間以内と定められており，これを超えて時間外労働や休日の労働をさせる場合に，あらかじめ労働基準法の第36条に則った方法で雇用者と労働者の間で結んだ協定を36協定という
労働契約法	労働者と使用者（労働者を使用して賃金を支払う者）との間で結ぶ労働契約に関する基本的事項を定めた法律
労働者派遣法	比較的弱い立場にある派遣労働者に関する権利を守るための法律。派遣労働者の場合，**指揮命令関係は派遣先との間にあり，雇用関係は派遣元との間にある**
景品表示法	不当景品類及び不当表示防止法。事業者による不当な広告や表示を防止したり，景品の提供などを制限，禁止したりすることなどにより，消費者が自主的に商品やサービスを選べるように規制がされている法律

ITパスポート
試験

カテゴリ別
模擬問題①

● ● ● ● ●

試験時間　120分

問題は次の表に従って解答してください。

問題番号	選択方法
問1～問100	全問必須

問　1 ～問 39　：ストラテジ系
問 40 ～問 59　：マネジメント系
問 60 ～問 100 ：テクノロジ系

問1 AI技術で使用されるアノテーション（annotation）の記述として，適切なものはどれか。

ア デジタル空間に各種情報を集めて現実空間と同様なものを再現することでシミュレーションを行うこと

イ データ入力や議事録作成など，業務の定型作業をPC内のソフトウェアが代行して行うこと

ウ 動画などのWebコンテンツをインターネット上で効率的に配信することを目的としたネットワークのこと

エ 文字や音声，画像などあらゆる形態のデータにタグを付ける作業のこと

問2 Web検索サイトにおいて，検索キーワードの検索結果の上位にヒットするWebページに掲載されている情報内容を解析し，そこから導かれる出現頻度が高いキーワードのことを何というか。

ア 関連キーワード　　　　　イ 共起キーワード
ウ サジェストワード　　　　エ パスワード

問3 企業活動で用いられるアダプティブラーニングの説明として，適切なものはどれか。

ア 社員一人ひとりのデータを集めて適切な学習教材を提供するサービスのこと

イ 従来にはない革新的な考え方や技術を使うことで新たな製品などを作り上げること

ウ コンピュータゲームなどでプレーヤが体験する各種要素を，学習や業務などに盛り込んで意欲や理解度及び満足度を向上させようとすること

エ 企業内の専門的な業務の運営や管理を，それを得意とする外部の専門業者に一括して委託すること

問4 ELSI（Ethical, Legal and Social Issues）の説明について，最も適切な記述は次のうちどれか。

ア AIなどの最先端技術に社会ルールが追いつかず，それによるギャップが生じること

イ 新しいビジネスの方法を発明した場合に，新しい技術を発明したときと同様に申請・取得できる特許のこと

ウ 企業の従業員の給与や待遇のほかに，教育・訓練，配置，昇進などの各種の要素を適切に管理すること

エ 特定の技術分野において，複数の企業や団体などが集まった組織が作成した業界の実質的な標準規格のこと

問1 アノテーション

企業活動 新作

　教師付きの機械学習の場合，タグが付いたデータを取り込むことでそのパターンが認識可能になります。そのために，タグが付いた状態のデータを用意して学習させる必要があります。この前段階でタグ付けをする作業をアノテーションといいます。例えば，犬が走っている動画に「犬」「動物」などの言葉を関連付けてタグとします。正解は**エ**です。

ア デジタルツインの説明です。

イ RPA (Robotic Process Automation) の説明です。

ウ CDN (Content Delivery Network：コンテンツ配信網) の説明です。

問2 共起キーワード

企業活動 新作

　共起キーワードとは，共起語ともいわれ，あるキーワードに対して関連性が高く同時に用いられる頻度が高いキーワードのことを指します。正解は**イ**です。例えば"ITパスポート"の共起キーワードとしては，試験，IT，パスポート，資格などが該当します。似たようなものに，サジェストワードや関連キーワードがあります。

ア 関連キーワードとは，ある用語に対して連想が可能なキーワードのことです。

ウ サジェストワードとは，検索されるときに合わせて検索されやすいキーワードのことで，検索エンジンの検索窓に表示されます。

エ パスワードとは，秘密にしたい情報などにアクセスする際に必要なワードです。

問3 アダプティブラーニング

企業活動 新作

　アダプティブラーニングとは，適応学習とも言われ，膨大なデータから社員や生徒一人ひとりの適正に合わせて最適な学習教材を選択・提供するサービスやそのシステムのことをいいます。**ア**が正解です。

イ イノベーションの説明です。

ウ ゲーミフィケーションの説明です。

エ アウトソーシングの説明です。

問4 ELSI

企業活動 新作

　ELSI (Ethical, Legal and Social Issues：エルシー) とは，最先端技術が倫理的・法的・社会的に受け入れられるのか，またはその技術を実現することで問題が起きないか懸念するあまり，何もできなくなってしまうなどのギャップを表す言葉のことです。AIなどの最先端技術ではこのギャップが生まれやすくなっています。**ア**が正解です。

イ ビジネスモデル特許の説明です。

ウ HRM (Human Resource Management：人的資源管理) の説明です。

エ フォーラム標準の説明です。

解答 問1 エ　問2 イ　問3 ア　問4 ア

問5 ✓✓✓

　店舗販売，テレビ通販やダイレクトメールなどの従来の販売経路と，近年急速に発展しているインターネット通販の販売経路を統合し，全ての販売経路を連携させることで，在庫情報の総合的な管理，売上の増加及び顧客満足度の向上などを目指すことを何というか。

- ア　オムニチャネル
- イ　ドロップシッピング
- ウ　マルチチャネル
- エ　ロングテール

問6 ✓✓✓

　テレワークを導入する際の経営上の留意点について，最も適切な記述は次のうちどれか。

- ア　時間管理ができていないと，業務時間があいまいになり長時間労働になってしまう。
- イ　自宅で作業が不可能なために，わざわざ従業員が別なオフィスを準備する必要がある。
- ウ　対面でのコミュニケーションがとれないので，電子データの受渡しができなくなってしまう。
- エ　働き方が限定されるため，新たな人材が集まりにくい。

問7 ✓✓✓

　"無線LANを利用しているA社のネットワークにおいて，その速度が公表されている速度通りであるか"を統計学の手法を用いて検証したい。その検証をすることが適している手法は次のどれか。

- ア　ABC分析
- イ　仮説検定
- ウ　ペルソナ法
- エ　レグレッションテスト

問8 ✓✓✓

　企業活動で用いられるHRTechの説明として，適切なものはどれか。

- ア　人事に関連するさまざまな業務を行うシステムやサービスのこと
- イ　インターネットを通じで情報共有することで，人やモノなどを時間単位で借りること
- ウ　ファイルなどが改ざんされていないかを確認するため，データの内容からハッシュ関数を用いて算出する短い文字列のこと
- エ　低消費電力で広範囲のデータ送受信を可能とする無線通信技術のこと

問5 オムニチャネル
企業活動 新作

店舗販売やテレビ通販などの従来の販売経路と，近年急速に発展しているインターネット通販（通販サイトやSNSによる広告宣伝なども含む）の販売経路を統合し，全ての販売経路を連携させることを，オムニチャネルといいます。**ア**が正解です。

オムニチャネルでは，単に複数の販売経路を用意するだけではなく，複数の販売経路（チャネル）の関連性を高めて相互補完することで，売上の増加や顧客満足度の向上を目指します。

イ ドロップシッピングは，Webサイト上で購入手続が実行されると，その商品の製造元または販売元が，購入者に商品を直接送付する取引方法です。

ウ マルチチャネルとは，複数の販売経路を用意して商品を販売することです。

エ ロングテールとは，多品種少量販売を積極的に行うことで，従来よりも多くの利益を得ようとする考え方のことです。

問6 テレワーク
企業活動 新作

テレワークを導入する際の経営上の留意点として，労務管理が難しいことや社内のコミュニケーション不足により人事管理が明確にならないことなどが挙げられます。そのため，勤務時間の管理ができていないと，業務時間があいまいになり長時間労働になってしまうことがあります。正解は**ア**です。

イ 自宅での作業は可能です。

ウ 電子データの受渡しは電子メールなどのツールを使うことができます。

エ 働き方が多様になるため，新たな人材が集まりやすくなります。

問7 仮説検定
企業活動 新作

この場合，A社のネットワークの無線LANの公表されている速度が，600Mビット/秒であるとすると，「A社のネットワークの無線LANの速度が600Mビット/秒ではない」という仮説と「A社のネットワークの無線LANの速度が600Mビット/秒である」という二つの仮説を立てて，実際に複数回測定しその結果が統計的に正しいかを検証していきます。この方法を仮説検定といいます。正解は**イ**です。

ア ABC分析は，各商品の売上金額などを高額な順に並べ，その累計構成比から各商品を三つのグループ（A，B，C）に分類して，売れ筋商品を把握して管理したい場合などに用いられる分析手法です。

ウ ペルソナ法とは，製品やサービスを提供する際にさまざまな調査を行い，その情報から仮想のユーザ像（性別，年齢，職業，年収など）を作成し，ユーザ視点からサービスを提供したり，開発者間の理解を共有したりするために用いられる方法です。

エ レグレッションテスト（退行テスト）は，システムの特定箇所を修正したときに，修正によって別の箇所に影響が及んでいないかを確認するテストのことをいいます。

問8 HRTech
企業活動 新作

HR（Human Resources）とテクノロジー（Technology）を組み合わせた造語で，人事関連の業務（採用，配置，勤怠，育成など）を，コンピュータを使用して行うシステムもしくはサービスを指します。SNSを利用しているものもあります。**ア**が正解です。

イ シェアリングエコノミーの説明です。

ウ ハッシュ値の説明です。

エ LPWA（Low Power Wide Area）の説明です。

解答 問5**ア** 問6**ア** 問7**イ** 問8**ア**

問9

2018年5月に施行されたGDPR（General Data Protection Regulation）に関する記述として，適切なものはどれか。

ア EU域内の各国に適用された個人データ保護やその取扱いについての法令
イ 環境マネジメントシステムに関する国際規格群の総称
ウ 著作物の再利用の利便性を図るため，その著作者があらかじめ条件を定めておき，その条件に従っていれば著作物を自由に再利用できるという許諾の方法
エ ある企業がもつ特許をその事業への有効性や特許間の関連性，また他社との比較などの観点で分析したもの

問10

サイバーセキュリティ基本法において定義されている，"サイバーセキュリティ"の定義の概要として，適切なものはどれか。

ア システム監査業務の品質を確保して，有効かつ効率的にシステム監査を実施することを目的とした，システム監査の実行者の行為規範のこと
イ 第三者のプログラムなどに対して意図的に何らかの被害を及ぼすように作られたプログラムで，自己伝染機能などの機能をもつもの
ウ 人の知覚によって認識できない方式で記録される情報の漏えいなどを防止するために必要な措置が講じられ，その状態が適切に維持管理されていること
エ 秘密として管理されている生産方法など，事業活動に有用な技術上または営業上の情報であり，かつ公然と知られていないもの

問11

著作権の帰属に関する説明のうち，適切なものはどれか。ここで，著作権に関する特段の契約や取決めはないものとする。

ア 映画の著作権は，その原作者だけに帰属する。
イ 原稿がない即興の講演であっても著作権は，講演者に帰属する。
ウ 憲法や法令，裁判所の判決の著作権は，国や地方公共団体に帰属する。
エ 新聞連載小説の著作権は，原作者ではなく新聞社に帰属する。

問12

人間の心理に潜む，偏見や先入観，経験などにより誤った判断をしてしまう現象を表す用語として，最も適切なものはどれか。

ア アクティベーション　　　イ データウェアハウス
ウ 認知バイアス　　　エ ブレーンストーミング

問 9 GDPR
法務 新作

GDPR (General Data Protection Regulation) とは「EU一般データ保護規則」とも言われ，個人データの保護やその取扱いについて定められたEU域内の各国に適用される法令のことです。2018年5月25日に施行されました。**ア**が正解です。

また，GDPRではEU居住者の個人データを取扱う場合は，EUで活動する日本を含む各国の企業も対応が必要になります。

イ ISO14000の説明です。

ウ クリエイトコモンズ (CC) の説明です。

エ 特許ポートフォリオの説明です。

問 10 サイバーセキュリティ基本法
法務 新作

サイバーセキュリティ基本法は，次のことを目的として制定された法律です。

「サイバーセキュリティに関する施策を総合的かつ効果的に推進し……，国際社会の平和及び安全の確保並びに我が国の安全保障に寄与すること」

サイバーセキュリティ基本法の第2条では，サイバーセキュリティを次の通り定義しています。

「**電子的方式，磁気的方式その他人の知覚によっては認識することができない方式**……により記録され，又は発信され，伝送され，若しくは受信され**る情報**の漏えい，滅失又は毀損の防止その他の当該情報の安全管理のために必要な措置並びに情報システム及び情報通信ネットワークの安全性及び信頼性の確保のために**必要な措置**……**が講じられ，その状態が適切に維持管理されている**こと」

以上から，**ウ**の記述が適切です。

ア システム監査基準の説明です。

イ コンピュータウイルス対策基準で定義されている，コンピュータウイルスの説明です。

エ 不正競争防止法で定義されている，営業秘密の説明です。

問 11 著作権の帰属
法務 H25 春 問 13

思想または感情を創作的に表現したもののことを著作物といいます。著作物を創作した人 (著作者) が著作物を独占的に利用できる権利などを定義した法律が著作権法です。著作権法第十条では，「小説，脚本，論文，講演その他の言語の著作物」を著作物の例としているので，原稿がない即興の講演もその著作権は講演者に帰属し，著作物として保護の対象になります。よって，**イ**が正解です。

ア 映画の著作権は，その原作者だけでなく，その映画の著作物の全体的形成に創作的に寄与した，監督や演出などの担当者にも帰属します。

ウ 著作権法第十三条では，憲法や法令などの著作物については著作権が及ばないとしています。よって，憲法や法令などの著作権が国などに帰属することはありません。

エ 小説の著作物の著作権は原作者に帰属します。小説がどの媒体に連載されているかといったことは，著作権の帰属には影響しません。

問 12 認知バイアス
法務 新作

われわれが意思決定をする際に，偏見や先入観，経験などに頼って非合理的な判断をしてしまう現象のことを認知バイアスといいます。**ウ**が正解です。学習データの偏りなどによりAIでも認知バイアスは存在するので設計には注意が必要です。

ア アクティベーションとは，ソフトウェアのパッケージに記載されているプロダクトID，または利用者のハードウェアを識別する情報を用いて，ソフトウェアのライセンス認証をすることで，不正利用を防止します。

イ データウェアハウスとは，組織内のシステムから時系列にデータを取得し，蓄積していくことを指します。

エ ブレーンストーミングとは，結論を決めずに各参加者がテーマに応じて自由な意見をたくさん出し合い，集まった意見から新しいアイディアを発想する会議手法です。

解答 問9 **ア** 問10 **ウ** 問11 **イ** 問12 **ウ**

問13 ✓✓✓

個人情報を他社に渡した事例のうち，個人情報保護法において，本人の同意が必要なものはどれか。

ア 親会社の新製品を案内するために，顧客情報を親会社へ渡した。
イ 顧客リストの作成が必要になり，この作業を委託するために，顧客情報をデータ入力業者へ渡した。
ウ 身体に危害を及ぼすリコール対象製品を回収するために，顧客情報をメーカへ渡した。
エ 請求書の配送業務を委託するために，顧客情報を配送業者へ渡した。

問14 ✓✓✓

不正競争防止法（平成29年改正）で新たに保護されることとなった，"限定提供データ"に該当するものは次のうちどれか。

ア 携帯電話などの位置情報　　イ 顧客情報
ウ 自社固有の既存技術情報　　エ 新製品の開発情報

問15 ✓✓✓

労働者及び使用者の自主的な交渉の下で，労働契約に関する各種の基本的事項を定めることにより，労働者の保護を図りつつ，個別の労働関係の安定に資することを目的として，平成20年に施行された法律はどれか。

ア 民法　　イ 労働基準法　　ウ 労働契約法　　エ 労働者派遣法

問16 ✓✓✓

インターネットその他の高度情報通信ネットワークを通じて流通する国や地方公共団体及び民間の多様かつ大量の情報を適正かつ効果的に活用するために，平成28年12月に公布・施行された法律は次のうちどれか。

ア 会社法
イ 官民データ活用推進基本法
ウ 個人情報保護法
エ 情報公開法

問13 | 個人情報保護法

法務 H24 秋 問20

　個人情報保護法の第23条では，あらかじめ本人の同意を得ないで，個人データ（個人情報）を第三者に提供してはならないとしています。ただし，次の場合は除きます。

1 法令に基づく場合。
2 人の生命，身体又は財産の保護のために必要がある場合であって，本人の同意を得ることが困難であるとき。（ウの記述が該当）
3 公衆衛生の向上又は児童の健全な育成の推進のために特に必要がある場合であって，本人の同意を得ることが困難であるとき。

4 国の機関若しくは地方公共団体又はその委託を受け
た者が法令の定める事務を遂行することに対して協
力する必要がある場合であって,本人の同意を得るこ
とにより当該事務の遂行に支障を及ぼすおそれがあ
るとき。

(個人情報保護法第23条)

また,同法では「個人情報取扱事業者が利用目的
の達成に必要な範囲内において個人データの取扱
いの全部又は一部を委託する場合」は,第三者提供
には当たらないとしています。顧客リストの作成
が必要になり,その作業を委託するために顧客情
報をデータ入力業者に渡すようなこと (**イ**) や,請
求書の配送業務を委託するときに顧客情報を配送
業者に渡すようなこと (**エ**) が,この場合に該当し
ます。

以上から,**イ**〜**エ**は本人の同意を必要としませ
ん。親会社の新製品を案内するために顧客情報を
親会社に渡す行為 (**ア**) は,以上のいずれの場合に
も該当しないので,本人の同意が必要です。

問14 限定提供データ
法務 新作

不正競争防止法第2条第7項では以下のように
限定提供データを定義しています。

> この法律において「限定提供データ」とは,①業として
> 特定の者に提供する情報として電磁的方法(電子的方法,
> 磁気的方法その他人の知覚によっては認識することがで
> きない方法をいう。次項において同じ。)により②相当量蓄
> 積され,及び③管理されている技術上又は営業上の情報
> (秘密として管理されているものを除く。)をいう。

限定提供データは,ビッグデータ活用やその取
得を目的とした,携帯電話などの位置情報,コン
ビニエンスストアなどのPOS端末の売上げ情報な
どが該当します。**ア**が正解です。

イ, **ウ**, **エ** 営業秘密に該当します。

問15 労働契約法
法務 新作

労働者 (使用者に使用されて労働し,賃金を支払
われる者) 及び使用者 (使用する労働者に対して賃
金を支払う者) の自主的な交渉の下で,労働契約に
関する各種の基本的事項を定めているのは,労働
契約法です。**ウ**が正解です。

近年,就業形態の多様化によって労働条件が複
雑化したことなどを理由として,労働紛争が増加
しています。労働紛争の解決のために,労働契約
の基本的ルールを明確にすることを目的として,
平成20年に労働契約法が施行されました。

ア 民法は,財産や債権などに関する権利を規定し
ている法律です。

イ 労働基準法は,労働時間,休憩,休暇など,労
働条件の最低基準を定めた法律です。

エ 労働者派遣法は,比較的弱い立場にある派遣労
働者に関する権利を守るための法律です。派遣
労働者は,指揮命令関係は派遣先との間にあ
り,雇用関係は派遣元との間にあります。

問16 官民データ活用推進基本法
法務 新作

国,地方自治体及び民間が保有するデータを流
通・活用することで,自立的で個性豊かな地域社
会の形成,新事業の創出,国際競争力の強化など
を目指す目的で「官民データ活用推進基本法」が平
成28年12月に公布・施行されました。**イ**が正解
です。

ア 会社法は,会社の設立,組織,運営及び管理に
ついて定めている法律です。

ウ 個人情報保護法は,個人の権利と利益を保護す
るために,個人情報を取扱っている事業者に対
して様々な義務と対応を定めた法律です。

エ 情報公開法は,行政機関の保有する情報の公開
を図り,国民の的確な理解を果たすために公正
で民主的な行政を推進することを目的とする
法律です。

解答 問13 **ア**　問14 **ア**　問15 **ウ**　問16 **イ**

問 17

経営管理の仕組みの一つであるPDCAのCによって把握できるものとして，最も適切なものはどれか。

ア 自社が目指す中長期のありたい姿
イ 自社の技術ロードマップを構成する技術要素
ウ 自社の経営計画の実行状況
エ 自社の経営を取り巻く外部環境の分析結果

問 18

クラウドファンディングの説明として，適切なものはどれか。

ア インターネット上に配置されている，複数のサーバなどの資源を活用して，拡張性や可用性の高いWebサービスを使用できるようにすること
イ 個人や企業がWebサイトなどを利用して，新しい製品やサービスを開発・運営するための出資を募ったり，慈善事業への寄付を求めたりすること
ウ 企業の経営管理が適切に行われているかを監視し，利害関係者に対して企業活動の正当性を維持する行為，及びそのために設けられる仕組みのこと
エ 企業や団体などが保有する資産を使って製品やサービスを提供したり，そこに従事する人々や家族の生活を支えたりすることによって，社会に貢献する活動のこと

問 19

自社の経営資源を，経済的価値，希少性，模倣可能性，組織の四つの要素を基に客観的に判定し，企業内部の経営資源（内部資源）が持つ強みのレベルを評価するための用語として最も適切なものはどれか。

ア 4P分析　　イ RFM分析　　ウ SWOT分析　　エ VRIO分析

問 20

シナリオ作成手法であるバックキャスティングの説明として最も適切なものは次のうちどれか。

ア 顧客からのヒアリングを実施して，システム対象とする現状の業務の問題点を分析し，顧客が要求しているシステムの内容や性能の確認を行うこと
イ 顧客，チャネル，コスト，収益などの9つの項目からビジネスモデルをまとめるために使うもの
ウ 最低限のサービスや機能を持った試作品を短期間で作成し，顧客の反応を確認してから顧客がより満足できるサービスを開発していく手法のこと
エ 目標とする未来の状況を想像して，それを実現するためにすべきことを未来から現在へとさかのぼって考えるもの

問 17 PDCA

経営戦略マネジメント H23 春 問 8

事業の計画や実行及び改善を継続的に行っていくために，PDCAサイクルという経営管理の仕組みが用いられます。PDCAサイクルは，以下の四つのフェーズから構成されます。

PDCA サイクル

名称	説明
Plan (計画)	事業内容や中長期的な経営計画を決定したり，組織体制を構築したりすることで，事業を継続的に運用していくための体制の確立を行う。
Do (実行)	Planフェーズで定めた事業内容を，経営計画に従って実行することにより，事業の運用が行われる。
Check (点検)	自社の経営計画が適切に実行されているかどうかを定期的に点検し，事業の運用状況などに内在する問題点を見つけ出す。
Act (処置)	Checkフェーズにおいて見つかった問題点を改善するための方策を立てたり，改善目標の設定が行われる。

以上から，PDCAのC (Check) によって把握できるのは，**ウ** (自社の経営計画の実行状況) です。

ア，**イ** P (Plan) で把握されます。

エ A (Act) で把握されます。

問 18 クラウドファンディング

経営戦略マネジメント 新作

クラウドファンディングとは，個人や企業がインターネット上にWebサイトやブログなどを設置して，不特定多数の人々に対して，新しい製品やサービスを開発・運営するための出資を募ったり，慈善事業への寄付を求めたりすることです。**イ**が正解です。

ア クラウドコンピューティングの説明です。

ウ コーポレートガバナンスの説明です。

エ CSR (Corporate Social Responsibility：企業の社会的責任) の説明です。

問 19 VRIO 分析

経営戦略マネジメント 新作

VRIO分析とは，企業の経営資源を"V：Value (経済的な価値)"，"R：Rareness (希少性)"，"I：Imitability (模倣可能性)"，"O：Organization (組織)" の四つの要素で順に客観的に評価する方法です。VRIO分析の判定は，V→R→I→Oの順にYes/Noの2択で評価し，Yesならば次のステップに進むことができます。すべてがYesの場合『他社より優位性がある』と考えます。**エ**が正解です。

ア 4P分析とは，Product (製品)，Price (価格)，Place (流通)，Promotion (プロモーション)の四つの視点，及びそれらの視点から市場の調査などを行うツールを用いて，分析や販売などを行う方法のことです。

イ RFM分析とは，顧客の最終購買日 (Recency)，購買頻度 (Frequency) 及び累計購買金額 (Monetary) の三つの指標から，優良顧客の特定を行う分析手法です。

ウ SWOT分析とは，企業経営を行う際の意思決定のために，強み (Strengths)，弱み (Weaknesses)，機会 (Opportunities)，脅威 (Threats) の四つの指標を評価する分析方法のことです。

問 20 バックキャスティング

経営戦略マネジメント 新作

バックキャスティングとは，はじめに目標とする未来の姿を考え，それを実現するための過程を未来から現在へとさかのぼって記述するシナリオ作成の手法のことです。正解は**エ**です。

ア ソフトウェア開発の要求定義の説明です。

イ ビジネスモデルキャンバスの説明です。

ウ リーンスタートアップの説明です。

解答 問 17 **ウ**　問 18 **イ**　問 19 **エ**　問 20 **エ**

問21

図は，ある製品の価格（横軸）とその価格に対する消費者への質問①：高すぎるので買わない価格，②：高いと思い始める価格，③：安いと思い始める価格，④：安すぎるので買わない価格，の結果を表現したグラフをまとめたものである。このグラフより読み解ける内容のうち最も適切なものはどれか。

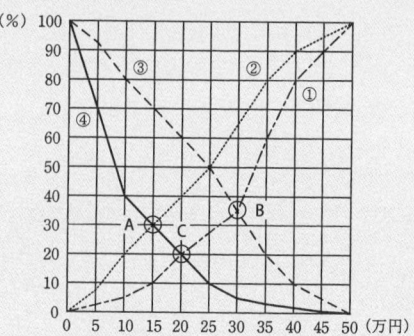

ア Aの価格は，これよりも安い価格で販売すると，安すぎるので買わないと思う人数が高いと思い始める人数よりも多くなり，購入をする人が増加する。

イ Bの価格は，これよりも高い価格で販売すると，高すぎるので買わないと思う人数が安いと思い始める人数よりも多くなり，購入をする人が増加する。

ウ Cの価格は，商品が高すぎるかまたは安すぎるので購入しない人数が同じになるので，この価格が適正価格である。

エ Aの価格もBの価格もCの価格もこの製品には適正な価格ではない。

問22

ユーザが検索エンジンの入力欄に語句を入力したときに，関連する商品やサービスの名称や会社名などの情報を，検索結果のページに挿入して表示する形式の広告を何というか。

ア バナー広告
イ フルスクリーン広告
ウ ポップアップ広告
エ リスティング広告

問23

リーンスタートアップで提唱されている手順のうち，『学習』に関する記述のうち適切な記述はどれか。

ア 構築を再度行うことにより，市場の反応を確認する。
イ 顧客に試作品を提供して反応を確認する。
ウ 顧客のニーズをもとに試作品を作成する。
エ 顧客の反応をもとに試作品を改善する。

問24

自社の新製品戦略によって起こる，カニバリゼーションの事例のうち正しいものはどれか。

ア 新製品の売上が高くなり，自社の同じ分類の製品の売上が下がってしまう。
イ 新製品が他社の同類の売上を超えて，業界で優位に立つ。
ウ 新製品発売と同じタイミングで他社でも同様の製品が発売される。
エ 新製品を自社の既存製品と差別化して販売する。

問 21 価格感度測定
経営戦略マネジメント　新作

このグラフで重要となるのは，図のA〜Cの各点の価格です。

Aの価格よりも安い価格で販売すると，安すぎるので買わないと思う人数が高いと思い始める人数よりも多くなり，購入を控える人が増加するので問題があります。この価格は，顧客が受容できる価格の下限 (下限価格) になります。

Bの価格よりも高い価格で販売すると，高すぎるので買わないと思う人数が安いと思い始める人数よりも多くなり，購入を控える人が多くなります。この価格は，顧客が受容できる価格の上限 (上限価格) になります。

Cの価格は，高すぎるので買わないと思う人数と，安すぎるので買わないと思う人数が一致するときの価格です。このときの価格が商品の適正 (最適) 価格です。

よって，ウが正解です。

問 22 リスティング広告
経営戦略マネジメント　新作

YahooやGoogleなどの検索エンジンのサイトで，キーワードを入力して表示された検索結果のページに，入力したキーワードに関連する商品名などが表示される形式の広告を，リスティング広告といいます。エが正解です。

ア Webページの一部に埋め込まれている広告用の画像をバナーといいます。バナーには広告主のサイトへのURLのリンクが設定されており，利用者がバナーをクリックすることで，広告主が用意したページが表示されます。バナーを利用した広告のことをバナー広告といいます。

イ フルスクリーン広告とは，Webページから別のページをアクセスする際に，いったん広告用のページが表示され，その後にアクセスしたページが表示される形式の広告です。

ウ ポップアップ広告とは，Webサイトを閲覧している際に，自動的に新しい別のウィンドウが開いて表示される形式の広告です。

問 23 リーンスタートアップ
経営戦略マネジメント　新作

リーンスタートアップとは，製品やサービスの試作品を短期間で作成し (構築)，顧客の反応を確認して (計測)，その結果をもとに試作品を改善していく (学習) マネジメントの手法のことをいいます。エが正解です。

なお，上記の試作品でうまくいかない場合は，再度試作品を作成します (再構築)。

ア 再構築の記述です。
イ 計測の記述です。
ウ 構築の記述です。

問 24 カニバリゼーション
経営戦略マネジメント　新作

カニバリゼーション (cannibalization) とは，自社やグループ企業の製品などの間で売上や流通量を奪い合うことをいいます。アが正解です。

イ 新製品を販売すると広告宣伝などによって一時的に起こる現象のことです。
ウ 家電品などは季節に合わせて同様の製品が販売される傾向があります。
エ マルチブランド戦略の説明です。

解答 問 21 ウ　問 22 エ　問 23 エ　問 24 ア

ビジネスインダストリ

ストラテジ系

問25 ✓✓✓
オンライン技術を使っての本人確認方法として近年利用されているサービスの総称を何というか。

ア Cookie　　イ eKYC　　ウ S/MIME　　エ WPA2

問26 ✓✓✓
アシストGPSで利用されている情報の特徴のうち正しいものどれか。

ア 屋内など衛星の電波の届かない範囲でも位置情報を把握することができる。
イ 音声から議事録作成を自動的に行うことができる。
ウ コンピュータを使って人間の脳の考え方を模したモデルを作成できる。
エ 自動車のセンサで計測した情報をサーバに送信し，運転支援ができる。

問27 ✓✓✓
シラバス
6.3
自動運転レベルは，レベル0からレベル5の6段階に分類されている。レベル3に該当する状態は次のうちどれか。

ア アクセルやブレーキ操作およびハンドル操作の両方が，部分的に自動化された状態
イ アクセルやブレーキ操作またはハンドル操作のどちらかが，部分的に自動化された状態
ウ 自動運行装置が運転操作の全部を代替する状態
エ 特定の走行環境条件を満たす限定された領域で，自動運行装置が運転操作の全部を代替するが，自動運行装置が正常に作動しない場合はただちに運転操作を代われる状態

問28 ✓✓✓
CDN(Content Delivery Network)の利点について最も正しい記述はどれか。

ア ファイルのダウンロード時間が短くなる。
イ セキュリティが向上する。
ウ Webページがそのまま印刷できる。
エ ネットワークの仮想化ができる。

問25 | eKYC
ビジネスインダストリ 新作

　犯罪収益移転防止法の改正後，本人確認の厳格化が進んでいます。書類の郵送ではなくオンライン技術を使って本人の確認をすることをeKYC (electronic Know Your Customer)といいます。例えばメルカリなどではアプリで複数の写真を撮影/送信して，本人確認した後に認証結果を送信する方法を使っています。正解は**イ**です。

ア Cookie (クッキー) は，Webサーバとブラウザとの間でデータ送受信の順序や状態を管理したり，Webサーバに対してどのPCからアクセスが行われたかを識別したりするために用いられるものです。

ウ S/MIME (Secure / Multipurpose Internet Mail Extensions) は，電子メールを暗号化して送受信するプロトコルです。

エ WPA2は，無線LANの暗号化技術やプロトコルの総称です。

問26 アシストGPS
ビジネスインダストリ 新作

アシストGPS (Assisted Global Positioning System) とは，GPS (全地球測位システム) を利用した位置計測に加え，携帯電話やスマートフォンの位置情報を補助的に利用する技術のことです。

それによって，衛星の電波の届かない屋内などの位置情報を提供することができます。アが正解です。

イ RPA (Robotic Process Automation) で実現できることです。

ウ ニューラルネットワークで実現できることです。

エ コネクテッドカーで実現できることです。

問27 自動運転レベル

ビジネスインダストリ 新作

自動運転とは，運転者ではなくシステムが自動車の運転操作に関わる判断や操作などの全てを代替して行い，自動で走らせることをいいます。また，自動運転レベルは，SAE (Society of Automotive Engineers：米国自動車技術会) が定めて国際的に利用されている自動運転システムの形態を分類した指標で，レベル0～レベル5の6段階に分類されています。

レベル0 自動運転を実現するための技術が何もない状態です。
レベル1 アクセルやブレーキ操作またはハンドル操作のどちらかを，部分的かつ持続的に自動化した状態です。自動運転ではなく運転支援に該当します。
レベル2 アクセルやブレーキ操作およびハンドル操作の両方を，部分的かつ持続的に自動化した状態です。レベル1と同様に自動運転ではなく運転支援に該当します。
レベル3 運行設計領域もしくは，限定領域と呼ばれる決められた走行場所で，全ての運転操作を自動化できる状態です。ただし，自動運転システム作動中もシステムから運転操作の引継ぎを求められた場合には，運転者はただちに運転操作を代われる状態でなければなりません。
レベル4 運行設計領域もしくは限定領域と呼ばれる決められた走行場所で，全ての運転操作を自動化した状態です。
レベル5 全ての運転操作を自動化した状態です。

（国土交通省 https://www.mlit.go.jp/jidosha/anzen/01asv/report06/file/siryohen_4_jidountenyogo.pdf）

日本ではレベル3までの自動車が公道を走行でき，2023年4月1日に施行された改正道路交通法により，限定地域や遠隔監視などを条件として，レベル4の自動運転も解禁されました。

以上から，エが正解です。
ア レベル2の状態です。
イ レベル1の状態です。
ウ レベル5の状態です。

問28 CDN
ビジネスインダストリ 新作

CDNとは，要求してきた機器からみて距離的に最も近い場所にあるサーバを自動で選択しコンテンツをダウンロードさせる技術のことです。それにより，ダウンロード時間が短くなります。アが正解です。
イ CDNではセキュリティは向上しません。
ウ ブラウザの設定を変更するなどで可能です。
エ SDN (Software Defined Network) の説明です。

解答 問25 イ 問26 ア 問27 エ 問28 ア

問 29

ソフトウェアや製品を利用者が使ったときに得られる, 主にポジティブな知覚, 認識, 経験及び満足といった概念を総称して何というか。

<blockquote>

ア AI　　　　　イ UA　　　　　ウ UI　　　　　エ UX

</blockquote>

問 30

B社は図のような流れで情報システムを調達した。aに当てはまるものはどれか。

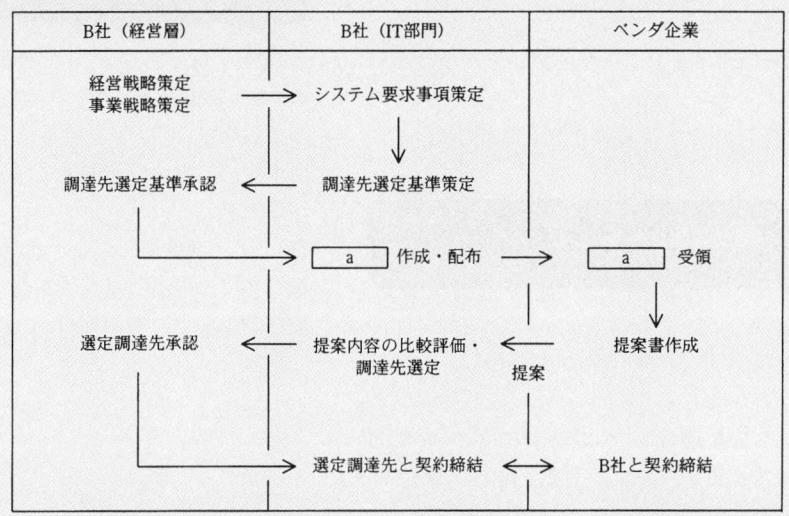

B社（経営層）	B社（IT部門）	ベンダ企業
経営戦略策定 事業戦略策定 →	システム要求事項策定	
調達先選定基準承認 ←	調達先選定基準策定	
→	a 作成・配布 →	a 受領
選定調達先承認 ←	提案内容の比較評価・ 調達先選定 ←提案	提案書作成
→	選定調達先と契約締結 ← →	B社と契約締結

ア NDA　　　　　イ RFI　　　　　ウ RFP　　　　　エ SLA

問 31

ソフトウェアライフサイクルを企画プロセス, 要件定義プロセス, 開発プロセス, 運用プロセスに分けたとき, 企画プロセスの成果として, 適切なものはどれか。

ア 開発するソフトウェアの要件が定義され, レビューされている。
イ システムに対する要件と制約条件が定義され, 合意されている。
ウ システムを実現するための実施計画が策定され, 承認されている。
エ データベースが最上位のレベルで設計され, レビューされている。

問 32

納入先企業が環境負荷の少ない製商品, サービスや環境配慮等に積極的に取り組んでいる企業から優先的に調達することを何というか。

ア グリーン調達
イ 寄付型調達
ウ サプライチェーンマネジメント
エ マルチベンダ

問29 UX (User Experience)
ヒューマンインタフェース　新作

優れた入出力インタフェースや美しい外観, 及び便利な機能をもつソフトウェアや製品を利用することで得られる, 主にポジティブな知覚, 認識, 経験及び満足といった概念を, 総称してUX (User Experience) といいます。**エ**が正解です。

ア AI (Artificial Intelligence：人工知能) は, コンピュータを用いて人間と同様の知能を実現することです。

イ UA (User Agent) とは, 特定の通信プロトコルに基づいて利用者がサーバなどにアクセスするときに使用されるソフトウェアのことです。

ウ UI (User Interface) とは, アイコンやカーソルなど, 利用者がコンピュータに対して指示を出したり, 結果を確認したりするために用いられる各種のインタフェースのことです。

問30 RFP
システム企画　H22春　問4

RFP (Request for Proposal：提案依頼書) とは, 情報システムの発注者 (B社) から受注者 (ベンダ企業) に対して送付されるもので, 発注する情報システムの概要や発注依頼事項, 調達条件などを明示し, 提案書の提出を依頼するための文書です。以上から, 空欄aは**ウ**です。

ア NDA (Non-Disclosure Agreement：秘密保持契約) とは, 秘密として管理すべき自社の情報 (個人情報など) を取引先などに提示するとき, 事前に結んでおく契約のことです。

イ RFI (Request For Information：情報提供依頼書) とは, 利用可能な技術や製品などの情報の提供を, ベンダに対して要請する行為のことです。

エ SLA (Service Level Agreement：サービスレベル合意) とは, サービスの提供者が, 自社のサービスの品質保証のためにサービスの水準などについてまとめ, 利用者との間で合意した契約のことです。

問31 企画プロセスの成果
システム企画　H23春　問5

ソフトウェアライフサイクルプロセスとは, ソフトウェアシステムを企画し, 開発し, それを運用していく過程での一連のプロセス (業務) をまとめたものです。

ソフトウェアライフサイクルプロセスの企画プロセスでは, 事業の目的や目標達成のために必要な機能や要求事項をまとめ, 情報システムを構築するためのシステム化方針を策定し, システムを実現するための計画 (システム化計画) を策定し, 承認することが行われます。この作業を, システム化計画の立案といいます。

以上から, 企画プロセスの成果としては, システムを実現するための実施計画 (システム化計画) が策定され, 承認されること (**ウ**) が適切です。

ア 開発するソフトウェアの要件を定義し, そのレビューを行うのは, 開発プロセスの成果です。

イ システムに対する要件と制約条件を定義し, 関係者間で合意するのは, 要件定義プロセスの成果です。

エ データベースの最上位レベルでの設計を行い, そのレビューを行うのは, 開発プロセスの成果です。

問32 グリーン調達
システム企画　新作

環境に配慮できている商品や, 環境への取組が企業方針や事業戦略に沿っている場合に優遇して調達することを, グリーン調達といいます。**ア**が正解です。グリーン調達を行う場合は, 納入先企業との取引において, グリーン調達の方針や納入基準をよく理解し, それらの要求を適切に満たす必要があります。

イ クラウドファンディングなどの寄付で資金や商品を調達することをいいます。

ウ サプライチェーンマネジメント (SCM：Supply Chain Management) とは, 関連企業間で情報を共有し, 製品の生産, 受発注の管理, 資材調達, 在庫管理, 物流などの一連の業務を, 全体最適化の視点から見直し, コンピュータを用いて管理していくことをいいます。

エ 複数のベンダからの調達のことをいいます。

解答　問29 **エ**　問30 **ウ**　問31 **ウ**　問32 **ア**

問33

蓄積されたデータに対してパターン認識機能や機械学習機能を適用することによって，コールセンタにおける顧客応対業務の質的向上が可能となる事例はどれか。

- ア 応対マニュアルや顧客の基本情報を電子化したものを，オペレータの要求時に応対用の画面にポップアップ画面として表示する。
- イ 顧客の問合せの内容に応じて，関連資料や過去の応対に関する全履歴から，最適な回答をリアルタイムで導き出す。
- ウ 電話応対中のオペレータが回答に窮したときに，その電話や応対画面をベテランのオペレータや専門要員に転送する。
- エ ベテランのオペレータが講師となり，応対マニュアルを教材にして，新人オペレータに対するロールプレイング研修を繰り返して実施する。

問34

ソフトウェアライフサイクルを，企画，要件定義，開発，運用のプロセスに区分したとき，要件定義プロセスで明確にする項目はどれか。

- ア システムを開発する目的
- イ ソフトウェア構成品目ごとの機能と能力
- ウ データベースの構造
- エ 利害関係者のニーズと要望事項

問35

エンタプライズサーチを使ってできるもののうち，効率が最も向上する機能はどれか。

- ア 企業内のファイルの検索ができる機能
- イ システム開発機能
- ウ 適切な人材を外部から確保できる機能
- エ 企業内の標準化ができる機能

問36

システムに関する次の記述中のa，bに入れる字句の適切な組合せはどれか。

最近のスマートフォン利用者（消費者）は企業と　a　と言われるシステムで，アプリ使ってつながります。また，企業内では従来型の　b　と言われるシステムを使用しており，主に安全性を重視しています。

	a	b
ア	SoE	SoR
イ	SoC	SoE
ウ	SoE	SoC
エ	SoR	SoC

問33｜顧客対応業務

企業活動　H30 春　基本情報 問61

"顧客応対業務の質的向上が可能となる事例"なので，顧客がコールセンタに要求することは，「早く正確に本事象に関する回答をしてもらう」こ

とです。そのために，"蓄積されたデータを使用してパターン認識機能や機械学習機能を適用すること"によって，できることを順に検討します。

ア　応対マニュアルを電子化しただけでは，そのオペレータが要求しない限り表示されることはありません。

イ　顧客からの問合せ内容から最適な解を見つけ出すことは，パターン認識や機械学習が可能としてくれます。⇒**正解です。**

ウ　電話応対中に他者にその内容を転送することは，顧客へのサービスとしては可能ですが，パターン認識や機械学習機能は使用しません。

エ　ベテランオペレータが講師をしてロールプレイング研修をすることで，新人オペレータの技術力は上がり質的向上は期待できますが，パターン認識や機械学習機能は使用しません。

問34　ソフトウェアライフサイクル
システム戦略　H25春　問23

ソフトウェアライフサイクルとは，ソフトウェア（システム）を企画し，開発し，それを運用していく過程での一連のプロセス（業務）の流れのことです。

ソフトウェアライフサイクルのうちの要件定義プロセスでは，開発しようとしているシステムの利害関係者のニーズ（要求）や要望事項をまとめて，システムが実現すべき要件を定義します。よって，**エ**が正解です。

ア　企画プロセスで明確にする項目です。

イ，**ウ**　開発プロセスで明確にする項目です。

ソフトウェアライフサイクルプロセスの一部

• 主ライフサイクルプロセス
（開発プロセスにおける一般的な作業）

プロセス	概要
企画プロセス	事業の目標達成のために必要な機能や要求事項をまとめ，情報システムを構築するためのシステム化方針を策定し，システムを実現するための計画（システム化計画）を作成する。
要件定義プロセス	新しい業務のあり方や運用をまとめた上で，業務上実現すべき要件を明らかにする。
開発プロセス	システムに関する要件について技術的に実現可能であるかどうかを検証し，システム設計が可能な技術要件に変換する。

問35　エンタプライズサーチ
システム戦略　新作

エンタプライズサーチとは，企業内にあるサーバを順次巡回していき，与えられた権限の中で必要なファイルなどを見つけ出すことができるシステムのことです。正解は**ア**です。

イ　システム開発をする際に使用されることもありますが，効率が最も向上するものではありません。

ウ　人事で使用されることもありますが，効率が最も向上するものではありません。

エ　標準化とエンタプライズサーチは直接的には関係ありません。

問36　SoE と SoR
システム戦略　新作

SoE (System of Engagement) は，企業とユーザ（利用者）をどのようにつないでいくかという点を重視したシステムです。現在では，Webサイトだけでなく，SNSやスマホアプリなどを使ってつながりを持つことが増えています。

また，SoR (Systems of Record) は，企業内での情報を安全に管理，運用することを重視したシステムです。以上から，**ア**の組合せが適切です。

SoC (System on a Chip) は，従来は基盤（ボード）上に複数の素子やプロセッサなどを配置して実現していたシステムを，高性能な回路などを集積することで，単独のチップのみで実現したLSIのことです。

解答　問33 **イ**　問34 **エ**　問35 **ア**　問36 **ア**

問 37

情報処理システムでPoC（Proof of Concept）を使用する事例として適切で**ないもの**はどれか。

- ア 業務効率化のための経理システム
- イ 人間の動作を認識するロボットのシステム
- ウ AIを利用した自動運転システム
- エ IoTを使った社内情報共有システム

問 38

経営戦略が策定され，その戦略の一つに"営業部門の組織力強化"が掲げられた。この戦略を実現するための情報システムとして，適切なものはどれか。

ア MRPシステム　　イ POSシステム　　ウ SCMシステム　　エ SFAシステム

問 39

ソリューションビジネスの形態には，IaaS，PaaSまたはDaaSなどがある。これらの形態に関する次の説明a〜cのうち，適切なものだけを全て挙げたものはどれか。

- a IaaSでは，利用者は必要なアプリケーションソフト，OS，及びハードウェアを事業者から借りて使用する。
- b PaaSでは，事業者がプラットフォーム（OS及びハードウェア）を利用者に提供し，利用者はアプリケーションソフトだけを用意する。
- c DaaSでは，利用者は必要なアプリケーションソフトとOSを用意し，ハードウェアだけを事業者から借りて使用する。

ア a, b　　　　　イ bだけ　　　　　ウ b, c　　　　　エ cだけ

問 37 PoC

システム戦略 新作

PoC（Proof of Concept）は概念実証とも言われ，新たなアイディアなどの実現可能性やそれによって得られる効果などについて検証することです。社会に適合できるかをステップごとに検討し，それに基づいた実験などを繰返しながら，期待した効果が得られると判断できれば順次進めていきます。

経理システムについては，新しいアイディアではなく既存の例もあり，実験や試作などを繰返す必要がないため，PoCの必要性は低いと考えら

れます。正解はアです。

- イ 人間の動作を認識するためには，多くの検証が必要になります。
- ウ 自動運転システムは，不正に動作しないかのテストを多く実行する必要があります。
- エ IoTを使った社内情報共有システムでは，接続などの多くの検証が必要となります。

問 38 SFA システム

システム戦略 H22春 問8

SFA（Sales Force Automation：営業支援システム）とは，営業活動に情報技術（IT）を活用して，

顧客の情報などを営業部門で共有したり，より迅速に顧客に情報を提供したりすることによって，顧客満足度の向上や営業部門の組織力の向上などを目指して，組織の営業活動についての全体最適化を図ることです。SFAを実現するための情報システムを，SFAシステムといいます。よって，**エ**が正解です。

ア MRP (Materials Requirements Planning：資材所要量計画) は，営業活動ではなく生産管理手法の一つです。この手法では，製造する製品の需要から予測した生産計画をもとにして，完成品を作るために要する部品の個数などと在庫の情報とを照合し，発注すべき部品や材料などの量と発注時期をコンピュータシステムを用いて算出します。

MRP

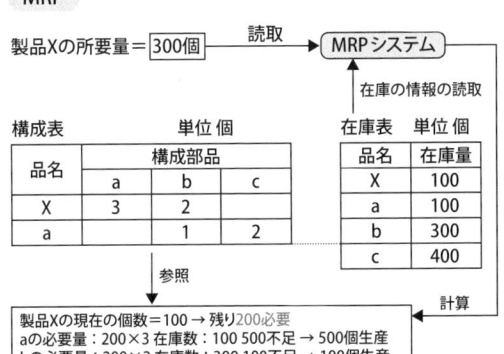

MRPシステムは，製品Xを200個生産するために
必要な部品a〜cの量を計算する

イ POS (Point Of Sales) システムとは，店舗で商品を販売した時点で，POS端末に販売情報を記録して本社の販売システムなどに送ることで，商品販売情報を単品ごとに収集，蓄積し，当該情報の分析などを行うことを可能としたシステムのことです。

ウ SCM (Supply Chain Management：サプライチェーンマネジメント) とは，企業活動の管理手法の一形態で，関連企業間で情報を共有し，製品の生産，受発注の管理，資材調達，在庫管理，物流などの一連の業務を，全体最適の視点から見直し，コンピュータを用いて管理していく手法のことです。

問 39 ソリューションビジネスの形態
システム戦略 新作

ソリューションビジネスのサービス提供形態の特徴を表に示します。

サービス	概要	事業者が提供するもの
SaaS	インターネットなどを経由して，アプリケーションソフトを利用者のパソコンにダウンロードさせることで，アプリケーションソフトの機能を提供するサービス。	・アプリケーションソフト ・OS ・ハードウェア
PaaS	プラットフォーム (OS及びハードウェア) を事業者が提供し，利用者はアプリケーションソフトを用意して，プラットフォーム上で稼働させるサービス。	・OS ・ハードウェア
IaaS	ハードウェアを事業者が提供し，利用者はアプリケーションソフトとOSを用意して，ハードウェア上で稼働させるサービス。	・ハードウェア
DaaS	利用者は基本的な入出力機能だけを備えた端末を用意し，事業者はアプリケーションソフト，OS，サーバを提供するサービス。利用者は，事業者のサーバ上で稼働しているアプリケーションソフトやOSを，ネットワークを介して端末から利用する。	・アプリケーションソフト ・OS ・サーバ

IaaSでは，利用者がアプリケーションソフトとOSを用意するので，aは誤った説明です。

PaaSでは，プラットフォーム (OS及びハードウェア) を事業者が提供し，利用者はアプリケーションソフトを用意してプラットフォーム上で稼働させるので，bは適切な説明です。

DaaSでは，アプリケーションソフトやOSは事業者から提供されるので，cは誤りです。

以上から，bだけ (**イ**) が適切です。

なお，XaaSはX as a Serviceの略です。SaaSの最初のSはSoftware，PaaSのPはPlatform，IaaSのIはInfrastructure，DaaSのDはDesktopの略です。

解答 問37 **ア** 問38 **エ** 問39 **イ**

問40

システム開発において，開発の依頼側（顧客）はシステムを受け入れる段階で，システムが意図した用途を達成しているかを確認する必要がある。この確認手段として適切なものは次のうちどれか。

ア 回帰テスト
イ 妥当性確認テスト
ウ 負荷テスト
エ ホワイトボックステスト

問41

既存システムをオンプレミスからクラウドへ移行することのメリットについて，あてはまらないものはどれか。

ア 業務に合わせてのカスタマイズがしやすい。
イ 災害時の被害が大きくてもすぐに切り替えて対応できる。
ウ 導入時の費用がかからない。
エ 導入までの時間がかからない。

問42

A社は，自社の売上業務で使用する売上管理システムを開発している。このシステムは，X社のOSが稼働しているサーバにインストールされ，運用される。このシステムでは，各売上に関連する商品名，単価，売上金額及び売上日など（以下，これらをまとめて売上情報という）を入力し，データベース上に記録する。また，過去に入力した売上情報を検索できるようにする必要がある。このシステムでは，売上情報の検索処理において，応答時間を最大でも5秒以内にとどめるように，利用部門から依頼を受けている。

このシステムの開発に参加しているB君は，このシステムのソフトウェア品質特性の一つである，効率性を向上させようとしている。B君の活動として適切なものはどれか。

ア 売上管理システムのプログラムを後で修正する必要が生じたとき，修正をしやすくするために，ソースコードに詳細なコメントを記載しておく。
イ 検索処理に要する時間をできるだけ短くするために，データベースを検索する機能を実行するプログラムの内容を検証して，無駄な処理を省く。
ウ 初心者でも売上管理システムを使用しやすくするために，入力画面の構成を理解しやすくし，ヘルプ機能などを用意しておく。
エ ほかのベンダのOSが稼働するサーバにこのシステムを移設しても，問題なく動作させるために，特定のOSに依存しないプログラムを作る。

問43

XP（Extreme Programming）のプラクティスの一つに取り入れられているものはどれか。

ア ペアプログラミング
イ ウォータフォールモデル
ウ スパイラルモデル
エ プロトタイプモデル

問40 妥当性確認テスト
開発技術　新作

システム開発のプロセスは、「システム要件定義⇒設計⇒プログラミング⇒結合・テスト⇒受入れ⇒保守」の順に行われます。システム要件定義は、システムの機能及び能力、利用者の要件などを記述したシステム要件に沿ってシステムが構成されており、その意図した用途について、**システム妥当性確認テスト**にて確認が行われます。正解は**イ**です。

ア 回帰テストは、システムの一部のプログラムを修正したときに、そのプログラムと関連する他のプログラムに影響が出て、システムが正常に動作しなくなるというような問題を検出するために行うテストのことです。

ウ 負荷テストは、大量のデータが入力されたときの処理能力を検証するテストです。

エ ホワイトボックステストは、テスト対象であるシステムの内部構造や内部ロジックの動きを確認しながらテストを実施します。主に単体テストと結合テストで用いられます。

問41 クラウドへの移行
システム戦略　新作

オンプレミスとは、利用者が自社の管理する施設内にサーバなどの機器を導入して、情報システムを自ら運営管理する業務形態のことです。自社のサーバを使用しているため、カスタマイズがしやすいことが特徴です。正解は**ア**です。

クラウドは、ネットワーク上の複数のサーバなどを連結させて構築したシステムを用いることで、導入時の費用や時間を短縮できます。また、災害が一定の地域に集中した場合でも、別の地域にある機器を使用できるため、可用性が高く、利便性に富んだサービスを利用できます。

問42 ソフトウェア品質特性
ソフトウェア開発管理技術　新作

ソフトウェア品質特性 (JIS X 0129-1) は、ソフトウェアの品質を評価するために用いられる基準です。大きく分けて「機能性」「信頼性」「使用性」「効率性」「保守性」「移植性」の六つがあります。

効率性の副特性である時間効率性は、ソフトウェアの機能を実行する際に、適切な応答時間、処理時間及び処理能力を提供する能力です。

売上情報検索処理の応答時間を最大でも5秒以内にする必要があるとき、応答時間をできるだけ短くして効率性を向上させることが有効です。そのために、データベースを検索する機能を実行するプログラムの内容を検証して、無駄な処理を省くのが適切な活動です。よって、**イ**が正解です。

ア 保守性を向上させるための活動です。
ウ 使用性を向上させるための活動です。
エ 移植性を向上させるための活動です。

問43 XP (ペアプログラミング)
システム開発技術　新作

ペアプログラミングとは、二人が一組となってソフトウェアのコーディングとレビューを行う手法で、XPのプラクティスに取り入れられています。

ペアプログラミングでは、一人はコーディングを行い、もう一人はコーディング作業をチェックして、コードの内容などに誤りがないかをレビューして常に確認し、誤りがある場合はその場で指摘して訂正させるものです。以上から、**ア**が正解です。

イ ウォータフォールモデルとは、上流工程から順に開始してシステムを完成させるモデルです。

ウ スパイラルモデルとは、設計→プログラミング→テストの工程を繰り返しながら、各部分の完成度を高めていく開発手法です。

エ プロトタイプモデルとは、システム開発の初期段階にシステムの"試作品 (プロトタイプ)"を作り、それを利用者に試用させてシステムの画面構成や機能について確認したりすることで要求のあいまいさを排し、システムの仕様を明確にしていく開発手法です。

解答　問40 **イ**　問41 **ア**　問42 **イ**　問43 **ア**

問44 次の特徴をもつソフトウェアの開発規模見積手法はどれか。

(1) システムの機能・入出力インタフェースの数を基にして開発規模を見積もる。
(2) 外部入力,外部出力,外部インタフェースファイル,外部紹介,内部論理ファイルの五つのタイプに該当する,機能またはインタフェースの数を求め,複雑さを加味して開発規模を算出する。
(3) システムの開発に用いるプログラム言語に依存しない形で開発規模を見積もることが可能となる。

ア WBS
イ アローダイアグラム
ウ ファンクションポイント法
エ 類推法

問45 システムの一部のプログラムを修正したとき,その修正によって他のプログラムの処理に影響が出ていないかどうかを検証するために,他のプログラムの処理結果をチェックするテストはどれか。

ア 受入れテスト　　イ 回帰テスト　　ウ 結合テスト　　エ システムテスト

問46 DevOpsによってもたらされる効果のうち最も適切な記述はどれか。

ア ソフトウェア製品の市場投入までの時間の短縮
イ 開発者間のコミュニケーション能力の向上
ウ インシデントの早期発見
エ 情報セキュリティマネジメントの向上

問47 X社のシステム開発プロジェクトでは,システム部の9名のメンバ全員が相互にコミュニケーションを取りながら進めており,メンバがそれぞれ1対1で情報を伝達している。この1対1で情報を伝達する経路のことを,コミュニケーションチャネルという。しかし,コミュニケーションチャネルの数が多いことから開発業務が煩雑になってきたため,コミュニケーションの取り方を次のように改善することにした。

〔改善〕
(1) システム部をA班とB班の二つに分け,A班に4人,B班に5人を割り当てる。各班のメンバのうちの1名をその班のリーダとする。
(2) システム部の9名のメンバ全員が相互にコミュニケーションを取るのではなく,各班の中だけで相互にコミュニケーションを取り,それぞれ1対1で情報を伝達するように変更する。
(3) (2)の他に,A班のリーダとB班のリーダとの間でも1対1で情報を伝達する。

改善後のコミュニケーションチャネルの総数は,改善前のコミュニケーションチャネルの総数と比べて幾ら減少するか。

ア 17　　　　イ 19　　　　ウ 20　　　　エ 36

問 44 ファンクションポイント法
ソフトウェア開発管理技術　新作

　外部入出力・内部論理ファイル・インタフェースなどの五つの要素の個数を求め，各機能に関するモジュールの個数や複雑さ (難易度) の特性を重み付けすることで工数を見積もる手法を，ファンクションポイント法といいます。**ウ**が正解です。
- **ア** WBS (Work Breakdown Structure) とは，プロジェクトに必要な作業をトップダウンかつ階層で表現した図のことです。
- **イ** アローダイアグラムは新QC7つ道具の一つで，作業の前後関係を整理して矢印で結んだ図です。作業の前後関係や段取りを確認したり，進行上の障害となるポイントを見つけることができます。
- **エ** 類推法とは，過去に経験した類似のシステムについてのデータを基にして規模と工数を見積もる方法のことです。

問 45 回帰テスト
ソフトウェア開発管理技術　新作

　回帰テスト (リグレッションテスト) とは，システムまたはソフトウェアの一部を修正したとき，その影響によって修正箇所以外の箇所に想定外の問題が発生していないかどうかを検証するテストのことです。**イ**が正解です。
- **ア** 受入れテストは，ソフトウェアの利用者が要求した要件などが適切に実現され，ソフトウェアが正常に稼働するかどうかを，利用者が主体となって確認するために行うテストです。
- **ウ** 結合テストは，モジュール間のデータの受け渡し状況について，その正当性を検査するためのテストです。
- **エ** システムテストは，システム全体が正常に機能しているかどうかを検査するためのテストです。

問 46 DevOps
システム開発技術　新作

　DevOps (デブオプス) とは，ソフトウェア開発 (Development) と運用 (Operations) の二者が緊密に連携することで，ソフトウェアライフサイクルを短縮して，品質の高いサービスを実現する

ことを目的としています。
　DevOps を導入することで，ソフトウェア製品の市場投入までの時間の短縮，顧客満足度の向上，ソフトウェア製品の品質向上，サービスマネジメントプロセスの自動化，信頼性の向上，エンジニアの開発能力の向上などの効果が生まれると考えられます。
　最も効果が上がるのは，ソフトウェア製品の市場投入までの時間の短縮 (**ア**) です。

問 47 コミュニケーションチャネル
システム開発技術　新作

〔改善前のコミュニケーションチャネルの総数〕
　システム部には9名のメンバがいます。各メンバを①～⑨で表現するとき，次のコミュニケーションチャネルが必要です。

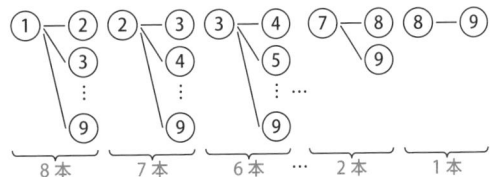

　コミュニケーションチャネルの総数＝8＋7＋6＋5＋4＋3＋2＋1＝**36本**
　なお，本問のような状況における，メンバ数がN名のときのコミュニケーションチャネルの総数は，
　　$(N-1) + (N-2) + (N-3) + \cdots\cdots + 3 + 2 + 1$
になります。

〔改善後のコミュニケーションチャネルの総数〕
　A班 (4名) の中でのコミュニケーションチャネルの総数＝3＋2＋1＝6本
　B班 (5名) の中でのコミュニケーションチャネルの総数＝4＋3＋2＋1＝10本
　A班のリーダとB班のリーダの間のコミュニケーションチャネルの総数＝1本
　計　**17本**
　以上から，コミュニケーションチャネルの総数は改善前と比べて36－17＝**19本**減少します。よって，**イ**が正解です。

解答　問44 **ウ**　問45 **イ**　問46 **ア**　問47 **イ**

プロジェクトマネジメント

問48

図のアローダイアグラムで，AからGに至る全体の作業日数に影響を与えないことを条件に，C→Fの作業の遅れは最大何日間まで許容できるか。

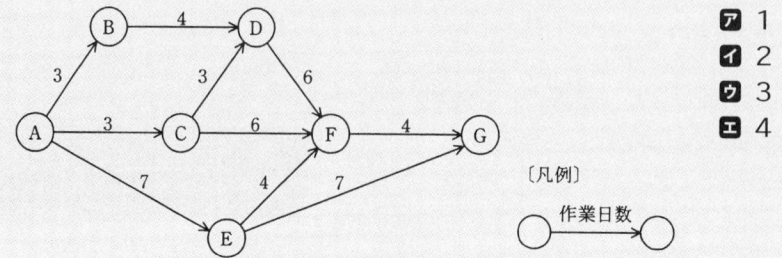

ア 1
イ 2
ウ 3
エ 4

〔凡例〕

問49

複数の部門が存在する社内で，役員をトップとした情報セキュリティ委員会を新たに設けることにした。このように各部門から専門的な知識をもつ従業員を集めた組織のことを何というか。

ア 事業部制組織
イ 職能別組織
ウ プロジェクト組織
エ マトリックス組織

問50

プロジェクトマネジメントにおけるWBSの要素分解に関する記述のうち，適切なものはどれか。

ア 要素分解の最下位の詳細さは，コスト見積りとスケジュール作成を行えるレベルである。
イ 要素分解の最下位の詳細さは，プロジェクトの規模によらず同じにする。
ウ 要素分解の深さは，すべての要素成果物に対して同じにする。
エ 要素分解を細かくすればするほど作業効率が向上する。

問51

以下のようにスケジュールに加えてその到達点を表記する図を何というか。

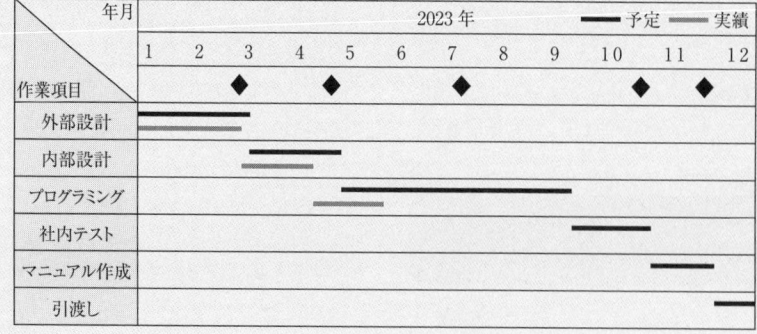

ア アローダイアグラム
イ 特性要因図
ウ パレート図
エ マイルストーンチャート

問 48 アローダイアグラム
プロジェクトマネジメント H22春 問35

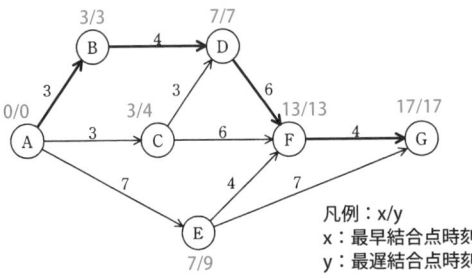

凡例：x/y
x：最早結合点時刻
y：最遅結合点時刻

図の太線が**クリティカルパス**です。CからFに至る作業が13日目までに終了しても，F以降の作業は予定通り実行できます。よって，CからFに至る作業は**4日分**（**エ**）まで遅れが許容されます。

問 49 プロジェクト組織
プロジェクトマネジメント 新作

目的を達成できるようにするため，専門的な知識を持つ人材を部門を問わず横断的に集めた組織のことを，**プロジェクト組織**といいます。**ウ**が正解です。

ア 事業部制とは，利益責任と業務遂行に必要な機能を，製品別，市場別もしくは地域別などの単位でもつことにより，自己完結的な経営活動を展開できる組織のことです。

イ 職能別とは，営業，経理，事務などの各種の職能別に，組織が部単位に分類され，各部の上位層（部長など）が，下位層（一般社員など）に指示を出すことで職務を遂行していく組織のことです。

エ マトリックスでは，社員は自己の専門とする職能部門と，特定の事業を遂行する部門の両方に所属し，必要に応じて柔軟に業務に対処します。

問 50 WBS の要素分解
プロジェクトマネジメント H22秋 問52

WBS（Work Breakdown Structure：作業分解構造）とは，システム開発のプロジェクト全体を細かい作業に分割し整理するために作成される図のことです。WBSでは，プロジェクトを大きな範囲の作業（要素）に分割し，さらに細かい要素に分割することを繰り返すことで，詳細なレベルにまで要素を細分化します。これを要素分解といいます。

各要素を実行するために必要な期間を明確にし，プロジェクト全体のスケジュールを作成することができます。よって，**ア**が正解です。

イ プロジェクトの規模によって，要素分解の最下位の詳細さは異なります。非常に小規模で早期に終了できるようなプロジェクトであれば，プロジェクトを大まかな要素に分割しただけでも，要素の規模が比較的小さい範囲に収まるので，プロジェクトの整理を問題なく実行できることがあります。

ウ 大規模なシステムであれば，複数のサブシステムに分解した後に，各サブシステムをモジュールに分割することになります。しかし，小規模なシステムであれば，複数のサブシステムに分解しただけで，各サブシステムの規模がコスト見積りなどを行えるレベルにまで細分化できます。

エ 要素分解を細かくしすぎると，WBSの作成に非常に時間がかかり，設計やプログラミングの作業に費やすべき時間が十分に取れなくなることがあります。

問 51 マイルストーンチャート
プロジェクトマネジメント 新作

マイルストーンチャートは，作業の進捗状況を管理する際に使用する図です。作業の項目ごとに時系列で予定と実績を管理することと到達点（マイルストーン）の確認ができ，その状況を見やすく表示しています。**エ**が正解です。

ア アローダイアグラムは，プロジェクトの日程管理や工程管理を行うため，作業工程の順番と所要時間を網の目状に表示した図です。

イ 特性要因図は，複数の特性（原因）について，どれがどれに影響を及ぼしているかを明示するために用いられる図です。

ウ パレート図は，顧客動向や在庫データなどを値の大きい順に並べて棒グラフを作成し，その累積データを折れ線グラフで表記する図です。

解答 問48 **エ** 問49 **ウ** 問50 **ア** 問51 **エ**

問52　ITサービスマネジメントのプロセスのうち，サービス提供者と顧客との間で合意したサービスレベル合意（SLA）に基づいて，システムに要求される機能を果たすための各種の能力を分析・測定し，改善するプロセスのことを何というか。

- **ア** ITサービス継続性管理
- **イ** インシデント管理
- **ウ** 可用性管理
- **エ** 問題管理

問53　UPS（Uninterruptible Power Supply）の目的として，最も適切なものはどれか。

- **ア** 電源の瞬断に対処したり，停電時にシステムを終了したりするのに必要な時間だけ電力を供給することを目的とした装置
- **イ** 発電機の電圧を自動的に精度高く一定に保つことを目的とした装置
- **ウ** 負荷機器に安定した電圧や周波数を供給にすることを目的とした装置
- **エ** 発電するための大規模な設備を持ち，消火栓やスプリンクラー，排煙設備などに接続することを目的とした装置

問54　ITサービスマネジメントのプロセスには，インシデント管理，問題管理，リリース管理などの活動がある。問題管理の活動はどれか。

- **ア** 電子メールが送信できないと各部署から連絡があった。サービスを再開するためバックアップシステムを立ち上げた。
- **イ** 電子メールが送信できないと問合せがあった。利用者にPCの設定を確認してもらったところ，電子メールアドレスが誤っていたので修正してもらった。
- **ウ** メールシステムがサーバのハードウェア障害でダウンした。故障したハードウェア部品の交換と確認テストを実施した。
- **エ** メールシステムがダウンした。原因を究明するために情報システム部門の担当者とシステムを構築したベンダの技術者を招集し，情報収集を開始した。

問55　TQM活動の目的に関して，最も適切な記述は次のうちどれか。

- **ア** 企業の経営管理が適切に行われているかを監視し，利害関係者に対して企業活動の正当性を維持する。
- **イ** 顧客や社会のニーズを満たす製品・サービスの提供と，働く人々の満足を通した組織の長期的な成功をもたらす。
- **ウ** 組織が効果的な情報セキュリティマネジメント体制を構築し，適切なコントロール（管理策）を整備・運用する。
- **エ** 情報システムのデータベースに格納された，営業活動に関するデータを集計・分析し，利用者にわかりやすい形で提供する。

問52 | サービスレベル合意
サービスマネジメント 新作

「ITサービスマネジメントのプロセスのうち,サービス提供者と顧客との間で合意したサービスレベル合意 (SLA) に基づいて,システムに要求される機能を果たすための各種の能力を分析・測定し,改善するプロセス」

本問のこの記述は,ITサービスマネジメントの可用性管理プロセスの説明です。可用性とは,ITサービスが必要とされたときに合意済の機能を実行する能力のことです。よって,**ウ**が正解です。

ア ITサービス継続性管理プロセスでは,災害に関するリスク分析である「ビジネスインパクト分析」を行い,災害への対応策を策定します。

イ インシデント管理プロセスでは,インシデントの発生時に業務処理を早期に再開できるように,システムを早期に回復させます。

エ 問題管理プロセスでは,未知のインシデントの発生原因を究明し,解決策を考案して,インシデントの発生を恒久的に防止します。

問53 | UPS
サービスマネジメント 新作

UPS (Uninterruptible Power Supply:無停電電源装置) は,商用電源の一時的な停電や瞬断によって電流の供給が絶たれた場合に,コンピュータなどに一定時間安全に電流を供給するための装置です。UPSの内部にはバッテリーなどが存在し,コンセントから供給される電流が途絶えた場合にはバッテリーの電気を利用して即座に電流を供給することで,瞬断に対応したり,コンピュータを安全に停止できるまでの電力を供給します。**ア**が正解です。

イ AVR (Automatic Voltage Regulator) の説明です。

ウ CVCF (Constant Voltage Constant Frequency) の説明です。

エ 消防設備用自家発電装置の説明です。

問54 | 問題管理
サービスマネジメント H22秋 問33

ITIL で定義されている問題管理プロセスの活動は,インシデント (ITサービスが停止する原因となる出来事) が発生する原因を究明し,それに対する解決策 (是正措置) などを考案することです。

解答群のうち,問題管理プロセスに該当するのは**エ**となります。メールシステムがダウンするインシデントについて,その原因を究明するために各種関係者を招集して情報収集をしていることから,問題管理プロセスの活動とわかります。

ア インシデント管理プロセスに該当します。

イ サービスデスク (機能) に該当します。

ウ リリース管理プロセスに該当します。

問55 | TQM
サービスマネジメント 新作

TQM (Total Quality Management:総合的品質管理) とは,『プロセス及びシステムの維持向上,改善及び革新を全部門・全階層の参加を得て様々な手法を駆使して行うことで,経営環境の変化に適した効果的かつ効率的な組織運営を実現する活動』です。

また,その目的は,『顧客及び社会のニーズを満たす製品・サービスの提供と,働く人々の満足を通した組織の長期的な成功』とされています。

(出典:TQM指針 一般社団法人日本品質管理学会より)

よって,**イ**が正解です。

ア コーポレートガバナンスの説明です。

ウ 情報セキュリティ管理基準の説明です。

エ ビジネスインテリジェンス (Business Intelligence)ツールの説明です。

解答 問52 **ウ** 問53 **ア** 問54 **エ** 問55 **イ**

 問 56

ある企業では，業務を遂行する上で違法行為や不正，ミスやエラーなどを防止し，組織が健全かつ有効・効率的に運営されるように基準や業務手続を定め，管理・監視を行うことにした。これを表すものとして最も適切なものはどれか。

ア 情報モラル　　イ 内部設計　　ウ 内部統制　　エ プライバシ

 問 57

ITガバナンスとコーポレートガバナンスについて，最も適切な記述は次のうちどれか。

ア ITガバナンスは，コーポレートガバナンスと一体で，企業が競争優位性を確立するために適切なIT戦略を策定する必要がある。
イ ITガバナンスは，コーポレートガバナンスと一体で，企業の経営全般に関連する事項のみを監視・規律する必要がある。
ウ ITガバナンスは，コーポレートガバナンスとは異なるので，企業のIT化が上手くいかなくても，経営者の責任は問われない。
エ ITガバナンスは，コーポレートガバナンスとは異なるので，ステークホルダーとの関係は重視されない。

 問 58

システム監査基準（平成30年）によれば，システム監査人の行うべき作業内容のうち正しいものはどれか。

ア 運用管理ルールを開発フェーズで作成した運用設計に基づいて作成する。
イ 事前にシステム開発部署とシステム運用部署の責任を分離する。
ウ プロジェクト計画を策定し，プロジェクト運営委員会の承認を得る。
エ 報告書に改善提案を記載した場合，改善計画及びその実施状況に関する情報を収集する。

 問 59

内部統制機能を構築するに当たって，仕事の役割分担や仕事の権限を明確にすることを何というか。

ア 職務分掌　　イ 内部監査　　ウ モニタリング　　エ リスクの分析

問56 内部統制
システム監査 H22春 問38

内部統制とは，組織が目的を達成するために，従業員などを適切に管理して自社の業務を適法かつ適正に遂行しているかどうかを，合理的な方法で確認するための体制を構築・運用する仕組み，及びその仕組みにおいて行われる各種の作業のことです。よって，ウが正解です。

ア 情報モラルとは，情報システムなどを使用する際のルールやマナーなどです。

イ 内部設計とは，システムの内部構造やデータの物理的構造などを設計する手順のことです。

エ プライバシとは，個人の趣味・嗜好・思想・家族関係などが他人に勝手に知られないことを保障する権利，及びその権利によって保護される個人情報のことです。

問57 ITガバナンスとコーポレートガバナンス
法務 新作

ITガバナンスとコーポレートガバナンスは，どちらも企業内で管理が適切に行われているかを監視し，ステークホルダー（株主や顧客，従業員，地域社会など）に対して企業活動の正当性を維持する行為，およびそのための仕組みのことです。

特にITガバナンスは，企業が競争優位性を確立するために適切なIT戦略を策定し，組織のIT化を行うことにより，企業をあるべき方向に導いていくための組織能力や統率力のことです。アが正解です。

イ ITガバナンスは，コーポレートガバナンスと一体ですが，IT戦略のみを監視・規律する組織を支援するためにITの利用を評価すること及び指示すること，並びに計画を遂行するためにこのIT利用をモニタすることに関係します。

ウ ITガバナンスはコーポレートガバナンスの一部なので企業のIT化が上手くいかない場合は経営者の責任は重大です。

エ ITガバナンスはコーポレートガバナンスの一部なので，ステークホルダーとの関係は重視されます。

問58 システム監査人の作業内容
システム監査 新作

平成30年に改訂された，システム監査基準の【基準12】によると，『システム監査人は，監査報告書に改善提案を記載した場合，適切な措置が，適時に講じられているかどうかを確認するために，改善計画及びその実施状況に関する情報を収集し，改善状況をモニタリングしなければならない。』とあります。正解はエです。

ア 運用管理者が行うことです。

イ 情報システム部門長が行うことです。

ウ プロジェクトマネージャが行うことです。

問59 職務分掌
システム監査 H23春 問43

内部統制を適切に行うために，社内で仕事がどのように行われているかなどを把握するための機能を，内部統制機能といいます。

内部統制機能を構築するに当たって，仕事の役割分担や仕事の権限を明確にし，どの仕事を誰が責任をもって行っているかを把握することを，職務分掌といいます（ア）。

イ 内部監査とは，監査部門が自社の業務運用体制などを監査し，問題点を発見することです。

ウ 業務を実施する部門または業務実施部門とは異なる者が，業務の遂行状況を評価する方法のことを，モニタリングといいます。

エ リスクの分析とは，リスク（障害や事故によって自社の資源などが被害を受ける可能性のこと）を把握・分析することです。

解答　問56 ウ　問57 ア　問58 エ　問59 ア

ノート型パソコンで使用されている記憶装置，SO-DIMM（Small Outline Dual Inline Memory Module）の特徴のうち最も適切な記述はどれか。

ア SRAM（Static Random Access Memory）のため高速である
イ 小型で集積度を高くすることができる
ウ 端子が片面であり，熱効率を良くすることができる
エ デスクトップ型と互換性があり，ほとんどのデスクトップ型パソコンにも対応できる

3Dプリンタの機能の説明として，適切なものはどれか。

ア 光導電物質を塗布した感光ドラムに光を当てて像を作り，トナーを紙に転写する。
イ コンピュータを用いて製品の形状を分析し，製品や機械などの設計図を作成する。
ウ 樹脂を少しずつ積み重ねていくことで，建物の模型などの物体を作成する。
エ 熱に反応して変色する用紙に熱を加えることで，文字や図形を描画する。

PCと周辺機器などを無線で接続するインタフェースの規格はどれか。

ア Bluetooth　　イ IEEE 1394　　ウ PCI　　エ USB

コンピュータが出力した電気信号を力学的に変換してロボットの腕などを動作させる装置はどれか。

ア A/Dコンバータ　　　　　イ アクチュエータ
ウ 入力装置　　　　　　　　エ センサ

問60 SO-DIMM
コンピュータ構成要素 新作

SO-DIMMは，ノート型パソコンで利用されている小型で集積度を高くした大容量の主記憶装置のことです。正解は**イ**です。

ア SO-DIMMは，主記憶装置で利用されるDRAM（Dynamic RAM）です。

ウ 端子は両面にあり，異なる信号を処理することができます。

エ 基本的にはデスクトップ型とは互換性はありませんが，特殊なアダプタを用いることで利用できる場合があります。

問61 3D プリンタ
ハードウェア 新作

3Dプリンタとは，コンピュータ上の立体物の設計図に従って，熱で溶解した樹脂を少しずつ積み重ねていくことで，建物や乗り物の模型，及び人間の臓器のモデルなどの立体物を作成する装置です。**ウ**が正解です。

ア レーザプリンタの説明です。

イ CAD（Computer Aided Design）の説明です。

エ 感熱式プリンタの説明です。

問62 Bluetooth
コンピュータ構成要素 H23 秋 問88

Bluetoothは，IBMやIntelなどが制定した電波による無線通信の規格です。通信距離は約10m～100m程度，伝送速度は24Mbpsであり，電波を使用しているため障害物があってもデータ伝送が可能です。電波の周波数は2.4GHzです。**ア**が正解です。

イ IEEE 1394は，PCと周辺機器をケーブルで接続する有線通信の規格です。

ウ PCIは，コンピュータのCPUと周辺機器とを接続するためのバスの規格です。

エ USBは，PCと周辺機器をケーブルで接続する有線通信の規格です。

各種インタフェースの特徴

インタフェース	特徴
Bluetooth	IBM，Intelなどが共同で制定した無線通信規格。 ・通信距離：約10m ・通信速度：最大24Mbps ・電波を使用しているので，間に障害物があってもデータ伝送が可能である。
USB	マウスやハードディスクなど，各種の周辺機器をパソコンに接続するためのシリアルインタフェースの規格。コンパック，DEC，IBM，インテル，マイクロソフトなどが共同で開発した。 ・通信速度：USB3.1では最大10Gbps，USB3.2では最大で20Gbps

問63 電気信号の力学的変換
コンピュータ構成要素 新作

アクチュエータとは，発電機などの機器が生成した電気エネルギーなどを受け取り，運動に変換して機械や機構を物理的に動かすための機器のことです。ロボットの関節などで使用される油圧式シリンダーなどがアクチュエータの例となります。正解は**イ**です。

ア A/Dコンバータは，アナログ電気信号を，コンピュータが処理可能なデジタル信号に変える装置です。

ウ 入力装置は，キーボード，タッチパネルなど，コンピュータに情報を入力するデバイスです。

エ センサは，計測した物理量を電気信号に変える装置です。

解答 問60 **イ** 問61 **ウ** 問62 **ア** 問63 **イ**

ある装置の稼働率が0.8で，MTTRが10時間のとき，この装置の故障率は幾つになるか。ここで，故障率とは一定時間内に故障が発生する確率のことであり，その値はMTBFの逆数になる。

ア 0.025　　　**イ** 0.50　　　**ウ** 0.80　　　**エ** 40.0

仮想化されたデスクトップとして，OSやアプリケーションがサーバ側に設置され，各クライアントの端末からサーバにアクセスして，OSやアプリケーションを利用するシステム形態を何というか。

ア BCP　　　**イ** EFT　　　**ウ** IoT　　　**エ** VDI

現在のコンピュータ技術では到底解読できない問題を，"超電導"技術を利用して高速に計算する近未来コンピュータのことを何というか。

ア スーパーコンピュータ　　　**イ** パーソナルコンピュータ
ウ 汎用コンピュータ　　　**エ** 量子コンピュータ

複数のサーバシステムを連携して一つのシステムとして運用するもので，一つのサーバで障害が発生しても，別のサーバで業務を継続できるようにすることを目的としているシステムはどれか。

ア クラスタシステム
イ クライアントサーバシステム
ウ マルチプロセッサシステム
エ タイムシェアリングシステム

問 64 稼働率

MTBF (Mean Time Between Failure：平均故障間隔) は，稼働しているシステムで，故障が回復してから次の故障が生じるまでの平均時間です。MTBFが長いほど，システムの信頼性は高くなります。

MTTR (Mean Time To Repair：平均修理時間) は，稼働しているシステムで，故障が発生してから修復するまでに要する平均時間です。MTTRが短いほど，システムの保守性は高くなります。

次の計算式から，故障率を求めていきます。

稼働率＝MTBF ÷ (MTBF ＋ MTTR)

装置の稼働率が0.8，MTTRが10時間のとき，MTBFをA時間とすると，

$$0.8 = A \div (A + 10)$$
$$A = 0.8A + 8$$
$$A = 8 \div 0.2 = 40$$

となります。装置の故障率 (MTBFの逆数) は，

$$1 / 40 = \textbf{0.025 (ア)}$$

となります。

問 65 VDI

デスクトップ環境を仮想化させて，クライアントのデスクトップ環境をサーバ上に集約して稼働させる仕組みのことをVDI (Virtual Desktop Infrastructure) といいます。正解は**エ**です。

ア BCP (Business continuity plan) は事業継続計画のことです。

イ EFT (Electronic Fund Transfer) は電子資金移動のことです。

ウ IoT (Internet of Things) はモノのインターネットのことです。

問 66 量子コンピュータ

リニアモーターカーでも利用されている，電気抵抗をなくす「超電導」技術を使って，現在のコンピュータ技術では解読できない問題の計算を高速に実現するためのコンピュータを量子コンピュータといいます。**エ**が正解です。

また，量子コンピュータは，量子ビット (0でもあり1でもある) という値を情報処理の単位にしています。これは0と1が重ね合わさった状態のことを表現しています。

ア スーパーコンピュータは，主に科学技術計算で用いられる高速大容量データの演算を行うことのできるコンピュータのことです。

イ パーソナルコンピュータは，パソコンと言われ個人で利用する目的で利用されるコンピュータのことです。

ウ 汎用コンピュータは，事務計算，科学技術計算など様々な用途で利用できるコンピュータのことです。

問 67 クラスタシステム

クラスタシステムは，処理を実行するホストと，障害が発生した時に処理を引き継げるように待機しているホストで構成されています。**ア**が正解です。

イ クライアントサーバシステムは，データベースアクセスなどの処理を実施するサーバ側と，入出力インタフェースやデータ加工・編集などの業務処理を行うクライアント側の二つの層によってトランザクション処理を行うシステムです。

ウ マルチプロセッサシステムは，高速処理を目的として複数のプロセッサで処理を行うシステムです。

エ タイムシェアリングシステムは，各プロセスに，CPUの使用時間を細分化した単位を順番に与えることで，あるプロセスが数ミリ秒処理を実行したら，次は別のプロセスが数ミリ秒処理を実行し，……ということを繰り返して，複数のプロセスを見かけ上1台のCPU上で同時に実行させるシステムです。

解答 問64 **ア** 問65 **エ** 問66 **エ** 問67 **ア**

問68

オペレーティングシステムに関する以下の文章に入れる適切な字句の組み合わせはどれか。

モバイルデバイス用のオペレーティングシステムのうち, ⬚a⬚ は, オープンソースであり, 柔軟性に富んだ多様なシステム開発が可能である。また, ⬚b⬚ はアプリケーションの品質や安全性が ⬚a⬚ と比較して高いことが特徴である。

	a	b
ア	Android	iOS
イ	iOS	Linux
ウ	Android	Linux
エ	iOS	Android

問69

表計算ソフトを用いて社員コード中のチェックディジットを検算する。社員コードは3けたの整数値で, 最下位の1けたをチェックディジットとして利用しており, 上位2けたの各けたの数を加算した値の1の位と同じ値が設定されている。セルB2に社員コードからチェックディジットを算出する計算式を入力し, セルB2をセルB3～B5に複写するとき, セルB2に入力する計算式のうち, 適切なものはどれか。

	A	B
1	社員コード	チェックディジット
2	370	
3	549	
4	538	
5	763	

ア 10－整数部 (A2 ／ 100) ＋剰余 (整数部 (A2 ／ 10) , 10)
イ 剰余 (10－整数部 (A2 ／ 100) ＋整数部 (A2 ／ 10) , 10)
ウ 剰余 (整数部 (A2 ／ 100) ＋剰余 (整数部 (A2 ／ 10) , 10) , 10)
エ 整数部 ((整数部 (A2 ／ 100) ＋整数部 (A2 ／ 10)) ／ 10)

問70

シラバス
6.3

GPL (GNU General Public License) でソースコードを公開しなければならないとしているプログラムの組合せはどれか。

a GPLのソースコードを修正して作ったプログラム
b GPLのライブラリに静的にリンクした (そのライブラリを組み込んでコンパイルした) プログラム
c GPLのライブラリに動的にリンクした (実行時にそのライブラリを読み込んで処理を実行する) プログラム

ア a, b   イ a, c   ウ b, c   エ a, b, c

問 68 | オープンソース

ソフトウェア 新作

オープンソースとは，ソースコード (プログラム) が公開されていて，誰もが自由に改変することが認められているもののことです。そのため，柔軟で多種多様なアプリが作成可能ですが，中には低品質のものも存在します。

Androidは，スマートフォンなどに搭載されているオープンソースのオペレーティングシステムです。また，iOS は Apple 社の iPhone や iPad に搭載されているオペレーティングシステムです。Androidで使用できるアプリケーションに比較して，iOSで使用されるアプリは Apple 社の審査が厳しいため，品質や安全性が高いことが特徴です。以上から，⑦が正解です。

なお，Linuxは，サーバなどで使用されるオープンソースのオペレーティングシステムです。

問 69 | 表計算ソフト

ソフトウェア H22 秋 問 61

本問の記述から，社員コード中のチェックディジットは，最上位けたの値と上位から2番目のけたの値を加算し，その1の位の値を取り出すことで得られます。

社員コードの最上位けた (百の位) の値を得るためには，社員コードを100で割った値の整数部を取り出します。社員コードがA2のセルに格納されている場合は，**"整数部 (A2 ／ 100)"** という計算式が適切です。

上位から2番目のけた (十の位) の値を得るためには，社員コードを10で割った値の整数部を取り出し，10で割った余りを求めます。よって，**"整数部 (A2 ／ 10)"** という計算式によって，社員コードを10で割った値の整数部が求められます。この値を10で割った余りを取り出すためには，剰余関数を利用した，**"剰余 (整数部 (A2 ／ 10)，10)"** という計算式が適切です。

したがって，セルA2に格納された社員コードの最上位けたと上位から2番目のけたを加算した値は，**"整数部 (A2 ／ 100) ＋剰余 (整数部 (A2 ／ 10)，10)"** という計算式で得られます。この値を10で割った余りを取り出せば，チェックディジットが得られます。

よって，セルB2に入力する計算式は，⑰となります。この式をセルB3 ～B5に複写すると，いずれのセルに対しても計算式は正しいものとなります。

問 70 | GPL

シラバス 6.3

ソフトウェア 新作

GPL (GNU General Public License) は，ソフトウェアの使用者に対して，ソフトウェアの実行，ソフトウェアの再配布及びその改変の自由を認めているライセンスのことです。GPLのソフトウェアについては，ソフトウェアのソースコードを公開することが前提とされていて，当該ソフトウェアの使用者はソースコードの入手や改善を自由に行うことができます。このライセンスでは，次のプログラムに対して，ソースコードを公開しなければならないとしています。

- GPLのソースコードを修正して作ったプログラム
- GPLのライブラリに静的にリンクした (そのライブラリを組み込んでコンパイルした) プログラム
- GPLのライブラリに動的にリンクした (実行時にそのライブラリを読み込んで処理を実行する) プログラム

よって，🔲 (a, b, c) が正解です。

解答 問 68 ⑦　問 69 ⑰　問 70 🔲

模擬問題①

表Aを次の条件で検索したとき，取り出される行はどれか。

〔条件〕
部署 = 人事部 AND 年齢 <= 35

〔表A〕

ID	氏名	年齢	部署
10	A	21	経理部
11	B	32	人事部
12	C	40	経理部
13	D	38	人事部

ア 氏名がAとBの2行
イ 氏名がBの1行だけ
ウ 氏名がB，Dの2行
エ 氏名がDの1行だけ

AI（人工知能）では，事前に読み込んだデータから予測モデルを作成するが，その際に全体の傾向が反映されないで起こる問題のことを何というか。

ア 過学習
イ 正規化
ウ ディープラーニング
エ 標準化

A，Bという名の複数ディレクトリが図に示す構造で管理されている。"¥A¥A¥B"がカレントディレクトリになるのは，カレントディレクトリをどのように移動した場合か。ここで，ディレクトリの指定は次の方法によるものとし，→は移動の順序を示す。

〔ディレクトリ指定方法〕
（1）ディレクトリは，"ディレクトリ名¥…¥ディレクトリ名"のように，経路上のディレクトリを順に"¥"で区切って並べた後に"¥"とディレクトリ名を指定する。
（2）カレントディレクトリは，"."で表す。
（3）1階層上のディレクトリは，".."で表す。
（4）始まりが"¥"のときは，左端にルートディレクトリが省略されているものとする。
（5）始まりが"¥"，"."，".."のいずれでもないときは，左端にカレントディレクトリ配下であることを示す".¥"が省略されているものとする。

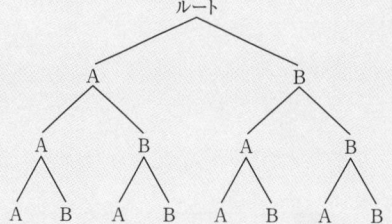

ア ¥A → ..¥B → .¥A¥B
イ ¥B → ..¥A → .¥A¥B
ウ ¥A → ¥A → ¥B
エ ¥A¥A → ..¥B

問 71 | 表の検索
データベース 新作

〔条件〕は"部署 = 人事部 AND 年齢 <= 35"なので，部署が"人事部"であり，かつ年齢が35歳以下の行だけが取り出されます。この条件を満たすのはIDが11（氏名がB）の1行だけです。よって，**イ**が正解です。

問 72 | 過学習
ソフトウェア 新作

AIでは多くのデータを学習してから予測モデルを作成します。その際，既知のデータを学習しすぎた結果，本来予測したい全体の予測がうまくできなくなってしまった状態のことを過学習といいます。正解は**ア**です。

イ AIでの正規化とは，学習するデータを一定のルールに基づいて調整することをいいます。

ウ ディープラーニング（深層学習）とは，機械学習の手法の一つで，人間の神経回路を模倣したニューラルネットワークを用いて，複数の信号を使って多角的に学習することをいいます。

エ AIでの標準化ではAIを開発する際や利用する際にルールを統一することをいいます。

問 73 | ディレクトリパス
ソフトウェア H19 秋 基本情報 問 30 改題

問題文のようなツリー構造のディレクトリ管理において用いられるのが，「パス指定」です。パス指定には「絶対パス指定」「相対パス指定」の二つがあります。

相対パス指定は，アプリケーションプログラムなどが現在 管理・操作などを行っているディレクトリ（カレントディレクトリ）から，他のディレクトリを参照する場合の相対位置を指定する方法です。

これに対して絶対パス指定では，ルートディレクトリから他のディレクトリを参照する場合の位置を指定します。

解答群について，最終的なカレントディレクトリの位置を検証します。

イ：
(1) 最初の指定"¥B"によって，ルート（¥）の直下のディレクトリBに移動する。

→カレントディレクトリ＝"¥B"となる

(2) 次の指定"..¥A" によって，(1) の時点のカレントディレクトリ"¥B"の1階層上（ルート）の直下のディレクトリAに移動する。

→カレントディレクトリ＝"¥A"となる

(3) 最後の指定".¥A¥B"によって，(2) の時点のカレントディレクトリ"¥A"の直下のディレクトリA（"¥A¥A"）の，さらに下のディレクトリB（"¥A¥A¥B"）に移動する。

よって，最終的なカレントディレクトリは"¥A¥A¥B"になりますので正解です。

なお，他の解答群では，カレントディレクトリはそれぞれ以下の位置に移動します。

ア "¥B¥A¥B"

ウ "¥B"

エ "¥A¥B"

解答 問 71 **イ** 問 72 **ア** 問 73 **イ**

様々なプログラム言語に対応し, 例えば{ "名前": 値 }のような形式でWebブラウザとWebサーバ間でデータを送受信する場合に利用されるフォーマットとして, 正しいものは次のうちどれか。

ア HTML　　　**イ** JSON　　　**ウ** SOAP　　　**エ** XML

関数calcMeanは, 要素数が1以上の配列dataArrayを引数として受け取り, 要素の値の平均を戻り値として返す。プログラム中のa, bに入れる字句の適切な組合せはどれか。ここで, 配列の要素番号は1から始まる。

〔プログラム〕
```
○実数型：calcMean(実数型の配列：dataArray)          /* 関数の宣言 */
  実数型：sum, mean
  整数型：i
  sum ← 0
  for (iを1からdataArrayの要素数まで1ずつ増やす)
    sum ←   a
  endfor
  mean ← sum ÷   b    /* 実数として計算する */
  return mean
```

	a	b
ア	sum + dataArray[i]	dataArray の要素数
イ	sum + dataArray[i]	(dataArray の要素数 + 1)
ウ	sum × dataArray[i]	dataArray の要素数
エ	sum × dataArray[i]	(dataArray の要素数 + 1)

問74 JSON
情報メディア 新作

Java，C++，Phytonなどの様々なプログラム言語に対応し，WebブラウザとWebサーバ間でデータを送受信する場合に利用されるフォーマットにJSON (JavaScript Object Notation)があります。JSONでは「変数の名称：その変数の値」として変数と値の組を表します。複数の組を同時に渡す場合は「,」で区切ります。

例

変数の名称　その変数の値

```
{ "name" : "YamadaTaro",
   "age" : 32,
   "URL" : "https://yamada.example.jp" }
```

正解は**イ**です。

ア HTML (Hyper Text Markup Language) は，W3Cによって標準化されたマークアップ言語です。文字に加えて画像などを使用したWebページの作成や，他の場所への接続 (ハイパーリンク) が可能です。

ウ SOAP (Simple Object Access Protocol) は，分散システムにおいて，ネットワークを経由して相手オブジェクトにアクセスし，サービスを受けるためのプロトコルです。

エ XML (eXtensible Markup Language) は，HTMLと同様にWebページを作成する際に使用されています。ユーザが自ら決めた独自のタグを使用することもできるため，共通のデータフォーマットとしての利用も進んでいます。

問75 アルゴリズム
プログラミング IPA サンプル問題 問1

プログラム作成において同じ処理を何度も実装すると処理が長くなり，また全体にわかりづらくなるために，処理を簡潔にする目的で関数を使用します。

その際に，別のプログラムなどで設定されてこの処理 (関数) に代入されるデータのことを**引数**といいます。

本問の関数を図に示します。なお，説明のために行番号を付加しています。

```
1:  ○実数型: calcMean(実数型の配列: dataArray)
2:   実数型: sum, mean
3:   整数型: i
4:   sum ← 0
5:   for (i を 1 から dataArray の要素数まで 1
     ずつ増やす)
6:    sum ←   a
7:   endfor
8:   mean ← sum ÷   b
9:   return mean
```

引数が実数型配列のdataArrayなので，以下のような例が与えられると想定します。配列の要素番号 (添字) は1から始まります。

例

	[1]	[2]	[3]	[4]	[5]	[6]
dataArray	15	12	17	18	13	15

行番号4：sum = 0
行番号5：i = 1
行番号6：sumに   a   を代入しています。
行番号7：行番号5へ繰り返し
行番号8：meanは，sum ÷   b   で求めています。
行番号9：meanを返却しています。

行番号9で，meanに結果 (平均)を求める必要があるため，sumには得点の合計が，空欄bにはその個数が入ることがわかります。

以上から，空欄a「sum + dataArray[i]」で順にデータを加算していきます。その個数は，空欄b「dataArrayの要素数」なので，**ア**の組合せが正解です。

解答 問74 **イ**　問75 **ア**

映像や音声などのコンテンツを楽しむために使用される技術にストリーミングとダウンロードがある。ストリーミングの特徴として，適切なものはどれか。

ア インターネットなどのネットワークに常時接続していなくても再生できる。
イ コンテンツを一度保存してから再生できるので何回でも楽しめる。
ウ 使用するデバイスの空き容量が少ないと利用できない。
エ リアルタイムにコンテンツを再生することができる。

次のプログラム中の □ に入れる正しい答えを，解答群の中から選べ。

ある施設の入場料は，0歳から3歳までは100円，4歳から9歳までは300円，10歳以上は500円である。関数 fee は，年齢を表す0以上の整数を引数として受け取り，入場料を返す。

〔プログラム〕
```
○整数型: fee(整数型: age)
  整数型: ret
  if (age が 3 以下)
    ret ← 100
  elseif ( □ )
    ret ← 300
  else
    ret ← 500
  endif
  return ret
```

ア (age が4以上) and (age が9より小さい)
イ (age が4より大きい) and (age が9以下)
ウ age が9以下
エ age が9より小さい

問76 ストリーミング

情報メディア 新作

ストリーミングとは，インターネットなどのネットワークに接続しながらコンテンツを再生することをいいます。コンテンツは配信サービス会社などのサーバ上で再生され，それをデバイスで利用できます。そのためデバイスの内部にコンテンツが残ることはありません。また，再生している間はネットワークを利用した通信が行われます。正解は**エ**です。

ダウンロードとは，配信サービス会社などが提供しているコンテンツを，インターネットなどのネットワークを通じて自分のデバイスに保存して，コンテンツを楽しむ時にはデバイス内部に保存してあるコンテンツを再生します。

ア，**イ**，**ウ**はダウンロードの説明です。

問77 アルゴリズム

プログラミング FE サンプル問題 問1 改

プログラム作成において同じ処理を何度も実装すると処理が長くなってしまいます。そこで処理を簡潔にする目的で関数を使用します。

その際に，別のプログラムなどで設定されて，この処理 (関数) に代入されるデータのことを引数といいます。

本問のプログラム部分を次に示します。説明のために行番号を付けています。

```
 1:  ○整数型: fee(整数型: age)
 2:    整数型: ret
 3:    if (age が 3 以下)
 4:      ret ← 100
 5:    elseif (          )
 6:      ret ← 300
 7:    else
 8:      ret ← 500
 9:    endif
10:    return ret
```

引数 (age) が年齢を表す整数なので，それぞれの条件は次のようになります。

　　0歳〜3歳：100円 …… 4行目
　※この条件を満たさない場合は，4以上の整数
　　4歳〜9歳：300円 …… 6行目
　※この条件を満たさない場合は，10以上の整数
　　10歳以上：500円 …… 8行目

以上から，5行目には，「age が 9 以下」(**ウ**)の条件が入ります。

なお，「9より小さい」は9が含まれません。「9以下」は9が含まれます。「より大きい」「以上」も同様ですので，注意して下さい。

解答　問76 **エ**　問77 **ウ**

301

問 78

周波数帯の異なる複数の搬送波を，集約された一つの搬送波と見なして同時に利用することで，通信の高速化や安定性の向上を図る技術のことを何というか。

ア キャパシティプランニング
イ キャリアアグリゲーション
ウ デュプレックスシステム
エ リンクアグリゲーション

問 79

端末を無線LANに接続する際に，ルータなどの接続機器にあるボタンを利用して接続するための仕組みを何というか。

ア DNS　　　　**イ** LTE　　　　**ウ** VLAN　　　　**エ** WPS

問 80

パソコンやスマートデバイスでよく利用されている無線通信方式には，BluetoothとWi-Fiがある。そのうちWi-Fiを利用した方がより効果的であるものとして最も適切なものを選べ。

ア イヤホン
イ カーナビゲーションシステム
ウ プリンタ
エ マウスやキーボード

問 81

IPアドレスに関する説明において，a，bに入れる字句の適切な組合せはどれか。

IPアドレスのうち，インターネット上のホストと通信をするために利用されるアドレスのことを，　　a　　IPアドレスという。　　a　　IPアドレスは，　　b　　という非営利組織によって管理されている。

	a	b
ア	グローバル	CA
イ	プライベート	CA
ウ	グローバル	ICANN
エ	プライベート	ICANN

問78 キャリアアグリゲーション

ネットワーク 新作

　周波数帯が異なる複数の電波 (搬送波。キャリアともいう) を，一つの搬送波として集約し，同時に利用することで通信速度を高速化することをキャリアアグリゲーションといいます。**イ**が正解です。

　キャリアアグリゲーションでは，例えば800MHzと2GHzの二つの搬送波を利用しているとき，一方の2GHzの搬送波による通信が不調になっても，他方の800MHzの搬送波で通信を継続できるので，安定性も向上します。

ア キャパシティプランニングは，システムの処理性能・時間内に処理できるトランザクション数・部門ごとのシステム利用に関するコストなどの分量について，そのキャパシティ (許容範囲または許容値) を見積もり，システムの構成を決定する手法です。

ウ デュプレックスシステムは，「運用系」と「待機系」の二つのシステムを持つ形態です。通常のシステム運用においては「運用系」を常時稼動させ，「待機系」は停止させておきます。そして「運用系」の障害時に，「待機系」に切り替えて運用を続行させます。

エ リンクアグリゲーション (リンク集約) とは，2台のスイッチングハブの間を接続する複数の物理回線を，論理的に1本の高速な回線とみなす技術のことです。

問79 WPS

ネットワーク 新作

　パソコンやスマートフォンなどを無線LANに接続する際に，ルータなどの接続機器にあるボタンを押下することで，簡単に無線接続が可能になる仕組みをWPS (Wi-Fi Protected Setup) といいます。正解は**エ**です。

ア DNS (Domain Name System) は，ドメイン名とIPアドレスを1対1に対応させ，相互の変換を行うシステムのことです。

イ LTE (Long Term Evolution) は，高速な携帯電話の通信規格の一つです。

ウ VLAN (Virtual LAN) は，LANの物理的構成にかかわらず，論理的にネットワークを分割できる機能のことです。

問80 用途に応じた通信方式の使い分け

ネットワーク 新作

　BluetoothはWi-Fiと比較すると電波の届く範囲が狭く弱いですが，消費電力が少ないことが特徴です。そのため，スマートデバイスではイヤホン，マウスやキーボードなどの長時間使用する機器と接続することが可能です。また，Wi-Fiはルータなどを介して複数の端末などを同時に接続することができるため共用できるプリンタなどに利用されています。**ウ**が正解です。

問81 IPアドレス

ネットワーク 新作

　IPアドレスのうち，インターネット上のホストと通信をするために利用されるアドレスのことを，「グローバル」(空欄a) IPアドレスといいます。グローバルIPアドレスをもっていない機器は，インターネット上の他の組織のホストと通信することができません。

　IPアドレスの組合せの総数はIPv4の場合約43億個しかありません。任意のグローバルIPアドレスを勝手に使用すると，複数の組織が同じグローバルIPアドレスを使用する可能性があり，衝突が発生して正常な通信ができなくなります。全世界でグローバルIPアドレスを統括的に管理するために，「ICANN」(空欄b：Internet Corporation for Assigned Names and Numbers) という非営利組織が設けられました。以上から，**ウ**の組合せが正解です。

解答 問78 **イ**　問79 **エ**　問80 **ウ**　問81 **ウ**

問 82

TCP/IPで接続されている社内ネットワークから外部のWebサーバなどに接続する際に，URLフィルタリング機能やキャッシュ機能を持ち，匿名性を確保してくれる機器として最も適切なものはどれか。

ア DMZ
イ SDN
ウ プロキシサーバ
エ ロードバランサ

問 83

SIMカードの説明はどれか。

ア ICカードの一種で，公的個人認証に必要なデジタル証明書を記録できる。
イ ICカードの一種で，スマートフォンの加入者の識別番号が記録されている。
ウ 前払い式のカードで，商品の購入に利用可能な金額があらかじめ記録されている。
エ 商品の後払い決済をするために用いられる，磁気ストライプ式のカードである。

問 84

a～cのうち，企業で利用するローカル5Gの特徴の記述で正しいものだけを全て挙げたものはどれか。

a SIM認証を利用できる。
b 自社専用のため，他ネットワークからの干渉が少ない。
c 上りと下りの速度を自由に設定できる。

ア a, b
イ a, b, c
ウ a, c
エ b, c

問 85

携帯電話などの移動体通信サービスを提供するための設備を自社では保有せず，他の事業者が保有する設備を利用することで，移動体通信サービスを利用者に提供する事業者はどれか。

ア 5G
イ MNO
ウ MVNO
エ Wi-Fi

問82 プロキシサーバ
ネットワーク 新作

TCP/IPで接続されている組織内ネットワークから外部のWebサーバなどと接続する際には，送受信データの内容を確認したり，組織内のネットワーク情報を外部から隠ぺいしたりする目的で，プロキシサーバを経由させることがあります。正解はウです。

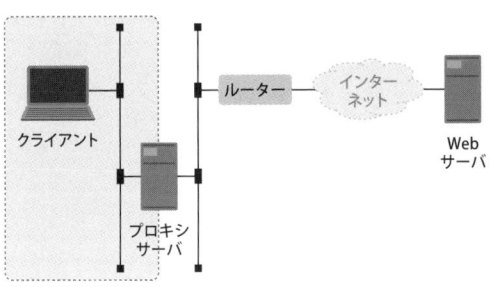

組織内ネットワーク

- ア DMZとは，外部に公開するサーバを，ファイアウォールでインターネット及び社内LANの両方から隔離して配置する領域のことです。
- イ SDNとは，ソフトウェアによって仮想的なネットワークの設定をすることです。
- エ ロードバランサとは，複数のサーバに負荷が均等になるように振り分けを行う機器のことです。

問83 SIM カード
ネットワーク 新作

SIM (Subscriber Identity Module) カードとは，スマートフォンなどで用いられるICカードで，加入者を識別するための番号が記録されています。イが正解です。
- ア 個人番号カードの説明です。
- ウ プリペイドカードの説明です。
- エ クレジットカードの説明です。ICチップを埋め込む場合もあります。

問84 ローカル 5G
ネットワーク 新作

ローカル5Gとは，高速大容量 (10Gbps)，通信の遅延が少ない，同時機器接続台数が多いなどといった特徴をもつ5Gの通信システムを，通信事業者に依存しないで自社の敷地内などエリアを限定して構築・運用できる，独自の5Gネットワークのことです。

ローカル5Gの主な特徴は，以下の通りです。
- 自社専用のため，他ネットワークからの干渉による利用者への影響が少なく，「高速大容量通信を安定的」に利用できること (b)
- 上りと下りの速度を自由に設定できること (c)
- SIM認証を利用することにより，機器のなりすましを防ぐことができること (a)
上記より，イが正解です。

ローカル5Gの利用にあたっては，自社もしくは構築を依頼するベンダによる免許取得が必要なことと，専用の端末も必要となります。

問85 MVNO
ネットワーク 新作

携帯電話などの移動体通信サービスを提供する事業者には，大きく分けて次の二つがあります。

事業者	概要
MNO (Mobile Network Operator：移動体通信事業者) (イ)	携帯電話の基地局など，移動体通信サービスを提供するための設備を自社で保有し，当該サービスを利用者やMVNOに提供する。
MVNO (Mobile Virtual Network Operator：仮想移動体通信事業者) (ウ)	移動体通信サービスを提供するための設備を自社では保有せず，MNOが保有している設備や通信帯域を借用することで，当該サービスを利用者に提供する。

本問の記述に該当するのはMVNO (ウ) です。
- ア 5Gは，スマートフォンで使用される新しい通信方式です。現在の通信方式に比較して，高速・大容量通信を実現することにより，4K/8K映像やAR/VRを活用した様々なサービスが可能になると期待されています。
- エ Wi-Fiは，アクセスポイントなどの無線LANの無線が，標準規格であるIEEE 802.11シリーズに準拠していることを表す名称です。

解答 問82 ウ 問83 イ 問84 イ 問85 ウ

関係データベースの演算のうち，テーブル（表）から特定の列だけを取り出す演算のことを何というか。

ア 結合　　**イ** 射影　　**ウ** 選択　　**エ** 和

データベースで利用されている多数のデータ内には，重複や入力誤りなどが存在しており，検索に時間がかかるケースがある。そのため，必要に応じてデータの修正や削除などを実施するが，この作業のことを何というか。

ア データクレンジング　　　　　**イ** データベースの演算
ウ データベースの正規化　　　　**エ** テキストマイニング

AIを使ったシステムを作成する際に行う機械学習では，さまざまなデータを蓄積する必要がある。そのために利用されている，データを格納する貯蔵庫の役割をする用語のうち最も適切なものはどれか。

ア NoSQL　　　　　　　　　**イ** データの正規化
ウ データクレンジング　　　　**エ** データレイク

レプリケーションの説明はどれか。

ア 情報システムの稼働に影響を与える事象が発生したとき，可能な限り速やかに当該事象を解決して，サービスを復旧させること
イ 情報システムの運用方法に問題がないかどうかを，独立した第三者によって検証させ，問題がある場合は改善勧告を提出させるなど必要な措置をとること
ウ データベースと同一内容の複製を用意し，データベースが更新された後すぐ，または一定時間の経過後に，更新内容を複製に反映させること
エ プロジェクトの進捗や資源の投入状況，及び要員の就業状態などを適切に管理し，プロジェクトを円滑に遂行すること

問86 関係データベースの演算
データベース 新作

　関係データベースにおいて，表を操作，参照して新たな表を作成することを演算といいます。演算には，次のような種類があります。

選択：テーブル（表）から条件を満たす行だけを抽出する

射影：テーブルから条件を満たす列だけを抽出する

結合：二つの表の行を結び付ける

和　：複数の表から全ての行を抽出する

積　：複数の表から共通の行を抽出する

差　：二つの表から一方の表に属さない行を抽出する

　問題文の記述に該当するのは**イ**の「射影」です。

問87 データクレンジング
データベース 新作

　データベースなどにあるデータの中から表記の不統一や誤入力を探し出し，必要に応じて，削除，修正や統一などを行ってデータの品質を高めることでその精度を向上させることをデータクレンジングといいます。**ア**が正解です。

イ データベースにおいて，表を操作して新たな表を作成する作業などのことをいいます。

ウ データベースの正規化は，表の関連性を失うことなく，表の項目をグループ化していく作業のことです。

エ テキストマイニングとは，文字列を対象とした大量のデータを蓄積し，統計解析・ニューラルネットワークなどの統計的・数学的手法を用いてそれらを分析して，データの中に隠れた法則や因果関係を算出するデータマイニング手法のことをいいます。

問88 データレイク
データベース 新作

　AIを使ったシステムでは，さまざまな角度からのデータの蓄積が必要になります。そのため，データの整理や統合などをせずにそのまま保管しておくためにデータレイクが利用されています。**エ**が正解です。

ア NoSQL（Not only SQL）とは，関係データベースで最もよく使用されているSQLを使用しないでデータ管理する方法の総称です。

イ データの正規化とは，リレーショナルデータベースにおいて表の関連性を失うことなく，表の項目をグループ化していく作業のことです。

ウ データクレンジングとは，データベースにあるデータの中から，表記の不統一や誤入力を探し出し，必要に応じて，削除，修正や統一を行ってデータの品質を高めることをいいます。

問89 レプリケーション
データベース 新作

　レプリケーションとは，データベースと同じ内容の複製を用意し，データベースが更新されるとすぐにその内容を複製に反映させるか，または一定時間が経過してから反映させる方法のことです。業務データのバックアップを常に最新の状態で保存し，災害などによって消失した業務データを短時間で復旧させるために行われます。

　以上から，**ウ**が正解です。

ア ITILのインシデント管理の説明です。

イ システム監査の説明です。

エ プロジェクトマネジメントの説明です。

解答　問86 **イ**　問87 **ア**　問88 **エ**　問89 **ウ**

セキュリティ ⑪ テクノロジ系

問90 IoT機器に対する脅威に関しての記述のうち，最も適切なものはどれか。

- ア バージョンの古いアプリケーションを使用していると，DoS攻撃の可能性がある。
- イ 不要なポートを空けていると，自身の機器がクロスサイトスクリプティング攻撃される可能性がある。
- ウ メンテナンス用のWebサーバからのSQLインジェクション攻撃をされる可能性がある。
- エ ユーザが初期パスワードを変更しないでそのまま利用している場合，不正アクセスの可能性がある。

問91 情報セキュリティマネジメント認証を前提として，クラウドサービスでの情報セキュリティ管理策の実践の規範を提供する規格として，2015年に発行されたものは次のうちどれか。

- ア ISO/IEC 27000
- イ ISO/IEC 27001
- ウ ISO/IEC 27010
- エ ISO/IEC 27017

問92 CSIRTの説明として，適切なものはどれか。

- ア 経済産業省に設置されている審議会で，工業標準化に関する調査・審議を行う。特に JIS の制定，改正などに関する審議を行っている。
- イ セキュリティインシデントに関する報告を受け取り，調査し，対応する組織の総称で，国レベルや企業・組織内に設置される。
- ウ 電気・電子技術に関する非営利の団体である。学会活動や書籍の発行，及び電気通信技術などに関する各種規格の標準化を行っている。
- エ 電子情報技術産業の総合的な発展に資することを目的とした団体である。主に，JEITAで始まる名称の規格の制定を行っている。

問93 シャドーITが行われることによって引き起こされる直接的なリスクのうち，適切なものだけを全て挙げたものはどれか。

- a 機密情報が漏洩する
- b コストがかかる
- c 不正アクセスされる
- d マルウェアに感染する

ア a 　　イ a, b 　　ウ a, b, c 　　エ a, c, d

問 90 | IoT セキュリティ

セキュリティ 新作

IoT (Internet of Things) 機器は，企業のネットワーク機器のみならず，各家庭にあるホームオートメーションシステムやウェアラブルデバイス (Apple Watchなど) といった様々なものに利用されています。

初期パスワードは機器全てに共通なものを使っていることも多く，そのリストはWebサイトなどでも公開されています。そのため，ユーザが事前に決められている初期パスワードを変更しないで利用している場合，外部から不正アクセスを受ける可能性があります。■が正解です。

■ バージョンの古いアプリケーションを使用しているとセキュリティ対策が取られていない可能性があるので，そこから不正アクセスされますが，DoS攻撃はバージョンの新旧問わず行われます。

■ 不要なポートを開けていると，そこから不正アクセスされてしまいますが，クロスサイトスクリプティングとは関係がありません。

■ Webサーバからのアップデート情報を装って不正にアクセスをしてくる可能性がありますが，SQLインジェクション攻撃は関係がありません。

問 91 | ISMS クラウド セキュリティ認証

セキュリティ 新作

情報セキュリティマネジメント認証 (ISO/IEC 27002) に基づいて，クラウドサービスでの情報セキュリティ管理策の規格として「ISO/IEC 27017」が2015年12月に発行されました。■が正解です。

また，その管理策を実践しているかを認証する制度を，ISMSクラウドセキュリティ認証といいます。この制度は，ユーザが安心してクラウドサービスを利用できることを目的としています。

■ ISO/IEC 27000は，情報セキュリティマネジメントの概要と用語の規格です。

■ ISO/IEC 27001は，組織における情報セキュリティマネジメントを認証するための要求事項の規格です。

■ ISO/IEC 27010は，組織間の情報共有コミュ

ニティ内で情報セキュリティ管理を実装するための規格です。

問 92 | CSIRT

セキュリティ 新作

シーサート
CSIRT (Computer Security Incident Response Team)とは，インターネット上で発生している各種の問題，特にセキュリティインシデント (セキュリティに関する問題) を監視し，発生した問題の報告を受けて原因の調査や対策を実施する組織のことです。CSIRTは政府または企業・組織内に設置されます。よって，■が正解です。

■ 日本工業標準調査会 (JISC) の説明です。

■ IEEE (The Institute of Electrical and Electronics Engineers, Inc) の説明です。

■ 社団法人 電子情報技術産業協会 (JEITA) の説明です。

問 93 | シャドー IT

セキュリティ 新作

シャドーITとは，私物のPCやスマートフォン，無線ルータなどのネットワーク機器を勝手に持ち込み社内ネットワークに接続することをいい，許可を得ていないクラウドサービスの利用も含まれます。シャドーITにより，セキュリティ設定が低い機器が社内に持ち込まれ，マルウェアに感染したり不正アクセスされたりする危険性があります。

また，マルウェアや不正アクセスによって，機密情報の漏えいにもつながります。

なお，シャドーITにより，セキュリティのリスクが高まりますが，直接的にコストがかかる訳ではありません。被害が起きた場合の対応コストなど，間接的コストは発生する可能性があります。

以上から，■ (a, c, d) が正解です。

解答 問 90 ■ 問 91 ■ 問 92 ■ 問 93 ■

問94

次の事例のうち，リスクの対応策の一つである"リスク転嫁"に該当するものは
どれか。

ア 教育・訓練などによって，リスクが発生する確率を減少させる。
イ 事業から撤退するなどの方法で，リスクそのものをなくす。
ウ リスクが発生したときの被害を補填するために，保険に加入する。
エ リスクの被害額が少ない場合に，あえて対策をとらないままにする。

問95

マルウェア，またはマルウェアとして悪用されることがあるソフトウェアに関す
る次の説明a～dのうち，適切なものだけを全て挙げたものはどれか。

a キーロガーとは，インストールされているコンピュータへのキー入力を全て記
録し，その内容を外部に送信するソフトウェアである。
b バックドアとは，感染するたびに自身の内容を変化させることで，ウイルス対
策ソフトによる検知や削除をまぬがれようとするマルウェアである。
c ランサムウェアとは，感染したコンピュータ上のファイルを勝手に暗号化し，
元に戻すための代金を払わせようとするマルウェアである。
d ワームとは，不正行為を単独で実行できるマルウェアであり，OSなどの脆弱性
を突いてパソコンやサーバなどに侵入する。

ア a, b, c **イ** a, b, d **ウ** a, c, d **エ** b, c, d

問96

ある銀行のWebサイトでは，利用者が利用を開始するとき，個別のユーザIDが
割り当てられ，トークンと呼ばれる装置が郵送される。利用者はWebサイトにロ
グインするとき，自分のユーザIDとともに，トークンに表示されたワンタイムパス
ワード（以下，OTPという）を入力する。ユーザIDが正しく，かつOTPも正しいと
きだけログインが成功する。OTPは10桁の数字列で，1分ごとに異なる数字列に
変化する。

このシステムにおいて，攻撃者によるなりすましが必ず成功するようになるの
は，次のどのような攻撃が行われた場合か。ここで，ユーザIDはランダムに決定さ
れた十分な長さをもつ英数字であり，利用者の氏名や生年月日などの情報から推測
できないものとする。

ア OTPだけがインターネット上で攻撃者に盗聴される。
イ OTPがインターネット上で攻撃者に盗聴され，かつ，ユーザIDが攻撃者に知
られる。
ウ 利用者が紛失したトークンが攻撃者の手に入る。
エ 利用者が紛失したトークンが攻撃者の手に入り，かつ，ユーザIDが攻撃者に
知られる。

問 94 リスクの対応策
セキュリティ 新作

リスクとは，自社の情報資産に損失を与える可能性のことです。リスクの対応策には，主に次の四つがあります。

対応策	概要
リスク回避	事業から撤退するなどの方法で，リスクを発生させなくすること。
リスク低減（軽減）	防御手段を導入するなどして，リスクの発生確率や損失額を減らすこと。
リスク転嫁（移転）	保険に加入することで，リスクによる損失を他者に肩代わりさせること。
リスク受容（保有）	発生確率または損失額が少ないリスクに対して，あえて対策をとらないこと。

リスク転嫁に該当するのは，**ウ**の事例です。
ア リスク低減に該当します。
イ リスク回避に該当します。
エ リスク受容に該当します。

問 95 マルウェア
セキュリティ 新作

a：キーロガーとは，インストールされているコンピュータへのキー入力を全て記録し，その内容を外部に送信するソフトウェアのことです。
b：バックドアとは，コンピュータに不正侵入した攻撃者が，同じコンピュータへの再度の侵入を容易にするために，密かに組み込んでおく通信用プログラムのことです。
c：ランサムウェアとは，感染したコンピュータ上のファイルを勝手に暗号化し，元に戻すための代金を払わせようとするマルウェアのことです。
d：ワームとは，自己伝染型のウイルスで，不正行為を単独で実行できるマルウェアであり，OSなどの脆弱性を突いて感染します。電子メールやWebなどを介して次々と感染してハードディスクを破壊したりします。

以上から，**ウ**の「a，c，d」が適切です。

問 96 ワンタイムパスワード
セキュリティ 新作

ワンタイムパスワードとは，利用者認証技術のうち，認証のたびに発行されるランダムな数字列または文字列のパスワードを用いて認証を行う方式のことです。

この方式では，一度入力したパスワードは以降の認証では無効になるため，一度しか使えません。通信経路上でパスワードが攻撃者に盗聴されても，そのパスワードは以降の認証では無効なので，攻撃者が盗聴したパスワードを使用して不正アクセスしようとしても失敗します。

ア OTPだけが攻撃者に盗聴されても，ユーザIDを知らなければ攻撃者のログインは成功しません。
イ OTPがインターネット上で攻撃者に盗聴され，かつ，ユーザIDが攻撃者に知られた場合でも，盗聴したOTPは無効になっているのでログインは成功しません。
ウ 利用者が紛失したトークンが攻撃者の手に入って，攻撃者がOTPを利用できるようになっても，ユーザIDを知らなければ攻撃者のログインは成功しません。
エ 利用者が紛失したトークンが攻撃者の手に入って，攻撃者がOTPを利用できるようになり，かつ，ユーザIDが知られた場合は，攻撃者のログインが成功します。
以上から，**エ**が正解です。

解答 問94 ウ　問95 ウ　問96 エ

問 97

最初に認証を受けることで，以降は複数のサーバ，システムまたはアプリケーションなどに自動的にログインして，それらを利用することを可能とするサービスはどれか。

ア シンクライアントシステム　　　　**イ** シングルサインオン
ウ 生体認証　　　　　　　　　　　　**エ** デュアルシステム

問 98

a～cは情報セキュリティ事故の説明である。a～cに直接関連する情報セキュリティの三大要素の組合せとして，適切なものはどれか。

a　営業情報の検索システムが停止し，目的とする情報にアクセスすることができなかった。
b　重要な顧客情報が，競合他社へ漏れた。
c　新製品の設計情報が，改ざんされていた。

	a	b	c
ア	可用性	完全性	機密性
イ	可用性	機密性	完全性
ウ	完全性	可用性	機密性
エ	完全性	機密性	可用性

問 99

ICカードの耐タンパ性の説明のうち，適切なものはどれか。

ア 一部が破損しても利用できるICカード
イ 外部から強い衝撃があっても変形しないICカード
ウ 内部情報に外部から不正にアクセスできないICカード
エ 返却後に，再利用できるICカード

問 100

パスワードリスト攻撃の説明として，適切なものはどれか。

ア いずれかのWebサービスから流出したパスワードと利用者IDのリストを入手し，他のWebサービスへのログインを試みる。
イ 考えられる全ての種類のパスワードを掲載したリストを作成し，そのリスト中のパスワードを順に試してログインを試みる。
ウ 辞書に掲載されている一般的な単語を掲載したリストを作成し，そのリスト中の単語をパスワードとして順に試してログインを試みる。
エ 利用者がキーボードを操作して入力した語句を収集してリストを作成し，そのリスト中の語句をパスワードとしてログインを試みる。

問97 シングルサインオン
セキュリティ 新作

　一度利用者認証に成功すると，その後はあらかじめ登録しておいた全てのシステムを認証なしで利用できる形態のシステム，及びこのようなシステムを実現するための仕組みを，シングルサインオンといいます。**イ**が正解です。

ア シンクライアントシステムとは，クライアントPCにはハードディスクをもたせず，データを記録させないようにして，サーバのみにデータを記録させる形態のシステムです。

ウ 生体認証（バイオメトリクス認証）とは，指紋，虹彩，網膜などの，人間の身体的特徴から個人の識別を行う認証システムのことです。

エ デュアルシステムは，2系統のシステムが同時に並行して同一の処理を実行し，相互に実行結果を照合するシステムです。

問98 情報セキュリティの三大要素
セキュリティ H24秋 問83

　機密性，完全性，可用性とは，ISMS（情報セキュリティマネジメントシステム）で定義されている要素です。

要素	性質
機密性	アクセス権限を適切に管理し，権限をもたない利用者などから，データなどを不正に参照されないこと
完全性	データの内容を常に適正に保ち，改ざんや破壊などの被害を受けないようにすること
可用性	情報システムを，可能な限り長い間利用できるように保ち，災害発生時にも早期にシステムの稼働を再開できるようにすること

　aは営業情報の検索システムが停止し，目的とする情報にアクセスすることができないので，システムを利用できなくなっています。すなわち，可用性が侵害されています。

　bは重要な顧客情報（データ）が外部に漏れているので，権限をもたない者からデータを不正に参照されており，機密性が侵害されています。

　cは新製品の設計情報（データ）が改ざんされているので，完全性が侵害されています。

　以上から，**イ**の組合せが適切です。

問99 耐タンパ性
セキュリティ 新作

　耐タンパ性（tamper resistant）とは，ICカード内の情報の不正読取に対抗するための保護機能のことです。

　具体的には，ICカード内部のチップを保護膜で厳重に包み，保護膜をはがしてチップを読み取ろうとするとチップ自体が破壊されるような仕組みにしておくという技術などが考案されています。**ウ**が正解です。

問100 パスワードリスト攻撃
セキュリティ 新作

　パスワードリスト攻撃とは，WebサービスやWebサーバなどから流出した利用者IDとパスワードのリストを入手し，他のWebサービスなどに対してログインを試みる攻撃のことです。

　Webサービスの一般的な利用者は，複数のWebサービスに対して同じ利用者IDと同じパスワードを使いまわすので，あるWebサービスから利用者IDとパスワードが流出すると，そのパスワードを用いて他のWebサービスにログインできる可能性が高くなります。よって，**ア**が正解です。

イ ブルートフォース攻撃の説明です。

ウ 辞書攻撃の説明です。

エ キーロガーを悪用した攻撃の説明です。

| 解答 | 問97 **イ** | 問98 **イ** | 問99 **ウ** | 問100 **ア** |

擬似言語の記述形式

ITパスポートで用いられる擬似言語の記述形式をまとめると次のようになります。この形式は，試験時間中にも確認することができるので，覚える必要はありません。

〔擬似言語の記述形式〕

記述形式	説明
○手続名又は関数名	手続又は関数を宣言する。
型名: 変数名	変数を宣言する。
/* 注釈 */	注釈を記述する。
// 注釈	
変数名 ← 式	変数に式の値を代入する。
手続名又は関数名 (引数, …)	手続又は関数を呼び出し，引数を受け渡す。

if (条件式1)
　処理1
elseif (条件式2)
　処理2
elseif (条件式n)
　処理n
else
　処理n＋1
endif
	選択処理を示す。
	
	条件式を上から評価し，最初に真になった条件式に対応する処理を実行する。以降の条件式は評価せず，対応する処理も実行しない。どの条件式も真にならないときは，処理n＋1を実行する。
	各処理は，0以上の文の集まりである。
	elseifと処理の組みは，複数記述することがあり，省略することもある。
	elseと処理n＋1の組みは一つだけ記述し，省略することもある。

while (条件式)
　処理
endwhile
	前判定繰返し処理を示す。
	
	条件式が真の間，処理を繰返し実行する。
	処理は，0以上の文の集まりである。

do 　処理 while (条件式)	後判定繰返し処理を示す。 処理を実行し，条件式が真の間，処理を繰返し実行する。 処理は，0以上の文の集まりである。

for (制御記述)
　処理
endfor
	繰返し処理を示す。
	
	制御記述の内容に基づいて，処理を繰返し実行する。処理は，0以上の文の集まりである。

〔演算子と優先順位〕

演算子の種類		演算子	優先度
式		()	高
単項演算子		not ＋ －	↑
二項演算子	乗除	mod × ÷	
	加減	＋ －	
	関係	≠ ≦ ≧ ＜ ＝ ＞	
	論理積	and	↓
	論理和	or	低

注記 演算子modは，剰余算を表す。

〔論理型の定数〕

true, false

〔配列〕

一次元配列において"{"は配列の内容の始まりを，"}"は配列の内容の終わりを表し，配列の要素は，"["と"]"の間にアクセス対象要素の要素番号を指定することでアクセスする。

例 要素番号が1から始まる配列exampleArrayの要素が{11, 12, 13, 14, 15}のとき，要素番号4の要素の値(14)はexampleArray[4]でアクセスできる。

二次元配列において，内側の"{"と"}"に囲まれた部分は，1行分の内容を表し，要素番号は，行番号，列番号の順に"，"で区切って指定する。

例 要素番号が1から始まる二次元配列exampleArrayの要素が{{11, 12, 13, 14, 15}, {21, 22, 23, 24, 25}}のとき，2行目5列目の要素の値(25)は，exampleArray[2, 5]でアクセスできる。

ITパスポート
試験

カテゴリ別
模擬問題②

試験時間　**120**分

問題は次の表に従って解答してください。

問題番号	選択方法
問 1 〜問 100	全問必須

問　1 〜問 38　：ストラテジ系
問 39 〜問 56　：マネジメント系
問 57 〜問 100：テクノロジ系

企業活動

ストラテジ系

問 1 ✓✓✓

「環境」,「健康」,「経済」などのあらゆる場面において, 将来にわたって機能を失わずに継続していくことができるシステムやプロセスを指す考え方を何というか。

ア アクセシビリティ　　　　　　　　イ アベイラビリティ
ウ サステナビリティ　　　　　　　　エ ユーザビリティ

問 2 ✓✓✓

次のうち, データ駆動型の実例でない事例はどれか。

ア 科学的データに基づき, 農業で使用する土づくりを実践する。
イ 顧客の要求するような品ぞろえだけをするコンビニエンスストアを経営する。
ウ 自動車の自動走行技術により交通事故や渋滞を減少させる。
エ 電子メールの送信データにデジタル署名を付ける。

問 3 ✓✓✓

資料は今年度の損益実績である。翌年度の計画では, 営業利益を30百万円にしたい。翌年度の売上高は何百万円を計画すべきか。ここで, 翌年度の固定費, 変動費率は今年度と変わらないものとする。

〔資料〕　　　　　　　単位 百万円

<今年度の損益実績>	
売上高	500
材料費（変動費）	200
外注費（変動費）	100
製造固定費	100
粗利益	100
販売固定費	80
営業利益	20

ア 510
イ 525
ウ 550
エ 575

問 4 ✓✓✓

主成分分析による分析の事例は次のうちどれか。

ア 気温と炭酸飲料の販売数量との関係などを1次式で近似し, 求めた式を用いて気温から炭酸飲料の販売数量を推定する。
イ 異なる性質のものが多数混在している状況において, 性質の似ているものをまとめて分類し, 各集団の特徴となる要因などを分析する。
ウ 市場調査で複数の調査項目を大きな一つの変数として評価を行う。
エ 直前の予測において算出した需要の予測値と, その後現在までの期間における需要の実績値との乖離を調べ, 今期の需要予測を行う。

問 1 | サステナビリティ

企業活動 新作

目前の利益にとらわれずに, 経済活動を継続し

ていく上で必要な物事を長期的な視野で考えて行動するという考え方（概念）のことを, サステナビリティといいます。

　例えば, 地元で取れた野菜や果物などをその近

所のスーパーマーケットで販売することにより，遠距離輸送をしないで石油などの今後枯渇するエネルギーを使い続けないシステムを作って事業を行う考え方などのことです。**ウ**が正解です。

ア アクセシビリティとは，コンピュータシステムを身体や能力によらず様々な人が利用できる状態のことです。

イ アベイラビリティとは，コンピュータシステムを正常な状態で使い続けることです。可用性ともいいます。

エ ユーザビリティとは，目的達成のためにコンピュータシステムをどの程度スムーズに使用できるかという度合いです。

参考

SDGs

Sustainable Development Goals：エスディージーズ。「持続可能な開発目標」と訳されます。2015年9月の国連サミットで採択された2030年までの国際目標のことです。「誰一人取り残さない」持続可能で多様性と包摂性のある社会実現するための17のゴール・169のターゲットから構成されています。

問2 データ駆動型
企業活動 新作

データ駆動型とは，集められたデータに基づき意思決定を行うことを指します。最近では，ビッグデータからAI（人工知能）などを使用してある一定のモデルを導き現実社会にサービスなどを提供することが可能になってきました。

ア，**イ**，**ウ** データ駆動型の実例です。

エ データの完全性（改ざん検知）の実例です。⇒**正解**です。

参考

データ駆動型

情報経済小委員会中間取りまとめ報告書について（METI／経済産業省）
https://www.meti.go.jp/shingikai/sankoshin/shomu_ryutsu/joho_keizai/20150521_report.html

問3 損益計算
企業活動 R02秋 応用情報 問77

売上高（収益）と，変動費及び固定費（費用の総額）の値が与えられているとき，利益（本問の営業利益に相当）の値は以下の式で求められます。

売上高−（変動費＋固定費）
＝売上高−変動費−固定費＝利益…①

損益実績の内容から，
固定費合計＝100百万円＋80百万円
＝180百万円
変動費合計＝200百万円＋100百万円
＝300百万円

です。

変動費率は，変動費÷売上高で求められるため，
変動費率＝300（百万円）÷500（百万円）＝0.6
となります。

よって，営業利益が30百万円になるときの売上高をX百万円とおくと，
変動費＝売上高×変動費率＝X×0.6＝0.6X百万円
となるため，①に代入して以下の式を立てることができます。

$X - 0.6X - 180 = 30$
→$0.4X = 210$
∴ $X = 210 ÷ 0.4 = 525$

以上から，**525百万円**（**イ**）となります。

問4 主成分分析
企業活動 新作

主成分分析とは，複数の評価項目を準備するような場面で，そのいくつかの項目を要約して新たな変数（主成分）を作成し評価する方法のことです。**ウ**が正解です。

ア 回帰分析による分析の事例です。

イ クラスタ分析の事例です。

エ 指数平滑法による分析の事例です。

解答 問1 **ウ** 問2 **エ** 問3 **イ** 問4 **ウ**

問5 エコーチェンバーに関する記述として，最も適切なものはどれか。

ア CPUやメモリなどの最小限の装置のみを有している，ボード型のサーバシステムのこと

イ 企業内ネットワークやサーバに，侵入者が通常のアクセス経路以外で侵入するために組み込む不正プログラムなどの仕掛けのこと

ウ ソーシャルメディアにおいて，自分と同じ興味をもつユーザをフォローした場合にSNSで情報発信すると自分と似た意見が返ってくるという状況のこと

エ 利用者の要求に応じて仮想ボリュームを提供し，物理ディスクは実際のデータ使用量に応じて必要な分だけを割り当てる手法のこと

問6 特許法における特許権の存続期間は出願日から何年か。ここで，存続期間の延長登録をしないものとする。

ア 10 　　イ 20 　　ウ 25 　　エ 30

問7 大手システム開発会社A社からプログラムの作成を受託しているB社が下請代金支払遅延等防止法（以下，下請法）の対象会社であるとき，下請法に基づく代金の支払いに関する記述のうち，適切なものはどれか。

ア A社はプログラムの受領日から起算して60日以内に，検査の終了にかかわらず代金を支払う義務がある。

イ A社はプログラムの受領日から起算して60日を超えても，検査が終了していなければ代金を支払う義務はない。

ウ B社は確実な代金支払いを受けるために，プログラム納品日から起算して60日間はA社による検査を受ける義務がある。

エ B社は代金受領日から起算して60日後に，納品したプログラムに対するA社の検査を受ける義務がある。

問8 適格請求書発行事業者の登録を受けた場合の留意点について正しい説明はどれか。

ア 基準期間の課税売上高が1,000万円以下となっても，登録の効力が失われない限り，消費税の申告が必要となる。

イ 国内で課税資産の譲渡等を行った場合に，課税事業者から適格請求書の交付を求められたときには，請求書の交付は任意となる。

ウ 適格請求書等保存方式においては，一定の事項を記載した「適格請求書」のみの保存が仕入税額控除の要件となる。

エ 登録の取消しを行う場合は，登録取消届出書を提出することにより，原則としてそれを提出した日に登録の効力が失われる。

問5 エコーチェンバー

法務 新作

エコーチェンバーとは，ソーシャルメディアで自分と似た興味や関心をもつユーザを多くフォローした結果，自分の意見をSNSで発信すると肯定する意見が返ってくるという状況を指します。ウが正解です。閉じた小部屋で音が反響する物理現象からその名称がついています。

ア ブレードサーバの説明です。

イ バックドアの説明です。

エ シンプロビジョニングの説明です。

問6 特許権

法務 H30春 問16

特許法は，"特許権"を保護するための法律です。特許権とは，産業上利用できる発明（自然法則を利用した技術的思想の創作のうち高度のもの）を行った人が，その発明を独占排他的に使用できる権利のことです。

なお，第六十七条には，「特許権の存続期間は，特許出願の日から二十年をもって終了する。」とありますので，イが正解です。また，5年を限度として延長登録が可能です。

問7 下請法

法務 H28春 問9

下請代金支払遅延等防止法（通称：下請法）とは，親業者から下請業者への代金の支払などが不正に遅延・滞納されたり，正当な理由なしで代金を減殺されたりすることを防ぐための法律です。

下請法では，下請代金の支払期日を，「親事業者が下請事業者の給付〔下請業者が製造した製品やプログラムなど〕の内容について検査をするかどうかを問わず，親事業者が下請事業者の給付を受領した日……から起算して，60日の期間内において，かつ，できる限り短い期間内において，定められなければならない」と規定しています。

よって，アの記述が正解です。

問8 適格請求書等保存方式

シラバス
6.3

法務 新作

適格請求書等保存方式（インボイス制度）とは，消費税の仕入税額控除の方式の一つで，課税事業者が発行する適格請求書（インボイス）に記載された税額のみを控除することができる制度のことです。また，適格請求書を発行できるのは，登録を行った適格請求書発行事業者に限られます。なお，基準期間の課税売上高が1,000万円以下となっても，登録の効力が失われない限り，消費税の申告が必要となります。アが正解です。

イ 適格請求書発行事業者は，取引の相手方から適格請求書の交付を求められたときは，適格請求書を交付する必要があります。

ウ 仕入税額控除の要件では，適格請求書等保存方式においては，原則として，一定の事項を記載した「帳簿」及び適格請求書発行事業者が交付する「適格請求書」などの請求書等の保存が仕入税額控除の要件となります。

エ 適格請求書発行事業者は，納税地を所轄する税務署長に「登録取消届出書」を提出することにより，原則として登録取消届出書を提出した日の属する翌課税期間の初日に適格請求書発行事業者の登録の効力が失われることとなります。

模擬問題②

解答 問5 ウ 問6 イ 問7 ア 問8 ア

問9

ISO26000（社会的責任に関する手引き）に記載されている7つの原則に含まれているものは次のうちどれか。

ア インシデント管理
イ 情報セキュリティ
ウ 説明責任
エ リスク

問10

情報公開法（行政機関の保有する情報の公開に関する法律）の対象となり，開示請求を行って開示される可能性がある内容はどれか。

ア 行政機関の職員が職務上作成した企画文書
イ 国の安全や諸外国との信頼関係を害する文章
ウ 公共の安全，秩序維持に支障を及ぼす図面
エ 特定の個人を識別できる電磁的記録

問11

個人情報のうち，個人情報保護法における要配慮個人情報に該当するものはどれか。

ア 個人情報の取得時に，本人が取扱いの配慮を申告することによって設定される情報
イ 個人に割り当てられた，運転免許証，クレジットカードなどの番号
ウ 生存する個人に関する，個人を特定するために用いられる勤務先や住所などの情報
エ 本人の病歴，犯罪の経歴など不当な差別や不利益を生じさせるおそれのある情報

問9 ISO26000

法務 新作

ISO26000(社会的責任に関する手引)は，2010年11月に国際標準化機構(ISO)より発行された，企業などが社会的責任に配慮した活動を行う上での手引(ガイダンス)のことです。ISO26000では，社会的責任の原則について，1.説明責任，2.透明性，3.倫理的な行動，4.ステークホルダの利害の尊重，5.法の支配の尊重，6.国際行動規範の尊重，7.人権の尊重，と7つの中核主題があり，それぞれにおける対応指針が説明されています。

正解は，ウです。

ア インシデント管理は，ITサービスマネジメントの成功事例をまとめたITIL (Information Technology Infrastructure Library) に記載されています。

イ 情報セキュリティは，JIS Q 27000シリーズに記載されています。

エ リスクマネジメントは，JIS Q 31000で規定されています。

問10 情報公開法

法務 新作

情報公開法(「行政機関の保有する情報の公開に関する法律」平成13年4月1日施行)及び独立行政法人等の保有する情報の公開に関する法律(平成14年10月1日施行)は，行政が行っている業務に対する責任から，行政機関及び独立行政法人等が保有する文書についての開示請求権等を定めています。

なお，開示請求があったときは行政機関の長又は独立行政法人等は，以下の不開示情報が記録されている場合を除いて，行政文書又は法人文書を開示しなければならないこととなっています。

<不開示情報>
(1) 特定の個人を識別できる情報(個人情報)
(2) 法人の正当な利益を害する情報(法人情報)
(3) 国の安全，諸外国との信頼関係等を害する情報(国家安全情報)
(4) 公共の安全，秩序維持に支障を及ぼす情報(公共安全情報)
(5) 審議・検討等に関する情報で，意思決定の中立性等を不当に害する，不当に国民の間に混乱を生じさせるおそれがある情報(審議検討等情報)
(6) 行政機関又は独立行政法人等の事務・事業の適正な遂行に支障を及ぼす情報(事務事業情報)

以上から，開示される可能性があるのはアです。

問11 要配慮個人情報

法務 H31春 応用情報 問78

個人情報保護法とは，個人の権利と利益を保護するために，個人情報を取扱っている事業者に対して様々な義務と対応を定めた法律です。

個人情報保護法では，個人情報を収集する際には利用目的を明確にすること，目的以外で利用する場合には本人の同意を得ること，情報漏えい対策を講じる義務，情報の第三者への提供の禁止，本人の情報開示要求に応ずること，などが定められています。第二条には，要配慮個人情報の定義があります。

> (第二条)
> 3. この法律において「要配慮個人情報」とは，本人の人種，信条，社会的身分，病歴，犯罪の経歴，犯罪により害を被った事実その他本人に対する不当な差別，偏見その他の不利益が生じないようにその取扱いに特に配慮を要するものとして政令で定める記述等が含まれる個人情報をいう。

以上から，エが正解です。

ア 要配慮個人情報は，個人の申告で設定されるものではありません。

イ，ウ 個人情報の説明です。

解答 問9 ウ   問10 ア   問11 エ

模擬問題②

問12 ✓✓✓　MBO（Management Buyout）を行う直接的なメリットについて，最も適切な記述は次のうちどれか。

ア　企業や団体が持っている資産を使用して，社会に製品やサービスを提供することで社会に貢献できるようになる。

イ　書類で行っていた業務を情報システムを利用して行い，情報通信機器自体の省エネや資源の有効活用を図れるようになる。

ウ　性別，人種，文化などの垣根を取り払い多様な人材を採用でき，業務に活用できる。

エ　中長期の経営戦略が可能となり，意思決定の時間が短縮されるようになる。

問13 ✓✓✓　マーケティングにおいて，競合状況と自己の相対的な位置関係を分析するものとして最も適しているものはどれか。

ア　RFM分析　　　　　　　　　　イ　回帰分析
ウ　ギャップ分析　　　　　　　　エ　ポジショニング分析

問14 ✓✓✓　ITベンダにおけるソリューションビジネスの推進で用いるバランススコアカードの，学習と成長のKPIの目標例はどれか。ここで，ソリューションとは"顧客の経営課題の達成に向けて，情報技術と専門家によるプロフェッショナルサービスを通して支援すること"とする。

ア　サービスを提供した顧客に対して満足度調査を行い，満足度を5段階評価で平均3.5以上とする。

イ　再利用環境の整備によってソリューション事例の登録などを増やし，顧客提案数を前年度の1.5倍とする。

ウ　情報戦略のコンサルティングサービスに重点を置くために，社内要員30名をITのプロフェッショナルとして育成する。

エ　情報戦略立案やシステム企画立案に対するコンサルティングの受注金額を，全体の15%以上とする。

問15 ✓✓✓　APIエコノミーにより効果が大きいものは次のうちどれか。

ア　API提供者側では，サーバの負荷が低くなる。
イ　API提供者側では，セキュリティ対策が必要なくなる。
ウ　API利用者側では，導入時の作業やコストが低く抑えられる。
エ　API利用者側では，独自のビジネス形成が可能になる。

問12 ｜ MBO

経営戦略マネジメント　新作

MBO（Management Buyout：マネジメント・

バイアウト）とは，M＆Aの手法の一つで，経営陣が企業の株式や一部の事業部門を買い取ることで経営権を取得することです。

　これによって，株主からの意見に左右されずに

中長期的な経営戦略を立てたり，意思決定のスピードを上げたりすることができるようになります。**エ**が正解です。

ア CSR (Corporate Social Responsibility：企業の社会的責任)のメリットの記述です。

イ グリーンITのメリットの記述です。

ウ ダイバーシティマネジメントのメリットの記述です。

問 13 ポジショニング分析
経営戦略マネジメント 新作

自社の製品について，顧客や市場がどのように認識しているのかを把握するために，他社の製品と比較して顧客の中に占める相対的位置を調べるポジショニングマップを作成して分析を行うことを，ポジショニング分析といいます。**エ**が正解です。

ポジショニングマップ例

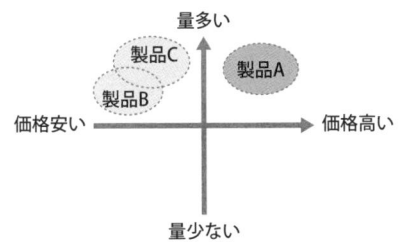

ア RFM分析とは，顧客の最終購買日 (Recency)，購買頻度 (Frequency) 及び累計購買金額 (Monetary)から分析を行う手法です。

イ 回帰分析とは，データ間の関係を解析する統計的な手法のことです。

ウ エンタープライズアーキテクチャにおいて，将来の「あるべき姿」に変化させるために，適切な目標を設定しその差異 (ギャップ) を明確にすることをギャップ分析といいます。

問 14 KPI
経営戦略マネジメント H27 春 基本情報 問 65

バランススコアカード (Balanced Score Card：BSC) は，企業の財務的目標などを満たすための戦略 (施策) を財務，顧客，業務プロセス，学習と成長の四つの視点に基づいて設定し実行する手法です。

【バランススコアカードで定める目標】

● **戦略目標 (Key Goal Indicator：KGI)**

各視点に応じたビジョンを実現するための目標です。

● **重要成功要因 (Critical Success Factor：CSF)**

戦略目標を実現するために必要となる要素のことです。

● **業績評価指標 (Key Performance Indicator：KPI)**

戦略目標がどの程度まで達成されたかを確認するための指標です。

本問のソリューションは「顧客の経営課題の達成に向けて，情報技術と専門家によるプロフェッショナルサービスを通して支援すること」です。そのために，ITのプロフェッショナルとして働ける社員をより多く育成することが重要です。これが学習と成長の視点におけるKPIの例です。**ウ**が正解です。

ア 顧客の視点におけるKPIです。

イ 業務プロセスの視点におけるKPIです。

エ 財務の視点におけるKPIです。

問 15 APIエコノミー
経営戦略マネジメント 新作

API (Application Programming Interface) とは，Web上でプログラムを連携させる仕組みのことです。多くの飲食店や宿泊施設などが自社のサイトにGoogleMapなどの地図アプリ (API) を利用しています。

地図アプリを新規で作成しようとすると，費用と人員が多く必要となりますが，APIを利用することでそれを低く抑えることが可能になります。

APIを公開する側はアクセス数のアップが見込め，両者が経済的なメリットを得るようになる経済圏をAPIエコノミーといいます。**ウ**が正解です。

ア API利用者が一定時間に多くサーバにアクセスするとサーバの負荷が増大します。

イ APIを公開することで，セキュリティの脅威が大きくなります。

エ APIの導入により，他社が同じようなサービスに参入し，競争が増える可能性があります。

解答 問 12 **エ**　問 13 **エ**　問 14 **ウ**　問 15 **ウ**

問16

ジェフリー・A・ムーアはキャズム理論において，利用者の行動様式に大きな変化をもたらすハイテク製品では，イノベータ理論の五つの区分の間に断絶があると主張し，その中でも特に乗り越えるのが困難な深く大きな溝を"キャズム"と呼んでいる。"キャズム"が存在する場所はどれか。

- ア イノベータとアーリーアダプタの間
- イ アーリーアダプタとアーリーマジョリティの間
- ウ アーリーマジョリティとレイトマジョリティの間
- エ レイトマジョリティとラガードの間

問17

新しいビジネスモデルや既存のビジネスモデルの認識を共有するためのフレームワークとして，利用されるものは次のうちどれか。

- ア SWOT分析
- イ ビジネスモデルキャンバス
- ウ ペルソナ法
- エ マーチャンダイジング

問18

以下の図は，バランススコアカードでの四つの視点で作成した流れの一例である。(a)〜(d)に入れる組み合わせの中で適切なものは次のうちどれか。

(a)の視点
・自社の売上高や当期純利益が低い！

(b)の視点
・商品の評価⇒
「商品に魅力がない」「価格が高い」
「納品されるまで時間が掛かる」

(c)の視点
・「商品に魅力がない」を改善するには
⇒開発力を上げる，新しい技術が必要
・「価格が高い」を改善するには
⇒より安い仕入先を選択，業務に関する不要なコストを減らす
・「納品されるまで時間が掛かる」を改善
⇒仕入や在庫管理業務の無駄をなくす

(d)の視点
・開発力向上，技術取得のための研修
・仕入先を選ぶための営業力・交渉力UP，不要なコストを特定する観察力UP
・業務の無駄を見極め，改善できる社員の育成

	a	b	c	d
ア	学習と成長	顧客	業務プロセス	財務
イ	財務	学習と成長	顧客	業務プロセス
ウ	業務プロセス	財務	学習と成長	顧客
エ	財務	顧客	業務プロセス	学習と成長

問 16 キャズム

経営戦略マネジメント R03 春 応用情報 問 69

イノベータ理論は, スタンフォード大学のロジャース教授が1962年に提唱しました。この手法では, 消費者全体を次の表に示すイノベータ, アーリーアダプタ, アーリーマジョリティ, レイトマジョリティ, ラガードの5種類の層に分類しています。

イノベータ理論による分類

消費者層	特徴
イノベータ	冒険的で, 新商品の販売開始を待って, 率先して購入しようとする消費者層
アーリーアダプタ (オピニオンリーダ)	比較的早期に自らの価値判断で新商品を購入し, その商品に関する情報を他人に伝えることで, 後続する消費者層に影響を与える消費者層
キャズム ➡	
アーリーマジョリティ	やや慎重な判断をする消費者層。オピニオンリーダの意見を参考にして商品を購入しようとする
レイトマジョリティ	多くの人が新商品を利用していること(商品が普及したこと)を確認してから購入する消費者層
ラガード	保守的で, 新商品が完全に定着し, 定番の商品とならない限り購入しない消費者層

上記の表のように, 五つの層のアーリーアダプタとアーリーマジョリティの間には, キャズム (深い溝) があり, 慎重な消費者層に安心感を与える必要があると言われています。よって, **イ**が正解です。

問 17 ビジネスモデルキャンバス

経営戦略マネジメント 新作

新しいビジネスモデルや既存のビジネスモデルの認識を共有するためのフレームワークとして, 以下のような図を用いて顧客, コスト, 収益などの九つの項目でまとめたものをビジネスモデルキャンバスといいます。**イ**が正解です。

ビジネスモデルキャンバステンプレート

パートナー	主要活動	価値提案	顧客との関係	顧客セグメント
	リソース		チャネル	
コスト構造		収益の流れ		

ア SWOT分析とは, 企業経営を行う際の意思決定のために, 強み (Strengths), 弱み (Weaknesses), 機会 (Opportunities), 脅威 (Threats) の四つの指標を評価する分析方法のことです。

ウ ペルソナ法とは, 製品やサービスを提供する際に様々な調査を行い, その情報から仮想ユーザ像を作り出し, ユーザ視点からサービスを提供したり, 開発間の理解を共有するために用いられる方法です。

エ マーチャンダイジングとは, 消費者の要求に沿った製品を, 適切な価格やタイミングで提供する活動のことです。

問 18 BSC

経営戦略マネジメント 新作

バランススコアカード (Balanced Score Card: BSC) は, 自社の経営戦略やビジョンを四つの視点 (財務, 顧客, 業務プロセス, 学習と成長) で分類します。

企業の財務的目標などを満たすための戦略 (施策) を四つの視点に基づいて具体的に設定し, 戦略を実行する経営手法です。

a : 当期純利益が低いなどは, 「**財務**」にかかわる内容です。

b : 商品の評価は外部からの視点の分類なので, 「**顧客**」にかかわる内容です。

c : 外部からの評価により, 業務改善を図るので, 「**業務プロセス**」にかかわる内容です。

d : 研修や社員の育成は「**学習と成長**」にかかわる内容です。

以上から, **エ**の組合せが適切です。

バランススコアカードを用いることで, 売上高などの財務に関する数値的な要素だけでなく, 自社の業務プロセスの妥当性や従業員の労働生産性の高さ, 及び顧客満足度の高さなどの要素を考慮できます。

その結果, 自社を取り巻く様々な要素を用いることによってバランスのとれた方法で経営状況を評価できます。

解答 問16 **イ** 問17 **イ** 問18 **エ**

模擬問題❷

問19

消費者庁の『AI利活用ガイドライン』によると，AI利用の目的や基本理念を踏まえて，AI利用者が留意すべき事項としてAI利活用原則が定められている。その中の，適正利用の原則について説明しているものはどれか。

- **ア** 利用者は，人間とAIシステムとの間及び利用者間における適切な役割分担のもと，適正な範囲及び方法でAIシステム又はAIサービスを利用するよう努める。
- **イ** 利用者及びデータ提供者は，AIシステムの学習等に用いるデータの質に留意する。
- **ウ** 利用者は，AIシステム又はAIサービスの利活用により，アクチュエータなどを通じて，利用者及び第三者の生命・身体・財産に危害を及ぼすことがないよう配慮する。
- **エ** 利用者及びデータ提供者は，AIシステム又はAIサービスの利活用において，他者又は自己のプライバシーが侵害されないよう配慮する。

問20

機械学習における教師あり学習の説明として，最も適切なものはどれか。

- **ア** 個々の行動に対しての善しあしを得点として与えることによって，得点が最も多く得られるような方策を学習する。
- **イ** コンピュータ利用者の挙動データを蓄積し，挙動データの出現頻度に従って次の挙動を推論する。
- **ウ** 正解のデータを提示したり，データが誤りであることを指摘したりすることによって，未知のデータに対して正誤を得ることを助ける。
- **エ** 正解のデータを提示せずに，統計的性質や，ある種の条件によって入力パターンを判定したり，クラスタリングしたりする。

問21

コネクテッドカーについての説明のうち正しいものはどれか。

- **ア** インターネットに常時接続している車のことである。
- **イ** 車の中にあるラジオなどを通して渋滞情報を確認できるシステムのことである。
- **ウ** 電気自動車の総称のことである。
- **エ** 有料道路で車種や区間を判別し，自動的に決済を行うシステムのことである。

問22

FinTechにより実現されたサービスは次のうちどれか。

- **ア** 会議の議事録作成など，業務の定型作業を行うサービス
- **イ** 顧客からの質問に自動で回答してくれるサービス
- **ウ** 自動車のディスプレイに，車体と周囲の物体を上方から見ているかのように表示するサービス
- **エ** AI投資などの各種金融サービス

問 19 | AI 利用時の留意事項
ビジネスインダストリ　新作

消費者庁の『AI利活用ガイドライン』は，AIの利用者やAIシステムなどを利用する者が，AIの利活用に関して留意すべき事項を適切に認識して，それら留意事項への対応について自主的に検討することを促そうとするもので，AIの定義や10項目の利活用の原則などが定められています。

以上から，⑦が正解です。

⑦ 適正学習の原則の説明です。

⑦ 安全性の原則の説明です。

⑦ プライバシーの原則の説明です。

問 20 | 教師あり学習
ビジネスインダストリ　H31 春 基本情報 問 4

機械学習とは，AI（人工知能）のもつ技術で，人間の作業データや画像データ，テキストデータなどの特徴を統計的にまとめることです。

教師あり学習では，正解のデータを入力し，そのルールやパターンを学習させて，その特徴を学ばせることが可能になります。⑦が正解です。

⑦ 強化学習の説明です。

⑦，⑦ 教師なし学習の説明です。

問 21 | コネクテッドカー
ビジネスインダストリ　新作

コネクテッドカーとは，インターネットに常時接続している車両のことで，その車両の状態や道路の状況などのデータをセンサにより取得できます。

それにより，車両の走行実績から保険料が変動する自動車保険や，盗難時に車両の位置を追跡するシステムなどが可能となります。⑦が正解です。

⑦ VICS (Vehicle Information and Communication System) の説明です。

⑦ 電気自動車は，EV (Electric Vehicle) とも呼ばれています。

⑦ ETC (Electronic Toll Collection System) の説明です。

問 22 | FinTech
ビジネスインダストリ　新作

FinTech（フィンテック）とは，金融（Finance）と技術（Technology）を組み合わせた造語で，PCやスマートフォンなどで使用されるインターネットバンキング，電子決済などの各種金融サービス全般やそのサービスを行っているシステムのことを指します。⑦が正解です。

⑦ RPA (Robotic Process Automation) によって実現されたサービスです。

⑦ チャットボットにより実現されたサービスです。

⑦ デジタルツインによって実現されたサービスです。

模擬問題❷

解答　問 19 ⑦　問 20 ⑦　問 21 ⑦　問 22 ⑦

生成AIが，学習データの誤りや不足などによって，事実とは異なる情報や無関係な情報を，もっともらしい情報として生成する事象を指す用語として，最も適切なものはどれか。

ア アノテーション　　　　　　　　**イ** ディープフェイク
ウ バイアス　　　　　　　　　　　**エ** ハルシネーション

生成AIの特徴を踏まえて，システム開発に生成AIを活用する事例はどれか。

ア 開発環境から別の環境へのプログラムのリリースや定義済みのテストプログラムの実行，テスト結果の出力などの一連の処理を生成AIに自動実行させる。
イ システム要件を与えずに，GUI上の設定や簡易な数式を示すことによって，システム全体を生成AIに開発させる。
ウ 対象業務や出力形式などを自然言語で指示し，その指示に基づいてE-R図やシステムの処理フローなどの図を描画するコードを生成AIに出力させる。
エ プログラムが動作するのに必要な性能条件をクラウドサービス上で選択して，プログラムが動作する複数台のサーバを生成AIに構築させる。

マーケティングで使用されるO2Oを実現している事例について，最も適切な説明は次のうちどれか。

ア Web上で割引サービス券を発行して実店舗でお得に利用できるようにしている。
イ Webサイトを介して，不特定多数の人々に対して，新しい製品やサービスを開発・運営するための出資を募る。
ウ 商品に貼ってあるラベルからその製品の生産者情報をWebから閲覧できるようにしている。
エ 民泊やカーシェアリング，ペットの一時預かりや，持っている洋服などを共有する。

製品の設計，製造，販売などのプロセスを統合化して，同時進行し，製品の品質向上，開発期間の短縮，コスト削減に効果がある手法のことを何というか。

ア ウォーターフォール
イ コンカレントエンジニアリング
ウ プロトタイプ
エ リバースエンジニアリング

問 23 ハルシネーション
ビジネスインダストリ IPAサンプル問題 問2

生成AIでは多くのデータを与えて学習させることで，正確な情報を提供することができます。しかし，学習したデータに誤りがあったり，データが不足しているなどの不具合によって，事実とは異なる情報や無関係な情報を，もっともらしい情報として生成することがあります。この現象をハルシネーションといいます。**エ**が正解です。

ア アノテーションとは，データを学習させる必要がある教師付きの機械学習で，そのデータにタグを付ける作業のことをいいます。

イ ディープフェイクとは，AIを使って作成した偽の画像や音声を本物と入れ替えることで相手をだます行為のことをいいます。

ウ バイアスとは，一般的には先入観などによる人間の思考や行動の偏りのことをいいます。AIでのバイアスとは，学習データに偏りが出てその出力結果に大きな影響が出てしまうことを指します。

問 24 生成AIの活用
ビジネスインダストリ IPAサンプル問題 問1

生成AIとは，多くのデータ（要件）を自然言語で与えることで画像，音声，テキストなどさまざまなコンテンツを手軽に作成できるAI（人工知能）のことです。代表的なものに，テキスト生成AIの「ChatGPT」があります。生成AIを利用することで，企業では業務の効率化を図ることが期待できます。

よって，業務内容などを自然言語で指示し，図などを描画するコードを生成AIに出力させることができる**ウ**が正解です。

ア テスト自動化ツールの説明です。完成されたプログラムのテストには，生成AIは適していません。

イ 生成AIでは，条件（システム要件）を与えないで処理をさせることは困難です。

エ エッジコンピューティングとクラウドを組み合わせることで，業務の効率化が図れますが，生成AIの作業ではありません。

問 25 O2O
ビジネスインダストリ 新作

O2O（Online to Offline）とは，顧客をオンラインからオフライン（実店舗）への行動に促すことをいいます。まずは顧客にオンラインを使って情報確認してもらった後に実際の店舗に足を運んでもらい，商品やサービスの購入につなげていくものです。そのため，SNSやWeb上で割引サービス券を発行して，実店舗で買い物してもらうことなどが該当します。**ア**が正解です。

イ クラウドファンディングの事例です。

ウ トレーサビリティの事例です。

エ シェアリングエコノミーの事例です。

問 26 コンカレントエンジニアリング
ビジネスインダストリ 新作

製品の設計，製造，販売などを同時進行し，一連のプロセスを統合することで，製品の品質向上や開発期間の短縮，コスト削減，迅速な市場投入を実現して，開発期間を大幅に短縮することができます。この手法をコンカレントエンジニアリングといいます。**イ**が正解です。

ア ウォーターフォールは，製品の設計，製造，販売のプロセスを順次（直線的に）実行する手法です。

ウ プロトタイプは，早い段階で試作品（プロトタイプ）を作成して，ユーザに確認を行い，要求があればそれを修正し，そしてまた試作品を作成し……という具合にユーザの確認を取りながら繰返し進めていく手法です。

エ リバースエンジニアリングは，既存の製品を解析し，その仕組みや構成部品などを明らかにしていく手法です。

解答 問23 エ　問24 ウ　問25 ア　問26 イ

模擬問題❷

システム化計画のプロセスで考慮すべき内容のうち，最も適切なものはどれか。

ア 経営方針に沿った計画を立てる。
イ システムの動作や処理内容を決める。
ウ プログラミングが可能な一つの機能をもった処理単位に分割する。
エ 利用者側の視点から業務手順を明確化する。

NDA (Non Disclosure Agreement)の事例はどれか。

ア ITサービスを提供する前に，サービスの提供者と顧客の間で提供されるサービス内容について契約で定めた。
イ コンピュータ設備の売主が財産権を移転する義務を負い，買主がその代金を支払う義務を負うことについて契約で定めた。
ウ システム開発などに際して，委託者と受託者間でお互いに知り得た相手の秘密情報の守秘義務について契約で定めた。
エ 汎用パッケージ導入の委託を受けた者が自己の裁量と責任によって仕事を行い，仕事の完了をもって報酬を受けることについて契約で定めた。

ある業務システムの新規開発を計画している企業が，SIベンダに出すRFIの目的として，適切なものはどれか。

ア 業務システムの開発のための契約を結ぶのに先立って，ベンダの開発計画とその体制が知りたい。
イ 業務システムの開発を依頼してよいベンダか否かを判断するための必要な情報を得たい。
ウ 業務システムの開発を依頼するに当たって，ベンダの正式な見積り金額を知りたい。
エ 業務システムの開発をベンダに依頼するに当たって，ベンダとの間に機密保持契約を結びたい。

システムのライフサイクルプロセスの一つに位置付けられる，要件定義プロセスで定義するシステム化の要件には，業務要件を実現するために必要なシステム機能を明らかにする機能要件と，それ以外の技術要件や運用要件などを明らかにする非機能要件がある。非機能要件だけを全て挙げたものはどれか。

a 業務機能間のデータの流れ
b システム監視のサイクル
c 障害発生時の許容復旧時間

ア a, c　　　　イ b　　　　ウ b, c　　　　エ c

問 27 | システム化計画

システム化計画とは，システム開発における初めの工程で，業務の内容を分析してどのようなシステムが必要となり，その開発や導入をどのように進めるかなどを経営方針に沿って策定することです。**ア**が正解です。

イ，ウ 開発プロセスで考慮すべき内容です。

エ 要件定義プロセスで考慮すべき内容です。

問 28 | NDA の事例
システム企画 H27 春 問 7

NDA (Non-Disclosure Agreement：守秘義務契約または秘密保持契約) とは，秘密として管理すべき自社の情報を委託先などに提示・提供するとき，その情報を外部に流出させたり意図的に漏らしたりさせないように，事前に結んでおく契約のことです。委託者と受託者間でお互いに知り得た相手の秘密情報の守秘義務を定めている，**ウ**がNDAの事例です。

ア SLA (サービスレベル合意) の説明です。

イ 売買契約の説明です。

エ 請負契約の説明です。

問 29 | RFI の目的
システム企画 H28 秋 問 14

RFI (Request For Information：情報提供依頼書) とは，経営改革や情報化推進などを実施するにあたり，業務システムの開発候補となるベンダに，目標の実現に必要なハードウェア，ソフトウェア，ネットワーク，要員などに関する情報の提供を依頼することです。

RFIを送付した後，各ベンダからの情報の正確性や妥当性を評価することによって，そのベンダに開発を依頼してよいかを判断するための材料にできます。以上から，**イ**が正解です。

ア ベンダの開発計画とその体制は，提案書に記載されます。提案書をベンダに要求するとき，RFP (Request For Proposal：提案依頼書) を送ります。この記述は，RFPの目的です。

ウ ベンダの正式な見積金額は見積書に記載されます。見積書をベンダに要求するとき，RFQ (Request For Quotation：見積依頼書) を送ります。この記述は，RFQの目的です。

エ RFIでは機密保持契約に関する事項を提示したり，当該契約を結んだりすることはありません。

問 30 | 非機能要件
システム企画 H30 春 問 6

システムの要件定義プロセスにおける「機能要件」は，そのシステムに組込みたい機能のことで，必要となる処理やデータの流れ，そのインタフェースなどが該当します (a)。

それに対して「非機能要件」とは，品質や性能，運用・保守などシステムの機能そのものとは直接の関係がない，システムの利用状況に関する各種要素のことです (bとc)。よって，**ウ**が正解です。

解答 問 27 **ア**　問 28 **ウ**　問 29 **イ**　問 30 **ウ**

問 31

インターネットを通じて情報共有することで，人やモノなどを時間単位で借りることができるサービスを何というか。

ア アライアンス
イ クラウドファンディング
ウ シェアリングエコノミー
エ データマイニング

問 32

『デジタルガバナンス・コード2.0』（経済産業省令和4年）におけるDXの定義において，空欄の適切な組合せはどれか。

〔DXの定義〕
「企業がビジネス環境の激しい変化に対応し，データとデジタル技術を活用して，顧客や社会のニーズを基に，製品やサービス，　a　を変革するとともに，業務そのものや，組織，プロセス，企業文化・風土を変革し，競争上の　b　を確立すること。」と定義されている。

	a	b
ア	コンピュータ利用法	優位性
イ	システム方針	経済性
ウ	製造工程	経済性
エ	ビジネスモデル	優位性

問 33

ビッグデータを企業が活用している事例はどれか。

ア カスタマセンタへの問合せに対し，登録済みの顧客情報から連絡先を抽出する。
イ 最重要な取引先が公表している財務諸表から，売上利益率を計算する。
ウ 社内研修の対象者リスト作成で，人事情報から入社10年目の社員を抽出する。
エ 多種多様なソーシャルメディアの大量な書込みを分析し，商品の改善を行う。

問 34

E-R図に関する記述として，適切なものはどれか。

ア 構造化プログラミングのためのアルゴリズムを表記する。
イ 作業の所要期間の見積りやスケジューリングを行い，工程を管理する。
ウ 処理手順などのアルゴリズムを図で表記する。
エ データベースの設計に当たって，データ間の関係を表記する。

問31 | シェアリングエコノミー
システム戦略 新作

インターネットを通じて情報共有することで，個人のスキルや車などの貸出しを仲介するサービスをシェアリングエコノミーといいます。**ウ**が正解です。

例えば，民泊やカーシェアリング，ペットの一時預りや，持っている洋服などを共有するサービスなどがあります。

ア アライアンスとは，複数の企業が合併したり，特定の契約を結んだりして，連携して事業活動を行うことを指します。

イ クラウドファンディングとは，個人や企業がWebサイトを介して，不特定多数の人々に対して，新しい製品やサービスを開発・運営するための出資を募ったり，慈善事業への寄付を求めたりすることです。

エ データマイニングとは，通常業務において発生した大量のデータを蓄積し，統計解析・ニューラルネットワークなどの統計的・数学的手法を用いてそれらのデータを分析して，データの中に隠れた法則や因果関係などを導出する方法のことです。

問32 | デジタルトランスフォーメーション
システム戦略 新作

『デジタルガバナンス・コード2.0』(経済産業省令和4年)の『デジタルガバナンス・コードについて』には，

> あらゆる要素がデジタル化されていくSociety5.0に向けて，ビジネスモデルを抜本的に変革(DX：デジタルトランスフォーメーション)し，新たな成長を実現する企業が現れてきている。一方，グローバルな競争の中で，競合する新たなビジネスモデルにより既存ビジネスが破壊される事例(デジタルディスラプション)も現れてきている。

と記述されています。そこにDX(デジタルトランスフォーメーション)の定義があり，「企業がビジネス環境の激しい変化に対応し，データとデジタル技術を活用して，顧客や社会のニーズを基に，製品やサービス，ビジネスモデルを変革するとともに，業務そのものや，組織，プロセス，企業文化・風土を変革し競争上の優位性を確立すること。」と

なっています。

以上から，**エ**の組合せが正解です。

※ https://www.meti.go.jp/policy/it_policy/investment/dgc/dgc2.pdf より引用

問33 | ビッグデータ
システム戦略 H29秋 基本情報 問63

ビッグデータとは，大手通販サイトが扱う年間の売上データや，大手通信事業者の月当たりの携帯電話通信の記録など，一般的なデータベース管理システムでは扱いが難しいほど膨大な量のデータのことです。

ビッグデータの分析には，高性能のコンピュータを複数台同時に稼働させる必要があります。ビッグデータを分析することで，多数の顧客の嗜好や売上傾向を把握して効果的な販売計画を立てたりすることが可能です。**エ**が正解です。

ア，**ウ** DBMSから検索可能です。

イ 簡易なデータ抽出で計算可能です。

問34 | E-R図
システム戦略 H29春 問87

関係データベースを設計するとき，各種のデータや現実世界の事物をエンティティ(実体)として，その関係性(関連)をリレーションシップ(関連)とする，E-R図が用いられます。以上から，**エ**が正解です。

ア 構造化チャートの説明です。

イ ガントチャートやアローダイアグラムなど，プロジェクト管理に用いる図法の説明です。

ウ 流れ図(フローチャート)の説明です。

解答 問31 **ウ**　問32 **エ**　問33 **エ**　問34 **エ**

問 35

マッシュアップに該当するものはどれか。

ア 既存のプログラムから，そのプログラムの仕様を導き出す。

イ 既存のプログラムを部品化し，それらの部品を組み合わせて，新規プログラムを開発する。

ウ クラスライブラリを利用して，新規プログラムを開発する。

エ 公開されている複数のサービスを利用して，新たなサービスを提供する。

問 36

RPAを使って実現可能な事例は次のうちどれか。

ア 決められたキーワードに対してメールで返信する。

イ 交通費の計算時に，入力された駅名が誤っている場合に訂正する。

ウ 請求書の発行時に確定している単価を発注量ごとに変更する。

エ 文字入力の領域に入力された数字を判別・変換する。

問 37

企業では業界での売上高や市場のシェアなどの自身の置かれている立場によって，リーダー戦略，チャレンジャー戦略，フォロワー戦略，ニッチ戦略の4つの分類に分けて経営戦略を立てることがある。フォロワー戦略について最も適切な説明は次のうちどれか。

ア 売上高や製品のシェアがあまり多くない企業がトップの企業の製品やサービスを模倣することで，製品開発のコスト削減を図る。

イ 顧客のニーズが満たされていない市場のすきまや，ごく小さな市場に焦点を合わせて商品やサービスを重点的に提供し，特定の顧客の嗜好や特定の製品の開発に資源を集中させる。

ウ 市場での地位の向上や売上シェア最上位の獲得を目標として，他の企業との差別化戦略の展開を図る。

エ 総市場規模をより拡大することで，トップ企業としての立場や市場のシェアを維持しながら，新規需要の獲得を図る。

問 39

機器同士で自律的に情報のやり取りをすることを指す用語として適切なものはどれか。

ア B to C　　　イ IoT　　　ウ M2M　　　エ P2P

問35 マッシュアップ
システム戦略 H26 春 応用情報 問50

　マッシュアップとは，もともとは音楽業界の用語で，既存の曲を組み合わせたりつなぎ合わせたりすることで，新しい曲を作成することを指します。

　情報処理分野においては，複数の異なる提供元が提供している各種の技術やコンテンツなどを組み合わせて，新たなサービスを作成することを指します。**エ**の「公開されている複数のサービスを利用して，新たなサービスを提供する」などが，マッシュアップの例となります。

ア リバースエンジニアリングの説明です。

イ プログラムの部品化に関する説明です。

ウ クラスライブラリとは，機能が類似している各種のクラスをまとめたものです。クラスライブラリに格納された，入出力処理などの機能を行うための有益なクラスを利用して新しいプログラムを開発するのは，オブジェクト指向を用いた開発に関する説明です。

問36 RPA
システム戦略 新作

　RPA (Robotic Process Automation) は，データ入力や議事録作成など，業務の定型作業をPC内のソフトウェアが代行して行うことです。

　生産性が向上し，人手不足の解消やコスト削減が期待できます。自動処理のため，定形のキーワードに対する返信は可能ですが，それ以外の非定形の文字判別や訂正 (**イ**・**ウ**・**エ**) は実現が難しいです。**ア**が正解です。

問37 フォロワー戦略
システム戦略 新作

　フォロワー企業は，開発力や経営資源を持たない企業のことをいいます。その企業が取る戦略をフォロワー戦略といい，リーダー企業の製品やサービスの模倣することで，製品開発のコスト削減をしたり，一部の機能に特化した製品やサービスを提供することでシェアを維持します。**ア**が正解です。

イ ニッチ戦略の説明です。

ウ チャレンジャー戦略の説明です。

エ リーダー戦略の説明です。

問38 M2M
システム戦略 新作

　機械同士が自律的に情報をやり取りして，自動運転や制御を行うことM2M (Machine to Machine) といいます。**ウ**が正解です。

ア B to C (Business to Consumer) とは，EC (Electronic Commerce：電子商取引) で企業対個人取引を指します。

イ IoT (Internet of Things：モノのインターネット) とは，電化製品や計測機器などをインターネットに接続して，事業者のサーバなどとの間で通信できるようにし，情報交換などを行うことです。

エ P2P (Peer to Peer) とは，PCなどの端末間で接続し，お互いの持つデータや機能を利用し合うことです。

模擬問題②

解答 問35 **エ**　問36 **ア**　問37 **ア**　問38 **ウ**

335

問39

ソフトウェア開発の活動のうち，アジャイル開発においても重視されているリファクタリングはどれか。

ア ソフトウェアの品質を高めるために，2人のプログラマが協力して，一つのプログラムをコーディングする。

イ ソフトウェアの保守性を高めるために，外部仕様を変更することなく，プログラムの内部構造を変更する。

ウ 動作するソフトウェアを迅速に開発するために，テストケースを先に設定してから，プログラムをコーディングする。

エ 利用者からのフィードバックを得るために，提供予定のソフトウェアの試作品を早期に作成する。

問40

自社開発して長年使用しているソフトウェアがあるが，ドキュメントが不十分で保守性が良くない。保守のためのドキュメントを作成するために，既存のソフトウェアのプログラムを解析した。この手法を何というか。

ア ウォータフォールモデル　　　　　**イ** スパイラルモデル

ウ プロトタイピング　　　　　　　　**エ** リバースエンジニアリング

問41

自社で使用する情報システムの開発を外部へ委託した。受入れテストに関する記述のうち，適切なものはどれか。

ア 委託先が行うシステムテストで不具合が報告されない場合，受入れテストを実施せずに合格とする。

イ 委託先に受入れテストの計画と実施を依頼しなければならない。

ウ 委託先の支援を受けるなどし，自社が受入れテストを実施する。

エ 自社で受入れテストを実施し，委託先がテスト結果の合否を判定する。

問42

アジャイル開発で"イテレーション"を行う目的のうち，適切なものはどれか。

ア ソフトウェアに存在する顧客の要求との不一致を解消したり，要求の変化に柔軟に対応したりする。

イ タスクの実施状況を可視化して，いつでも確認できるようにする。

ウ ペアプログラミングのドライバとナビゲータを固定化させない。

エ 毎日決めた時刻にチームメンバが集まって開発の状況を共有し，問題が拡大したり，状況が悪化したりするのを避ける。

問39 | リファクタリング

ソフトウェア開発管理技術　H29 春 基本情報 問 50

リファクタリングとは，プログラム（システム）

の画面の内容や入出力内容などの外部仕様は変更せずに，内部構造を分かりやすいものに変更することを指します。**イ**が正解です。

　開発スキルの高くないシステムエンジニアやプ

ログラマが作成したプログラムなどは，内部構造が分かりにくくなっていたり，外部からは見えない部分で無駄な処理を行っていたりすることがあります。そのような箇所を修正して，プログラムの外観は変えないままで内部構造を変更することで，システムの保守をしやすくします。

ア ペアプログラミングの説明です。
ウ テスト駆動開発の説明です。
エ プロトタイプモデルの説明です。

問 40 リバースエンジニアリング
ソフトウェア開発管理技術 H30 秋 問 39

　既存のシステムやプログラムからその要求仕様を導き出すためにプログラムを解析して，モジュールごとの機能などを一つ一つ確認していく作業のことをリバースエンジニアリングといいます。エが正解です。

　また，既存の製品を分解してその構造を解明し，技術を獲得することもリバースエンジニアリングの一種です。

ア ウォータフォールモデルとは，設計・開発を上流の作業から順に開始して，システムを完成させる形式のソフトウェア開発モデルです。
イ スパイラルモデルとは，システムをいくつかの独立した機能ごとに分割して，その機能ごとに設計，プログラミング，テストを繰り返しながら全体のシステムを開発していく方法です。
ウ プロトタイピングとは，開発の早い段階で試作品（プロトタイプ）を作成して，ユーザに確認を行い，要求があればそれを修正し，そしてまた試作品を作成し，……という具合にユーザの確認を取りながら繰返し進めて行く方法です。

問 41 受入れテスト
システム開発技術 H27 春 問 34

　受入れテストでは，利用者の要件が適切に実現され，ソフトウェアが正常に稼働することを，利用者が確認します。また，このテストは，システムの開発者（委託先）ではなく，システムの発注者が中心となって実施しますが，必要に応じて委託先の技術的支援を受けることもあります。以上から，ウが正解です。

ア 委託先が行うシステムテストで不具合が報告されなくても，発注者の環境でシステムを稼働すると不具合が見つかることがあるので，受入れテストを実施する必要があります。
イ 受入れテストは委託先ではなく発注者が実施します。
エ 受入れテストの結果の合否を判定するのは発注者です。

問 42 イテレーション
ソフトウェア開発管理技術 H29 春 応用情報 問 49

　アジャイルソフトウェア開発とは，ペアプログラミングやイテレーションなどの手法を利用して，ソフトウェア開発を迅速に行おうとする開発手法のことです。

　イテレーション（反復）とは，ソフトウェアを複数の小規模な機能に分割し，設計，プログラミング，テストという手順を1回実行することで，一つの機能を開発します。これを繰り返すことで，ソフトウェア全体の機能を全て開発しようとします。アが正解です。

　1回の反復で小さな機能を開発し，それを顧客に示して確認することで，顧客の要求との不一致を見つけて修正できます。また，機能を示した後に出てきた顧客の新たな要求に対しても，次の反復でその機能を実装するなど，柔軟な対応が可能です。

イ タスクボードを用いる目的です。
ウ ペアプログラミングとは，二人が一組（ペア）となってソフトウェアのコーディングを行う手法のことです。一人はコーディングを行い，もう一人はコーディング作業をチェックし，誤りがある場合はその場で指摘して訂正させます。
　コーディングを行う人のことをドライバ，チェックする人のことをナビゲータといいます。ドライバとナビゲータを一定のタイミングで交代させることを，ピンポンペアプログラミングといいます。
エ デイリースクラムの説明です。

解答　問 39 イ　問 40 エ　問 41 ウ　問 42 ア

模擬問題❷

問43 シラバス6.3

スクラムチームにおけるプロダクトオーナーの役割はどれか。

ア ゴールとミッションが達成できるように，プロダクトバックログのアイテムの優先順位を決定する。

イ チームのコーチやファシリテータとして，スクラムが円滑に進むように支援する。

ウ プロダクトを完成させるための具体的な作り方を決定する。

エ リリース判断可能なプロダクトのインクリメントを完成する。

問44

新しく開発した業務システムのテストに，利用部門の立場で参画することになった。利用部門の立場で確認すべき事項として，適切なものはどれか。

ア 業務上の要件が満たされていること

イ 個々のプログラムがプログラム仕様書どおりに動作すること

ウ システムが利用するネットワークの監視が決められた手順どおりに実施できること

エ プログラム間のデータの受渡しが設計書の規定どおりに行われること

問45

オブジェクト指向の基本概念の組合せとして，適切なものはどれか。

ア 仮想化，構造化，投影，クラス

イ 具体化，構造化，連続，クラス

ウ 正規化，カプセル化，分割，クラス

エ 抽象化，カプセル化，継承，クラス

問43 スクラムチーム シラバス6.3

ソフトウェア開発管理技術 R3春 応用情報 問49

アジャイル開発とは，システム開発においてコーディングやテストを重視し，常にフィードバックを行って機能ごとに修正や再設計を行う開発手法のことです。アジャイル開発の方法として，エクストリームプログラミングやスクラムなどの手法が用いられます。

スクラムは，開発プロジェクトを機能ごとに期間を区切り期間内に計画，設計，開発，テストを行って，それぞれの機能を完成させるという作業を繰返しながら，システムを作り上げることをいいます。スクラムでは，スクラムチーム（プロダク

トオーナー，スクラムマスター，開発者）で構成され，それぞれの役割が存在します。

名称	役割
プロダクトオーナー	プロジェクトの責任者の役割で，プロジェクトが滞りなく遂行するように残っている機能（アイテム）の管理を行う。
スクラムマスター	チームの進捗を確認し，作業の障害となる原因を取り除き，スクラムチームを円滑に保つ。
開発者	設計やコーディング，テスト，運用などの開発を行う。

以上から，アが正解です。

イ スクラムマスターの役割です。

ウ，エ 開発者の役割です。

問44 業務システムのテスト

システム開発技術 H30 春 問 51

利用部門の立場で参画するのは**受入れテスト**です。受入れテストでは，発注した利用者が要求した事項が満たされているか，ソフトウェアが正常に稼働するかを，実際に確認します。**ア**が正解です。

システム開発プロセスにおいて実行されるテストの特徴と，各テストに対応する工程を以下にまとめます。

テスト	特徴	対応する工程
単体テスト	モジュールが単独で稼動する際の処理が正常に行われているかをチェックする。	モジュールを作成する工程 →プログラミング
結合テスト	モジュール間のデータの受け渡し状況について，その正当性を検査する。	モジュール間のデータの受け渡しなどを設計する工程 →内部設計
システムテスト	システム全体が正常に機能しているかどうかを検査する。	システム全体の構成や画面・帳票などの仕様を設計する →外部設計
運用テスト	利用者の視点から，システムを用いて業務が正常に運用できるかどうかを検査する。	利用者の要求をシステムの要件として定義 →要件定義

イ 開発側が実施する**単体テスト**の説明です。
ウ 開発側が実施する**システムテスト**の説明です。
エ 開発側が実施する**結合テスト**の説明です。

問45 オブジェクト指向

ソフトウェア開発管理技術 H29 春 基本情報 問 48

オブジェクト指向設計の基本概念を説明します。

● **クラス**

オブジェクト指向設計において，データとメソッドをまとめて表現した新たなデータ型を「クラス」と呼びます。

クラスを定義した段階では，設計図を作成しただけであり，そのクラスを実際にプログラム中で使用（実物を作成）するためには，変数と同様にその実体を「宣言」しなければなりません。宣言によってクラスの定義を基にして作成された実体のことを，インスタンスといいます。

● **カプセル化**

データとメソッドをまとめて，データ構造の詳細を外部からアクセスできない（見えない）構造にし，安全性を向上させることを，カプセル化といいます。カプセル化により，データの不正な参照や更新を防ぐことができます。

● **継承（インヘリタンス）**

上位クラス（スーパクラス）がもっているデータやメソッドを，その下位クラス（サブクラス）が受け継いで使用できるという性質のことです。

この性質により，すでに上位クラスで作っていたメソッドなどを再度作り直す手間が省け，工数の削減につながります。

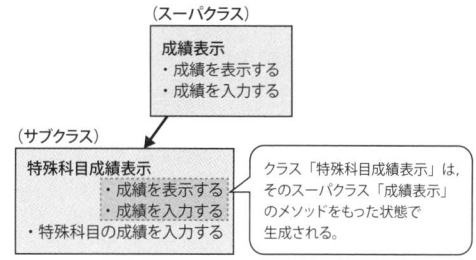

● **抽象化**

複数のクラスに共通するデータやメソッドをまとめ，すべてのクラスを包括できる上位のスーパクラスを作成することを，抽象化といいます。

以上から，**エ**の基本概念の組合せが適切です。

解答　問43 **ア**　問44 **ア**　問45 **エ**

339

プロジェクトマネジメント

問 46

プロジェクトマネジメントにおけるリスクの対応例のうち，PMBOKの分類における受容に該当するものはどれか。

- ア あるサブプロジェクトの損失を，他のサブプロジェクトの利益で相殺する。
- イ 個人情報の漏えいが起こらないように，システムテストで使用する本番データの個人情報部分はマスキングする。
- ウ 損害の発生に備えて，損害賠償保険を掛ける。
- エ 取引先の業績が悪化して，信用に不安があるので，新規取引を止める。

問 47

PMBOKガイド 第5版によれば，プロジェクトを実行に移す前のプロジェクト憲章を作成する目的のうち正しいものはどれか。

- ア チームの価値観，合意，および業務上のガイドラインを確立する。
- イ サービスの設計，移行，提供及び改善のためにサービスマネジメントシステムを運用する。
- ウ 組織の中でプロジェクトの目標や目的の共有やその合意を得る。
- エ プロジェクトマネジメントの活動を遂行し，プロジェクトの全体計画に従ってプロジェクトの成果物の提示を支援するために使用する。

問 48

複数のプロジェクトを同時進行させる場合に，各種リソースなどを管理し，調整などを一括で行う部門を何というか。

- ア サービスデスク
- イ プロジェクトチーム
- ウ プロジェクトマネジメントオフィス
- エ マトリックス組織

問 49

ある新規システムの機能規模を見積もったところ，50人月であった。このシステムを構築するプロジェクトには，開発工数のほかに，システム導入と開発者教育の工数が，合計で10人月必要である。また，プロジェクト管理に，開発と導入・教育を合わせた工数の10%を要する。このプロジェクトに要する全工数は何人月か。

- ア 51
- イ 60
- ウ 65
- エ 66

問 46 | PMBOK

プロジェクトマネジメント 新作

　リスクとは，損失の発生する可能性のことです。リスクの防止，リスク発生時に被害を最小限にするための施策の制定，及びリスク発生によって生じる費用に対する積み立て措置を講じるなどの手法によってリスクを管理することを，リスクマネジメントといいます。

　なお，プロジェクトマネジメントの知識体系であるPMBOK (Project Management Body Of Knowledge：プロジェクトマネジメント体系化ガイド) では，損失が発生する事象だけでなく，自社に利益をもたらす事象もリスクと定義しています。損失が発生する事象をマイナスのリスク，利益をもたらす事象をプラスのリスクといいます。

　PMBOKで規定されている，プロジェクトのリスクマネジメントにおけるリスク対応戦略を示し

ます。

- **マイナスのリスクに対するリスク対応戦略**
  - ・リスク回避…リスクそのものを発生させなくすること
  - ・リスク転嫁…保険に加入するなどの手段で資金面での対策を行い，リスク発生時の影響，損失，責任の一部または全部を他者に肩代わりさせること
  - ・リスク軽減…リスクの発生確率や被害額を低減させること
- **プラスのリスクに対するリスク対応戦略**
  - ・リスク強化…リスクの発生確率や利益額を上げて，利益を得やすくすること
  - ・リスク共有…第三者とリスクを共有し，利益を得やすくすること
  - ・リスク活用…プラスのリスクが確実に発生するようにすること
- **プラスのリスク，マイナスのリスク両方に対するリスク対応戦略**
  - ・リスク受容…軽微なリスクに対してはあえて対策を行わず，リスクが発生した場合の損失は自社で負担すること

以上から，受容に該当するのは，**ア**の記述です。
- **イ** リスク軽減に該当します。
- **ウ** リスク転嫁に該当します。
- **エ** リスク回避に該当します。

問 47 | プロジェクト憲章
プロジェクトマネジメント 新作

プロジェクト憲章とは，プロジェクトの立ち上げ時に作成されるプロジェクトの認知や承認を目的とした企画書のことです。PMBOKガイドによると，次のように定義されています。

> 「プロジェクト憲章は，プロジェクトの存在を正式に認可する文書であり，プロジェクトのイニシエーターまたはスポンサーが発行する。プロジェクト憲章は，プロジェクト・マネージャーが母体組織の資源をプロジェクト活動のために使用する権限を与える。プロジェクト憲章を通して文書化されるものとして，ビジネス・ニーズ，前提条件，制約条件，顧客ニーズの理解範囲，ハイレベルの要求事項，新しいプロダクト，サービス，あるいは所産が満たすべき要求事項がある。」

以上から，**ウ**が正解です。
- **ア** PMBOKにあるチーム憲章の目的です。

- **ウ** JIS Q 20000-1:2012（サービスマネジメントシステム要求事項）は，サービスマネジメントシステム（以下，SMSという）及びサービスのあらゆる場面でPDCA方法論の適用を要求しています。SMSの実行（Do）の説明です。
- **エ** JIS Q 21500:2018（プロジェクトマネジメントの手引）のプロジェクトマネジメントの"実行のプロセス群"の説明です。

問 48 | プロジェクトマネジメントオフィス
プロジェクトマネジメント 新作

複数のプロジェクトを同時進行させるために，各種リソースやコストの調整，環境の整備やマネジメントの標準化や人材育成などを行う部門を，プロジェクトマネジメントオフィスといいます。**ウ**が正解です。
- **ア** サービスデスクとは，インシデントの発生時の連絡窓口のことです。
- **イ** プロジェクトチームとは，一つのプロジェクトを成功させるために集まったメンバのことです。
- **エ** マトリックス組織とは，社員が自己の専門とする職能部門と，特定の事業を遂行する部門の両方に所属する組織形態のことです。

問 49 | 人月計算
プロジェクトマネジメント 新作

本問の新規システムの開発に必要となる，開発，導入・教育及びプロジェクト管理の工数を求めます。

- **開発**：問題文から，必要な工数は**50人月**です。
- **導入・教育**：問題文から，必要な工数は**10人月**です。
- **プロジェクト管理**：開発と導入・教育を合わせた工数の10%を要するので，必要な工数は，50＋10＝60人月の10％＝**6人月**です。

以上を合計したものが，プロジェクトに要する全工数です。よって，**66人月（エ）**が正解です。

解答 問46 **ア** 問47 **ウ** 問48 **ウ** 問49 **エ**

ITIL（Information Technology Infrastructure Library）を説明したものはどれか。

ア ITサービスマネジメントのフレームワーク
イ ITに関する個人情報保護のフレームワーク
ウ ITに関する品質管理マネジメントのフレームワーク
エ グリーンITのフレームワーク

顧客からの問合せ窓口を一つに集約することで，顧客が窓口をたらい回しされたりすることなく，担当部門にとっても効率的に業務を行うことができるようになることを表す用語はどれか。

ア SLM　　　　　イ SPOC　　　　　ウ TCO　　　　　エ UPS

インシデント管理の目的について説明したものはどれか。

ア ITサービスで利用する新しいソフトウェアを稼働環境へ移行するための作業を確実に行う。
イ ITサービスに関する変更要求に基づいて発生する一連の作業を管理する。
ウ ITサービスを阻害する要因が発生したときに，ITサービスを一刻も早く復旧させて，ビジネスへの影響をできるだけ小さくする。
エ ITサービスを提供するために必要な要素とその組合せの情報を管理する。

ITサービスマネジメントにおいて利用者にFAQを提供する目的として，適切なものはどれか。

ア ITサービスマネジメントのフレームワークを提供すること
イ サービス提供者側と利用者側でサービスレベルの目標値を定めること
ウ サービスに関するあらゆる問合せを受け付けるため，利用者に対する単一の窓口を設置すること
エ 利用者が問題を自己解決できるように支援すること

問 50 | ITIL
サービスマネジメント H29 春 問 35

ITIL (Information Technology Infrastructure Library) とは，1989年に英国政府の中央コンピュータ電気通信局によって作成・公表された，ITサービスマネジメントに関するフレームワークです。

ITサービスマネジメントとは，顧客の要件を満たす高品質のITサービスの開発や提供を行うために，必要な業務プロセスを構築して運営管理することです。よって，**ア**が正解です。

イ JIS Q 15001 (個人情報保護マネジメントシステム)の説明です。

ウ ISO 9000の説明です。

エ グリーンITマネジメントシステム (GITMS) の説明です。

問 51 | SPOC

ヘルプデスクへの顧客からの問合せ窓口を一つに集約することをSPOC (Single Point of Contact) といい，連絡する顧客が窓口をたらい回しされたりすることなく，担当部門にとっても業務に集中でき効率的になります。**イ**が正解です。SPOCの提供により，サービス要求管理 (記録と分類，優先度付け，実現，終了及び対応結果の記録ほか) の活動が可能となります。

ア SLM (Service Level Management) とは，SLA (Service Level Agreement：サービスレベル合意) に基づいてITサービスのサービスレベルを管理することにより，ITサービスの品質を維持・向上するための活動を行うことです。

ウ TCO (Total Cost of Ownership) は，システムの導入から管理までのすべての過程において生じるコストの総計のことです。

エ UPS (Uninterruptible Power Supply) とは，突然の停電や瞬断 (瞬時停電) によるシステムダウンを防ぐための一時的な予備電源装置です。

問 52 | インシデント管理
サービスマネジメント H30 秋 問 49

インシデントとは，サービスが停止する原因となる出来事をいいます。インシデント管理では，発生したインシデントに対し，可能な限り迅速に通常のサービス運用を回復して，ビジネスへの悪影響を最小限に抑えることが目的となります。**ウ**が正解です。

インシデントの起きた場合の流れ (例)

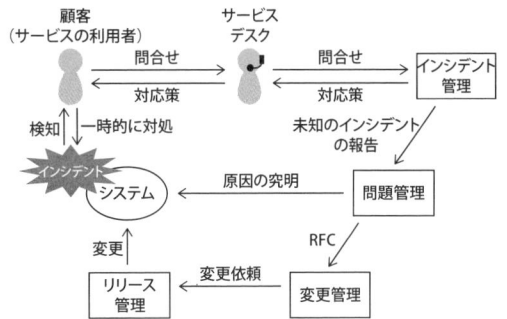

ア リリース管理の説明です。

イ 変更管理の説明です。

エ 構成管理の説明です。

問 53 | FAQ
サービスマネジメント H30 春 問 41

FAQ (Frequently Asked Questions) は，利用者が自ら問題を解決できるように「よくある質問と答え」としてWebサイトなどで公開されています。**エ**が正解です。

ア ITILの説明です。

イ SLAの説明です。

ウ サービスデスクの説明です。

解答 問 50 **ア** 問 51 **イ** 問 52 **ウ** 問 53 **エ**

問54

レピュテーションリスクの事例のうち，最も正しいものは次のうちどれか。

ア アルバイト社員が，SNSなどで自社の評判を悪くするような行為の動画をアップする。
イ サービスデスクから引き継いだ内容をインシデント管理部門に伝達する。
ウ 人工知能などを使用した自動会話プログラムを，よくある質問のサイトに導入する。
エ 性別，人種，文化などの違いを意識しないで，優秀な人材を採用する。

問55

システム監査基準（平成30年）によると，システム監査における本調査の役割として適切なものはどれか。

ア 監査の結論を裏付けるために，十分かつ適切な監査証拠を入手する。
イ 事前に監査対象の詳細，事務手続やマニュアル等，業務内容などを把握する。
ウ 組織の文書管理規程に従って体系的に整理し，活用できるように保管する。
エ 監査対象部門の責任において実施される改善を，システム監査人が事後的に確認する。

問56

システム監査のフォローアップにおいて，監査対象部門による改善が計画よりも遅れていることが判明した際に，システム監査人が採るべき行動はどれか。

ア 遅れの原因に応じた具体的な対策の実施を，監査対象部門の責任者に指示する。
イ 遅れの原因を確かめるために，監査対象部門に対策の内容や実施状況を確認する。
ウ 遅れを取り戻すために，監査対象部門の改善活動に参加する。
エ 遅れを取り戻すための監査対象部門への要員の追加を，人事部長に要求する。

問 54 ┃ レピュテーションリスク

システム監査 新作

レピュテーションリスクとは，評判リスクのことで，メディアなどによる風評の拡大によって企業の価値が上下することを指します。SNSでアルバイト社員が故意に食品を不衛生に扱うなどの行為がその一例です。アが正解です。

イ エスカレーションの事例です。

ウ チャットボットの事例です。

エ ダイバーシティマネジメントの事例です。

問 55 ┃ 本調査

システム監査 新作

本調査では，予備調査でシステムの概要をつかんだ後，システム監査人が現地に赴いて実際の業務内容を確認したり，システムの問題点の証拠となる書類などを保存したりします。

このような証拠を監査証拠といい，監査の結論を裏付けるために必要です。アが正解です。

イ 予備調査の役割です。

ウ 監査調書の役割です。

エ フォローアップの役割です。

問 56 ┃ システム監査人が採るべき行動

システム監査 R02 秋 応用情報 問 59

システム監査の流れは，次のようになります。

システム監査の大まかな流れ

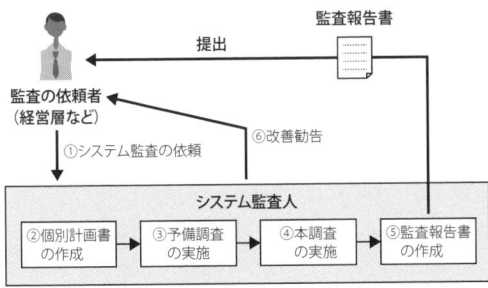

①システム監査の依頼

組織の経営層などが，システム監査人にシステム監査の実施を依頼する。

②個別計画書の作成

依頼を受けたシステム監査人は，システム監査の対象となる組織，監査対象のシステム，監査手続の実施順序やスケジュールなどをまとめた個別計画書を作成する。

③予備調査の実施

システムの概要や業務手順などの概要を理解しないと問題点を発見することができないので，システム監査人は監査対象の従業員にアンケート調査を行ったり，業務に関連する書類を閲覧したりして，システムの概要をつかむ。

④本調査の実施

システム監査人は現地に赴いて実際の業務内容を確認したり，システムの問題点の証拠となる書類などを保存したりする。このようなものを監査証拠と呼ぶ。システム監査人は，本調査で確認した事項などを監査調書にまとめる。

⑤監査報告書の作成

システム監査人は，本調査において収集した監査証拠と作成した監査調書を基に，監査対象のシステムの問題点などを監査報告書にまとめる。監査報告書は監査の依頼者に提出される。

⑥改善勧告

監査報告書に基づいて，監査の依頼者は情報システムや業務などの改善を行う。その改善が適切に実行されているかどうかを，システム監査人は定期的に確認し，助言を行う（フォローアップ）。

情報システムや業務の改善をするのは，監査の依頼者及び被監査部門の責任者です。システム監査人には，システム監査を実施して助言を与える権限はありますが，情報システムを操作したり業務を行ったりする権限はありません。

フォローアップにおいて，被監査部門による改善が遅れている場合，システム監査人ができることは被監査部門への助言にとどまります。よって，イが正解です。

模擬問題②

解答 問 54 ア 問 55 ア 問 56 イ

 問57 ✓✓✓

　重量10.00gの製品を製造しているラインにおいて，その品質を検査するために重量の測定をロット（10個の製品）ごとに行っている。その結果が以下の表である。この表から予測できる説明のうち最も適切なものはどれか。

ロット番号	1	2	3	4	5
ロット平均（g）	10.00	10.02	10.03	9.94	10.01
標準偏差	0.11	0.13	0.69	0.12	2.49

注釈：小数点第3位を四捨五入

ア ロット番号1は，すべての製品が同じ重量である。
イ ロット番号2は，平均値から大きく外れている値は含まれていない。
ウ ロット番号4は，平均値から大きく下回っている値が含まれている可能性がある。
エ ロット番号5は，平均値から大きく外れている値は含まれていない。

 問58 ✓✓✓

　次の2分木のグラフの読み方に関して最も正しい組合せは次のうちどれか。

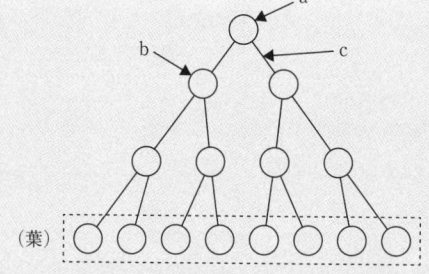

（葉）

	a	b	c
ア	エッジ	ノード	ルート
イ	ノード	ルート	エッジ
ウ	ルート	ノード	エッジ
エ	ルート	エッジ	ノード

 問59 ✓✓✓ シラバス 6.3

　世界の主な言語のほとんどの文字を収録している1～4バイトの文字コードで，Java，XMLなどでも使用されているものはどれか。

ア ASCIIコード　　　　　　イ EUC_JP
ウ Shift_JIS　　　　　　　エ Unicode

問 57 標準偏差

基礎理論 新作

平均値は，

10個の製品の重量の合計／10

で求めることができます。しかし，その10個の製品中に外れ値 (他のデータと比べて極端に離れた値) があっても発見できない場合があります。そのために，標準偏差を用いることがあります。

標準偏差は，平均からのずれ (偏差という：| 値－平均値 |) を使って求めることが可能です。

標準偏差＝$\sqrt{\Sigma 偏差^2 / 10}$

で求めます。

以上から，標準偏差が大きければ大きいほどデータにバラツキがあることがわかります。解答群を順に考察します。

ア ロット番号1は，平均値が10.00ですが標準偏差が0ではないので，すべてが10.00という訳ではありません。

イ ロット番号2は，ロット番号3に比べて平均値も標準偏差も小さいため，平均値より大きく外れている値が含まれている可能性は低いです（正解です）。

ウ ロット番号4は，平均値は低いのですが，標準偏差が大きくないので，大きく下回っている値が含まれている訳ではありません。

エ ロット番号5は，平均値が10.01ですが，標準偏差が他のロットに比べて大きいため，値にバラツキが出ていることがわかります。

問 58 グラフ理論

基礎理論 新作

ここでいうグラフとは，棒グラフや折れ線グラフとは違い，いくつかのノード (節) とそれらを結ぶいくつかのエッジ (枝) から構成された図形のことです。その一つに木構造があります。

木構造は，データを格納する単位 (節。節点ともいう) が，親子関係 (親＝上，子＝下) を構成しているデータ構造です。また，親から高々2つの子を持つ木構造のことを2分木といいます。正解はウです。

2分木

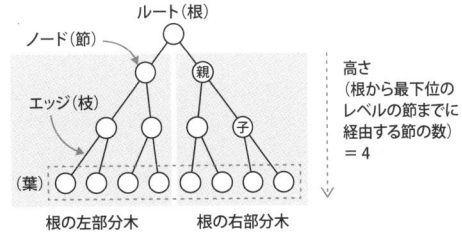

根＝木の最上部の節　　葉＝子の節をもたない節

問 59 文字コード

シラバス 6.3

基礎理論 新作

可変長の1バイトから4バイトで表現され，日本語や英語，フランス語や各種記号 (絵文字含む) などを収録し，WindowsやJava，XMLでも使用されている文字コードをUnicode (ユニコード) といいます。エが正解です。UTF-8 (Unicode Transformation Format-8：ユーティーエフ8) は，Unicode文字のエンコード方法の1つです。

ア ASCII (American Standard Code for Information Interchange：アスキー) コードは，アメリカの標準文字コードで，テキスト形式の電子メールでも利用されています。

イ EUC_JP (Extended Unix Code) は，日本語UNIXが使用している文字コードです。

ウ Shift_JIS (シフトジス) は，Microsoft社が開発した文字コードで，ASCIIコードの文字に日本語を追加した文字コードです。

解答　問57 イ　問58 ウ　問59 エ

問 60

BLEに関する記述として，適切なものはどれか。

ア 自社で設備を持たずに帯域を借りることで，携帯通信サービスを利用者に提供する。
イ 第3世代の通信で使用される高速な携帯電話の通信規格の一つ。
ウ 低消費電力での無線通信の仕様としてIoT機器間で利用されている。
エ 無線LANの暗号規格やプロトコルなどの総称のこと。

問 61

体温を測定するのに適切なセンサはどれか。

ア サーミスタ　　　　　　　　　イ 超音波センサ
ウ フォトトランジスタ　　　　　エ ポテンショメータ

問 62

32ビットCPU及び64ビットCPUに関する記述のうち，適切なものだけを全て挙げたものはどれか。

a 32ビットCPUと64ビットCPUでは，64ビットCPUの方が取り扱えるメモリ空間の理論上の上限は大きい。
b 64ビットCPUを搭載したPCで動作する32ビット用のOSはない。
c USBメモリの読み書きの速度は，64ビットCPUを採用したPCの方が32ビットCPUを採用したPCよりも2倍速い。

ア a　　　　　イ a, b　　　　　ウ b, c　　　　　エ c

問 63

NFCに関する記述として，適切なものはどれか。

ア 10cm程度の近距離での通信を行うものであり，ICカードやICタグのデータの読み書きに利用されている。
イ 数十mのエリアで通信を行うことができ，無線LANに利用されている。
ウ 赤外線を利用して通信を行うものであり，携帯電話のデータ変換などに利用されている。
エ 複数の人工衛星からの電波を受信することができ，カーナビの位置計測に利用されている。

問 60 BLE

コンピュータ構成要素 新作

BLE (Bluetooth Low Energy) は，Bluetooth 3.0バージョンに比べ大幅に省電力化された無線通信モードのことです。

温度や湿度管理システムで利用するIoTデバイス (各種電子機器) とIoTゲートウェイ (IoT機器のデータを集約してサーバに中継する) 機器間の無線通信には，一般的にWi-FiやBluetoothなど様々な規格が使用されています。ウが正解です。

- ア MVNO (Mobile Virtual Network Operator：仮想移動体通信事業者) の説明です。
- イ LTE (Long Term Evolution) の説明です。
- エ WPA (Wi-Fi Protected Access) の説明です。

問 61 センサ

コンピュータ構成要素 R3 春応用情報 問 4

温度の変化によって抵抗値が変化することを利用したセンサをサーミスタといい，体温を測定する場合などに使用されます。アが正解です。

- イ 超音波センサは，超音波の反射時間でものの距離を測定する場合などに使用します。
- ウ フォトトランジスタは，光によって発生する電流を増幅して出力する素子で，TVなどのリモコンなどで使用されています。
- エ ポテンショメータは，回して移動した量や角度を電圧に変換する部品で，アナログのボリュームなどで使用されています。

問 62 CPU

コンピュータ構成要素 H30 春 問 74

32ビットCPUと64ビットCPUでは，CPU内で一度に処理できるデータ量が異なります。そのため，使用できるメモリ空間の上限は2^{32}と2^{64}で大きな差が出ます。(a)は適切です。

また，64ビットのCPUで動作する互換性のある32ビットOSもあります。よって，(b) は誤りです。

USBメモリに書き込む速度は，USB規格によって異なります。よって，(c) は誤りです。したがって，アが正解です。

問 63 NFC

コンピュータ構成要素 H30 秋 問 66

NFC (Near Field Communication) とは，ソニーとNXPセミコンダクターズが共同開発した，無線通信の国際規格です。

国際規格は，ISO/IEC 18092です。ソニーが開発したFelicaなどの非接触無線通信規格と下位互換性をもち，十数センチ程度の近距離において，13.56MHzの周波数の電波を使用して非接触式の通信を実現しています。JR東日本のSuicaはNFCの一種です。アが正解です。

- イ Wi-Fiの説明です。
- ウ IrDAの説明です。
- エ GPS (Global Positioning System) の説明です。

模擬問題②

解答 問60 ウ 問61 ア 問62 ア 問63 ア

問 64
レプリケーションを行うことが最も適しているデータは次のうちどれか。

ア 一定時間が経過後に処理を実行できるデータ
イ 停止が許されなくかつリアルタイム性が高いデータ
ウ ディスクなどストレージの故障時に復元可能なデータ
エ 電子メールなどの長期保存を対象とするデータ

問 65
LANに直接接続して，複数のPCから共有できるファイルサーバ専用機を何というか。

ア CSV **イ** NAS **ウ** RAID **エ** RSS

問 66
1台のコンピュータを論理的に分割し，それぞれで独立したOSとアプリケーションソフトを実行させ，あたかも複数のコンピュータが同時に稼働しているかのように見せる技術として，最も適切なものはどれか。

ア NAS **イ** 拡張現実
ウ 仮想化 **エ** マルチブート

問 67
下記のようなシステムが図のように接続されている場合，システム全体の稼働率は幾らか。ここで，サーバA，Bおよびルータの稼働率は0.9，また，回線の稼働率は考慮しないものとする。なお，サーバA，Bによって構成されている並列接続部分については，A，Bのいずれか1台でも稼働していれば，当該部分は稼働しているものとする。

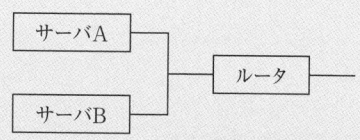

ア 0.729 **イ** 0.761 **ウ** 0.891 **エ** 0.992

問 64 | **レプリケーション**

システム構成要素 新作

　レプリケーションとは，元のデータベースシステムと同一のシステムを用意し，元のデータベースの更新と同時に，その内容を複製する手法のことです。

　そのため，停止が許されないリアルタイム性が高いデータが適しています。**イ**が正解です。
ア バックアップなどが適しています。
ウ RAIDなどでの保存によるバックアップが適しています。
エ アーカイブが適しています。

問 65 | NAS

システム構成要素 H25 秋 問 59

　NAS（Network Attached Storage：ネットワーク接続ストレージ）は，有線／無線LANに直接接続して，ファイルサーバとして使用できる記憶装置です。（**イ**）

NAS の接続例

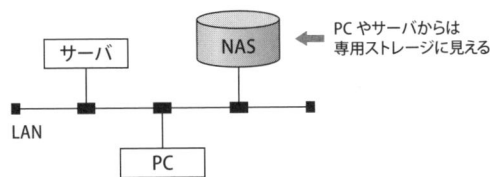

- **ア** CSV（Comma Separated Values）は，コンマ（,）によって項目を区切る方式を用いて，表を表現するデータ形式です。
- **ウ** RAID（Redundant Arrays of Inexpensive Disks）とは，アクセス速度の高速化や信頼性の向上を図るために，複数台のハードディスクを用いて構成されたディスク装置のことです。
- **エ** RSS（RDF Site Summary，もしくはRich Site Summary）は，Webサイトの更新状況を外部に配信するための規約及びその文書形式のことです。

問 66 | 仮想化

システム構成要素 H30 春 問 62

　仮想化とは，見かけ上は1台のコンピュータで1つのOSを使用していますが，複数のOSやアプリケーションを同時に稼働させ，複数のサービスを利用者に提供する技術のことです。

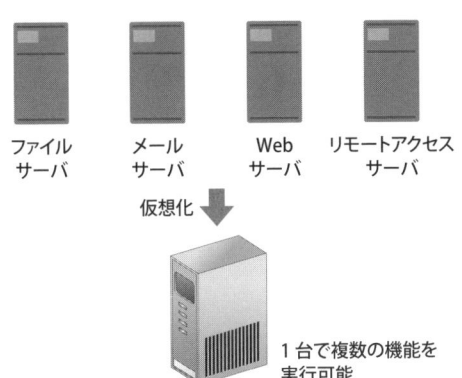

　近年のコンピュータは性能が非常に向上してお

り，1台のコンピュータ上で複数のサービスを実行しても問題なく処理が可能なため，費用や負荷を減らすことができます。**ウ**が正解です。

- **ア** NAS（Network Attached Storage）とは，ネットワークに直接接続して使用可能なストレージ（記憶装置）のことです。
- **イ** 拡張現実とは，現実の世界に仮想なものを重ねて表示することです。
- **エ** マルチブートとは，PCのハードディスクを物理的に複数に分け，それぞれ別のOSをインストールしておき，必要に応じて動作させることをいいます。

問 67 | IoT システムの稼働率

システム構成要素 新作

　問題文の図より，このシステムは，
　　① サーバAとBとで並列になっている部分
　　② ルータが単独で存在している部分
の二つの部分によって直列に構成されています。これらの各部分の稼働率を求めます。

① 0.9の稼働率のコンピュータ2台の並列構成のため，稼働率は以下の通りです。
　　$1 - (1 - 0.9) \times (1 - 0.9)$
　$= 1 - 0.1 \times 0.1$
　$= 1 - 0.01 = \mathbf{0.99}$

② 0.9の稼働率のルータ1台のみのため，稼働率は**0.9**です。

　よって，①の部分と②の部分は直列システムなので，
　　$0.99 \times 0.9 = \mathbf{0.891}$（**ウ**）
となります。

解答　問 64 **イ**　問 65 **イ**　問 66 **ウ**　問 67 **ウ**

模擬問題②

351

 **問 68** AIにおける基盤モデルの特徴として，最も適切なものはどれか。

ア "AならばBである"といったルールを大量に学習しておき，それらのルールに基づいた演繹的な判断の結果を応答する。

イ 機械学習用の画像データに，何を表しているかを識別できるように"犬"や"猫"などの情報を注釈として付与した学習データを作成し，事前学習に用いる。

ウ 広範囲かつ大量のデータを事前学習しておき，その後の学習を通じて微調整を行うことによって，質問応答や画像識別など，幅広い用途に適応できる。

エ 大量のデータの中から，想定値より大きく外れている例外データだけを学習させることによって，予測の精度をさらに高めることができる。

 **問 69** 毎週日曜日の業務終了後にフルバックアップファイルを取得し，月曜日～土曜日の業務終了後には増分バックアップファイルを取得しているシステムがある。水曜日の業務中に故障が発生したので，バックアップファイルを使って火曜日の業務終了時点の状態にデータを復元することにした。データ復元に必要なバックアップファイルを全て挙げたものはどれか。ここで，増分バックアップファイルとは，前回のバックアップファイル（フルバックアップファイル又は増分バックアップファイル）の取得以降に変更されたデータだけのバックアップファイルを意味する。

ア 日曜日のフルバックアップファイル，月曜日と火曜日の増分バックアップファイル

イ 日曜日のフルバックアップファイル，火曜日の増分バックアップファイル

ウ 月曜日と火曜日の増分バックアップファイル

エ 火曜日の増分バックアップファイル

問 68 | 基盤モデル
ソフトウェア IPA サンプル問題 問 3

AIにおける基盤モデルとは，まず多くのデータを与えて学習させていき，その後，細かい知識に適応できるように再度学習していくという2段階の工程を行っていく機械学習モデルのことをいいます。**ウ**が正解です。

ア 演繹法(えき)の説明です。

イ アノテーションの説明です。

エ 例外データだけを学習させると，予測の精度は低くなってしまいます。

問 69 | バックアップ作業
ソフトウェア H28 春 問 92

増分バックアップでは，前回のバックアップ(フルバックアップまたは増分バックアップ)以降に変更されたデータだけをバックアップします。例えば，月曜日にデータBだけが更新され，火曜日にデータCだけが更新された場合，次のようになります。

月曜日に取得した増分バックアップファイル：データB
火曜日に取得した増分バックアップファイル：データC

この場合，火曜日の業務終了時点で，データBとデータCの内容がフルバックアップ以降に変更されています。

火曜日の業務終了時点の状態にデータを復元するためには，まず日曜日に取得していたフルバックアップファイルを用いて，日曜日の業務終了時点の状態まで復元します。

その後，月曜日に取得した増分バックアップファイルと，火曜日に取得した増分バックアップファイルを用いて，火曜日の業務終了時点の状態まで復元します。火曜日に取得した増分バックアップファイルだけを用いると，月曜日に変更していたデータが復元されず，火曜日の業務終了時点の状態まで復元できません。

以上から，**ア**が正解です。なお，**ウ**や**エ**の方法では，日曜日の時点で取得していたフルバックアップファイルをデータ復元に使用していないので，先週またはそれ以前に変更されたことがあるファイルを復元できません。直近のフルバックアップファイルを先に使用する必要があります。

フルバックアップ

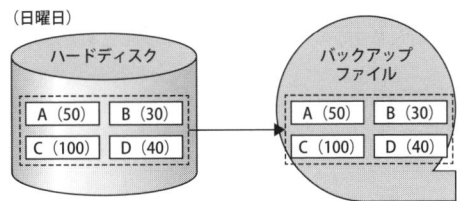

ハードディスク内の全データをバックアップする

増分バックアップ

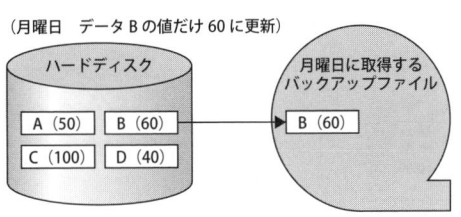

前回のバックアップ後に値が更新されたデータだけをバックアップする

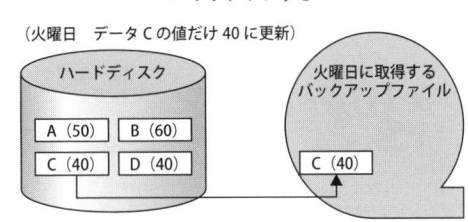

解答 問68 **ウ** 問69 **ア**

ソフトウェア ②　　テクノロジ系

問70

次のa～cのうち，OSS（オープンソースソフトウェア）の特徴で適切なものだけを全て挙げたものはどれか。

a　ソースコードを公開する必要がある
b　再配布の制限はしない
c　無保証である

㋐ a，b，c　　　　㋑ a，b　　　　㋒ a，c　　　　㋓ b，c

問71

セルB2～C8に学生の成績が科目ごとに入力されている。セルD2に計算式"IF（B2≧50，'合格'，IF（C2≧50，'合格'，'不合格'））"を入力し，それをセルD3～D8に複写した。セルD2～D8において"合格"と表示されたセルの数は幾つか。

	A	B	C	D
1	氏名	数学	英語	評価
2	山田太郎	50	80	
3	鈴木花子	45	30	
4	佐藤次郎	35	85	
5	田中梅子	55	70	
6	山本克也	60	45	
7	伊藤幸子	30	45	
8	小林潤也	70	35	

㋐ 2
㋑ 3
㋒ 4
㋓ 5

問72

Webサイトの設計の例のうち，アクセシビリティを高める観点から適切なものはどれか。

㋐ 同じページ内は文字の大きさを統一する。
㋑ 重要な箇所は色を変えて表示するとともに"必須"などと文字を入れる。
㋒ ページを表示する際に，音声を自動再生させる。
㋓ 見やすくするために，テーブルレイアウトを使用する。

問73

プログラム言語の特徴のうち，Pythonに関する記述は次のうちどれか。

㋐ インタプリタ言語で，AI（人工知能）や深層学習をはじめ，広い分野で使われている。
㋑ オブジェクト指向のプログラム言語で，仮想マシン上で動作するため，環境にとらわれないで利用できる。
㋒ コンパイルを行うプログラム言語で，メモリ制御などハードウェア処理も可能である。
㋓ 文字に加えて画像などを使用したWebページの作成や，他の場所への接続（ハイパーリンク）が可能である。

問 70 | OSS の特徴

OSSの正確な定義については，1998年に発足した非営利組織OSI (Open Source Initiative) が公表している文書であるOSD (Open Source Definition)に示されています。

OSD による「オープンソース」の定義（一部）

1. 再配布の自由 (OSSのソースコード自体を無償で入手できるだけでなく，他のソフトウェアの一部としてOSSのソースコードを利用すること，及びOSSのソースコードを利用して作成された別のプログラムの頒布 (無償配布も，有償で販売することも含む) を認めなければならない) ⇒ (b)
2. ソースコードの配布 (プログラム本体と一緒に，ソースコードも配布されなければならない) ⇒ (a)
3. 派生ソフトウェア (元のOSSのソフトウェアを改良して作成された派生的なソフトウェア) の頒布を許可しなければならない。
※ここで，派生ソフトウェアを認めているために，ソフトウェアの作者はその二次的作者も含めて保証は行わないとされています。⇒ (c)

正解は**ア**です。

問 71 | 表計算ソフト

ソフトウェア H28 秋 問 82

セルD2の計算式は次のとおりです。

条件
IF(B2 ≧ 50 , '合格' ,IF(C2 ≧ 50, '合格', '不合格'))
真　　　偽

セルB2 (数学) の値が50以上なら "合格" と表示されます。同セルの値が50に満たない場合，入れ子になっているIF関数が実行され，その返却値が表示されます。このIF関数ではセルC2 (英語) の値が50以上なら "合格"，そうでなければ "不合格" と表示されます。以上から，数学または英語の得点が50点以上なら "合格" と表示されます。以上から，"合格" と表示されたセルの数は **5つ**です (**エ**が正解)。

問 72 | アクセシビリティ

情報通信機器やソフトウェアなどを，高齢者や障がい者を含むすべての人が利用可能であるかを示す度合いを，**アクセシビリティ**といいます。

Webページ中の入力が必須な項目を色で強調するだけでは，色を見分けにくい人にとってはどの箇所が強調されているかわかりにくくなるため，アクセシビリティが低くなります。よって，**イ**の説明のように，"必須" などの文字を明記することでアクセシビリティを高めることが必要です。

ア 文字の大きさは，強調する部分など必要に応じてサイズを変更させる必要があります。

ウ ページを表示する際に音声は自動ではなく，オン／オフを選択できるようにするとよいです。

エ 表組みをWebページのレイアウトの整形のために用いるのは好ましくありません。Webページのレイアウトの整形のためには，CSSなどを用います。

問 73 | Python

Python とは，1991年にオランダ出身のGuido van Rossum (グイド・ヴァン・ロッサム) 氏が開発したプログラミング言語です。

Pythonは，1行ずつ翻訳をするインタプリタ言語で，システム開発をはじめ，AIなどの分野でも注目を集めています。**ア**が正解です。

イ Java の説明です。

ウ C言語の説明です。

エ HTML などのマークアップ言語の説明です。

解答 問70 **ア**　問71 **エ**　問72 **イ**　問73 **ア**

情報メディアとプログラミング⑪ テクノロジ系

問74

言葉や数字だけでは情報を伝達しづらい内容をイラストやグラフ，表などを使って表現し，さまざまな場所で利用されているものの総称を何というか。

- ア アクチュエータ
- イ アノテーション
- ウ インフォグラフィックス
- エ ワークフロー

問75

手続printStarsは，"☆"と"★"を交互に，引数numで指定された数だけ出力する。プログラム中のa，bに入れる字句の適切な組合せはどれか。ここで，引数numの値が0以下のときは，何も出力しない。

〔プログラム〕
```
○printStars(整数型: num)      /* 手続の宣言 */
  整数型：cnt ← 0              /* 出力した数を初期化する */
  文字列型：starColor ← "SC1"/* 最初は"☆"を出力させる */
   a
    if (starColorが "SC1"と等しい)
      "☆"を出力する
      starColor ← "SC2"
    else
      "★"を出力する
      starColor ← "SC1"
    endif
    cnt ← cnt + 1
   b
```

	a	b
ア	do	while (cnt が num 以下)
イ	do	while (cnt が num より小さい)
ウ	while (cnt が num 以下)	endwhile
エ	while (cnt が num より小さい)	endwhile

問74 インフォグラフィックス

情報メディア　新作

言葉や数字だけでは情報を伝達しづらい内容をイラストやグラフ，表などを使って表現し，さまざまな場所で利用されているもの（標識や地図，Web上など）を，**インフォグラフィックス**といい

ます。**ウ**が正解です。

- **ア** **アクチュエータ**とは，発電機や電池が生成した電気エネルギーを受け取り，それを運動に変換することで，機械や機構を物理的に動かすための機器のことです。
- **イ** **アノテーション**とは，データを学習させる必要がある教師付きの機械学習でそのデータにタ

グを付ける作業のことです。

■ ワークフローとは，例えば「申請→回覧→承認」などの，一連の業務の流れのことです。

問 75 アルゴリズム
プログラミング IPA サンプル問題 問 2

プログラムの処理のことを手続といい，その際に別のプログラムなどで設定されてこの処理 (関数) に代入されるデータのことを引数といいます。

本問の手続を図に示します。なお，説明のために行番号を付加しています。

```
1:  ○printStars(整数型: num)
2:    整数型: cnt ← 0
3:    文字列型: starColor ← "SC1"
4:    [ a ]
5:    if (starColor が "SC1" と等しい)
6:      "☆" を出力する
7:      starColor ← "SC2"
8:    else
9:      "★" を出力する
0:      starColor ← "SC1"
11:   endif
12:   cnt ← cnt + 1
13:   [ b ]
```

問題文には『引数は整数型のnumで，0以下のときは，何も出力しない。』とあるので，ここでは，① numに0を与えた場合，② numに5を与えた場合を検討します。

① (num = 0)とする

```
行番号2: cnt = 0
行番号3: starColori = "SC1"
行番号4: [ a ]
行番号5: starColor と "SC1" の比較
行番号6: "☆" の出力
```

もし，(num = 0)の条件で処理を実行した場合，行番号5の条件を満たしてしまうと，"☆"が出力されてしまうため，本処理を終了させる必要があります。したがって，空欄aは，numが0以下 (この場合はcnt) の場合は処理を終了 (言い換えれば，1より大きい場合は実行) なので，空欄aには，「while (cnt が num より小さい)」になり，その処理は最終行まで繰り返されますので，空欄bは「endwhile」になるため，■ が正解です。

② (num = 5)の場合

≪1回目≫

```
行番号2:   cnt = 0
行番号3:   starColor = "SC1"
行番号4:   while (cnt = 0 が num = 5 より小さい)
行番号5:     if (starColor が "SC1" と等しい)
行番号6:      "☆" を出力する
行番号7:      starColor = "SC2"
行番号12:    cnt = 1
行番号13:  end while
```

≪2回目≫

```
行番号4:   while (cnt = 1 が num = 5 より小さい)
行番号5:     if (starColor が "SC1" と等しい)
行番号8:     else
行番号9:      "★" を出力する
行番号10:     starColor = "SC1"
行番号12:    cnt = 2
行番号13:  end while
```

≪3回目≫

```
行番号4:   while (cnt = 2 が num = 5 より小さい)
行番号5:     if (starColor が "SC1" と等しい)
行番号6:      "☆" を出力する
行番号7:      starColor = "SC2"
行番号12:    cnt = 3
行番号13:  end while
```

≪4回目≫

```
行番号4:   while (cnt = 3 が num = 5 より小さい)
行番号5:     if (starColor が "SC1" と等しい)
行番号8:     else
行番号9:      "★" を出力する
行番号10:     starColor = "SC1"
行番号12:    cnt = 4
行番号13:  end while
```

≪5回目≫

```
行番号4:   while (cnt = 4 が num = 5 より小さい)
行番号5:     if (starColor が "SC1" と等しい)
行番号6:      "☆" を出力する
行番号7:      starColor = "SC2"
行番号12:    cnt = 5
行番号13:  end while
```

≪6回目≫

```
行番号4:   while (cnt = 5 が num = 5 より小さい) ⇒ 満たさない
```

解答 問 74 ウ 問 75 ■

357

問 76 ✓✓✓

次のプログラム中の a と b に入れる正しい答えの組合せを，解答群の中から選べ。ここで，配列の要素番号は1から始まる。

次のプログラムは，整数型の配列arrayの要素の並びを逆順にする。

〔プログラム〕
```
整数型の配列: array ← {1, 2, 3, 4, 5}
整数型: right, left
整数型: tmp
for (leftを1から (arrayの要素数÷2の商) まで1ずつ増やす)
  right ←  a
  tmp ← array[right]
  array[right] ← array[left]
   b  ← tmp
endfor
```

	a	b
ア	arrayの要素数 － left	array[left]
イ	arrayの要素数 － left	array[right]
ウ	arrayの要素数 － left＋ 1	array[left]
エ	arrayの要素数 － left＋ 1	array[right]

本問のプログラム部分を次に示します。説明のために行番号を付けています。

```
1:  整数型の配列: array ← {1, 2, 3, 4, 5}
2:  整数型: right, left
3:  整数型: tmp
4:  for (left を 1 から (arrayの要素数 ÷ 2 の
         商) まで 1 ずつ増やす)
5:    right ←  a
6:    tmp ← array[right]
7:    array[right] ← array[left]
8:     b  ← tmp
9:  endfor
```

このアルゴリズムは、要素の並びを逆順にするので、結果的に、

array {5, 4, 3, 2, 1}

となることを目的としています。

また、穴埋めの問題は穴が空いている部分までで思考を止めることなく、全体からその内容を検討するといいでしょう。

そこで、アルゴリズムを順に検証します。

● 1行目:

（要素番号）　1　2　3　4　5

array | 1 | 2 | 3 | 4 | 5 |

● 2行目と3行目: 変数の設定です。
● 4行目: left＝1のとき
● 5行目: right ← a

この時点では、rightが何に使用されているかが全くわからないので、その先に進みます。

参考

わからないときは先に進む

アルゴリズム問題を解くときには、1行ずつプログラムを読み解きながら、何を実行したいのか考えます。本問のように、順に読み解いてもよくわからない場合は、その行はとりあえずそのままにして、その先に進みましょう。空欄より後の行が大きな手掛かりになります。

● 6行目: tmp ← array[right]

変数rightは、配列arrayの要素番号を表していることがわかります。

● 7行目: array[right] ← array[left]

array[right]にarray[1]の内容を代入しているので、先頭（array[1]）のデータは、array[5]に入るように処理する必要があります。

（要素番号）　1　2　3　4　5

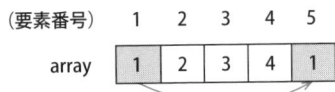

array | 1 | 2 | 3 | 4 | 1 |

この時点で、rightは、最後の要素番号の5であることがわかります。

6行目に戻ると、tmp ← array[5]なので、tmpには5が入ります。

● 8行目: b ← tmp

このtmp＝5を、先頭に代入する必要があります。

（要素番号）　1　2　3　4　5

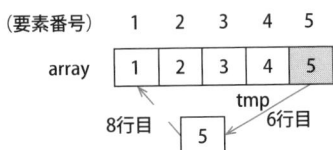

array | 1 | 2 | 3 | 4 | 5 |

array[right]の要素をtmpに入れていることから、この値をarray[left]に入れることで交換が成立します。bにはarray[left]が入ります。

また、leftが1のときはarray[1]とarray[5]を交換し、Leftが2のときはarray[2]とarray[4]を交換します。rightは1回目は5、2回目は4に変化させる必要があります。これに該当するのはaのarrayの要素数－left＋1です。

したがって、**ウ**の組合せが正解となります。

6行目～8行目の処理は、array[left]の内容とarray[right]の内容を入れ替えている処理です。

模擬問題❷

解答 問 76 ウ

77

LPWAの特徴のうち，正しいものは次のうちどれか。

ア 移動体通信サービスを提供するための設備を自社では保有せずに事業者より借りて，利用者に提供する。

イ 収容局から家庭まで引かれている通信回線（加入者線）に光ファイバケーブルを使用している。

ウ 消費電力が少ないために，電源が取れない遠隔の監視などに利用できる。

エ ソフトウェアによってネットワークの設定を変更し，接続形態や経路選択を制御できる。

78

インターネットで標準的に利用されているTCP/IP階層モデルは，4層から構成されている。その4層を下位層から順に並べたものは次のうちどれか。

ア アプリケーション層，トランスポート層，ネットワークインターフェース層，インターネット層

イ インターネット層，ネットワークインターフェース層，アプリケーション層，トランスポート層

ウ トランスポート層，アプリケーション層，インターネット層，ネットワークインターフェース層

エ ネットワークインターフェース層，インターネット層，トランスポート層，アプリケーション層

79

無線LANのWPA2で使用されている暗号化方式のうち適切なものはどれか。

ア AES　　　**イ** DES　　　**ウ** SHA2　　　**エ** RSA

80

IoTの技術として注目されている，エッジコンピューティングの説明として，適切なものはどれか。

ア 演算処理のリソースを端末の近傍に置くことによって，アプリケーション処理の低遅延化や通信トラフィックの最適化を行う。

イ データの特徴を学習して，事象の認識や分類を行う。

ウ ネットワークを介して複数のコンピュータを結ぶことによって，全体として処理能力が高いコンピュータシステムを作る。

エ 周りの環境から微小なエネルギーを収穫して，電力に変換する。

問 77 | **LPWA**

ネットワーク 新作

LPWA (Low Power Wide Area) とは，低消

費電力で広範囲のデータ送受信を可能とする無線通信技術です。Wi-Fi HaLowやLoRaなど，サブGHz帯 (866MHz帯，915MHz帯，920MHz帯) を用いた技術があります。

IoTでは，バッテリで稼働する機器が無線通信を行うので，従来の消費電力が大きい無線通信技術ではすぐにバッテリが消耗し，通信ができなくなります。LPWAによって，電源が取りにくい，山や海などに設置した監視機器からの通信が可能になります。**ウ**が正解です。

- **ア** MVNO（Mobile Virtual Network Operator：仮想移動体通信事業者）の説明です。
- **イ** FTTH（Fiber To The Home）の説明です。
- **エ** SDN（Software-Defined Network）の説明です。

問78 TCP/IP
ネットワーク　新作

TCP/IP（Transmission Control Protocol/Internet Protocol）は，インターネットで使用されているプロトコルの総称のことで，ISOで標準化されたOSI参照モデルと対応しています。狭い意味でのTCPは第4層に位置し，通信の際に相手にその送受確認を行う信頼性の高いプロトコルです。また，IPは第3層に位置し，相手にデータを送り届けるプロトコルです。TCP/IP階層モデルは以下のように構成されています。

OSI 参照モデルおよび TCP/IP モデルの層との対応

レイヤ番号	OSI参照モデル	TCP/IPモデル
7	アプリケーション層	アプリケーション層
6	プレゼンテーション層	アプリケーション層
5	セッション層	アプリケーション層
4	トランスポート層	トランスポート層
3	ネットワーク層	インターネット層
2	データリンク層	ネットワークインターフェース層
1	物理層	ネットワークインターフェース層

正解は**エ**です。

問79 WPA2
ネットワーク　新作

無線LANの暗号規格やプロトコルなどの総称をWPA（Wi-Fi Protected Access）といい，現在ではそれを更に改良したWPA2が使用されています。

WPA2で使用されている暗号化方式は，暗号化と復号に同じ鍵を使う共通鍵暗号方式であるAES

が利用されています。**ア**が正解です。

- **イ** DESは，AESの前に標準的に使用されていた共通鍵暗号方式です。
- **ウ** SHA2は，ハッシュ関数の一つです。
- **エ** RSAは，公開鍵暗号方式の一つです。

問80 エッジコンピューティング
ネットワーク　H29 秋 応用情報 問72

IoTなどで注目されているエッジコンピューティングとは，端末の近辺に多数のサーバ（エッジサーバ）を分散配置して，端末とサーバとの距離をできるだけ短くすることで，通信遅延を少なくすることです。

また，遠隔地のサーバが行っていた処理をエッジサーバに代行させることで，アプリケーション処理の高速化（低遅延化）を図ります。**ア**が正解です。

従来のクライアントサーバシステム

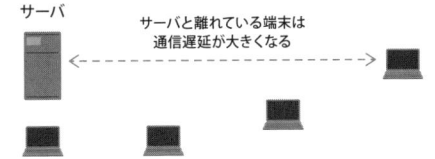

サーバ　　サーバと離れている端末は通信遅延が大きくなる

エッジコンピューティング

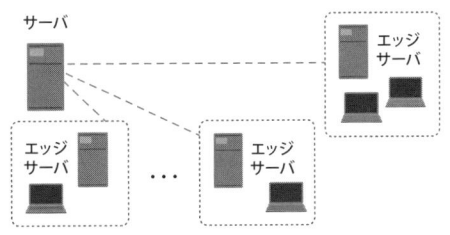

サーバ　　エッジサーバ　　エッジサーバ　　エッジサーバ

- どの端末も必ず近辺にエッジサーバが存在するので通信遅延が少ない
- 処理をエッジサーバに代行させることで速度向上を図る

- **イ** ディープラーニングの説明です。
- **ウ** グリッドコンピューティングの説明です。
- **エ** エネルギーハーベスティングの説明です。

解答 問77 **ウ**　問78 **エ**　問79 **ア**　問80 **ア**

問81 ✓✓✓

下記の図のような，80Mビット／秒のLANに接続されているブロードバンドルータ経由でインターネットを利用している。FTTHの実効速度が90Mビット／秒で，LANの伝送効率が60％のときに，LANに接続されたPCでインターネット上の540Mバイトのファイルをダウンロードするのにかかる時間は，およそ何秒か。ここで，制御情報やブロードバンドルータの遅延時間などは考えず，また，インターネットは十分に高速であるものとする。

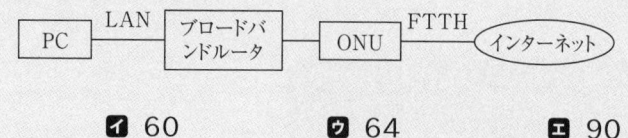

ア 54   **イ** 60   **ウ** 64   **エ** 90

問82 ✓✓✓

企業の事務所や家庭などで，サテライトルータを使って各部屋のすみずみまで無線のネットワークを行き渡らせる仕組みを何というか。

ア FTTH   **イ** VLAN
ウ メッシュ Wi-Fi   **エ** リンクアグリゲーション

問83 ✓✓✓

Webサイトの新着情報や更新情報を配信する仕組みはどれか。

ア DNS   **イ** HTTPS   **ウ** PKI   **エ** RSS

問84 ✓✓✓

WoL（Wake on LAN）の機能のうち，正しいものはどれか。

ア PCが社内ネットワークに接続されたときに，ウイルス感染の有無やセキュリティパッチの適用の有無などを自動的にチェックする。
イ 暗号化などの仕組みを利用して，インターネットなどを専用回線であるかのように利用して，データを安全に送受信する。
ウ ネットワーク上に配置されている機器の電源を遠隔のコンピュータから起動させる。
エ ファイアウォールで，インターネット及び社内LANの両方から隔離して配置する。

問 81 | 伝送速度
ネットワーク H22春 応用情報 問35 改題

データは，インターネットからFTTHとLANを
経由してダウンロードされます。

この場合，FTTHの実効速度が90Mビット／秒
であるのに対し，LANの実効速度は80Mビット
／秒×0.6で，FTTHより遅いため，ダウンロード
速度はLANの実効速度により決定されます。

したがって，ダウンロードにかかる時間は，

$$\frac{540 \times 10^6 \times 8}{80 \times 10^6 \times 0.6} = \frac{\overset{900}{\cancel{540 \times 10^6 \times 8}}}{\underset{10}{\cancel{80 \times 10^6 \times 0.6}}} = 900 \div 10 = \underline{90秒}（エ）$$

となります。

問 82 | メッシュ Wi-Fi
ネットワーク 新作

企業の事務所や家の中のすみずみまで，無線
LANのネットワークを構築する仕組みをメッシュ
Wi-Fiといいます。メッシュWi-Fiでは，メインの
ルータ1台とサテライトルータを複数台設置して
各エリアをカバーします。ウが正解です。

メッシュ Wi-Fi の例

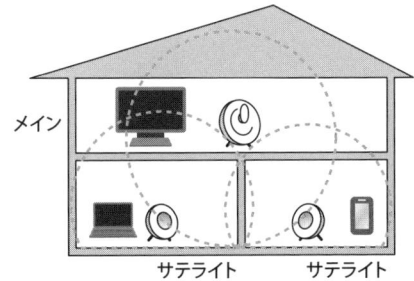

メイン　　サテライト　サテライト

- ア FTTH (Fiber To The Home) とは，通信サー
ビスの一つで，収容局から家庭まで引かれてい
る通信回線 (加入者線) に光ファイバケーブル
を使用しています。
- イ VLAN (Virtual LAN) とは，LANの物理的構成
にかかわらず，論理的にネットワークを分割で
きる機能のことです。
- エ リンクアグリゲーションとは，2台のスイッチ
ングハブの間を接続する複数の物理回線を，論
理的に1本の高速な回線とみなす技術のこと
です。

問 83 | RSS
ネットワーク 新作

Webサイト上のニュースなどの更新情報を，ま
とめて外部に配信するための規約及びその文書形
式のことをRSS (RDF Site SummaryまたはRich
Site Summary)といいます。エが正解です。

RSSの表現には，XMLベースの言語が用いられ
ます。Webページの見出し，リンク及び要約など
を，決められたフォーマットに従って記述します。

- ア DNS (Domain Name System) は，ドメイン
名とIPアドレスを1対1に対応させ，相互の変
換を行うシステムのことです。
- イ HTTPSは，暗号化及び認証の機能を，HTTPに
追加したプロトコルです
- ウ PKI (Public Key Infrastructure：公開鍵基盤)
は，公開鍵暗号方式及びデジタル署名を応用し
た，公開鍵の正当性を証明するための各種の仕
組みのことです。

問 84 | WoL
ネットワーク 新作

WoL (Wake on LAN) とは，ネットワークに接
続されたコンピュータなど機器の電源を，遠隔で
他のコンピュータから操作して起動する機能のこ
とです。ウが正解です。

- ア 検疫ネットワークの機能です。
- イ VPN (Virtual Private Network)の機能です。
- エ DMZ (DeMilitarized Zone：非武装地帯) の
機能です。

解答 | 問81 エ 問82 ウ 問83 エ 問84 ウ

問85

　ビッグデータの基盤技術として利用されるNoSQLに分類されるデータベースはどれか。

ア 関係データモデルをオブジェクト指向データモデルに拡張し，操作の定義や型の継承関係の定義を可能としたデータベース

イ 経営者の意思決定を支援するために，ある主題に基づくデータを現在の情報とともに過去の情報も蓄積したデータベース

ウ 様々な形式のデータを一つのキーに対応付けて管理するキーバリュー型データベース

エ データ項目の名称や形式など，データそのものの特性を表すメタ情報を管理するデータベース

問86

　家電製品の製造を行っているA社では，複数の販売代理店を通じて製品販売を行っている。製品の出荷状況を管理するために，次の三つの表からなるデータベースを作成した。出荷表の主キーの組合せで正しいものはどれか。

製品表

製品番号	製品名

販売代理店表

販売代理店番号	販売代理店名	住所	電話番号

出荷表

(a) 販売代理店番号	(b) 製品番号	(c) 出荷日	(d) 出荷数量

ア a
イ a，b
ウ b
エ b，c

問87

　異常終了したトランザクションを，「まったく実行されていない」状態に戻す操作を何というか。

ア バックアップ　　イ 排他制御　　ウ ロールバック　　エ ロールフォワード

問88

　次のリレーショナルデータベースで使用される用語で正しい組合せは次のうちどれか。また，下線は主キーを表現している。

	従業員番号	従業員氏名	住所	郵便番号	技能コード	技能名	技能経験年数
	1001	阿部	○○市…	111-1111	11 (a)	旋盤	1
(b)	1001	阿部	○○市…	111-1111	12	加工	2
	1002	原	××市…	112-2222	11	旋盤	2

	a	b
ア	インデックス	レコード
イ	インデックス	テーブル
ウ	フィールド	レコード
エ	フィールド	テーブル

問85 NoSQL

データベース H30 春 応用情報 問30

NoSQL (Not only SQL) には，**キーバリュー型**，**カラム指向型**，**グラフ型**，**ドキュメント指向型**のデータモデルがあります。

キーバリュー型は，データの格納単位が，キーとそのデータを表すバリューとなっています。そのため，結びつきが単純で，応答時間が早くなりビッグデータなどの大量なデータの処理に向いています。**ウ**が正解です。

キーバリュー型

ア オブジェクト指向型データベースの説明です。

イ データウェアハウスの説明です。

エ データディクショナリの説明です。

問86 主キー

データベース 新作

関係データベースの表の行を検索する場合などに，行を一意に区別するための値が必要となります。この値をもつ列のことを**主キー**といいます。関係データベースでは，表の一つの列または複数の列の組が主キーとして用いられます。

本問では，製品表の主キーは製品番号で，販売代理店表の主キーは販売代理店番号です。出荷表の出荷日と出荷数量を一意に区別するためには，**販売代理店番号**と**製品番号**の二つが必要になります。**イ** (a, b) が正解です。

出荷表の例

販売代理店番号	製品番号	出荷日	出荷数量
100	ABC	2021/08/09	50
100	BCD	2021/08/15	20
110	ABC	2021/09/09	10

問87 トランザクション

データベース 新作

異常終了したトランザクションを，「まったく実行されていない」状態に戻す操作を**ロールバック**といいます。**ウ**が正解です。

ロールバックでは，トランザクションが行っていた更新によって変更されていたデータを，更新前情報（更新前ログ，または更新前ジャーナル）を使って，すべて更新前の状態に戻します。

ロールバックの例

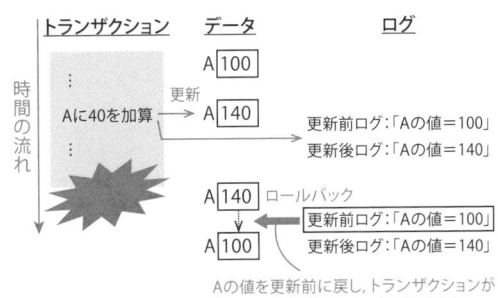

Aの値を更新前に戻し，トランザクションが行っていた更新をなかったことにする

ア バックアップとは，別の場所などに同じデータを保存しておくことです。

イ 排他制御とは，あるトランザクション処理が資源にアクセスしている間は，他のトランザクションをその資源にアクセスさせないで待機させておくことです。

エ ロールフォワードとは，正常に実行されていたが，データベースの媒体の障害によって更新内容が失われたトランザクションを，「完全に実行された状態」にする操作です。

問88 フィールドとレコード

データベース 新作

リレーショナルデータベースは，表（テーブル）を利用してそのデータを管理しています。その際に使われる用語で，**フィールド**（項目）は一つ一つのデータを指します。また，データの行のことを**レコード**といいます。**ウ**の組合せが正解です。

インデックスは，データベース中に格納されたデータの格納場所を特定して高速な検索を実行するために，データとは別に用意される索引のことです。

解答 問85 **ウ** 問86 **イ** 問87 **ウ** 問88 **ウ**

問 89

クロスサイトスクリプティングの対策で行われているサニタイジングで, 以下の入力文字列から変換された後の下線部の文字列のうち正しいものどれか。なお, gtは「greater than（大なり）」の, ltは「less than（小なり）」の略である。
www.example.com/index.html/?=<u><script/>alert !!!</script></u>

- ア =>script/>alert!!!>/script>
- イ =>script/<alert!!!>/script<
- ウ =<script/<alert!!!</script<
- エ =<script/>alert!!!</script>

問 90

「パスワードを忘れてしまったので教えてください」という主旨の連絡を, セキュリティ管理者にするなどの方法で, パスワードなどのセキュリティに関する情報を不正に聞き出す行為を何というか。

- ア キーロガー
- イ クラッキング
- ウ スパイウェア
- エ ソーシャルエンジニアリング

問 91

以下の公開鍵暗号方式の説明で, _____ に入る組合せのうち正しいものはどれか。

送信者が, 個人情報などをネットワーク経由で送信するとき, その内容を秘匿にしたい場合は ___a___ を使って, 暗号化を行い, それを受け取った受信者が ___b___ を使って復号を実施する。

	a	b
ア	送信者の公開鍵	送信者の秘密鍵
イ	送信者の秘密鍵	受信者の公開鍵
ウ	受信者の公開鍵	受信者の秘密鍵
エ	受信者の秘密鍵	送信者の公開鍵

問 92

ISMS適合性評価制度の説明はどれか。

- ア ISO/IEC 15408に基づき, IT関連製品のセキュリティ機能の適切性・確実性を評価する。
- イ JIS Q 15001に基づき, 個人情報について適切な保護措置を講じる体制を整備している事業者などを認定する。
- ウ JIS Q 27001に基づき, 組織が構築した情報セキュリティマネジメントシステムの適合性を評価する。
- エ 電子政府推奨暗号リストに基づき, 暗号モジュールが適切に保護されていることを認証する。

問 89 サニタイジング

セキュリティ　新作

クロスサイトスクリプティング (XSS) とは, 利用者の入力データをそのまま画面に表示するWebサイトに対して, 悪意のあるスクリプトを埋め込んだ入力データを送り, 利用者のブラウザ上で当該スクリプトの処理を実行させ, クッキーなどの情報を盗もうとする攻撃のことです。

クロスサイトスクリプティングによる攻撃

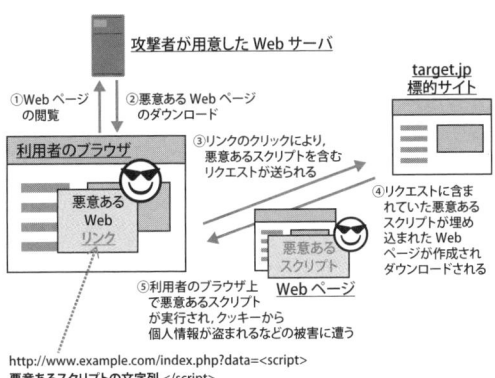

XSSの対策では, HTMLにおいてタグを構成する文字を無害化するサニタイジングの操作が有効です。

無害化する文字	無害化後の文字列
<	&lt;
>	&gt;
&	&amp;
"	&quot;

入力された文字列は, "<script>（攻撃用スクリプト）</script>"という文字列になり, タグを構成する特別な文字である "<" や ">" がなくなるので, ブラウザがHTMLを解釈するときはただの文字列として表示し, スクリプトは実行されません。

なお, "<"や">"は, ブラウザがHTMLを画面に表示するとき "<", ">" というただの文字として表示されます。したがって, ■が正解です。

問 90 ソーシャルエンジニアリング

セキュリティ　新作

人間が通常行う社会的行動から, 個人や企業にとって重要な情報を手に入れることをソーシャルエンジニアリングといいます。■が正解です。

- ◯ キーロガーとは, 利用者のキー入力を記録するソフトウェアを使って不正を行うことです。
- ◯ クラッキングとは, 他人のコンピュータやネットワークに侵入し, データの改ざんや破壊, 盗用などを行うことです。
- ◯ スパイウェアとは, マルウェアの一種で, 秘密裏にコンピュータ内の個人情報やパスワードなどの情報を攻撃者に送付します。

問 91 公開鍵

セキュリティ　新作

公開鍵暗号方式は, ペアで生成される「公開鍵」と「秘密鍵」の二つを用いる方式です。

「公開鍵」は誰でも利用可能とし, 「秘密鍵」は鍵の所有者が秘密に管理するものです。よって, ■の組合せが正解です。

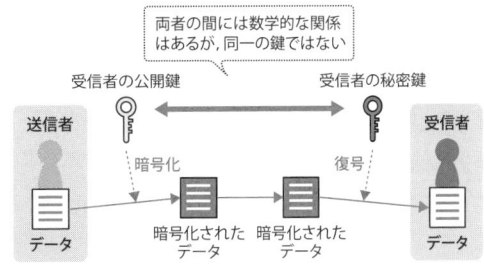

問 92 ISMS

セキュリティ　H27 秋 基本情報 問 40

ISMS (Information Security Management System：情報セキュリティマネジメントシステム) は, 情報システム上に存在する情報資産のセキュリティ管理体制のことです。

このISMSの基準を満たしているかの評価・認証制度として, ISMS適合性評価制度があります。■が正解です。

ISMS適合性評価制度に関するJIS規格は, JIS Q 27001 (ISO/IEC 27001) です。

- ◯ CC (Common Criteria) の説明です。
- ◯ プライバシーマーク制度の説明です。
- ◯ CRYPTRECが公表している電子政府推奨暗号リストの説明です。

解答　問 89 ■　問 90 ■　問 91 ■　問 92 ■

模擬問題②

問93 社内からのみアクセス可能なサーバにおいて，ログイン時にリスクベース認証を使って本人確認を行う事例の説明として，最も適切なものはどれか。

- ㋐ カードリーダに差し込んだカードが正当なものであればアクセスを許可する。
- ㋑ 事前に通知したIDと本人が決めたパスワード以外からのアクセス以外拒否する。
- ㋒ 事前に登録した指紋情報が確認できない場合はアクセスを拒否する。
- ㋓ 特定のデバイスやIPアドレスからのアクセス以外は，追加の認証を要求する。

問94 JIS Q 31010：2012 (IEC/ISO 31010：2009) のリスクアセスメントプロセスによると，『リスクアセスメントは，リスク a ，リスク b 及びリスク c の全般的プロセスである』と記載されている。a～cの正しい組合せはどれか。

	a	b	c
㋐	回避	特定	共有
㋑	強化	回避	分析
㋒	評価	共有	強化
㋓	特定	分析	評価

問95 公開鍵基盤で認証局（CA）がWebサーバに行うことのうち，正しい説明は次のうちどれか。

- ㋐ Webサーバに，Cookie（クッキー）を送付する。
- ㋑ Webサーバに，暗号化通信方式の提案をする。
- ㋒ Webサーバに，共通鍵を送付する。
- ㋓ Webサーバに，公開鍵証明書を発行する。

問96 総務省／経済産業省から発表された，「IoTセキュリティガイドラインVer1.0（平成28年7月）」のガイドラインに記載されている，「セキュリティ・バイ・デザイン」の説明について，最も正しい記述は次のうちどれか。

- ㋐ 企画・設計段階からセキュリティを確保するための方策のこと。
- ㋑ 経営者が率先してセキュリティに関する対応方針を示すこと。
- ㋒ なりすましによる悪意のある第三者からの不正アクセスを防止すること。
- ㋓ 守るべき機能を特定し，脅威とリスクの分析を行うこと。

問93｜リスクベース認証
セキュリティ 新作

リスクベース認証とは，ログイン時に利用者の行動パターン（いつもと違うIPアドレスやデバイスからのアクセスや通常と異なる時間帯の利用な

ど）が普段と異なっている場合にはリスクとして検知し，追加の認証を要求する認証方式のことです。㋓が正解です。

㋐ カードが本人のものであるかの確認ができないため，アクセスを許可する場合には追加の情報が必要になります。

イ 通常のIDとパスワードによる認証の説明です。

ウ 生体認証の説明です。

問94 リスクアセスメント
セキュリティ　新作

「JIS Q 31010：2012 (IEC/ISO 31010：2009) リスクマネジメント-リスクアセスメント技法」の「5.リスクアセスメントプロセス　5.1概要」によると，「リスクアセスメントは，リスク特定，リスク分析及びリスク評価の全般的プロセスである」となっています。

よって，**エ**の組合せが正解です。

- リスク回避…リスクそのものを発生させなくすること。
- リスク強化…リスクの発生確率や利益額を上げて，利益を得やすくすること。
- リスク共有…第三者とリスクを共有し，利益を得やすくすること。

問95 認証局 (CA)
セキュリティ　新作

公開鍵証明書の申請・作成・送付の流れの一例を，順に説明していきます。

① 公開鍵を利用しようとする者＝利用者（ここではWebサーバとする）は，認証局 (Certification Authority：CA)に対して公開鍵証明書の申請を行う。認証局は，申請を行った利用者の正当性を戸籍謄本や会社の登記などによって確認する。

② 認証局は，その利用者用の秘密鍵と公開鍵をペアで生成する。

③ 認証局は，利用者の公開鍵と利用者の氏名や公開鍵証明書の有効期限などとを結びつけた情報を，認証局の秘密鍵によって暗号化して認証局の署名とする。この署名と利用者の公開鍵などとをまとめて，利用者の公開鍵証明書を作成する。

④ 認証局は，**利用者の公開鍵証明書を利用者の秘密鍵と共に利用者に送付する**。

⑤ 認証局は，利用者の公開鍵証明書とCRLを，リポジトリ（公開鍵証明書などを保存するデータベース）に登録して，利用者以外のユーザが参

照できるようにする。

⑥ ユーザがTLSでWebサーバに接続するとき，ユーザが使用できる暗号化方式をWebサーバに提案する。

⑦ Webサーバは，⑥の暗号化方式のうち，最も強固なものを選んでユーザに応答するとともに，Webサーバの公開鍵証明書をユーザに送る。

⑧ ユーザは，Webサーバの公開鍵証明書中の公開鍵を使って，共通鍵を作るための情報を暗号化して，Webサーバに送信する。Webサーバは，受け取った情報を用いてユーザと同じ共通鍵を作る。

⑨ ユーザとWebサーバは，共有した共通鍵を用いて暗号化通信を行う。

以上から，**エ**が正解です。

ア Cookieは，Webサーバがユーザに発行します。

イ Webサーバに暗号方式の提案をするのは，ユーザのブラウザです。

ウ Webサーバには，共通鍵を送付しません。

問96 IoT セキュリティガイドライン
セキュリティ　新作

セキュリティ・バイ・デザインとは，企画・設計段階からセキュリティを確保するための方策を指します。**ア**が正解です。

イ 経営者がIoTセキュリティにコミットする内容です。

ウ パスワードの適切な設定・管理に関する内容です。

エ リスクアセスメントの内容です。

解答　問93 **エ**　問94 **エ**　問95 **エ**　問96 **ア**

問97
シラバス
6.3

政府が求めるセキュリティ要求を満たしているクラウドサービスをあらかじめ登録しておくことで，官公庁等におけるクラウドサービスの円滑な導入を図ることを目的とする制度はどれか。

ア CSIRT
イ ISMAP
ウ J-CRAT
エ J-CSIP

問98

デジタル署名などに用いるハッシュ関数の特徴はどれか。

ア 同じメッセージダイジェストを出力する二つの異なるメッセージは容易に求められる。
イ メッセージが異なっていても，メッセージダイジェストは全て同じである。
ウ メッセージダイジェストからメッセージを復元することは困難である。
エ メッセージダイジェストの長さはメッセージの長さによって異なる。

問99

オンラインでの決済にクレジットカードを利用する際に，発行したクレジットカード会社で事前に登録した情報を利用する本人確認サービスのことを何というか。

ア 3Dセキュア　　　　　　　　イ WPA2
ウ 生体認証　　　　　　　　　　エ ワンタイムパスワード

問100

デジタルフォレンジックスに関する記述のうち，正しいものはどれか。

ア OSやアプリケーションの脆弱性を突く不正な動作を再現し，脆弱性の発現が環境依存かどうかを検証したりする目的で作成されたプログラムやスクリプトのこと。
イ 攻撃対象のコンピュータに感染し，ファイルなどを暗号化し，データを元に戻すためのメッセージを表示するなどの方法で，利用者に代金を払わせようとすること。
ウ コンピュータシステムやネットワークを構成する機器や，それを稼働させるためのOSやアプリケーションソフトに内在している弱点や欠陥のこと。
エ 不正アクセスなどに関する証拠（記録・ログ）を立証するために必要な情報を，各種の手段を持って収集・分析すること。

問 97 | ISMAP

セキュリティ 新作

政府が求めるセキュリティ要求を満たしているクラウドサービスをあらかじめ評価して登録することにより，各種省庁や独立行政法人等におけるクラウドサービスの円滑な導入を図ることを目的とする制度を「政府情報システムのためのセキュリティ評価制度」(ISMAP：Information system Security Management and Assessment Program) といい，令和2年6月に運用を開始しました。**イ**が正解です。

ア CSIRT (Computer Security Incident Response Team) とは，組織内に所属してインシデント対応を行うセキュリティマネジメント業務専門部門のことです。

ウ J-CRAT (Cyber Rescue and Advice Team against targeted attack of Japan：サイバーレスキュー隊) とは，IPA (情報処理推進機構) が発足させた標的型サイバー攻撃の被害低減などを目的とした組織です。"標的型サイバー攻撃特別相談窓口"があり，一般から情報提供などを受付けています。

エ J-CSIP (Initiative for Cyber Security Information sharing Partnership of Japan) とは，IPA (情報処理推進機構) を情報セキュリティのハブ (集約点) として，参加組織間で情報共有を行い，高度なサイバー攻撃対策に繋げていく取り組みのことです。

問 98 | ハッシュ関数

セキュリティ H29 春 セキュマネ 問 20

デジタル署名で利用されるハッシュ関数には，次の特徴があります。

- メッセージダイジェスト (ハッシュ値) から，元のメッセージを復元することは困難である。
- 同じメッセージダイジェストを出力する異なる二つのメッセージを特定することは困難である。
- メッセージがわずかでも異なる場合，出力されるメッセージダイジェストは同じにならない。
- メッセージダイジェストの長さは，メッセージの長さによらず一定である。

以上から，**ウ**のみが正解です。

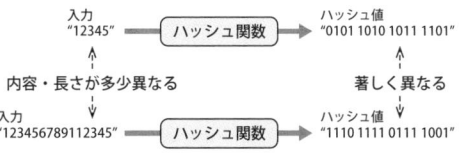

問 99 | 3D セキュア

セキュリティ 新作

各クレジットカード会社 (VISA/MasterCard/JCB/AMEXなど) には，インターネット上でクレジットカード決済を安全に行うために，それぞれのブランドごとに本人認証サービスがあります。3Dセキュアとは，なりすましなどの不正使用を防ぐ目的の本人認証サービスの総称です。正解は**ア**です。

イ WPA2とは，無線LANの暗号化技術やプロトコルの総称です。

ウ 生体認証とは，指紋，虹彩，網膜，顔の形状などの，人間の身体的特徴から個人の識別を行う認証システムです。

エ ワンタイムパスワードとは，利用者が一度しか使用できない使い捨てパスワードのことです。

問 100 | デジタルフォレンジックス

セキュリティ 新作

デジタルフォレンジックスとは，コンピュータ犯罪に対する科学的調査のことで，不正アクセスなどに関する証拠 (記録・ログ) を立証するために必要な情報を，各種の手段を持って収集・分析することをいいます。**エ**が正解です。

ア エクスプロイトコードの記述です。

イ ランサムウェアの記述です。

ウ セキュリティホールの記述です。

解答 | 問 97 **イ** | 問 98 **ウ** | 問 99 **ア** | 問 100 **エ**

模擬問題 ②

INDEX

さ行

読者特典

◆ 過去問題・解説・要点整理bookダウンロードサービスについて

本書をご購入いただいた読者の方の特典として，次の2点がダウンロードできます。

● 過去問題PDFファイル
本書に掲載されていない，平成21年春期〜令和02年問題・解説

計**23**回分

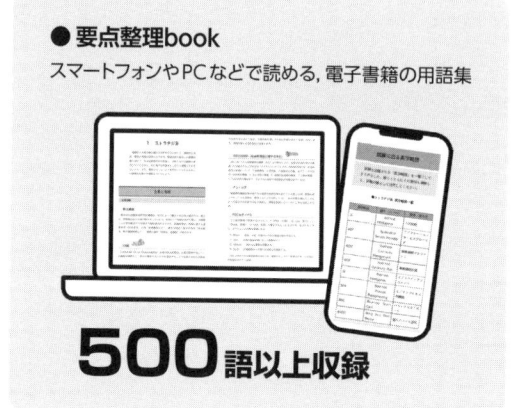

● 要点整理book
スマートフォンやPCなどで読める，電子書籍の用語集

500語以上収録

◆ ダウンロード方法

以下のWebサイトにアクセスし，ダウンロードしてご利用ください。

https://gihyo.jp/book/2024/978-4-297-14544-6/support	

その際以下に記載したパスワードが必要になります。英数字は半角です。大文字小文字の区別もありますので以下のとおりに入力してください。

パスワード	nG26WQmf

◆ ダウンロード期限について

本サービスは，2026年11月10日まで利用可能です。なおこの期間は，予告なく変更になることがあります。

◆ その他注意事項

PDFファイルや電子書籍データについて，一般的な環境においては特に問題のないことを確認しておりますが，万一障害が発生し，その結果いかなる損害が生じたとしても，小社および著者は責任を負いかねます。必ずご自身の判断と責任においてご利用ください。

PDFファイルや電子書籍データは，著作権法上の保護を受けています。収録されているファイルの一部，あるいは全部について，いかなる方法においても無断で複写，複製，再配布することは禁じられています。

◆ 問題演習Webアプリ DEKIDAS-WEBについて

　本書をご購入いただいた読者の方の特典として, DEKIDAS-WEBを利用いただけます。

　DEKIDAS-WEBは, スマホやPCからアクセスできる, 問題演習用のWebアプリです。ITパスポート試験の本試験問題や予想問題を収録し, 弱点を分析したり, 誤答や未解答の問題だけ演習したりすることができます。過去問の詳しい解説を読みたいときはダウンロードPDF, サクサクと問題演習をこなしたいときはDEKIDAS-WEB, というような使い分けを推奨いたします。

　令和07年【上期】版のITパスポートパーフェクトラーニング過去問題集の読者の方は, 平成21年春期〜令和06年までの全問題を解くことができます。

　なお, 平成27年度秋期以前の問題に含まれていた「中問」は, 試験制度の改訂により出題されなくなりました。本アプリでは, 中問を削除し, 新たに用意した小問で補完しています (平成21〜23年度の問89〜100, 平成24〜27年度の問85〜100が該当します)。

● ご利用方法

❶ まずエントリーページにアクセスします。以下のQRコードを読み取りアクセスするか, PCなどでQRコードが読み取れない場合は以下のURLにアクセスして, 認証コードとメールアドレスを入力して「認証」ボタンを押してください。

- URL　　　　https://entry.dekidas.com/
- 認証コード　gd07KaKip833ipzn

❷ 次にパスワードとニックネーム (画面上に表示される名前) を設定して「登録する」のボタンを押して, 以下のような画面になれば登録成功です。画像では, ニックネームを「技評太郎」に設定しています。

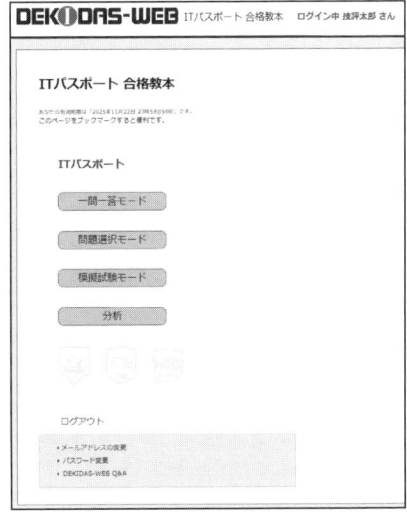

● 有効期限について

　本書の読者特典のDEKIDAS-WEBは, 2026年11月10日まで利用できます。

■著者紹介

五十嵐　聡（いがらしさとし）

　1964年横浜市生まれ。すべての種目を指導可能なため，60社を超えるIT系メーカやソフトウェア企業などで情報処理技術者試験対策の講師として25,000名以上の指導実績がある。各研修先では，その指導力とキャラクタから常に高合格率を誇っている。

主な著書：
● 「情報セキュリティ認定試験公式テキスト（技術評論社）」
　「かんたん合格応用情報技術者試験過去問題集（インプレス）」
　「かんたん合格ネットワークスペシャリスト試験
　　　　　　　　　　　　　過去問題集（インプレス）」
　など著書は80冊を超える。

表紙デザイン	◆	NONdesign 小島トシノブ
表紙イラスト	◆	くにともゆかり
本文イラスト	◆	江田ななえ
本文デザイン・レイアウト	◆	株式会社 ウイリング
担当	◆	一丸友美

れいわ なな ねん　かみ き
令和07年【上期】
あいてぃー
IT パスポート
かこもんだいしゅう
パーフェクトラーニング過去問題集

2009 年 8 月 5 日　初　版　第 1 刷発行
2024 年 12 月 3 日　第 30 版　第 1 刷発行

著　者　五十嵐 聡
　　　　い が ら し　さとし
発行者　片岡　巌
発行所　株式会社技術評論社
　　　　東京都新宿区市谷左内町 21-13
　　　　電話　03-3513-6150　販売促進部
　　　　　　　03-3513-6166　書籍編集部
印刷／製本　昭和情報プロセス株式会社

定価は表紙に表示してあります。

ISBN978-4-297-14544-6　C3055
Printed in Japan

■お問合せについて

　本書の内容に関するご質問は，下記の宛先までFAX または書面にてお送りください。お電話によるご質問，および本書に記載されている内容以外のご質問には，一切お答えできません。あらかじめご了承ください。

■お問合せ先

宛先：
〒 162-0846
東京都新宿区市谷左内町 21-13
株式会社技術評論社　書籍編集部
「令和 07 年【上期】IT パスポート
パーフェクトラーニング過去問題集」係
FAX：03-3513-6183
技術評論社 Web：https://gihyo.jp/book

※なお，ご質問の際に記載いただいた個人情報は質問の返答以外の目的には使用いたしません。また，質問の返答後は速やかに削除いたします。